SAVOUREZ L'EXPÉRIENCE PREMIÈRE MOISSON

SUIVEZ-NOUS SUR :

PREMIEREMOISSON.COM

PREMIÈRE MOISSON

l'art du vrai !

le debeur ★★★★★
GUIDE GOURMAND DES QUÉBÉCOIS

Éditeur et rédacteur en chef
Thierry DEBEUR

Directrice de la publication
Huguette BÉRAUD

Secrétaire à la rédaction
Louise DULUDE-GAGNON

Recherchiste
Gabriel LAMOTHE

Correctrices-réviseures
Huguette BÉRAUD
Louise DULUDE-GAGNON
Line LEBLOND

Rédacteurs
Huguette BÉRAUD
Charles-Henri DEBEUR
Don Jean LÉANDRI
Françoise PITT
Guénaël REVEL
Patrice TINGUY

Photographe
Charles-Henri DEBEUR

**Directeur de la production
et conseiller technique**
Jean-Paul FRANCESCHI

Comptabilité
Robert GUINDON
Carole JEAN-PIERRE

Conseillers en informatique
Benoît LAROCQUE
Daniel RHÉAULT

Conseiller juridique
Jeannette GIBARA, avocat

Conception de la couverture
Jean BUREAU

Infographiste
Lorraine ROBERGE

Mise au point des couleurs
Debeur Infographie

Vente et publicité
Jean-François COLLETTE
Elvire GOUZOUO

Imprimé au Canada

RÉDACTION-ADMINISTRATION
855, rue Verdure
BROSSARD QC   J4W 1R6
Tél.: 450-465-1700
Télécopieur: 450-466-7730
Courriel : redaction@debeur.com
Site Internet: **www.debeur.com**

AVIS IMPORTANTS

Nos listes de restaurants et de boutiques sont mises à jour chaque année et ne sont modifiées que s'il y a eu un changement significatif. Notre intention n'est pas de réécrire systématiquement tous les commentaires chaque année et ceux-ci resteront identiques si rien n'a changé. Il s'agit avant tout d'un guide.

De plus, nous n'avons pas la prétention de publier un annuaire exhaustif de ces établissements, mais bien de faire un choix délibéré et arbitraire qui se veut néanmoins représentatif de la gastronomie au Québec.

Enfin (extrait de l'éditorial), depuis 30 ans, nous attribuons un maximum de quatre étoiles aux restaurants alors que la plupart des systèmes nord-américains accordent un maximum de **cinq étoiles.** Afin d'uniformiser le système d'évaluation de nos guides et aussi de l'aligner sur le système d'évaluation nord-américain, nous avons décidé d'adopter dorénavant cinq étoiles pour la plus haute évaluation du guide Debeur.

La rédaction

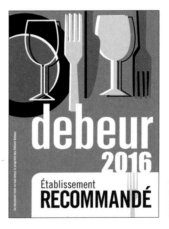

Vous pouvez facilement identifier les établissements recommandés par le guide **Debeur** grâce à cet autocollant millésimé.

Le rôle du critique de restaurant

Par Thierry Debeur

Voici un texte que j'avais écrit il y a près de 30 ans, que je vous livre ici sans vergogne, car il est toujours étourdissant d'actualité. Il concerne le dur métier de critique de restaurant. Ne souriez pas, je vous le prouve à l'instant dans ces lignes étonnantes, réconfortantes et écrasantes de vérité.

Le rôle de critique de restaurant n'est pas aussi facile qu'on le pense. Celui-ci se donne beaucoup de mal pour garder l'anonymat dans les établissements qu'il visite, afin de témoigner objectivement et exprimer des commentaires sans compromis sur les bonnes tables, comme si vous y étiez allé vous-même. Pas question de s'identifier, ni avant, ni après. On y va incognito, on déguste, on paye l'addition et on s'en va comme on est venu. C'est la seule façon valable, selon moi, de vous rapporter les faits, les expériences gastronomiques de façon objective, honnête et impartiale.

Ce n'est pas parce que mon métier, quelquefois redoutable, m'entraîne dans des jugements importants et graves qu'il faut penser que je me prends irrésistiblement au sérieux. D'un naturel bon vivant, j'ai plutôt tendance à la bienveillance, même s'il m'arrive parfois de tremper une plume fracassante dans de l'encre acidulée… avec un peu de sucre quand même.

Les gens s'imaginent mal notre métier de critique gastronomique. Alors je voudrais, ici, faire une petite mise au point indispensable et fascinante. Savez-vous, il n'y a pas si longtemps, j'appris péniblement qu'on pensait que j'avais une bouche spéciale pour déguster tous les bons petits plats qu'on me sert dans les restaurants… On s'imaginait à tort, je le garantis, que j'avais deux nez… pour mieux sentir la nourriture, et aussi de très grandes dents… pour mieux te manger mon enfant! Bon!

Suite page 6

SOMMAIRE VOL.31 ANNÉE 2016

31ᵉ édition, 31 ans d'information gastronomique

Éditorial   3 et 6

BOUTIQUES   7

MONTRÉAL   9
QUÉBEC   28
SAQ Au cœur de la découverte   34 et 140

LES CHEFS ET APPRENTIS DE L'ANNÉE   36
de la Société des chefs, cuisiniers et pâtissiers du Québec, par Françoise Pitt

COUPS DE COEUR - Restos 2016   39

Denis Girard
Chef cuisinier de l'année SCCPQ

RESTAURANTS liste officielle   35

Introduction et cotation   40

MONTRÉAL   41
Banlieue de Montréal: 82
Ouest de l'Île (82), Rive-Sud (82), Rive-Nord (89)
Région de Montréal: 90
Lanaudière (90), Laurentides (91), Montérégie (92)

QUÉBEC   97
Région de Québec   109

AILLEURS DANS LA PROVINCE   111
Villes importantes et leurs régions:
Chicoutimi (111), Granby (111), Gatineau-Ottawa (112),
Sherbrooke (120), Trois-Rivières (123)

AUTRES RÉGIONS   125
Bas-Saint-Laurent (125), Charlevoix (125),
Gaspésie (126)

INDEX DES RESTAURANTS   129
Alphabétique, brunch et terrasse

Restos où on peut apporter son vin   139

LE PETIT DEBEUR des vins, cidres, etc. 141

Un choix de vins, cidres et spiritueux, classés par ordre de prix, et commentés par une équipe de passionnés

Introduction 142

L'équipe 145

Guide d'achat 149
Vins
Vins blancs 149
Vins blancs doux 161
Vins mousseux et champagnes 162
Vins rosés 166
Vins rouges 167
Vins fortifiés 181
Cidres
Cidres pétillants 182
Cidres de glace 183
Cidre digestif 184
Spiritueux
Spiritueux et apéritifs 185

Index par pays 187

GUIDE PRATIQUE du petit sommelier 193
Principes de base 194
Le service du vin 196
La dégustation du vin 197
Accord des vins et des mets 200
La contenance des bouteilles par Ch. Debeur 203

TOURISME ET GASTRONOMIE
par Huguette Béraud et Thierry Debeur

Gérard Bertrand, un vigneron d'exception 204
La Colombie et même pas peur! 213

Suite de la page 3

Je le vois bien, vous brûlez de me poser la question: «Mais alors, qui êtes-vous?» Le commun des mortels pense que nous, les critiques vigilants et insolents, sommes des gens spéciaux, un peu à part, handicapés d'une esthétique rebondie, d'une trogne plus que fleurie, d'un estomac blindé et d'une vésicule que nous envie le musée des sciences naturelles... Eh bien, je dis non! Je vais vous livrer aujourd'hui une petite nouvelle amusante et étourdissante qui va vous laisser pantois: «Les critiques sont des gens normaux!»... Il y a des évidences contre lesquelles il ne faut pas lutter. Je suis formel. C'est peut-être navrant, décevant même, mais ô combien vrai et rassurant... pour nous, les critiques. Peut-être un peu plus gourmands et gourmets que les autres, nous sommes surtout de grands amoureux de la beauté et de l'harmonie. Alors, aiguillonnés par cette révélation réjouissante et rassurante, que les esprits fertiles à l'imagination burlesque ne pataugent plus dans l'ignorance et qu'ils sachent que les choses de l'estomac n'excluent en rien, ô non, celles de l'esprit! Je vous autorise à colporter la nouvelle.

Maintenant que les brumes tapageuses sont dissipées et que les choses sont claires, voire limpides, je vous présente notre succulente édition 2016, qui saura, assurément, vous guider dans vos recherches palpitantes et gourmandes.

Mon plus grand souhait, le plus ambitieux, est de vous faire partager, dans la bonne humeur, nos découvertes, bonnes et moins bonnes, mais toujours inspirantes, intéressantes et enrichissantes.

Thierry Debeur

Les
BOUTIQUES

boulangeries, pâtisseries, chocolateries,
boucheries, fromageries, épiceries fines,
accessoires de cuisine, traiteurs, cours de cuisine,
marchés publics, salons de thé et cafés, etc.

Frank Barberio et Cathie Gallo de la boutique Pains et Saveurs *(Photo d'archives Debeur)*

Boutiques gourmandes et autres...
Montréal et région

ACCESSOIRES

ARTHUR QUENTIN
3960, rue Saint-Denis, MTL
514-843-7513
Tout pour l'art de la table, vaisselle de Limoges, verrerie, coutellerie, accessoires de cuisine, objets décoratifs, linge de maison. Bagagerie. Magasinage sur Internet.

À TABLE TOUT LE MONDE
361, rue Saint-Paul O., MTL
514-750-0311
Une boutique dédiée aux arts de la table dans le monde. Objets fonctionnels, matériaux nobles, lignes contemporaines, designers inspirés s'y retrouvent. Porcelaines Bousquet et céramique Goyer Bonneau du Québec, coutellerie du Portugal, verres Sugahara du Japon, céramique, etc.

BOUTIQUE 1101
1101, av. Laurier, MTL
514-279-7999
Spécialisé en accessoires de la table, articles cadeaux et objets design, d'importation européenne (Bodum, Nespresso, Chilewich, Guzzini, Lekue, Alessi, Kate Spade et autres marques renommées).

CONCEPT GIROUX
2001, rue Patric-Farrar, CHAMBLY
514-527-6989
Fabrication de table de préparation culinaire, faite sur mesure selon les anciennes méthodes, ni clous, ni vis. Création d'un meuble unique, adapté à votre cuisine, décoré selon votre goût, solide comme un étal de boucher, mais élégant et durable. Comptoir et table de salle à manger. Boutique en ligne.

DANTE
6851, rue Saint-Dominique, MTL
514-271-2057
Un grand choix d'articles de cuisine importé d'Italie. La quincaillerie Dante, c'est l'endroit idéal où acheter une machine à faire les pâtes fraîches. Elena Venditelli y fait régulièrement des démonstrations très populaires de pâtes fraîches. Devant le succès remporté auprès de sa clientèle, elle a ouvert une école de cuisine appelée Mezza Luna. Bien que l'on accorde une large place à la cuisine, on y trouve de tout, machines à café, vaisselle, couteaux, machines à tomates, etc.

DESPRÉS LAPORTE
994, bd Curé-Labelle,
CHOMEDEY, LAVAL
450-682-7676 et 1-877-682-7676

Aussi en région:
185, de La Burlington,
SHERBROOKE
819-566-2620 et 1-800-378-2620
44, rue Saint-Jude Sud, GRANBY
450-777-4644 et 1-800-378-4644
Boutique d'accessoires de la table, articles de cuisine, de pâtisserie et de sommellerie. Très beau choix de matériel, d'équipement professionnel et résidentiel. Nombreuses marques de qualité et haut de gamme. Aussi, une adresse à Rimouski.

DOYON CUISINE
436, rue Saint-Pierre,
DRUMMONDVILLE
819-477-6255 et 1-800-268-6255
2600, rue Saint-Denis,
TROIS-RIVIÈRES
819-376-2600 et 1-877-376-2600
8505, bd du Quartier, BROSSARD
450-462-5555
Boutique d'art culinaire vendant un grand choix d'accessoires de cuisine, articles de décoration de table et d'accessoires pour amateurs de vin. Machines à café. Barbecues. Un très beau matériel de professionnels accessible à tous. Vend les meilleures marques dans tous les domaines. À surveiller, il y a toujours des nouveautés.

ESPACE RICARDO
310, rue d'Arran, SAINT-LAMBERT
450-465-4500
Produits et articles «Ricardo» pour la cuisine. Pièces de grande qualité (couteaux, batteries de cuisine, verres à vin, etc.) testées et sélectionnées par Ricardo et son équipe. Dégustation de recettes, bar à café, chocolaterie. La chef Kareen Grondin dirige la chocolaterie Mama Choka qui se trouve à l'intérieur de l'espace. Chocolat, caramel, barbe à papa à l'érable et noix.

FRANCE DÉCOR CANADA
290, bd Henri-Bourassa O., MTL
514-331-5028 et 1-800-463-8782
Matériel de pâtisserie gros et détail. Pour les professionnels et les amateurs. Moules (pour gâteaux ou chocolats, en silicone, etc.), boîtes d'emballage (pour cupcakes, gâteaux et chocolats), douilles, poches à pâtisserie, colorants alimentaires, verrines, décorations de gâteaux, fleurs en pastillage, fondant à gâteau, chocolat. On y trouve tout ce que l'on veut et beaucoup plus.

LA GUILDE CULINAIRE
6381, bd Saint-Laurent, MTL
514-750-6050
Boutique qui vend tous les ustensiles de cuisine et produits d'épi-

cerie fine. On y trouve de grandes marques: Nespresso, Cuisinart, Henckels, Trudeau, Microplane, Arbol, Barry Callebaut, Epicurean, La Belle Excuse... ainsi que le thermomix en exclusivité à Montréal. Espace bien organisé, très convivial, de jolis objets cadeaux et utilitaires.

L'ATELIER D'APPRENTISSAGE DU CHOCOLAT
726, rue Saint-Georges,
SAINT-JÉRÔME
450-565-3773
Matériel et produits de base pour le chocolat, ustensiles, commandes sur demande. En tout temps, appeler avant de se présenter, si on a besoin de produits ou de matériel.

LE COMPTOIR D'AILLEURS
Quartier DIX30
7200, bd du Quartier #40,
BROSSARD
450-678-5558
Féérie de couleurs et de formes pour décorer la table avec des bougies. Cadeaux pratiques plein d'originalité. Section de fleuristerie d'art en entrant ainsi qu'une galerie d'art contemporain «Espace 40». Salle d'exposition au 160, Saint-Viateur Est, à Mtl.

LE CREUSET
3035, bd le Carrefour Laval, LAVAL
450-682-9591
Seul magasin dans la région de Montréal entièrement dédié aux articles Le Creuset. Grand choix de casseroles, de cocottes, de plats à rôtir et d'accessoires pour la préparation, la cuisson et la présentation des mets. Déclinaison en plusieurs couleurs.

LES IMPORTATIONS EDIKA
10 118, bd Saint-Laurent, MTL
514-374-0683
Les Importations EDIKA est une société d'importation-distribution basée à Montréal depuis 1990. En tant que spécialiste du café et distributeur des meilleures marques sur le marché, EDIKA se positionne comme la référence dans le domaine des machines à espresso de qualité supérieure allant de moyen à haut de gamme. EDIKA, par le biais de ses marques Jura et Lelit, offre une vaste gamme de machines à espresso tant pour le résidentiel que pour le commercial.

LES TOUILLEURS
152, av. Laurier O., MTL
514-278-0008
Très beau magasin spécialisé en outils de cuisine qui vend des accessoires de table de qualité. Offre

aussi «Ateliers des chefs» qui sont des cours de cuisine donnés trois fois par semaine.

PAVILLON CHRISTOFLE
Ogilvy's
1307, rue Sainte-Catherine O., MTL
514-987-1242
La plus grande maison d'orfèvrerie au monde. Coutellerie et argenterie en métal argenté et argent massif, cristal et porcelaine. Existe depuis 1830, orfèvre du roi Louis-Philippe et de l'empereur Napoléon III. Travaille avec des designers de renom.

UN DÉTOUR EN PROVENCE
1328, rue Beaubien E., MTL
514-279-4528
Boutique sur l'art de la table en Provence: nappes, tissus anti-taches et pur coton, tabliers, savons de Marseille, vaisselle, accessoires pastis Ricard, poteries et céramiques d'Aubagne. Huiles d'olive AOC, herbes de Provence, condiments, vinaigres. Épicerie fine, miel de Provence, thés, tisanes et herbes biologiques Provence D'Antan. Boutique en ligne.

ACCESSOIRES VIN ET BIÈRE

DESPRÉS LAPORTE
994, bd Curé-Labelle,
CHOMEDEY, LAVAL
450-682-7676 et 1-877-682-7676
Aussi en région:
185, de La Burlington,
SHERBROOKE
819-566-2620 et 1-800-378-2620
44, rue Saint-Jude Sud, GRANBY
450-777-4644 et 1-800-378-4644
Très beau choix, intéressant et complet, d'accessoires pour le vin pour sommelier gourmet. Conception de caves à vin pour particuliers et professionnels.

DOYON CUISINE
436, rue Saint-Pierre,
DRUMMONDVILLE
819-477-6255 et 1-800-268-6255
2600, rue Saint-Denis,
TROIS-RIVIÈRES
819-376-2600 et 1-877-376-2600
Quartier DIX30
8505, bd du Quartier, BROSSARD
450-462-5555
Beaucoup d'accessoires et d'articles complémentaires pour l'amateur de vin. Verres Riedel, seaux à champagne, aérateurs, bouchons, becs verseurs, pompes à vin, carafes, limonadiers, tire-bouchons, refroidisseurs à bouteille. Casiers modulaires pour faire sa cave soi-même. Plan d'aménagement de cave.

L'ÂME DU VIN
14, bd Desaulniers,
SAINT-LAMBERT
450-923-0083
Une charmante boutique offrant un bon choix de verres, de carafes et de celliers. Accessoires multiples pour le vin, la dégustation du fromage et le service du café. Idées-cadeaux avec de plus en plus de produits québécois. Distributeur de cafetière Nespresso et des plats Le Creuset.

MOSTI MONDIALE
6865, route 132,
VILLE SAINTE-CATHERINE
450-638-6380
Depuis 1989, vend tous les éléments nécessaires à la fabrication de vins maison. Aussi vinaigre balsamique. Salle d'exposition. En gros seulement.

PRÉSERVIN
4220, rue Messier, MTL
514-524-6545
Préservin, système protégeant le vin de l'oxydation durant 2 à 3 semaines. Vente, location pour le restaurateur et l'amateur. Celliers.

VIN ET PASSION
110, Promenades du Centropolis,
LAVAL
450-781-8467
Promenades Saint-Bruno
321, bd des Promenades #C-030,
SAINT-BRUNO-DE-MONTARVILLE
450-653-2120
Spécialisé en celliers de diverses tailles, verres, carafes et autres accessoires destinés au service du vin. Offre aussi des cours de dégustation. Conception de caves à vin sur mesure. Humidors.

VINUM DESIGN
1480, rue City Councillors, MTL
514-985-3200 et 1-877-305-1919
Très grand choix de verres, de carafes, tire-bouchons, guides, couteaux Laguiole véritables et autres, sabres. Celliers, supports à bouteilles et climatiseurs pour caves à vin. Cadeaux d'entreprise et de mariage, articles de la table, machines à café. Dépositaire de grandes marques. Consultation et aménagement de caves à vin. Fournisseur pour restaurants et hôtels.

BOISSONS DU QUÉBEC

AUX SAVEURS DES SÉVELIN
1575, bd Jacques-Cartier E.,
LONGUEUIL
450-448-3918
Aucune importation, uniquement les bières issues de 25 microbrasseries québécoises. Plus d'une centaine de bières différentes rangées

par région. Nombreux cidres de pommes également.

LE MARCHÉ DES SAVEURS DU QUÉBEC
Marché Jean-Talon
280, pl. du Marché-du-Nord, MTL
514-271-3811
Vins, cidres, bières de microbrasseries, hydromels, boissons artisanales du Québec dans un marché où l'on vend des produits québécois d'alimentation.

BOUCHERIES CHARCUTERIES

ADÉLARD BÉLANGER ET FILS
Marché Atwater
138, av. Atwater, #12A, MTL
514-935-2439
Cette boucherie, gérée par deux cousins, des petits-enfants d'Adélard, propose entre autres: veau de lait, agneau écologique, boeuf de qualité, saucisses maison, produits du Canard Goulu incluant magrets et foies gras de canard de Barbarie. Toutes sortes de viandes marinées maison.

ATLANTIQUE
5060, ch. Côte-des-Neiges, MTL
514-731-4764
Boucherie, charcuterie, épicerie fine, fromagerie, boulangerie, poissonnerie, service de traiteur. Saumon fumé, saucisses et saucissons maison. Importations d'Europe (poissons, chocolats, confitures). Bières d'Allemagne, du Danemark de Hollande, et de France. Département de pains importés d'Allemagne.

AUX SAVEURS DES SÉVELIN
1575, bd Jacques-Cartier E.,
LONGUEUIL
450-448-3918
Un savoir-faire à l'ancienne. En lien direct avec les producteurs locaux. Spécialités françaises maison: saucisson à l'ail, andouille de Vire, rillettes de lapin. Charcuteries d'importation (jambon de Bayonne) et du terroir (saucisson de Kamouraska «Fou du cochon»). Plats cuisinés sur place à emporter.

BOUCHERIE CLAUDE ET HENRI
Marché Atwater, # 11
138, av. Atwater, MTL
514-933-0386
Agneau frais du Québec, veau primeur. Choix de saucisses (merguez, Toulouse, italienne, etc.). Gibier (cerf, sanglier, bison, caille, pintade, faisan, lièvre). Boeuf de qualité. Foie gras de choix. Spécialiste des brochettes et des marinades. Produits provenant des meilleures fermes du Québec. Service de restauration. Viande vieillie 28 jours, carcasse entière.

Boutiques gourmandes et autres... Montréal et région

BOUCHERIE DE TOURS
Marché Atwater #8
138, av. Atwater, MTL
514-931-4406
Spécialité coupe française. Toujours un grand choix de produits de qualité. Travaille directement avec les producteurs. Poulet bio, veau de lait naturel, agneau de Kamouraska, porc naturel, caribou, autruche, bison, cheval. Foie gras frais et mi-cuit. Assortiment de charcuteries et de saucisses.

BOUCHERIE GRINDER
Griffintown
1654, Notre-Dame O., MTL
514-903-0763
Située dans une ancienne maison haute de plafond, une boucherie qui sort de l'ordinaire, vaste, bien éclairée, avec une chambre froide en verre dans laquelle sont accrochés des quartiers de viande Wagyu (Québec), 1855 Black Angus (É.U.) et Angus Triple A (Alberta - Canada) en train de vieillir à sec. Spécialiste de la viande vieillie chouchoutée par un maître boucher. Viande traditionnelle également. Mets préparés.

BOUCHERIE PRINCE NOIR
Marché Jean-Talon
7070, rue Henri-Julien, #C14, MTL
514-906-1110
Spécialisé en gibier et produits du Québec (pintade, canard, cerf, lapin, bison, pigeonneau, etc.). Volaille de grain. Viande de boeuf, de cheval (sous-vide). Viandes bio, sans hormones, ni antibiotiques (poulet, agneau, boeuf et en saison canard, pintade et dinde). Plats cuisinés.

BOUCHERIE SÉLECT
2587, rue Fleury E., MTL
514-387-4756
Charcuterie française faite sur place, andouillettes, tripes, viande chevaline. Épicerie fine et fromages importés.

BOULANGERIE
PREMIÈRE MOISSON
Voir les adresses à BOULANGERIES
Charcuteries fines maison créées par un maître charcutier. Gamme de produits exclusifs oméga équilibrés Bleu-Blanc-Cœur faits de porc du Québec nourri à la graine de lin. Spécialités de canard, variétés gourmandes de plats prêts à emporter et autres produits artisanaux sains conçus dans les règles de l'art culinaire.

CAPITOL BOUCHER MONTRÉAL
Marché Jean-Talon
158, pl. du Marché-du-Nord, MTL
514-276-1345
Vaste sélection d'excellentes viandes, grande variété de viandes marinées prêtes à cuire, gamme im-

pressionnante de charcuteries maison et importées.

CHARCUTERIE DE TOURS
Marché Atwater #6
138, av. Atwater, MTL
514-933-4070
Spécialisé en saucisses et charcuteries. Plats cuisinés. Spécialité coupe française.

CHARCUTERIE VIANDAL
550, rue de l'Église, VERDUN
514-766-9906
Boucherie de première qualité, excellent étal de charcuterie. Fermé le dimanche.

LA BERNOISE
3988, bd Saint-Charles,
PIERREFONDS
514-620-6914
Fabricant de charcuterie fine (viandes Grisons, bacon, saucisses en tous genres, jambon fumé naturel). Aliments importés et fromages.

LA MAISON DU RÔTI
1969, av. Mont-Royal E., MTL
514-521-2448
Un très grand choix de saucisses, terrines, volailles fines (perdrix, faisan, pintade, caille), gibier, boeuf, agneau, veau, porc et charcuteries maison. Beaucoup de choix.

LA P'TITE CHARCUTERIE
7615, ch. de Chambly,
SAINT-HUBERT
450-656-9070
Bons produits naturels, sans conservateurs et sans produits chimiques. Terrines, viandes froides, saucisses, boudins, viandes marinées faits maison. Plats cuisinés (tourtière du Lac Saint-Jean, etc.). Fermé dim. et lun.

LA QUEUE DE COCHON
6400, rue Saint-Hubert, MTL
514-527-2252
Depuis 1994, le propriétaire Benoît Tétard, originaire de Vendée en France, confectionne une remarquable charcuterie artisanale. Bon choix de terrines, boudins, andouillettes, saucissons à l'ail, foie gras, confit de canard, pâtés et saucisses. Saumon fumé sur place. Plats prêts à emporter. Mets congelés. Épicerie fine.

LE BUCAREST
4670, bd Décarie, MTL
514-481-4732
Produits importés de Roumanie et d'autres pays d'Europe de l'Est. Mets roumains préparés sur place. Charcuterie. Pâtisseries roumaines.

LE MAÎTRE GOURMET
1520, av. Laurier E., MTL
514-524-2044

Boucherie fine. Agneau de la Gaspésie nourri aux algues. Viande biologique. Viandes sauvages, coupes fraîches. Panoplie de volailles. Saumon irlandais bio. Onglet de boeuf mariné. Nous y avons acheté des produits (saucisses maison, poulet) qui ont du goût!

LE MARCHAND DU BOURG
1661, rue Beaubien E., MTL
514-439-3373
Un duo de bouchers, père et fils, pas tout à fait comme les autres! Ils se spécialisent dans la vente de viande de boeuf Black Angus vieillie. Seulement la côte de boeuf, le contre-filet, le filet mignon et la bavette. Ils font vieillir la côte de boeuf de 40 à 730 jours, dans une pièce à atmosphère et à température contrôlées. La déco du magasin surprend, elle aussi, c'est plein d'antiquités. Un vrai musée!

LES 5 SAISONS
1280, av. Greene, MTL
514-931-0249
1180, rue Bernard O.,
OUTREMONT
514-276-1244
Boeuf Black Angus AAA vieilli 30 jours, foie gras de canard frais de grandes marques (Rougier, Delpeyrat, Labeyrie), magret de canard de Barbarie, agneau du Québec, variétés de gibiers, volaille de grain et bio, variété de saucisses fraiches naturelles et jambon à l'os Les Cochonailles. Service de traiteur.

MARCHÉ DE LA VILLETTE
Quartier des Arts
324, rue Saint-Paul O., VIEUX-MTL
514-807-8084
Savoureux pâtés et terrines maison, spécialiste des confits. Cassoulet et choucroute garnie. On peut déjeuner et dîner sur place avec d'excellents produits dans une ambiance de bistro parisien.

SOS BOUCHER
Marché Atwater, # 17
138, av. Atwater, MTL
514-933-0297
Production artisanale de charcuterie. Variété de saucisses maison aux légumes, de terrines maison, de coupes européennes, de marinades. Travail personnalisé et unique.

SPÉCIALITÉS SLOVENIA
BOUCHERIE-CHARCUTERIE
3653, bd Saint-Laurent, MTL
514-842-3558
Boucherie-charcuterie ouverte depuis 1970. Viandes fraîches, poulets de grain, volailles, charcuteries variées, saucisses, jambonneaux, choucroute, épicerie fine. Agneau frais du Bas-du-Fleuve. Comptoir chauffant. Smoked meat à emporter.

GUIDE DEBEUR 2016

Boutiques gourmandes et autres... Montréal et région

BOULANGERIES

BOULANGERIE DE FROMENT ET DE SÈVE
2355, rue Beaubien E., MTL
514-722-4301
Boulangerie utilisant une méthode artisanale pour fabriquer ses pains, à partir de farine non blanchie, non traitée ou biologique. Variété de viennoiseries et de pâtisseries sans graisses végétales ni saindoux. Fromages et charcuteries. Produits maison. Section bistro sympa avec des produits frais.

BOULANGERIE DU MARCHÉ DE LONGUEUIL
Marché public de Longueuil
4200, ch. de la Savane,
LONGUEUIL
450-656-5151
Succursale de Le Garde-Manger de François de Chambly, voir à cette inscription.

BOULANGERIE PREMIÈRE MOISSON
Marché Atwater
3025, rue Saint-Ambroise, MTL
514-932-0328
Gare centrale
895, rue de La Gauchetière O., MTL
514-393-1247
1271, rue Bernard, OUTREMONT
514-270-2559
Plateau Mont-Royal
860, av. Mont-Royal E., MTL
514-523-2751
Rosemont
3001, rue Masson, MTL
514-374-7010
Notre-Dame-de-Grâce
5500, rue Monkland, MTL NDG
514-484-5500
Marché Maisonneuve
4445, rue Ontario E., MTL
514-259-5929
Marché Jean-Talon
7075, rue Casgrain, MTL
514-270-3701
Côte-des-Neiges
5199, ch. Côte-des-Neiges, MTL
514-731-3322
2479, ch. de Chambly, LONGUEUIL
450-468-4406
350, rue Lawrence,
GREENFIELD PARK
450-766-0863
Quartier DIX30
7200, bd du Quartier, BROSSARD
450-676-7500
3565, Saint-Charles, KIRKLAND
514-426-0024
Marché de l'Ouest
11678, bd de Salaberry O.,
DOLLARD-DES-ORMEAUX
514-685-0380
189, bd Harwood,
VAUDREUIL-DORION
450-455-2827
Marché gourmand Centropolis
2888, av. du Cosmodôme, LAVAL
450-682-1800

2021, ch. Gascon, TERREBONNE
450-964-9333
790, Montée Saint-Sulpice,
L'ASSOMPTION
450-589-2906
Métro Marquis
150, rue Louvain, REPENTIGNY
450-585-3022
Redpath Libary
3459, rue McTavish, MTL
514-398-6834
BOULANGERIE PREMIÈRE MOISSON EXPRESS
1297, ch. Canora, MONT-ROYAL
514-739-9998
Les fruitières Vittoria
7800, bd Taschereau, BROSSARD
450-671-0404
Citron que c'est bon!
790, montée Masson, MASCOUCHE
450-474-2911
Entreprise familiale qui se distingue par son approche respectueuse des grandes traditions. Quelque 50 variétés de pains frais préparés sur place, chaque jour. Des créations saisonnières. Un véritable délice! Décoration chaude avec beaucoup d'ambiance mettant en valeur d'excellents produits. Pain de fabrication artisanale, française, biologique et divers ingrédients santé. Coin bistro. Dans les boulangeries express, la sélection des produits peut différer de celle des succursales régulières, mais le choix est suffisant. Les propriétaires sont attentifs à renouveler la décoration des magasins.

BOUTIQUES AU PAIN DORÉ
115, av. Atwater, MTL
514-989-8898
1415, rue Peel, MTL
514-843-3151
1145, av. Laurier O., MTL
514-276-0947
5214, ch. Côte-des-Neiges, MTL
514-342-8995
3075, rue de Rouen, MTL
514-528-8877
Marché Jean-Talon
228, place du Marché-Nord, MTL
514-276-1215
1650, bd de l'Avenir, LAVAL
450-682-6733
Plusieurs variétés de vrai pain français artisanaux et de viennoiseries cuits sur place tous les jours. Pâtisseries du boulanger, sandwichs, salades et cafés spécialisés. On peut consommer sur place. Service de traiteur.

L'AMOUR DU PAIN
393, rue Samuel-de-Champlain,
BOUCHERVILLE
450-655-6611
Plus de 40 sortes de pains et de viennoiseries fabriquées à la main quotidiennement par d'excellents boulangers. Exceptionnelle fougasse aux olives. Beaucoup d'imagination dans les créations qui se re-

nouvellent constamment. Coin bistro pour déjeuner et dîner. Chaque fin de semaine, une grande variété de spécialités accordées avec les saisons. Meilleur artisan boulanger du Québec 2014. Viennoiseries à emporter, préparées et surgelées sur place. Ouvert dès 6h du matin.

LE FROMENTIER
1375, av. Laurier E., MTL
514-527-3327
Grand choix de pains traditionnels. Pains au levain et à la levure. Pains artisanaux. Pains sans gluten. Viennoiseries maison plus un étal de charcuteries de La Queue de cochon et de fromages. La présence du four à pain donne une ambiance très chaleureuse au magasin.

LE GARDE-MANGER DE FRANÇOIS
2403, rue Bourgogne, CHAMBLY
450-447-9991
Grande variété de pains (noix, olives, multigrains, rustique, à la bière, divers types de levain, etc.) en miche ou en baguette faits par un boulanger de métier, très doué, qui se marient très bien aux produits du terroir aussi offerts sur place. Une adresse qui vaut réellement le détour, à recommander!

LE PAIN DANS LES VOILES
357, rue de Castelnau E., MTL
514-278-1515
Trois ans après l'ouverture de la boulangerie d'origine (250, Saint-Georges, Mont-Saint-Hilaire, 450-281-0779), Martin Falardeau et François Tardif se classent 2e dans la catégorie «Meilleure baguette», au Mondial du pain, en France! Martin recherche les meilleures farines, les meilleures techniques jusqu'à obtenir une mie grasse et un pain alvéolé. Ses pains sont délicieux et très bien faits, du vrai pain, citons le «Pain du peuple» une belle miche qui se conserve plusieurs jours. Dans les deux magasins, on vend aussi de la viennoiserie, des créations sucrées, des pizzas et des sandwichs.

LES 5 SAISONS
1280, av. Greene, MTL
514-931-0249
1180, rue Bernard O., OUTREMONT
514-276-1244
Variété de pains artisanaux et biologiques, macarons, gâteaux et tartes faits des meilleurs ingrédients. Boutique de chocolats fins Godiva en magasin (Westmount seulement).

MARIUS ET FANNY PÂTISSERIE PROVENÇALE
3119, rue Victoria, LACHINE
514-637-2222
4439, rue Saint-Denis, MTL
514-844-0841

GUIDE DEBEUR 2016

239, bd Samson,
SAINTE-DOROTHÉE, LAVAL
450-689-0655
Marché public de Lachine
1895, rue Piché, LACHINE
514-639-4258
Pain maison confectionné de façon artisanale avec des produits fins. Pain Marius: miche à la farine de seigle, levain de miel.

PAINS ET SAVEURS
2130, bd de Boucherville,
SAINT-BRUNO
450-441-4155
5959, bd Cousineau, SAINT-HUBERT
450-890-3441
2000, av. Victoria,
GREENFIELD PARK
450-486-1717
Leur pain est très bon, souple et croustillant. Les pains artisanaux sortent de l'ordinaire: pains au levain, bio, intégral, de campagne et pains spéciaux suivant la saison. Excellente viennoiserie. Les croissants sont parmi les meilleurs que nous ayons goûtés, le feuilletage au beurre est une réussite. Très beau magasin, bien fourni.

PÂTISSERIE Ô GÂTERIES
364, Saint-Charles O.,
VIEUX-LONGUEUIL
450-674-8400
Plusieurs variétés de pain artisanal, viennoiserie, un peu d'épicerie fine. Café en vrac. À aussi un comptoir au niveau métro du Complexe Desjardins, à Montréal. Fermé lundi.

CHEFS À DOMICILE

CHEF À DOMICILE
450-678-6353
Ancien propriétaire du restaurant «Le Paradis des amis» (★★★ Debeur), le chef Louissaint propose une gastronomie franco-antillaise colorée et savoureuse. Il termine souvent ses soirées en faisant danser les invités, qui sont réunis pour des anniversaires, des mariages ou autres événements.

CHEF-MAISON
438-862-2350 et 438-872-9500
Chef du restaurant L'Express, Roger Hang Hong possède également sa propre entreprise de chef à la maison. Il prépare des mets frais ou congelés et livre gratuitement chez vous dans la Vallée du Richelieu. Pour toute autre destination, appeler. Visitez aussi chef-maison.com.

GOURMEYEUR
514-754-3850
Chef personnel qui fait une cuisine française gastronomique. Tout est préparé au domicile du client: dîner ou souper. Choisissez le menu,

il fait le marché et s'occupe de tout, même du vin. Cocktails dînatoires. Service dans tout le Québec. Traiteur haut de gamme.

CHOCOLATERIES

AU PALAIS DU CHOCOLAT
7089, rue Jarry E., MTL
514-439-9200
Chocolaterie bistro. Cafés. Fondue au chocolat à manger sur place. Chocolats belges faits à la main. Gelato et «slush». Ateliers de production ouverts au public et fêtes d'enfants.

CHOCOBEL
374, rue de Castelnau E., MTL
514-276-9875
Belle sélection de chocolats maison. Tarte au chocolat, brownies à la fleur de sel, chocolat chaud maison. Chocolats sans sucre. Chocolats au fromage de chèvre, bleu ou parmesan. Thé tchaï du chocolatier. Ateliers d'initiation à la chocolaterie. Noix, liqueurs, gelées de fruits, grains de café et de cacao intégrés dans les créations. Gaufres belges cuites sur place le samedi. Crème molle trempée dans leur chocolat en saison estivale.

CHOCOLATERIE À LA TRUFFE
629, rue Adoncour, LONGUEUIL
450-646-5604
Boutique artisanale coquette. Un petit paradis avec de savoureux chocolats confectionnés à la main, à haute teneur en cacao. Glaces et sorbets maison. Cafés spécialisés. Ouvert 6 jours. Pâtisseries faites sur place. Distributeur Le pain dans les voiles.

CHOCOLAT BELGE
HEYEZ PÈRE ET FILS
16, rue Rabastalière E.,
SAINT-BRUNO
450-653-5616
Très bon chocolatier (de père en fils). Plus de 75 sortes de petits chocolats fabriqués avec beaucoup de finesse. Fabrication, montage et moulage pour chaque événement de l'année. Chocolats sans sucre. Sculptures en chocolat pour mariage, événements d'entreprise. Hubert Heyez ne semble pas connaître de limite dans la sculpture des sujets en chocolat. Ateliers pour enfants, sur réservation. Distribution. Magasin impeccable, une réjouissance pour l'oeil et la gourmandise.

CHOCOLAT BELGE LÉONIDAS
605, bd de Maisonneuve O., MTL
514-849-2620
Les Halles de la Gare centrale
895, rue de La Gauchetière O., MTL
514-393-1505
5111, av. du Parc, MTL
514-278-2150

Centre commerce mondial
383, rue Saint-Jacques, MTL
514-279-6365
Chocolats belges à la crème fraîche, praline et ganache, importés par avion de la Belgique. Boutiques cadeaux. Crème glacée maison. Bonbons aux noix. Confiserie. Panini, sandwich, café à l'avenue du Parc.

CHOCOLATERIE
LA CABOSSE D'OR
973, ch. Ozias-Leduc,
OTTERBURN PARK
450-464-6937
Une grande maison, en bordure d'un boisé, qui ressemble à un château de légende et à l'intérieur une multitude de délicieux chocolats fins travaillés avec beaucoup de finesse. Belle boutique cadeau. Visite de la fabrique et histoire du chocolat sur réservation de groupe. Aujourd'hui, la famille Crowin est au complet. Mini-golf thématique sur le chocolat. Petit musée du chocolat. Belle terrasse l'été. Ouvert à l'année, 7 jours.

CHOCOLATS ANDRÉE
5328, av. du Parc, MTL
514-279-5923
Fabrication sur place. Chocolats faits à la main sans agents de conservation, selon des recettes traditionnelles. Commerce établi en 1940 et déjà trois générations de chocolatiers. Service de livraison.

CHOCOLATS
GENEVIÈVE GRANDBOIS
5524, rue Saint-Patrick, #211, MTL
514-270-4508
5600 av. Monkland, MTL
514-481-2444
162, rue Saint-Viateur O., MTL
514-394-1000
Marché Atwater
138, av. Atwater, étal C-1, MTL
514-933-1331
Quartier DIX30
Place Extasia
9389, bd Leduc #5, BROSSARD
450-462-7807
Chocolats artisanaux confectionnés à Montréal par Geneviève Grandbois. Dynamique et perfectionniste, elle est en quête constante du bon et du beau. On peut y déguster des desserts et des glaces maison, sauf à Atwater.

CHOCOLATS PRIVILÈGE
Marché Jean-Talon
7070, rue Henri-Julien #C3, MTL
514-276-7070
Marché Atwater
138, av. Atwater, MTL
514-419-9248
Marché public 440
3535, aut. Laval O., LAVAL
450-682-3666

GUIDE DEBEUR 2016

Boutiques gourmandes et autres... Montréal et région

Variété de chocolats pour cuisiner à la maison. Pâtisseries chocolatées. Chocolaterie artisanale utilisant des produits naturels de qualité. Truffes, ganaches, pralinés, tablettes, etc. Moulages pour toutes occasions. Chocolats personnalisés (logo d'entreprise, mariage, etc.). Glaces et sorbets.

CHOCOLATS SUISSES
411, ch. Grande-Côte, ROSEMÈRE
450-621-8440
Chocolaterie artisanale de tradition suisse, chocolats fins. Fier chocolatier d'origine suisse qui maîtrise son métier. Travail impeccable, savoir-faire indéniable, présentation soignée. Articles cadeaux avec du chocolat incorporé à l'intérieur. Chocolats en vrac.

COMPTOIR DE BRUXELLES
333, bd Harwood,
VAUDREUIL - DORION
450-218-7773
Jean Wulleman, torréfacteur originaire de Belgique, ouvre sa boutique lorsqu'il s'établit au Québec et s'associe avec son fils, chocolatier-pâtissier. On peut les observer fabriquer les chocolats fins, les pralines personnalisées, les pâtisseries, les viennoiseries, de véritables bijoux. Jean Wulleman s'occupe de la torréfaction des cafés haut de gamme vendus sur place. Bar à cafés et à chocolats chauds.

DIVINE CHOCOLATIER
2158, rue Crescent, MTL
514-282-0829 et 1-877-282-0829
Boutique sympathique, connue pour ses fameuses truffes en chocolat, beaucoup d'arômes dont chai mafala et cayenne. Chocolat sensuel. Produits avec fruits (fraises, bleuets). Truffes aromatisées au cachemire. Huile de massage hypoallergène au chocolat par Pierre Zwierzynski. Comptoir à café et chocolats. De nouvelles saveurs tous les mois. Crème glacée, gâteaux au fromage et macarons maison. Chocolats sans lactose, sans gluten, biologiques.

GOURMET PRIVILÈGE
1001, rue Fleury E., MTL
514-385-6335
3602, bd Saint-Charles, KIRKLAND
514-694-2261
Chocolaterie artisanale utilisant des produits naturels de qualité. Chocolats personnalisés (logo d'entreprise, mariage, etc.). Moulages pour toutes occasions. Glaces et sorbets.

HARTLEY Glaces & Chocolats
670, av. Victoria, SAINT-LAMBERT
450-671-9671
Cinquante sortes de chocolats fabriqués sur place. Terrasse l'été.
Voir à GLACIERS.

LA GASCOGNE
237, av. Laurier O., MTL
514-490-0235
1950, bd Marcel Laurin, MTL
514-331-0550
4825, rue Sherbrooke O.,
WESTMOUNT
514-932-3511
Marché public 440
3535, Autoroute Laval O., LAVAL
450-781-3700
Les Colonnades
940, bd Saint-Jean, POINTE-CLAIRE
514-697-2622
Création et confection de produits fins. Grande variété de chocolats faits maison. Choix de truffes, de chocolats assortis, de marrons glacés, de mendiants et de rochers suisses.

LA MAISON CAKAO
5090, rue Fabre, MTL
514-598-2462
Chocolats artisanaux très fins confectionnés à la main, sur place, avec des ingrédients frais. Produits du chocolat et de ses dérivés. Glaces, sorbets maison et cupcakes les fins de semaine. Pots de caramel et confitures. Tarte au chocolat noir. Brownies décadents. Il faut goûter son gâteau aux fruits confits maison à Noël et ses poires et cardamome au sirop. Moulages spéciaux. Une chocolatière passionnée toujours à la recherche de nouveaux mariages, de nouveaux parfums. Fermé le lundi.

L'ARTISAN CHOCOLATIER
www.lartisanchocolatier.com
450-707-3003
Fabricant et distributeur de chocolats fins desservant plusieurs établissements. Chocolaterie virtuelle via le site. Un choix irrésistible de plus de 90 variétés de chocolats fins haut de gamme, confectionnés avec des ingrédients de première qualité, par une chef chocolatière passionnée, depuis plus de 20 ans. Multitude de figurines et de moulages selon les occasions.

LE PETIT CHOCOLATIER
969, rue Bernard Pilon, BELOEIL
450-464-8681
Environ 70 sortes de chocolats et pâtisseries artisanales maison. Chocolats aux herbes et aux fleurs, chocolat au cidre de glace du Clos-Saint-Denis, crème glacée maison.

LES CHOCOLATS DE CHLOÉ
546, rue Duluth E., MTL
514-849-5550
Une petite boutique à la façade orange. Chloé, un petit bout de femme sympathique, vous accueille au milieu des bonbons de chocolat fourrés de ganache parfumée, différentes tablettes de chocolat, gingembre confit, les confitures de sa maman et autres délices.

On recommande les brownies chocolat, pacanes et fleur de sel, chargés en chocolat, mais délicieusement décadents.

LES CHOCOLATS FAVORIS
1005, rue Lionel-Daunais,
BOUCHERVILLE
450-906-3996
Chocolaterie artisanale et boutique cadeau ouverte à l'année. Grande variété de chocolats fins, moulages, chocolats sans sucre, paniers cadeaux, confiseries d'importation, produits du terroir québécois et fondues au chocolat.

LESCURIER
TRADITION GOURMANDE
1333, av. Van Horne,
OUTREMONT
514-273-8281
Chocolats fabriqués sur place aux parfums variés (café, fruits exotique, etc.). Pour toutes occasions: Halloween, fête des Mères, Pâques. Chocolats importés de Tanzanie, de Madagascar et du Vénézuéla.

MARIUS ET FANNY
PÂTISSERIE PROVENÇALE
3119, rue Victoria, LACHINE
514-844-0841
4439, rue Saint-Denis, MTL
514-844-0841
239, bd Samson,
SAINTE-DOROTHÉE, LAVAL
450-689-0655
Marché public de Lachine
1895, rue Piché, LACHINE
514-639-4258
Des chocolats fins, de qualité, travaillés de façon artisanale. Aussi pâtisserie, boulangerie et salon de thé.

MARLAIN CHOCOLATIER
21, rue Cartier, POINTE-CLAIRE
514-694-9259
Vingt-six sortes de truffes et chocolats fourrés, confiseries, torréfaction de café, pâtisseries, macarons, confitures, sauces piquantes et produits diététiques. Fabrique ses propres tablettes de chocolat à partir de fèves importées par ses soins. Cosmétiques à saveur de chocolat, etc. Mets préparés congelés.

PÂTISSERIE MERCIER
200, rue Jarry E., MTL
514-387-1741
Trente sortes de chocolats maison. Moulages pour occasions spéciales, sur commande.

PÂTISSERIE ROLLAND
170, Saint-Charles O., LONGUEUIL
450-674-4450
504, rue Albanel, BOUCHERVILLE
450-655-3821
Un très beau choix de chocolats présentés comme des bijoux, créations de Christophe Morel. Un cho-

GUIDE DEBEUR 2016

colatier de haut calibre, meilleur au Canada et 4e au «World Chocolate Master», à Paris, en 2005. Aussi comptoirs place Charles-LeMoyne à Longueuil et rue Jules-Choquet à Sainte-Julie.

SUITE 88
1225, bd de Maisonneuve O., MTL
514-284-3488
Chocolats vendus à l'unité, en vrac ou en boîte. Truffes, mosaïques, dômes (demi-sphères fourrées de ganache), shooters (chocolats avec alcool liquide). Glaces italiennes (gelato), gaufres, brownies, gâteaux vendus à la part et chocolats chauds à l'ancienne ou aromatisés, à emporter ou à savourer sur place dans une ambiance lounge.

CONFISERIE

LA CURE GOURMANDE
Place Mtl Trust
1500, av. McGill, MTL
514-700-1058
D'origine française, véritable lieu de tentation pour les gourmands, ce magasin de confiserie est le premier à s'implanter au Québec. Un monde de couleurs chatoyantes avec beaucoup de diversité qui offre: biscuits artisanaux salés et sucrés, Berlandises (bonbons à la pulpe de fruits), olives au chocolat, nougats, caramels, calissons, sucettes, madeleines et cakes (spécialités pâtissières tendres et moelleuses), etc. Boîtes décorées et patinées à l'ancienne pour conserver les biscuits.

COURS

ATELIER CULINAIRE
Quartier DIX30
8900, bd Leduc, #40, BROSSARD
450-656-6161
Voici un atelier dédié à la gastronomie offrant des cours de cuisine pour les particuliers. L'Atelier culinaire mise sur la pratique, la technique et le plaisir. Que vous soyez novice ou cuistot aguerri, vous y trouverez de quoi satisfaire votre appétit de découverte. Cours sur les vins. Événements privés et corporatifs.

ATELIERS & SAVEURS
444, rue Saint-François Xavier, MTL
514-849-2866
Une approche nouvelle, plus ludique, d'enseigner la cuisine, l'art des cocktails et la dégustation des vins. Ateliers grand public ou en groupes. Environnement convivial. Menus, horaires et tarifs au www.ateliersetsaveurs.com.

CHEF EN VOUS
1751, rue Richardson, MTL
514-303-9801

Activités culinaires «Briser la glace et apprendre à découvrir l'autre en cuisinant!». Cours de cuisine, service de chef à domicile.

CHOCOBEL
374, rue de Castelnau E., MTL
514-276-9875
Atelier d'initiation à la chocolaterie, individuel ou à deux.

ÉCOLE DE CUISINE MEZZA LUNA
57, rue Dante, MTL
514-272-5299
Cours de cuisine traditionnelle italienne. C'est en voyant l'intérêt de ses clients pour ses démonstrations sur l'art de fabriquer des pâtes fraîches qu'Elena Venditelli a décidé d'ouvrir son école de cuisine. Son but était de donner l'envie de cuisiner aux Montréalais. Les cours sont donnés par Elena et certains par des chefs renommés de Montréal, dont son fils Stefano Faita. On peut aussi acheter des accessoires de cuisine chez Dante, son autre magasin, où elle fait aussi des démonstrations de fabrication de pâtes fraîches.

L'ACADÉMIE DU CHOCOLAT
Centre de formation Montréal
4850, rue Molson, MTL
1-855-619-8676
Une superbe école toute neuve solidement équipée où l'on donne des cours de formation autant pour les professionnels que pour le grand public, sous l'égide de Chocolat Barry Callebaut. On y trouve un amphithéâtre pour les démonstrations et les conférences, une salle de cours, une salle d'éveil sensoriel, des espaces événements, une pâtisserie. Des professeurs de haut niveau y enseignent l'art du chocolat et celui de la pâtisserie en relation avec le chocolat, mais aussi des cours d'harmonie du chocolat avec le vin, etc. On y rencontre des Meilleurs ouvriers de France, mais aussi François Chartier créateur d'harmonie, par exemple. Un petit bijou à la gloire du chocolat.

LA GUILDE CULINAIRE
6381, bd Saint-Laurent, MTL
514-750-6050
Le chef Garnier et ses chefs invités donnent des cours de cuisine sur mesure. Cuisine moléculaire, activités corporatives ou cours privés. Ateliers de préparation pour ceux qui n'ont pas le temps de cuisiner après une journée de travail.

L'ATELIER D'APPRENTISSAGE DU CHOCOLAT
726, rue Saint-Georges,
SAINT-JÉRÔME
450-565-3773
Depuis la création de leur école en 2002, Julie Beauchamp et Eddy

Rosine partagent leur passion pour le véritable chocolat belge en offrant des cours de chocolatier à tous les amateurs de chocolat. Cours tout public, professionnel ou non, cours à l'année sauf l'été, mi-juin à mi-sept. À partir de 6 ans. Journées portes ouvertes au mois d'août. Cours individuel sur demande.

PROVISIONS MIYAMOTO
382, av. Victoria, WESTMOUNT
514-481-1952
Cours de cuisine japonaise.

SAVORI - Partenaire exclusif SAQ
Cours sur les vins, bières et spiritueux
1100, René Lévesque O. #1205, Mtl
1-855-781-2344
Partenaire exclusif de la SAQ, spécialiste en formation et en cours. 12 thèmes différents sur le sujet du vin et des spiritueux permettent de s'initier au langage, aux méthodes de dégustation, d'approfondir les connaissances et d'expérimenter par la dégustation de produits. Aussi, cours privés, animations personnalisées à domicile ou en entreprise, vins et fromages et autres animations. Cours bilingues.

ÉPICERIES FINES

AUX SAVEURS DES SÉVELIN
1575, bd Jacques-Cartier E.,
LONGUEUIL
450-448-3918
Produits d'épicerie du Québec et d'importation en quantité. Fruits et légumes. Près de 50 sortes d'huiles et de vinaigres différents. Sirops, tartes maison, bonbons, confiture. Dépositaire des macarons Point G, des pâtisseries de l'Arlequin, des brownies Juliette & chocolat et des bouchées de chocolat du chocolatier Raffin.

AVRIL SUPERMARCHÉ SANTÉ
1185, ch. du Tremblay,
LONGUEUIL
450-448-5515
Quartier DIX30
8600, bd Leduc, BROSSARD
450-443-4127
11, rue Évangéline, GRANBY
450-375-6446
Grande variété de fruits et légumes certifiés biologiques. Produits équitables, écologiques et locaux. Viandes biologiques sans additifs chimiques. Grande sélection de produits sans gluten. Suppléments alimentaires et vitamines. Comptoir Crudessence et Avril café avec possibilité de manger sur place.

CAPITOL BOUCHER MONTRÉAL
Marché Jean-Talon
158, pl. du Marché-du-Nord, MTL
514-276-1345

GUIDE DEBEUR 2016

Boutiques gourmandes et autres... Montréal et région

Fines huiles et vinaigres, pâtes fraîches, plats complets, fromages. Beaucoup de produits provenant d'Italie.

CHEZ LOUIS
FRUITS ET LÉGUMES
Marché Jean-Talon
222, pl. du Marché-du-Nord, MTL
514-277-4670
Grand choix de légumes, de fruits, de champignons du Québec et importés. Asperges blanches, crosnes et espèces exotiques recherchées. Ail de Provence. Roquette d'Italie tout au long de l'année. Laitues de M. Daigneault et autres légumes fins. Spécialisé en mangues (4 ou 5 sortes). Melons charentais.

CHEZ NINO
Marché Jean-Talon
192, pl. du Marché-du-Nord, MTL
514-277-8902
Marché de légumes réputé pour son choix diversifié. Mini légumes, fruits exotiques, haricots extra-fins, grande variété de champignons (cèpes, chanterelles, champignons sauvages), melon et fruits importés. Truffes fraîches d'oct. à fév. Produits du Québec en saison.

ÉPICERIE CORÉENNE
ET JAPONAISE
6151, rue Sherbrooke O., MTL
514-487-1672
Véritable coffre aux trésors. Un mur de congélateurs bourrés de dumplings, de nouilles, de poissons et de viandes, des frigos pleins de marinades et de kimchis maison. Accessoires pour les sushis.

FROMAGERIE ATWATER
DE LACHINE
Marché de Lachine
1865, rue Notre-Dame, LACHINE
514-634-7774
Des trouvailles en vinaigres, huiles d'olive, condiments, épices, pains, confits de fruits, pâtes séchées, cafés biologiques et équitables. Pâtes fraîches congelées. Saucisses fraîches. Produits artisanaux du Québec. Bières et cidres québécois.

FROMAGERIE
MARCHÉ VILLAGE
Marché Village
7800, bd Taschereau, BROSSARD
450-671-7961
Bonne sélection d'huiles d'olive du monde, bon choix de fromages d'ici et d'ailleurs, vaste choix de pâtes alimentaires italiennes de qualité, vinaigres haut de gamme et plusieurs produits d'épicerie fine. Olives niçoises, marocaines et grecques. Charcuteries européennes et importées. Panettone, nougat et marrons glacés (Pâques et Noël). Un très bon jambon cuit à la coupe et du fromage frais râpé. Ouvert depuis 1982.

GARIÉPY ET FILS
FINS GOURMETS
3240, rue Dandurand, MTL
514-722-7398
Épicerie fine, fromagerie, boulangerie, pâtisserie, fruits et légumes, charcuterie, boucherie, plats cuisinés et buffets.

GOURMET LAURIER
1042, av. Laurier O., OUTREMONT
514-274-5601
Épicerie fine d'importation européenne où on trouve de tout, comme autrefois, même des produits de notre enfance comme du Banania, de la chicorée, des cachous, des biscuits BN, des galettes Saint-Michel. Une grande quantité de produits importés, conserves, huiles d'olive, vinaigres, moutardes, biscuits, caviars, foie gras, etc. Mais aussi du café, des fromages et des charcuteries. Articles ménagers et cafetières.

LA GRANDE EUROPE
141 C, bd de Mortagne,
BOUCHERVILLE
450-641-1900
Charcuterie artisanale maison, boulangerie, pâtisseries italiennes, pâtes fraîches, salades diverses, tous les plaisirs de l'Italie en un seul endroit. Une très belle épicerie avec un très grand choix de produits importés rangés avec soin. Belle atmosphère. Service de traiteur 10 à 500 pers., buffet. Tout est italien!

LA MAISON DU RÔTI
1969, av. Mont-Royal E., MTL
514-521-2448
Foie gras. Salaisons. Plats cuisinés à emporter. Produits fins et du terroir. Cafés équitables. Thés.

LA MER
1840, bd René-Lévesque E., MTL
514-522-3003
En plus d'offrir un choix complet de produits de la mer, La mer propose des produits d'importation privée (huiles d'olive, vinaigres balsamiques, tomates séchées, artichauts, confitures biologiques, etc.), des produits locaux et du terroir.

LATINA
185, rue Saint-Viateur O., MTL
514-273-6561
LATINA GOLDEN SQUARE MILE
1434, rue Sherbrooke O, MTL
514-507-6561
Produits locaux et internationaux. Aliments fins, plusieurs sortes de vinaigres balsamiques et d'huiles d'olive, sauces fortes, bières de microbrasseries, cafés de micro-torréfaction. Fruits et légumes, boucherie, charcuterie, poissonnerie, fromagerie et plats cuisinés. La section boucherie offre de la viande de bœuf vieillie à sec et celle des fromages un large éventail de qualité.

**LE CARTET RESTO
BOUTIQUE ALIMENTAIRE**
106, rue McGill, MTL
514-871-8887
Épicerie fine, au décor très urbain, avec un bon choix de produits importés. Gamme assez complète d'huiles d'olive, d'eaux minérales et de chocolats. Plats cuisinés à emporter ou menu pour manger sur place sur de longues tables, genre monastère. Brunch la fin de semaine et petit déjeuner en semaine.

LE FOUVRAC
1451, av. Laurier E., MTL
514-522-9993
Bonne sélection d'huiles d'olive, de vinaigres, de cafés, de confitures, de tisanes, de thés, de chocolats, de pâtes italiennes. Théières, cafetières et plus encore. Ligne de cadeaux, nouvelles porcelaines, accessoires Bibol (produit en bambou, non toxique, équitable, vert).

LE MAÎTRE GOURMET
1520, av. Laurier E., MTL
514-524-2044
Petite boutique écolo de quartier qui vend des produits d'épicerie fine biologiques et équitables, tels que pâtes alimentaires, yogourts, chocolats, cafés, huiles d'olive, céréales, un excellent gâteau aux carottes. Aussi quelques fruits et légumes.

**LE MARCHÉ DES SAVEURS
DU QUÉBEC**
Marché Jean-Talon
280, pl. du Marché-du-Nord, MTL
514-271-3811
Épicerie fine réunissant des produits du terroir québécois. Importante variété de fromages, charcuteries à base de gibier, plats cuisinés. Aussi, un grand choix de vins et de boissons artisanales du Québec. Service de plateau de fromages et charcuteries. Paniers-cadeaux personnalisés.

LES 5 SAISONS
1280, av. Greene, MTL
514-931-0249
1180, rue Bernard O., OUTREMONT
514-276-1244
Épicerie épicurienne haut de gamme axée sur le service à la clientèle avec un vaste choix de produits. Produits fins: sélection intéressante d'huiles d'olive, de vinaigres balsamiques, de moutardes fines, de craquelins fins, de sauces et de pâtes fraîches italiennes. Champignonnière, laitues hydroponiques, variété de légumes fins, fruits exotiques, produits du Québec en saison.

LES DOUCEURS DU MARCHÉ
Marché Atwater
138, av. Atwater, #150, MTL
514-939-3902

Une véritable caverne d'Ali Baba où les senteurs apportent un vent d'aventure. Plus de 250 sortes d'huiles d'olive importées, grand choix de vinaigres, cafés, thés, épices indiennes et louisianaises, produits chinois, confitures, chocolat, pâtes et sauces, biscuits, biscottes, sirop d'érable. Grande sélection d'aliments sans gluten. De quoi satisfaire les plus difficiles.

MARCHÉ ADONIS
2425, bd Curé-Labelle, LAVAL
450-978-2333
7250, bd des Roseraies, ANJOU
514-493-6667
2001, rue Sauvé O., MTL
514-382-8606
3100, bd Thiemens,
SAINT-LAURENT
514-904-6789
2173, rue Sainte-Catherine O.,
MTL
514-933-4747
4601, bd des Sources,
DOLLARD-DES-ORMEAUX
514-685-5050
Quartier DIX30
8880, bd Leduc, BROSSARD
450-656-9595
Les marchés Adonis sont des entreprises fort appréciées qui vous transportent dans un voyage olfactif, gustatif et auditif au Moyen-Orient et dans la Méditerranée de vos rêves. Odeurs, saveurs, couleurs, saveurs exotiques. Marché détaillant.

OLIVE ET OLIVES
3127, rue Masson, MTL
514-526-8989
428-B, av. Victoria, SAINT-LAMBERT
450-923-2424
Marché gourmand Centropolis
2888, av. du Cosmodôme, LAVAL
450-687-8222
Marché Jean-Talon
7070, rue Henri-Julien, #C-11, MTL
514-271-0001
Spécialisé en huiles d'olive extra-vierge d'Espagne, de France, de Grèce, d'Italie, de Tunisie, d'Afrique du Sud, des États-Unis, d'Argentine et du Portugal. Huiles d'appellation d'origine contrôlée. Superbe variété d'olives. Dégustation sur place. Ateliers d'huiles d'olive à la succursale de la rue Masson. Aussi, un magasin à Mirabel, chemin Notre-Dame.

PASTA CASARECCIA
5849, rue Sherbrooke O., MTL
514-483-1588
Ce magasin offre un comptoir de produits maison et de produits fins importés d'Italie jumelé avec un restaurant-trattoria. Grand choix de pâtes, sauces, charcuteries et fromages.

PROVISIONS MIYAMOTO
382, av. Victoria, WESTMOUNT
514-481-1952

Produits japonais, chinois et coréens. Œufs de poissons, algues, accessoires pour la cuisine japonaise. Sushis préparés sur place. Cours de confection de sushis. Livre sur les sushis.

RICHMOND MARCHÉ ITALIEN
333, rue Richmond, MTL
514-508-8749
Épicerie, bistro et traiteur à l'italienne, décoration moderne dans un local style entrepôt. Beaucoup d'espace mais aussi un grande diversité de produits fins d'importation privée en provenance d'Italie et du Québec. Une sélection d'huiles d'olive, de fromages bien choisis, une excellente charcuterie italienne, des pâtes diverses et du fromage, du café, du chocolat, des ustensiles ainsi que des mets préparés à emporter ou à manger sur place dans la partie bistro, tout ce qu'il faut pour être heureux. Une section bistro 100 places avec un menu plus abordable qu'au restaurant éponyme. Beaucoup d'espace, décoration au design moderne.

TAU
4238, rue Saint-Denis, MTL
514-843-4420
6845, bd Taschereau, BROSSARD
450-443-9022
Aliments naturels de choix. Fruits et légumes biologiques. Nourriture empaquetée et en vrac. Boulangerie. Suppléments et vitamines. Boucherie bio et bar à jus à Laval.

FABRIQUE DE PÂTES

HISTOIRE DE PÂTES
458, rue Victoria, SAINT-LAMBERT
450-671-5200
Excellente petite fabrique de pâtes fraîches faites maison. Plats cuisinés à manger sur place ou à emporter; 20 sortes de sauces maison et antipasti. Lun. à ven. service des repas 11h30 à 13h30. Et pas après! Fermé dim.

FLEURISTES

FAUCHOIS FLEURS
4683, rue Saint-Denis, MTL
514-844-4417
Un excellent fleuriste. Belle variété de fleurs fraîches, bouquets raffinés, baies et branches pour tables de charme. Grande sélection de vases (cristal, céramique, verre). Grand choix de plantes.

LE TULIPIER
438, rue Saint-Pierre, MTL
514-398-0707
Très vaste choix de fleurs de saison de qualité. Composition soi-

GUIDE DEBEUR 2016

gnée et de bon goût. Belle sélection de vases et de plantes.

**MARCEL PROULX
HORTICULTEURS ET ASSOCIÉS**
3835, rue Saint-Denis, MTL
514-849-1344
Compositions florales soignées et très artistiques, plantes intéressantes, très belles fleurs. Reconnu pour l'aménagement de leurs jardins.

ZEN, LE POUVOIR DES FLEURS
1039, av. Mont-Royal E., MTL
514-529-5365
Bouquets hybrides, souvent très colorés et de bon goût, toujours avec une touche d'originalité. Beau magasin. Accueil agréable et professionnel.

FROMAGERS MARCHANDS

AVIS
Il y a une différence entre un fromager marchand qui vend des fromages et un fromager artisan, ou fermier, qui fabrique des fromages. Cependant, les deux peuvent faire l'affinage ou le vieillissement.

**FROMAGERIE ATWATER
DE SAINT-JACQUES**
Marché Saint-Jacques
1125, rue Ontario E., MTL
514-527-8219
Ces nouveaux commerces appartiennent à Gilles Jourdenais, propriétaire de la Fromagerie du marché Atwater. Comptoir de 300 fromages, dont une grande sélection de fromages québécois. Produits fins et charcuteries.

FROMAGERIE DES NATIONS
Marché public 440
3535, autoroute Laval O., LAVAL
450-682-3862
Quartier DIX30
7200, bd du Quartier, BROSSARD
450-443-4344
Marché gourmand
2888, av. du Cosmodome, LAVAL
450-681-5726
Marché public de Longueuil
4200, ch. de la Savane, LONGUEUIL
450-462-4666
Halles d'Anjou
7500, bd des Galeries d'Anjou,
VILLE D'ANJOU
514-356-2102
423, rue Principale, GRANBY
450-305-6162
Installées depuis près de 30 ans, ces fromageries offrent un très bon choix d'environ 800 variétés de fromages. Charcuterie et épicerie fine, elles proposent d'excellents

prosciuttos, des épices, des huiles et des vinaigres variés, des sels, des poivres, des tisanes et des thés de diverses provenances. Le bistro-boutique de Granby offre des menus dégustation: fromages et charcuteries, fondues au fromage, raclette.

**FROMAGERIE
DU MARCHÉ ATWATER**
Marché Atwater
134, av. Atwater, MTL
514-932-4653
Plus de 800 sortes de fromages importés et locaux. Assiettes de viandes froides et de fromages pour toutes occasions. Une importante section de bières du Québec. Distributeur de fromages fins québécois et importés. Fromages fermiers au lait cru. Un fromager marchand qui connaît bien son métier. Affinage et distribution.

FROMAGERIE HAMEL
622, rue Notre-Dame, REPENTIGNY
450-654-3578
975, rue Fleury E., MTL
514-383-1500
Marché Jean-Talon
220, rue Jean-Talon E., MTL
514-272-1161
2117, av. Mont-Royal E., MTL
514-521-3333
9196, rue Sherbrooke E., MTL
514-355-6657
Marché Atwater
138, rue Atwater #14, MTL
514-932-5532
Vaste sélection de fromages locaux et importés. Affineur avec une cave d'affinage agréée. Gamme de fromages Le Pic, exclusive à la maison. Dégustations vins et fromages sur demande. Vente et location de girolles et de fours à raclette. Recommandation de vins et de bières assortis aux fromages. Plateaux et boîtes de fromage pour particuliers et entreprises. Gâteau fait en meules de fromage. Grossiste. Maison sérieuse qui existe depuis 1961.

**FROMAGERIE
MARCHÉ VILLAGE**
Marché Village
7800, bd Taschereau, BROSSARD
450-671-7961
Grand choix de fromages importés de France et d'Italie. Bon choix de fromages fermiers du Québec. Fromages en portions et à la coupe. Marie Martella, la propriétaire, est une vraie passionnée des fromages du monde. Elle n'a aucun préjugé, elle les goûte tous et se renseigne pour mieux conseiller ses clients. Ouvert depuis 1982.

LA BAIE DES FROMAGES
1715, rue Jean-Talon E., MTL
514-727-8850
Fromagerie, charcuterie, épicerie fine, sandwicherie, ouverte depuis 1973. Véritable paradis des pro-

duits italiens importés directement. Un très grand choix de fromages d'Italie, de merveilleuses charcuteries, d'huiles d'olive, de vinaigres, de légumes marinés, de mets préparés sur place. Une vaste gamme de pâtes spécialisées exceptionnelles. On se croirait en Italie du Sud.

LA FOUMAGERIE
4906, rue Sherbrooke O.,
WESTMOUNT
514-482-4100
Depuis 1995, la Foumagerie nous offre son service de fromagerie et son comptoir-lunch. Épicerie fine, fromages, casse-croûtes, soupes et salades, cafés, paniers-cadeaux, service de traiteur. Un lieu bien sympathique où on est assuré de satisfaire sa faim.

LA MAISON DU RÔTI
1969, av. Mont-Royal E., MTL
514-521-2448
Un grand choix de fromages artisanaux du Québec et d'importation.

L'ÉCHOPPE DES FROMAGES
12, rue Aberdeen,
SAINT-LAMBERT
450-672-9701
Propose un bon choix de 300 variétés de fromages, dont plusieurs au lait cru. Fromages fermiers et québécois. Affineur de métier. Pain artisanal et épicerie fine. Terrasse et bistro. Service de dégustation, vins et fromages sur place, le midi, mobile et à domicile. Cours et conférence sur le fromage. Importations (huiles, pâtes et truffes). Ouvert depuis 1990. 25 ans déjà!

**LE MARCHÉ DES SAVEURS
DU QUÉBEC**
Marché Jean-Talon
280, pl. du Marché-du-Nord, MTL
514-271-3811
Comptoir de fromages du Marché des saveurs, entièrement consacré aux fromages du Québec. Environ 150 sortes de fromages artisanaux québécois, produits laitiers, etc. Dégustation possible.

LES 5 SAISONS
1280, av. Greene, MTL
514-931-0249
1180, rue Bernard O.,
OUTREMONT
514-276-1244
Une bonne variété de fromages de chèvre fermiers. Plateaux pour dégustation de vins et de fromages. Fromages au lait cru. Beaucoup de produits du Québec. Service de traiteur. Jambon à l'os Les Cochonailles.

MAÎTRE CORBEAU
5101, rue Chambord, MTL
514-528-3293
Bonne variété de fromages québécois et d'importation. Épicerie fine, produits laitiers, bio, bières et

GUIDE DEBEUR 2016

cidres du Québec. Produits biologiques de Charlevoix, gamme de produits Saum'mom.

MARCHÉ DE LA VILLETTE
Quartier des Arts
324, rue Saint-Paul O., VIEUX-MTL
514-807-8084
Comptoir de fromages du terroir et importés, rosette de Lyon. On peut manger sur place des cochonailles et des plats canailles dans une ambiance de bistro parisien.

QUI LAIT CRU!?! FROMAGERIE
Marché Jean-Talon
7070, rue Henri-Julien, MTL
514-272-0300
Variété de 300 fromages différents, importés et sélectionnés dans l'année. Plusieurs fromages du terroir. Section d'épicerie fine. Cantine mettant en vedette le fromage.

YANNICK FROMAGERIE
1218, Bernard O., OUTREMONT
514-279-9376
Marché de l'Ouest
11690, rue de Salaberry,
DOLLARD-DES-ORMEAUX
514-421-9944
357, rue Parent, SAINT-JÉRÔME
450-436-8469
Un très beau choix allant de 150 à 350 fromages fins québécois et importés, au lait cru et pasteurisé. Établie depuis 1975, à Saint-Jérôme d'abord. Yannick Achim est un fromager marchand qui connaît très bien son domaine. Épicerie fine, majoritairement d'importation privée. Service traiteur pour plateaux de fromages. Location d'équipements liés au fromage. Soirées dégustation à Saint-Jérôme.

YANNICK FROMAGERIE - LES ÉTALS
Les Étals
250, bd Lachapelle,
SAINT-JÉRÔME
450-438-1213 #114
Les Étals
140, rue Bélanger, SAINT-JÉRÔME
450-432-1213 #5
Groupement de spécialistes en alimentation, poissonnerie, boulangerie, fromagerie, boucherie, maraîcher. Ressemble à un marché avec plusieurs commerçants dans lesquels on retrouve Yannick Fromagerie et ses excellents produits.

GLACIERS

CHOCOLATERIE LA CABOSSE D'OR
973, ch. Ozias-Leduc,
OTTERBURN PARK
450-464-6937
Quelque 25 saveurs de glaces fabriquées sur place selon une méthode ancienne, 6 sorbets, 18 crèmes glacées, et de la crème molle dont la nouvelle «Cabossé» aux

parfums des plus gourmands. Bar laitier.

CRÈME GLACÉE HUDSON
10 rue Sunrise, HUDSON
514-497-9742
Une crème glacée du Québec sucrée au sirop d'érable. Son créateur Jean-Pierre Martel, membre des créatifs de l'érable, emploie des produits québécois, crème, lait frais et sirop d'érable. Elle est 100% naturelle, sans gluten, sans additif. Fine, onctueuse, avec un bon goût de lait frais.

ESSENCE MAÎTRE GLACIER
9835, rue Saint-Urbain, MTL
514-388-2828
Crèmes glacées et sorbets sortant de l'ordinaire créés par Jean-Marc Guillot et Alexis Dionne. De beaux fruits frais, du vrai lait, de la vraie crème, un savoir-faire tirant ses racines d'un apprentissage des plus sévères et le professionnalisme d'une discipline de fer. Jean-Marc Guillot, champion du monde glacier de la pâtisserie à Lyon en 1993, Meilleur Ouvrier de France glacier, compagnon du tour de France en 1997. Leurs crèmes glacées et sorbets sont excessivement onctueux, délicats, élégants, très riches en goût. Enfin du vrai! 10 sorbets, 7 crèmes glacées sans conservateur, sans colorant, juste des produits naturels, des fruits, des végétaux et du sirop.

HARTLEY Glaces & Chocolats
670, av. Victoria, SAINT-LAMBERT
450-671-9671
Plus de 50 sortes de glaces et de sorbets aux saveurs inusitées: cardamome, lavande, thé rouge aux agrumes d'Italie à fleur d'oranger, poivre du Sichuan, etc. Terrasse l'été.

LA GASCOGNE
1950, bd Marcel Laurin, MTL
514-331-0550
4825, rue Sherbrooke O.,
WESTMOUNT
514-932-3511
Marché public 440
3535, Autoroute Laval O., LAVAL
450-781-3700
Les Colonnades
940, bd Saint-Jean, POINTE-CLAIRE
514-697-2622
Choix de glaces, sorbets et entremets glacés maison.

LE GLACIER BILBOQUET
4864, rue Sherbrooke O.,
WESTMOUNT
514-369-1118
1311, av. Bernard O., OUTREMONT
514-276-0414
1600, av. Laurier E., MTL
514-439-6501
Quartier DIX30
9190, bd Leduc #110, BROSSARD
579-720-7330

309C, Lakeshore, POINTE-CLAIRE
514-505-0680
Un incontournable qui propose plus de 50 saveurs de crèmes glacées et de sorbets qui sont de véritables péchés glacés. Macarons fourrés de crème glacée. Gâteau à la crème glacée, sandwichs à Westmount et Pointe-Claire. Tartes et biscuits faits maison à Outremont (magasin fermé en hiver). Lunchs légers à manger sur place. Stationnement et terrasse 30 pers. à Pointe-Claire.

LES CHOCOLATS FAVORIS
1005, rue Lionel-Daunais,
BOUCHERVILLE
450-906-3996
Une destination pour quiconque raffole de la crème glacée molle enrobée de chocolat véritable. On fait tremper sa crème glacée dans un chocolat fondu offert en 12 saveurs. Sorbets, yaourts glacés et glaces artisanales. Glacerie ouverte du printemps à la fin octobre. Terrasse extérieure.

PÂTISSERIE ROLLAND
170, Saint-Charles O., LONGUEUIL
450-674-4450
504, rue Albanel, BOUCHERVILLE
450-655-3821
Glaces et sorbets maison fabriqués avec de vrais fruits. Goût unique et véritable. Aussi comptoirs place Charles-LeMoyne à Longueuil et av. Jules-Choquet à Sainte-Julie.

MARCHÉS DE QUARTIER DE MONTRÉAL

Tout le monde connaît les quatre grands marchés publics de Montréal. Mais voici également quelques petits marchés de quartier qui vous enchanteront certainement.

Marché Jean-Brillant
Angle Jean-Brillant et Côte-des-Neiges (Métro Côte-des-Neiges)
514-937-7754

Marché Mont-Royal
Angle Mont-Royal et Berri

Marché Papineau
Angle Cartier et Sainte-Catherine

Marché Pasteur
Entre Maisonneuve et Sainte-Catherine, côté ouest de Saint-Denis

Marché place Jacques-Cartier
Sur Notre-Dame, entre Saint-Vincent et Gosford

Marché Rosemont
Angle Des Carrières et Saint-Denis

Marché solidaire Frontenac
Angle Frontenac et Ontario E.

GUIDE DEBEUR 2016

Marché Square Phillips
Angle Sainte-Catherine et Union

Marché Square Saint-Louis
Carré Saint-Louis et Saint-Denis

Marché Square Victoria
Entre Viger et Saint-Antoine, côté ouest de McGill

MARCHÉ FERMIER

FERME GUYON
1001, Patrick-Farrar, CHAMBLY
450-658-1010
Marché fermier, ferme pédagogique et destination agrotouristique. Vente d'aliments du terroir, fruits et légumes, fromages et produits laitiers, pains et pâtisseries, charcuteries, coin-repas, etc. Il y a aussi une pépinière, des plantes maraîchères et une papillonnière. Produire en serre, cultiver en champ, faire participer les fermiers situés à moins de 100 km, voilà ce qui est à l'origine de la plus grande partie de ce qu'on vend sur place.

MARCHÉS PUBLICS DE MONTRÉAL

Marchés publics urbains avec des étals de producteurs ou de marchands en plein air, mais aussi avec des commerces à l'intérieur. Produits locaux et du terroir de belle qualité. Magasins à recommander. Le service est très souvent agréable et les produits sont toujours d'une grande fraîcheur.

MARCHÉ ATWATER
138, av. Atwater, MTL
514-937-7754

MARCHÉ JEAN-TALON
7070, rue Henri-Julien, MTL
514-937-7754

MARCHÉ MAISONNEUVE
4445, rue Ontario E., MTL

MARCHÉS PUBLICS RIVE-SUD DE MONTRÉAL

MARCHÉ DES JARDINIERS
1200, ch. de Saint-Jean,
LA PRAIRIE
514-387-8319
Un vaste marché public où l'on trouve des fruits et des légumes frais, des fines herbes et des herbes aromatiques, une boucherie, une boulangerie, une charcuterie, une crémerie, une fromagerie, une poissonnerie, une saucisserie et un bistro, ainsi qu'une vaste gamme de plantes annuelles et vivaces.

MARCHÉ PUBLIC DE CHAMBLY
Parc de la commune
1999, av. Bourgogne, CHAMBLY
450-346-3389
On y trouve de vrais producteurs et transformateurs, qui apportent là leur production de la semaine. Des produits sans pesticides, ni engrais chimiques, ni exhausteurs de goût, ni colorants et encore moins de conservateurs, non, rien de tout cela. Ce sont des produits de qualité, authentiques, bio, frais et savoureux. Et, lorsqu'il n'y en a plus, bien c'est tout simple, il faut revenir le samedi d'après. L'hiver, ce petit marché traverse la rue dans un local abrité.

MARCHÉ PUBLIC DE LONGUEUIL
4 200, ch. de la Savane,
LONGUEUIL
450-463-7100
Marché où sont réunis producteurs, distributeurs et transformateurs agroalimentaires de qualité. Une multitude de produits frais: fruits, légumes, fromages, saucisses, foies gras, pâtisseries, confitures, miels, etc. Des gens qui, pour la plupart, peuvent répondre à nos questions sur les produits que nous achetons. Aussi ateliers culinaires, démonstrations d'horticulture et autres activités sur place, voir www.longueuil.ca./marche-public. D'importantes rénovations l'ont transformé en une galerie marchande moderne, fonctionnelle et permanente.

PÂTISSERIES

AUX PLAISIRS GOURMANDS
1490, rue Sherbrooke O., MTL
438-381-6111
Nouveau propriétaire qui a su s'entourer de bons éléments et ajouter sa touche personnelle. Cette boutique n'a rien de traditionnel. Polyvalente, elle se divise en sections: pâtisserie, boulangerie, salon de thé, sandwicherie et laboratoire de préparation. Chocolats maison. Réputé en macarons. Livraison de petits déjeuners. Ouvert 7 jours.

BOULANGERIE PREMIÈRE MOISSON
Voir les adresses à BOULANGERIES
Véritable paradis gourmand avec ses gâteaux alléchants, ses pâtisseries et ses tartes délicieuses, fins chocolats artisanaux et autres délices faits avec les meilleurs ingrédients. À découvrir, les nouveautés saisonnières sur premieremoisson.com. Ambiance très agréable créée par une belle décoration.

BOUTIQUE GOURMANDISE
Fairmont Le Reine Elizabeth
900, bd René Lévesque O., MTL
514-954-2243

Un excellent choix de pâtisseries fines, de chocolats, de viennoiseries, de macarons, de mignardises, de petits fours de Carole, la chef chocolatière de l'hôtel Fairmont Le Reine Elizabeth. Ouvert 7 jours dès 8h. Petit service traiteur de 2 à 10 pers.

**CHOCOLATERIE
LA CABOSSE D'OR**
973, ch. Ozias-Leduc,
OTTERBURN PARK
450-464-6937
Pâtisseries fraîches, gâteaux, croquants pour toutes occasions. Grosses portions délicieuses. De quoi satisfaire les plus gourmands. Gâteaux de mariage.

EUROPEA ESPACE BOUTIQUE
33, rue Notre-Dame O., MTL
514-844-1572
Boîte de petit déjeuner (café, jus, mini-viennoiseries, salade de fruits frais). Sélection de pâtisseries. Macarons en 16 saveurs et desserts succulents. Tout est confectionné au restaurant Europea. À emporter, se faire livrer ou à grignoter sur place. Une dizaine de places assises. Lunch rapide le midi.

FOUS DESSERTS
809, av. Laurier E., MTL
514-273-9335
Gâteaux de création de tradition française, faits à partir de sucre de canne et de farine biologique. Un des meilleurs croissants en ville. Gâteaux de mariage. Bonbons, chocolats maison, sablés sans gluten. Utilise uniquement le chocolat Valrhona. Aussi crème glacée, sorbet et gelato maison. Thé japonais et autres. On peut déguster sur place. Menu brunch le dimanche.

GOURMET PRIVILÈGE
1001, rue Fleury E., MTL
514-385-6335
3602, bd Saint-Charles, KIRKLAND
514-694-2261
Pâtisseries, gâteaux pour toutes occasions. Aussi, chocolaterie, boulangerie, charcuterie. Beau magasin offrant une multitude de bons produits.

LA BRIOCHE LYONNAISE
1593, rue Saint-Denis, MTL
514-842-7017
Pâtisseries françaises, carte de crêpes. Déjeuner le matin. 4 terrasses, dont une de rue et une lounge.

LA GASCOGNE
237, av. Laurier O., MTL
514-490-0235
1950, bd Marcel Laurin, MTL
514-331-0550
4825, rue Sherbrooke O.,
WESTMOUNT
514-932-3511
Marché public 440
3535, Autoroute Laval O., LAVAL
450-781-3700

Les Colonnades
940, bd Saint-Jean, POINTE-CLAIRE
514-697-2622
Produits de haute qualité et méthodes artisanales. Parmi les entremets, nous retrouvons la Charlotte aux framboises, le Croquant au chocolat et la Key lime pie. Gâteaux de mariage. Viennoiseries pur beurre faites à la main dont le Bostok, la brioche provençale et le cannelé. Madeleine au gianduja, petits fours secs et pailles au fromage.

L'AMOUR DU PAIN
393, rue Samuel-de-Champlain,
BOUCHERVILLE
450-655-6611
Fraîcheur des pâtisseries. Belle présentation, couleurs chatoyantes. Verrines (crumble). Gamme de millefeuilles, feuilletés caramélisés, tartelettes, gâteaux et pâtisseries. Yogourt maison.

L'ANGE GOURMAND
825, ch. de Saint-Jean, LA PRAIRIE
450-984-2643
Pâtisserie artisanale où chacun met la main à la pâte. Elle prépare la pâtisserie et la viennoiserie et lui s'occupe de la confection des plats à emporter. Offre aussi un service de cuisinier à domicile. Café, chocolat, macaron, confiture. Nous vous recommandons les croissants.

**LE GARDE-MANGER
DE FRANÇOIS**
Marché public de Longueuil
4200, ch. de la Savane,
LONGUEUIL
450-447-9991
2403, rue Bourgogne, CHAMBLY
450-447-9991
Brioches, croissants, chocolatines, danoises ou viennoiseries moins classiques comme le croissant fourré de crème pâtissière. Tout est bon et vaut le détour, surtout les croissants aux amandes. Toujours un pur délice! Un chef pâtissier s'est joint à l'équipe, apportant sa touche personnelle aux pâtisseries.

LE PALTOQUET
1464, rue Van Horne, OUTREMONT
514-271-4229
Produits faits maison. Croissants au beurre et aux amandes, brioches et chocolatines, chaussons aux pommes, tartes au citron et autres pâtisseries. Traiteur pour buffet froid. Pâtisserie-café-restaurant, on peut se restaurer sur place le midi. Gâteaux à emporter.

**LESCURIER
TRADITION GOURMANDE**
1333, av. Van Horne,
OUTREMONT
514-273-8281
Très beau magasin. Gâteaux pour toutes occasions, chocolats, pains

et brioches maison, fromages et charcuteries. Une quinzaine de sortes de quiches. Service de livraison.

LES SAVEURS DU PLATEAU
1479, av. Laurier E., MTL
514-523-1501
Pâtisseries artisanales de qualité et viennoiseries. Plats cuisinés à emporter, service de traiteur. Ouvert 7/7 jours.

MAISON CHRISTIAN FAURE
355, Place Royale, MTL
514-508-6452
Très belles et délicieuses pâtisseries françaises. Comptoir de «snacking chic» le midi. Boutique de cadeaux gourmands. À la tête de l'équipe, le chef pâtissier Christian Faure, meilleur ouvrier de France. Également une école de pâtisserie française haut de gamme pour amateurs sérieux et professionnels. Cours pour enfants.

**MARIUS ET FANNY
PÂTISSERIE PROVENÇALE**
3119, rue Victoria, LACHINE
514-844-0841
4439, rue Saint-Denis, MTL
514-844-0841
239, bd Samson,
SAINTE-DOROTHÉE, LAVAL
450-689-0655
Marché public de Lachine
1895, rue Piché, LACHINE
514-639-4258
Pâtisseries d'inspiration provençale. Viennoiseries originales pur beurre. Une douzaine de saveurs de macarons faits sur place. Tout est fait maison avec des produits fins de qualité, façonnés de façon artisanale. Tarte tropézienne: pâte fine de brioche, crème légère au lait de fleur d'oranger.

NOUVEAU NAVARINO
5563, av. du Parc, MTL
514-279-7725
Cette boutique de spécialités grecques vient de s'offrir un nouveau décor. Elle vend toujours des viennoiseries, des pâtisseries, du café, des sandwichs, des salades et des plats cuisinés grecs.

PAINS ET SAVEURS
2130, bd de Boucherville,
SAINT-BRUNO
450-441-4155
5959, bd Cousineau, SAINT-HUBERT
450-890-3441
2000, av. Victoria,
GREENFIELD PARK
450-486-1717
Un bel assortiment de pâtisseries classiques et revisitées. Belle présentation. La maison n'hésite pas à suivre les saisons et les fêtes de l'année pour faire des créations thématiques. Exemple: un merveilleux gâteau aux pommes et sucre d'érable. Très beau magasin, décoration réussie.

PÂTISSERIE CHOCOLATERIE LAURENT PAGÈS
1436, bd Curé Labelle #103, BLAINVILLE
450-434-8149
Laurent Pagès, chef propriétaire, joue sur les couleurs, les textures et le goût avec dextérité. Il fait partie des meilleurs pâtissiers de la région, que nous aimerions avoir à Montréal. Une simple boutique, mais ne vous y trompez pas, vous y trouverez des gâteaux délicieux, d'une grande élégance, aux décors enchanteurs et une excellente viennoiserie.

PÂTISSERIE DE SAVOIE
566, bd Adolphe-Chapleau, BOIS-DES-FILLIONS
450-621-4110
Pâtisseries françaises. Chocolats fins. Viennoiseries. Vente en gros. Fromages d'importation. Charcuterie.

PÂTISSERIE DUC DE LORRAINE
5002, ch. Côte-des-Neiges, MTL
514-731-4128
Viennoiseries et pâtisseries françaises fraîches du jour. Gâteaux de fête et de mariage personnalisés. Fait aussi service de traiteur, on peut manger sur place dans l'espace bistro ou sur la terrasse. Charcuterie et fromages français.

PÂTISSERIE MERCIER
200, rue Jarry E., MTL
514-387-1741
Très belle boutique, beaux produits. Pâtisseries classiques et modernes, entremets, chocolats maison. Spécialisé dans les gâteaux de mariage. 60 ans en 2016.

PÂTISSERIE Ô GÂTERIES
364, Saint-Charles O., VIEUX-LONGUEUIL
450-674-8400
Pâtisseries, chocolats, petits fours, viennoiseries, macarons faits maison. Des gâteaux sont servis sur place dans un espace bistro ou sur la terrasse en été. Salon de thé, thé en feuilles. A aussi un comptoir au niveau métro du Complexe Desjardins, à Montréal. Fermé lundi.

PÂTISSERIE RHUBARBE
5091, de Lanaudière, MTL
514-903-3395
Parmi l'une des meilleures pâtissières de Montréal. Pâtisseries à l'européenne au gré des saisons, à la présentation élégante, de très belle qualité. Produits saisonniers et locaux. Pâtisseries fraîches, éclair chocolat-framboise, gâteau au fromage et baies d'argousier, tarte mûres et bleuets sauvages, gâteau chocolat-caramel fleur de sel, tarte au citron, millefeuille vanille-caramel.

PÂTISSERIE ROLLAND
170, Saint-Charles O., LONGUEUIL
450-674-4450

504, rue Albanel, BOUCHERVILLE
450-655-3821
Entreprise familiale fondée en 1940. Une multitude de sortes de gâteaux raffinés, présentation créative, gâteaux personnalisés. Pâtisseries artisanales, chocolats signés Christophe Morel, glaces maison. Aussi comptoirs place Charles-Le-Moyne à Longueuil et av. Jules-Choquet à Sainte-Julie.

POINT G
1266, rue Mont-Royal E., MTL
514-750-7515
Boutique 100% artisanale. Le propriétaire est un excellent chef pâtissier. Desserts haut de gamme, boissons chaudes et crèmes glacées. On y trouve, entre autres, 30 parfums de macarons. Aussi, événements d'entreprises, fêtes, mariages.

POISSONNERIES

LA MER
1840, bd René-Lévesque E., MTL
514-522-3003
À la fois grossiste, distributeur et traiteur La Mer existe depuis 1968. Elle offre des poissons des quatre coins du monde, des fruits de mer, et respecte la pêche durable. Ouverte tous les jours, on peut y acheter 40 sortes de poissons et de nombreux produits maison.

LE POISSON VOLANT
584, ch. Saint-Jean, LA PRAIRIE
450-444-8821
Un bon choix de poissons frais et de fruits de mer. Choix provenant des Îles de la Madeleine, saumon mariné fumé. Produits maison et sushis préparés sur place. Cours de sushis. Très exigeants dans la sélection du poisson.

LES 5 SAISONS
1280, av. Greene, MTL
514-931-0249
1180, rue Bernard O., OUTREMONT
514-276-1244
Caviar frais DaVinci et Osciètre, saumon biologique d'Écosse, saumon fumé (style Balik), variété de filets de poissons d'Islande, variété de fruits de mer gros format.

ODESSA POISSONNIER
4900, rue Molson #100, MTL
514-908-1000
7500, rue des Galeries d'Anjou, ANJOU
514-355-4734
2888, av. du Cosmodôme, LAVAL
450-681-3399
Quartier Dix30
7200, bd du Quartier, BROSSARD
450-656-9599
145, bd Saint-Joseph, SAINT-JEAN-SUR-RICHELIEU
450-349-5330

338, bd Laurier, BELOEIL
450-446-2000
6950, Marie-Victorin, SOREL-TRACY
450-743-0644
Un immense choix de fruits de mer, de poissons frais et surgelés et une grande variété de plats cuisinés. On peut même faire cuire son homard sur place. Odessa est la plus grande chaîne de poissonnerie au Québec, ses produits sont toujours frais.

POISSONNERIE FALERO
5726-A, av. du Parc, MTL
514-274-5541
Créée en 1959, c'est l'une des plus anciennes poissonneries et sans doute une des meilleures aujourd'hui. Vendent plus de 900 kg de poissons et de fruits de mer par semaine. Crabe des neiges, homard des Îles, huîtres, burgot, espadon, pieuvre, saumon, thon, mérou, poissons entiers, etc. Épicerie fine au 1er étage. Livraison à domicile.

POISSONNERIE RENÉ MARCHAND
1138, av. Victoria, SAINT-LAMBERT
450-672-1231
Entreprise familiale de vente au détail, en affaires depuis 1969. Produits de qualité. Choix de poissons exotiques et de fruits de mer. Belle variété de produits fumés. Produits maison prêts à emporter. Beaucoup de plats cuisinés. Aussi, succursale à Sainte-Catherine, route 132.

SAUM-MOM
4378, av. Papineau, MTL
514-564-3024
Saumon équitable, saumon frais, saumon fumé, gravlax, tartare, tartinade de saumon fumé et autres. Depuis 1992, cette maison ne vend que des produits à base de saumon riches en oméga-3, un savoureux produit du terroir québécois.

SALONS DE THÉ ET CAFÉS

AU FESTIN DE BABETTE
4085, rue Saint-Denis, MTL
514-849-0214
Crème glacée molle maison. Crêpes bretonnes. Cafés italiens. Cinquante sortes de thés servis à la tasse. Chocolat chaud et grands crus de chocolats. Accessoires pour la fabrication du chocolat. Produits d'épicerie fine, salades, sandwichs. Brunch 7 jours.

AUX DEUX MARIE
4329, rue Saint-Denis, MTL
514-844-7246
Maison de torréfaction établie depuis 1994. La bonne odeur de leurs

Traiteur SPECTACULINAIRE™ *Agnus Dei*™

agnusdei.ca / 514.866.2323

mélanges exclusifs vous accueille dès l'entrée. Plus de 70 cafés de 30 pays différents, de quoi satisfaire les amateurs. Café-boutique, viennoiseries, sandwichs express, salades exotiques, desserts et carte de cafés. Terrasse non-fumeurs.

BRÛLERIE ST-DENIS
3967, rue Saint-Denis, MTL
514-286-9158
3039, rue Masson, MTL
514-750-6259
1389, av. Laurier E., MTL
514-508-9159
2050, bd René Laennec, LAVAL
450-933-7265
226, rue Brien, REPENTIGNY
450-704-2288
Maison de torréfaction, installée depuis 1985, qui importe ses propres grains de café. 97 sortes de cafés, dont 28 mélanges maison, de 25 régions différentes. Accessoires pour le café et le thé. Choix de cafés équitables. Plusieurs points de vente (cafés et bistros), vérifier à ces numéros pour avoir leurs adresses.

CAFÉ GRÉVIN PAR EUROPEA
705, rue Ste-Catherine O., MTL
514-788-5213
Situé à côté du Musée Grévin de Montréal. Une halte agréable pour se restaurer sur le pouce (salade, tartiflette, sandwich, pâtisserie, pain baguette). Petit déjeuner, boîte à lunch au comptoir et en livraison dans le centre-ville. Tout est confectionné par le restaurant Europea.

CAMELLIA SINENSIS
351, rue Emery, MTL
514-286-4002
Marché Jean-Talon
7010, rue Casgrain, MTL
514-271-4002
Thés en vrac (vert, noir, blanc, jaune, wulong, pu-erh) d'importation privée (Chine, Japon, Taïwan, Inde, Sri Lanka, Vietnam). Très belle boutique avec thés en vrac et accessoires pour le thé. Livres sur le thé. Salon de thé. École de thé. Dégustations et conférences. Distribution.

CHOCOLATERIE LA CABOSSE D'OR
973, ch. Ozias-Leduc,
OTTERBURN PARK
450-464-6937
Très grand salon de thé, confortable. Vingt variétés de thés. Cafés traditionnels (moka, cappucino, espresso). Trois sortes de chocolats chauds. Crèmes glacées maison. Des fenêtres, on peut apercevoir le boisé, le mini-golf à thème et la grande terrasse ombragée.

ÉPICES DE CRU
Marché Jean-Talon
7070, rue Henri-Julien, C-6, MTL
514-273-1118

Boutique d'épices, de thé et de céramiques tenue par la famille De Vienne. 200 thés dont le très apprécié chaï route de la soie ainsi que la marque maison «thé de cru». Thés froids et chauds. Au-delà de 400 épices uniques et mélanges. Céramiques Arik de Vienne.

KUSMI
3875, rue Saint-Denis, MTL
514-840-5445
Boutique et bar à thé. Sélection complète des thés Kusmi (75 à 80), dont 40 en exclusivité, à emporter ou à déguster sur place. Vendus en feuilles dans les fameuses boîtes colorées Kusmi, en vrac ou en sachet mousseline. Gamme complète de la ligne de thé entièrement biologique: Iov Organique. Sélection d'accessoires autour du thé.

LA GASCOGNE
237, av. Laurier O., MTL
514-490-0235
1950, bd Marcel Laurin, MTL
514-331-0550
4825, rue Sherbrooke O.,
WESTMOUNT
514-932-3511
Variété de cafés maison et de thés Dammann à consommer sur place. Petits déjeuners et déjeuners dont le panini à l'agneau, la quiche aux épinards et les salades. Viennoiserie et pâtisseries fines.

L'AMOUR DU PAIN
393, rue Samuel-de-Champlain,
BOUCHERVILLE
450-655-6611
Section bistro dans une boulangerie artisanale où l'on peut venir déjeuner et dîner en toute simplicité dès 6h chaque jour. Pizzas, paninis garnis, quiches, soupes et comptoir de fromages québécois et d'importation. Pain artisanal et pâtisseries maison. Cafés équitables.

LA PALETTE GOURMANDE
1486, rue Sherbrooke O., MTL
514-750-1492
Tables pour 14 pers. Carte de thés Camelia Sinensis, à déguster avec des macarons ou les merveilleuses pâtisseries du chef Christian Campos. Sacs de thé en vente: Mariage le meilleur de Paris, Thés de La Pagode. Dans un cadre d'épicerie fine et de traiteur signé le chef Alain Pignard.

LE FOUVRAC MAISON DE THÉ
1404-A, rue Fleury E., MTL
514-381-8871
Épicerie fine, boutique cadeau. Tous les accessoires pour le thé. Collection de théières en fonte, porcelaine et terre cuite. Grand choix de thés, de tisanes et de cafetières. Porcelaine, Bibol, chocolats Gendron. Distributeur exclusif des thés Betjeman et Barton.

LE RENDEZ-VOUS DU THÉ
1348, rue Fleury Est, MONTRÉAL
514-384-5695
Un choix de thé vert, thé noir, thé oolong, thé rouge, thé blanc, thé aromatisé, thé du zodiaque une fleur pour chaque signe. Vous y trouverez 120 sortes de thés, des théières japonaises (fonte et céramique), des infuseurs, des boîtes et coffrets à thé. Des services à thé de différentes origines. Cours et dégustation sur le thé. Aussi souper spectacle en soirée genre boîte à chansons, voir aussi dans la section restaurant du guide.

LES BRÛLERIES FARO
Marché gourmand Centropolis
2888, av. du Cosmodôme, LAVAL
450-973-9992
Ont une très grande variété de café vert. Cafés gourmets, biologiques et équitables, fraîchement torréfiés selon une méthode personnelle. Produits complémentaires, cafetières. Une adresse aussi à Sherbrooke. Visiter le site web pour plus d'info.

LES THÉS DAVIDsTEA
Carrefour Laval
3035, bd Le Carrefour, LAVAL
450-681-0776
Centre Fairview
6801, Autoroute Transcanadienne,
POINTE-CLAIRE
514-697-3331
4859, rue Sherbrooke O., MTL
514-489-0404
1207, av. Mont-Royal E., MTL
514-527-1117
Centre Eaton
705, Sainte-Catherine O., MTL
514-284-6060
Un milieu accueillant, une boutique moderne, spacieuse et colorée. Plus de 150 sortes de thés, dont des mélanges exclusifs, des collections saisonnières de série limitée, des thés classiques traditionnels et des infusions exotiques provenant des quatre coins du globe. Sans oublier une vaste collection de thés et infusions biologiques en Amérique du Nord. Une gamme novatrice, ludique d'accessoires pour le thé de conception maison, des cuillères aux infuseurs, en passant par les services à thé et les tasses de voyage.

MAISON DE THÉ CHA NOIR
4611, rue Wellington, VERDUN
514-769-1242
Fondée en 2003. Maison de thé offrant une sélection de plus de 100 sortes de thés et de tisanes, 80 modèles de théières, bouilloires électroniques, paniers d'accessoires. Bouchées chinoises, assiettes repas, carte de douceurs craquantes parfumées aux épices ou aux fleurs. Ateliers et dégustations de thés.

GUIDE DEBEUR 2016

MARIUS ET FANNY
PÂTISSERIE PROVENÇALE
3119, rue Victoria, LACHINE
514-844-0841
4439, rue Saint-Denis, MTL
514-844-0841
239, bd Samson,
SAINTE-DOROTHÉE, LAVAL
450-689-0655
Marché public de Lachine
1895, rue Piché, LACHINE
514-639-4258
Cafés gourmands, thés et smoothies frais. Spécialité: tarte au citron
de Menton. Confitures maison aux
fruits. Chocolats fins fabriqués sur
place. Terrasse aux quatre adresses.

PAINS ET SAVEURS
2130, bd de Boucherville,
SAINT-BRUNO
450-441-4155
5959, bd Cousineau, SAINT-HUBERT
450-890-3441
2000, av. Victoria,
GREENFIELD PARK
450-486-1717
Cafés spéciaux. Espace bistro et
beau comptoir de prêt à manger.
Dégustation de toutes les gourmandises confectionnées par la maison. Produits frais du jour, emballage soigné. Menu simple et plats
santé, pour manger sur place ou
emporter. Belle ambiance.

TOI, MOI ET CAFÉ
244, av. Laurier O., MTL
514-279-9599
2695, rue Notre-Dame O., MTL
514-788-9599
220, bd Labelle, ROSEMÈRE
450-433-9599
Un simple bistro avec une jolie terrasse en bois (sauf à Notre-Dame)
qui cache un des meilleurs impor-
tateurs et torréfacteurs de café en
ville. Cafés équitables et bio. Table
d'hôte midi/soir. Permis d'alcool. On
peut y manger du canard, du gibier et
du poisson. Desserts maison.

UN AMOUR DES THÉS
1224, av. Bernard O., MTL
514-279-2999
Plus de 250 variétés de thés, thés
verts, thés noirs, wulong, thés rouges, thés blancs, thés parfumés,
mélanges maison. Près de 200 modèles de théières et le nécessaire
pour préparer le thé. Les thés sont
aussi en vente dans les épiceries
fines. Importations privées depuis
2002. Vente en ligne.

TABAC

BLATTER ET BLATTER
375, av. Président-Kennedy, MTL
514-845-8028
Artisans pipiers établis depuis 1907,
parmi les meilleurs en ville. Fabri-
quent encore leurs pipes à la main.
Excellent choix de cigares cubains.

LA CASA DEL HABANO
1434, rue Sherbrooke O., MTL
514-849-0037
Magasin élégant, situé près du Musée des beaux-arts. Un salon où
l'on peut boire un espresso ou un
cocktail cubain mis à la disposition
du client qui désire fumer un bon
cigare. Très beaux choix de cigares
et d'accessoires. Humidor avec casiers privés.

VASCO CIGARS
1327, rue Sainte-Catherine O., MTL
514-284-0475
Belle sélection de cigares importés
de toutes provenances. Tabac, pipes, accessoires pour fumeurs (cave à cigares, briquet, etc.). Articles
de bar et de vin. Boutique cadeaux
pour hommes.

TRAITEURS

AGNUS DEI TRAITEUR
1260, rue Mill #200, MTL
514-866-2323 et 514-223-7311
Un des meilleurs traiteurs de Montréal. Cocktails dînatoires, buffets
thématiques, repas à l'assiette, soirées privées et événements d'envergure. Créateur de concepts culinaires. Traiteur très créatif, gagnant
de prix internationaux. Signé Agnus
Dei et François Chartier.

AUBERGE SUR LA ROUTE
430, rue Saint Gabriel, VIEUX-MTL
514-954-1041
Traiteur pour les entreprises ou les
événements. Grande variété de
services (boîtes à lunch, cocktails,
banquets réunissant jusqu'à 2 000
pers.). Démonstrations culinaires
(1 000 bouchées préparées le plus
rapidement possible, etc.).

AVEC PLAISIRS
1260, rue Mill #200, MTL
514-272-1511
670, rue Jean-Neveu, LONGUEUIL
450-766-1711
Traiteur pour événements au bureau ou à la maison. Commande
pour le lunch le jour même avant
11h. Gamme de repas servis froids
ou chauds. Déjeuners, repas indi-
viduels (plateaux, salades-repas,
bentos et sacs à lunch), pauses-
café, buffets froids et chauds, cocktails, 5 à 7, repas d'affaires. Livraison rapide et garantie région du
grand Montréal, Laval et Longueuil.
Comptoir ou livraison.

BLEU CARAMEL
4517, rue de La Roche, MTL
514-526-0005
Service de traiteur pour occasions
spéciales, événements culturels,
réceptions, petits groupes. Spécialités: mets japonais, coréens et sushis. Fais aussi office de petit restaurant.

CASSEROLE KRÉOLE
4800, rue de Charleroi, MTL
514-508-4844 et 514-800-2540
Deux chefs haïtiens Hans Chavannes et Kenny Pelissier, sympathiques et accueillants, une serveuse
au sourire magique. Des études
faites au Québec, mais une cuisine
des Antilles qui leur collent à la
peau. Leur inspiration vient de la
cuisine des femmes de la famille. 8
tables, boutique ouverte jusqu'à
17h, mardi au vendredi. Un décor
frais et simple fait de couleurs vives. Produits en vente: sauce Pikliz, marinade pour la viande, sirop
à la cannelle, purée de piments,
huiles aromatisées, le tout fait maison. Traiteur, plats à emporter et
lunch sur place. Pour le lunch sur
place, commander 24h d'avance.

DANSEREAU TRAITEUR
243, av. Dunbar, MTL
514-735-6107
Variété de menus pour tous genres
de réceptions et d'événements
spéciaux. Menus à thème.

EUROPEA ESPACE BOUTIQUE
33, rue Notre-Dame O., MTL
514-844-1572
Plateau repas à composer soi-même,
boîte à lunch gourmande: sandwichs raffinés (30 choix), pâtisseries, boissons. Desserts et macarons confectionnés au restaurant.
Pour tout événement (cinq à sept,
réunions, etc.), miniatures salées et
sucrées. À emporter ou à livrer. Une
dizaine de places assises. Lunch rapide le midi.

GÉRARD PINAUD TRAITEUR
2537, rue Centre, MTL
514-939-1929
Gérard Pinaud a pris la suite de
Marie Vachon traiteur en 1988. Il
offre une cuisine adaptée à la clientèle de bureau, jusqu'à 250 pers.
Lunch d'affaires, buffet chaud ou
froid, boîte à lunch, cocktail, banquet. Service et livraison.

GOURMEYEUR
BOUTIQUE TRAITEUR
Marché public 440
3535, aut. 440 O., LAVAL
450-681-5528
C'est une cuisine du monde réinventée, des produits frais retravail-
lés, des recettes audacieuses qui
associent l'élégance à la modernité. Boutique-traiteur. Plats préparés
sur place à déguster ou à emporter. En face, Gourmeyeur café-bistro.

LA GASCOGNE
237, av. Laurier O., MTL
514-490-0235
1950, bd Marcel Laurin, MTL
514-331-0550
4825, rue Sherbrooke O.,
WESTMOUNT
514-932-3511

Marché public 440
3535, Autoroute Laval O., LAVAL
450-781-3700
Les Colonnades
940, bd Saint-Jean, POINTE-CLAIRE
514-697-2622
Prêt à réchauffer, la quiche aux épinards, la tourte au jambon et fromage et la tourte provençale. Tartare de saumon sur sablé craquant, parmentier de canard et crab cake. Parmi le choix de salades, nous retrouvons la céleri rémoulade, les farfalles au proscuitto et la niçoise. De leur cuisine, dans les plats frais et congelés pour emporter, le pâté de lapin aux pistaches, la terrine de chevreuil et les rillettes d'oie maison.

LA GUILDE CULINAIRE
6381, bd Saint-Laurent, MTL
514-383-6050
Service de traiteur et boîtes à lunch pour le privé et le corporatif. Événements de grande envergure, 100 pers. et plus. Le chef Jonathan Garnier propose une formule axée sur une cuisine savoureuse et conviviale, mettant à l'honneur les produits du terroir.

LA PALETTE GOURMANDE
1486, rue Sherbrooke O., MTL
514-750-1492
Service de traiteur, pâtisserie, épicerie fine en ligne. Alain Pignard, ancien chef du fameux Reine Elizabeth, fort de son expérience d'événements de grande envergure, a décidé de mettre son talent à la portée du public. Il cofonde La Palette gourmande avec la femme d'affaires Liliana de Kerorguen et il crée un nouveau service de traiteur en trois volets: cuisinez, célébrez, dégustez. Prêt à cuisiner, on reçoit tous les ingrédients avec la marche à suivre et on se transforme en chef; Prêt à célébrer: on commande un repas ultra gastronomique au chef Alain Pignard pour le déguster chez soi; Prêt à déguster: il suffit de choisir des plats haut de gamme tout préparés à réchauffer chez soi. Aussi service de traiteur pour événements, de quoi époustoufler la galerie. Les pâtisseries sont réalisées par le chef Christian Campos, élu pâtissier de l'année 2015 à Montréal, qui réalise de petits bijoux sucrés.

LA P'TITE CHARCUTERIE
7615, ch. de Chambly,
SAINT-HUBERT
450-656-9070
Cuisine maison, tout est cuit sur place. Buffet chaud-froid. Présentation sur miroir. Livraison et prêt à emporter. 5 à 7, réunions professionnelles, baptêmes, etc. Quelques tables pour petit déjeuner et déjeuner.

LA QUEUE DE COCHON
6400, rue Saint-Hubert, MTL
514-527-2252
Traiteur jusqu'à 100 pers. Grand choix de plats cuisinés prêts à emporter (gibier, poisson et porc) suivant les saisons. Mets congelés.

LATINA
185, rue Saint-Viateur O., MTL
514-273-6561
Grand choix de plats cuisinés, frais ou surgelés. Soupes, poissons et crustacés, viandes, tourtières, pâtés et quiches, sauces pour les pâtes. Livraison. Vaisselle prêtée sur demande. Composition de plateaux de dégustation, de menus sur mesure et de paniers-cadeaux.

LE COMPTOIR
ESPACE GOURMAND
1052, rue Lionel-Daunais, #201,
BOUCHERVILLE
450-645-1414
Plats à emporter. Plats congelés. Toutes les pièces de viandes transformées sont vendues crues ou prêtes à cuire. Terrines, pâtés, saucisses, boudins, foie gras, confits, bouillon de volaille, fond de veau et de gibier. Beaucoup de produits sont bio. Une petite partie d'épicerie fine. On peut manger sur place à l'heure du lunch, 16 à 30 pers. Terrasse l'été. Vins d'importation.

LE GARDE-MANGER
DE FRANÇOIS
Marché public de Longueuil
4200, ch. de la Savane, LONGUEUIL
450-447-9991
2403, rue Bourgogne, CHAMBLY
450-447-9991
Combiné à une petite section de produits du terroir québécois, le service de traiteur du chef François Pellerin offre de délicieux plats cuisinés, faits maison, prêts à emporter, dont l'originalité séduit. Très bons produits du canard (foie gras, au torchon, en terrine, magret, cuisses de canard mulard, confits, rillettes, etc.) de la maison Rougié, une maison reconnue pour la grande qualité de ses foies gras. Sélection de charcuterie maison. Produits fumés.

LE MAÎTRE GOURMET
1520, av. Laurier E., MTL
514-524-2044
Plats cuisinés maison. Portions individuelles à emporter. Sandwichs frais du jour. Salades composées (thon, orge, céleri-rave, couscous aux légumes, salade quinoa). Fonds de volaille, veau, agneau, bœuf, préparés sur place. Soupes (à l'asiatique, courge, crème de champignon). Crèmes glacées Les Givrés (sorbets, mangue, pamplemousse, thé vert).

LES FOLIES DE SOPHIE
39, rue Saint-Hubert, LAVAL
450-629-4591

Entreprise familiale en affaires depuis 1987. Buffets en tous genres. Buffet d'entreprise 10 pers. ou plus. Déjeuner, cocktail, événement, location d'équipement. Service à la table.

MARIUS ET FANNY
PÂTISSERIE PROVENÇALE
239, bd Samson,
SAINTE-DOROTHÉE, LAVAL
450-689-0655
Plats à emporter. Réceptions amicales ou d'affaires jusqu'à 500 pers.

PAINS ET SAVEURS
2130, bd de Boucherville,
SAINT-BRUNO
450-441-4155
5959, bd Cousineau, SAINT-HUBERT
450-890-3441
2000, av. Victoria,
GREENFIELD PARK
450-486-1717
On peut commander une boîte à lunch ou un service de traiteur pour fêtes de famille, lunchs d'affaires, cocktails dînatoires, grands événements sans limite de personnes. Service professionnel complet.

PÂTISSERIE Ô GÂTERIES
364, Saint-Charles O.,
VIEUX-LONGUEUIL
450-674-8400
Service de traiteur de mets froids pour toutes occasions. Plats cuisinés maison à emporter. Menu du jour et menu bistro sont servis sur place dans l'espace bistro et sur la terrasse en été. A aussi un comptoir au niveau métro du Complexe Desjardins, à Montréal. Déjeuners et dîners à Longueuil seulement. Fermé lundi.

PÂTISSERIE ROLLAND
170, Saint-Charles O., LONGUEUIL
450-674-4450
504, rue Albanel, BOUCHERVILLE
450-655-3821
De 10 à 1 000 pers., pour toutes les occasions. Commander 48 heures à l'avance. Aussi comptoirs place Charles-LeMoyne à Longueuil et av. Jules-Choquet à Sainte-Julie.

ROBERT ALEXIS TRAITEUR
3693, rue Wellington, VERDUN
514-521-0816
Service de traiteur avant-gardiste pour réceptions, réunions de travail, fêtes familiales, événements thématiques et soirées de gala. Lunchs corporatifs, cocktails, cocktails dînatoires.

VINCENT LAFLEUR TRAITEUR
200, av. Bernard O., MTL
514-272-9060
Fine cuisine du marché, création culinaire. Spécialisé dans les événements d'entreprises hauts de gamme de grande envergure. Cocktail dînatoire aussi offert.

GUIDE DEBEUR 2016

Boutiques gourmandes et autres...
Québec et région

ACCESSOIRES

BOUTIQUE JURA
Quartier Limoilou
568, 3ᵉ Avenue, QUÉBEC
418-649-7858
Seule et unique boutique Jura à Québec. La marque suisse Jura est reconnue pour ses machines à café automatiques hauts de gamme. Élégantes, performantes, ergonomiques, d'un design épuré, elles garantissent une «expérience café» parfaite. Service d'après-vente pour particuliers et professionnels.

DESPRÉS LAPORTE
474, 2ᵉ Rue E., Local B,
RIMOUSKI
418-724-7712 et 1 866 724-7712
Boutique d'accessoires de la table, articles de cuisine, de pâtisserie et de sommellerie. Très beau choix de matériel, d'équipement professionnel et résidentiel. Marques de qualité et haut de gamme.

DOYON CUISINE
525, rue du Marais, QUÉBEC
418-681-6366
Boutique d'art culinaire vendant un grand choix d'accessoires de cuisine, articles de décoration de table et d'accessoires pour amateurs de vin. Machines à café. Un très beau matériel de professionnels accessible à tous. Vend les meilleures marques. Aussi, à Rimouski.

LA FOLLE FOURCHETTE
986, 3ᵉ Avenue, QUÉBEC
581-742-0767
Depuis un peu plus d'un an, le secteur Limoilou bénéficie d'une quincaillerie de cuisine où chacun des ustensiles et outils indispensables a été choisi avec soin. Pas de gadgets inutiles, que des essentiels testés par les deux propriétaires qui sont de bon conseil.

LE CREUSET
2450, bd Laurier, SAINTE-FOY
418-651-2667
Seul magasin dans la région de Québec entièrement dédié aux articles Le Creuset. Grand choix de casseroles, de cocottes, de plats à rôtir et d'accessoires pour la préparation, la cuisson et la présentation des mets. Déclinaison en plusieurs couleurs.

LUCIE CÔTÉ CUISINE
680, rue Saint-Joseph E., QUÉBEC
418-948-4098
Une adresse incontournable pour la quincaillerie de cuisine de haute qualité. Que de grandes marques reconnues et éprouvées ainsi que

des conseils d'achat et d'utilisation avisés. Aiguisage de couteaux à la pierre. Section de produits fins de cuisine (huiles, vinaigres, etc.). Livres de cuisine choisis. Spécialisé en cuisson à induction et couteaux japonais d'importation privée.

ZONE
999, av. Cartier, QUÉBEC
418-522-7373
De l'art de la table (vaisselle, couverts) aux gadgets à petits prix, Zone offre le nec plus ultra à prix abordables. À noter la sélection intéressante d'ustensiles de cuisine pratiques. Éléments de décoration et accessoires pour la maison.

ACCESSOIRES VIN ET BIÈRE

DESPRÉS LAPORTE
474, 2ᵉ Rue E, Local B, RIMOUSKI
418-724-7712 et 1 866 724-7712
Très beau choix, intéressant et complet, d'accessoires pour le vin pour sommelier gourmet. Conception de caves à vin pour particuliers et professionnels.

DOYON CUISINE
525, rue du Marais, QUÉBEC
418-681-6366
Beaucoup d'accessoires et d'articles complémentaires pour l'amateur de vin. Verres Riedel, seaux à champagne, aérateurs, bouchons, becs verseurs, pompes à vin, carafes, limonadiers, tire-bouchons, refroidisseurs à bouteille. Casiers modulaires pour faire sa cave soi-même. Plans d'aménagement de caves. Aussi, un magasin à Rimouski.

LES SÉLECTIONS VINUM GRAPPA
355, rue Marais #165, QUÉBEC
418-650-1919 et 1-877-305-1919
Le magasin a changé d'adresse en nov. 2015. Nouvel aménagement avec toujours un grand choix de verres, carafes, tire-bouchons, livres, couteaux Laguiole véritables, et autres. Celliers, supports à bouteilles et climatiseurs pour caves à vin. Cadeaux d'entreprise et de mariage, articles de la table. Machines à café. Conception et aménagement de caves à vin.

BOISSONS

LA FRINGALE
160, Quai Saint-André, QUÉBEC
418-692-2517 #240
Environ 300 sortes de bières, dont la plupart sont québécoises.

LE MONDE DES BIÈRES
13, rue Marie-de-l'Incarnation, QUÉBEC
418-686-2437
Cette boutique est spécialisée dans le houblon embouteillé en plusieurs formats. Plus de 400 étiquettes de bières de microbrasseries québécoises et de bières importées d'Europe. Bière sans alcool. Verres de collection. Panier cadeau, bon service conseil. Personnel très compétent. Saucisserie et sandwicherie. 2 nouvelles succursales: 1810, rte des Rivières, Lévis et 9210, boul. Lorimière, Neufchâtel.

BOUCHERIES CHARCUTERIES

BOUCHERIE AUX 3 POIVRES
4577, bd Guillaume-Couture, LÉVIS
418-835-5525
Boucherie complète (gibier, volailles, etc.), mais aussi, un vrai boucher. Viande vieillie de Bœuf wagyu (style Kobe). Plats cuisinés. Aussi boulangerie, épicerie fine (grandes variétés de fromages québécois, pâtes fraîches maison), pâtisserie, poissonnerie (gravlax, tartares, saucisses de saumon) et saucisserie (53 sortes de saucisses maison, dont 5 sans gluten). Boudin blanc et boudin noir maison. Service de traiteur, boîte à lunch, cocktail dînatoire.

BOUCHERIE LES HALLES DE SAINTE-FOY
Les Halles de Sainte-Foy
2500, ch. des Quatre-Bourgeois, QUÉBEC
418-659-4248
Cette boucherie favorise les producteurs locaux. Bœuf highland, veau, agneau, gibier (faisan, caille, pintade), lapin, volaille de grain du Québec. Viande marinée et viande à fondue chinoise. Un bon choix de sauces, de fonds et de saucisses maison, ainsi que des pizzas.

BOUCHERIE MARCEL LABRIE
1191, av. Cartier, QUÉBEC
418-523-2022
Une grande boucherie où l'on trouve du gibier, des viandes du Québec et de l'Ouest canadien de première qualité. Un excellent jambon maison, ainsi qu'un assortiment de saucisses préparées sur place. Fonds de volaille, de gibier et de veau nature. Brochettes, cretons, pâtés et mets préparés.

DÉLECTA PLAISIR COCHON
2500, rue Beaurevoir, QUÉBEC
581-450-9696
5751, rue J-B Michaud, LÉVIS
581-450-9696
Une boucherie qui se distingue par la variété des viandes en comptoir, des coupes et surtout un service de conseil, de sorte que la clientèle connaisse la provenance et les types de cuisson appropriés pour l'agneau, le gibier, le bœuf et les volailles. Charcuteries et mets préparés sur place.

DESORMEAUX PRÉS ET MARÉES
4835, rue de la promenade-des-Sœurs, CAP-ROUGE
418-654-9034 et 1-866-666-9034
Boucherie de quartier qui fournit également ses clients en poissons et fruits de mer. Impressionnante sélection de viandes pour fondue. Saucisserie, charcuterie, produits d'épicerie fine, fromages et plats à emporter. Gibier à plume et à poil. Mets cuisinés sur place. Excellent service. Sur demande, on cuit les pièces de viande comme le rosbif. 30 à 40 saucisses faites maison. Offre une variété de produits sans gluten.

FERME EUMATIMI
241, rue Saint-Joseph E., QUÉBEC
418-524-4907
Minuscule boucherie offrant de belles coupes de bœuf Angus AAA et AAAA, élevé sans hormones et sans antibiotiques. Mention spéciale pour la macreuse et les cubes pour mijoter. Viande de nouveaux producteurs de porcs, d'agneaux et de volailles. Charcuterie maison sans agents de conservation, sans nitrites, sans gluten (pintade, lapin, caille, faisan). Vente en magasin.

FERME ORLÉANS
2210, ch. Royal, SAINT-LAURENT, ÎLE D'ORLÉANS
418-828-2686
Ferme ouverte en 1973, pour les volailles. Gibier à plume élevé sans antibiotiques, sans facteurs de croissance, poulet de grain, lapin, caille, perdrix, pintade, faisan, canard, coquelet, lièvre sauvage, etc. Abattoir de volaille avec inspection provinciale. Comptoir de vente.

LE PIED BLEU
179, rue Saint-Vallier O., QUÉBEC
418-914-3554
Le Pied bleu est médaillé d'or et d'argent au concours international de la Confrérie des chevaliers du Goûte-Boudin de Mortagne-au-Perche en Normandie 2015, mention spéciale du jury 2014. Son boudin mérite les honneurs ainsi que ses charcuteries artisanales. Il a ouvert aussi un bouchon.

BOULANGERIES

AU PALET D'OR
1325, route de l'Église, SAINTE-FOY
418-692-2488
Baguette française au levain, assortiment de pains spéciaux, viennoiseries pur beurre (croissants, chocolatines, brioches aux raisins). Saucissons, terrines, fromages, plats préparés.

BOULANGERIE CHEZ OLI
826, av. Myrand, QUÉBEC
418-527-5627
Grande sélection de pains – baguette parfaite – et de viennoiseries, des torsades et des sandwichs gourmets qui sont préparés sur place. Quiches, pâtés. Tout est fait maison. Notez que les pains aux fruits et aux noix sont généreux en matières premières.

BOULANGERIE CULINA
2510, ch. Sainte-Foy, QUÉBEC
418-653-9894
Artisan boulanger depuis 1971. De bons pains de fabrication artisanale, de la viennoiserie, des fromages au lait cru québécois et des sandwichs.

BOULANGERIE PAUL
1646, ch. Saint-Louis, SILLERY
418-684-0200
Pains sans gras, sans sucre. Utilise du blé du Québec cultivé en agriculture raisonnée. Baguette Banette, fougasses, viennoiseries, brioches maison. Tartelettes aux fruits frais. Fermé le lun. et dim. après-midi.

CAFÉ-BOULANGERIE PAILLARD
1097, rue Saint-Jean, QUÉBEC
418-692-1221
5401, des Galeries, QUÉBEC
418-622-1221
Une des seules boulangeries à l'intérieur des vieux murs de Québec. Tout est fait maison: pains, viennoiseries, bon choix de pâtisseries dont les macarons, «gelato» et sorbets. Chocolats fins. Sélection de sandwichs chauds et froids, salades et soupes. Autre adresse au 4141, de l'Auvergne.

ARTISAN BOULANGER BORDERON ET FILS
Halles du petit Quartier
1191, av. Cartier, QUÉBEC
418-521-5757
925, av. Newton, #117, QUÉBEC
418-877-1818
Connu pour sa grande variété de pains au levain et de viennoiseries. Pâtisseries. Fournisseur de nombreux restaurants. Aussi, au Marché public de Lévis.

LA BOÎTE À PAIN
289, rue Saint-Joseph E., QUÉBEC
418-647-3666
396, 3e Avenue, QUÉBEC
418-977-7571
Pains façonnés de façon artisanale, sandwichs gastronomiques, viennoiseries (croissants, chocolatines, brioches). Pains de fantaisie (ail et lardons, chocolat et bleuets). Pizzas cuites au feu de bois et salades gourmets. Pâtisseries fines. Cafés équitables, espressos, vins. Places assises et terrasse.

LA BOULE MICHE
1483, ch. Sainte-Foy, QUÉBEC
418-688-7538
Boulangerie reconnue pour ses pains biologiques, certifiés Québec Vrai, ses pâtisseries et ses mets préparés à base de produits naturels de première qualité. Pains au levain faits sur place, sandwichs et salades. Pâtisseries avec de la farine et du sucre non raffinés biologiques. Section de fruits, légumes et produits laitiers bios.

L'ARTISAN ET LA PORTEUSE DE PAIN
1070, av. Cartier, QUÉBEC
418-523-7066
Petite boulangerie artisanale. Toute la boulangerie est confectionnée sans gras et sans sucre. Un bon choix de pains très variés.

LE PAINGRÜEL
375, rue Saint-Jean, QUÉBEC
418-522-7246
Boulangerie créative, authentique, pratiquant la panification naturelle et manuelle. Utilisation de farine certifiée biologique et essentiellement produite au Québec. Pain à très faible teneur de gluten. Créations uniques, la tradition rejoint l'actuel.

LE TRUFFÉ
2300, bd Père Lelièvre, QUÉBEC
418-681-3384
Pain français cuit sur place sur la sole du four. Importante variété de pains du jour. Ils font d'excellentes baguettes.

PAIN ET PASSION
85, rue Saint-Vallier E., QUÉBEC
418-525-7887
Pains frais du jour fabriqués de façon artisanale et cuits sur place tous les jours. Gamme de pains spéciaux comme le Cinq céréales, le Provençal ou la Miche aux raisins. Pâtisseries fabriquées à l'ancienne.

PICARDIE DÉLICES ET BOULANGERIE
1029, av. Cartier, QUÉBEC
418-522-8889
1292, av. Maguire, SILLERY
418-687-9420

GUIDE DEBEUR 2016

Pain et farine biologiques. Plusieurs variétés de pains et de viennoiseries. Croissants au beurre. Aussi un bistro-café, sandwichs, plats préparés, salades de saison.

CHOCOLATERIES

ARNOLD CHOCOLAT
1190-A, av. Cartier, QUÉBEC
418-522-6053
3333, rue du Carrefour, BEAUPORT
418-661-7995
Chocolats fins de confection artisanale, créations d'une chocolatière gourmande. Ganaches, fondants, fourrés, truffes et pralinés. Dépositaire des glaces de chez Tutto Gelato en été. Section de confiserie. Atelier ouvert pour les fêtes d'enfants.

AU PALET D'OR
1325, route de l'Église,
SAINTE-FOY
418-692-2488
Chocolats faits maison avec un bon éventail d'assortiments présentés en boîtes.

DOUX DÉLICES
8500, bd Henri-Bourassa,
CHARLESBOURG
418-781-2000
Chocolaterie Valeron change de nom et de propriétaire. Chocolats fins, truffes, moulages, cafés, thés et pâtisseries.

EDDY LAURENT
CHOCOLATIER BELGE
1276, av. Maguire, QUÉBEC
418-682-3005
Chocolats de qualité fabriqués à la main, de façon artisanale, suivant la pure tradition belge. Chocolat fait à partir du grué (de la fève à la tablette). Aucun agent de conservation. Grands crus de chocolat en provenance de quatre pays. Gourmandises. Atelier de chocolat. Boutique d'accessoires-cadeaux et art de la table (Alessi, Ritzenoff, Laguiole).

ÉRICO
CHOCOLATERIE PÂTISSERIE
634, rue Saint-Jean, QUÉBEC
418-524-2122
Chocolaterie de quartier où l'on trouve des chocolats fins, mais aussi un très bon gâteau au chocolat, des glaces, des biscuits, des brownies, des cupcakes et une dizaine de mélanges à chocolat chaud. Fabrication artisanale européenne. Une soixantaine de variétés de chocolats en alternance (chocolat à la bière Fin du monde ou à la pomme confite au cidre). Impression sur chocolat. Moulages selon les fêtes. Un Musée du chocolat où l'on peut voir s'affairer les chocolatiers en cuisine. Ouvert 7 jours.

LES CHOCOLATS FAVORIS
9030, bd L'Ormière, QUÉBEC
418-476-1647
32, av. Bégin, LÉVIS
418-833-2287
1810, route des Rivières, LÉVIS
418-836-1765
8320, 1re Av., CHARLESBOURG
418-627-2288
1480, rue Provancher, CAP-ROUGE
418-653-2414
65, bd René-Lévesque O., QUÉBEC
418-653-2414
Chocolaterie artisanale et boutique cadeau ouverte à l'année. Grande variété de chocolats fins, moulages, chocolats sans sucre, paniers cadeaux, confiseries d'importation, produits du terroir québécois et fondue au chocolat.

CONFISERIE

LES CONFISERIES PINOCHE
1048, av. Cartier, QUÉBEC
418-648-8460
Caverne d'Ali Baba des sucreries aux couleurs attrayantes. Bonbons d'importation, jelly belly, jujubes, réglisses assortis, sucettes de sucre filé et chocolats fins. Idées-cadeaux, ballons et peluches. Café de torréfaction artisanale.

COURS

ATELIERS & SAVEURS
830, rue Saint-Joseph E., QUÉBEC
418-380-8167
Une approche nouvelle, plus ludique, d'enseigner la cuisine, l'art des cocktails et la dégustion des vins. Ateliers grand public ou en groupes. Environnement convivial. Menus, horaires et tarifs au www.ateliersetsaveurs.com. Situé dans le Nouvo Saint-Roch.

SAVORI - Partenaire exclusif SAQ
Cours sur les vins, bières et spiritueux
777, bd Lebourgneuf, QUÉBEC
418-781-2344 et 1-855-781-2344
Partenaire exclusif de la SAQ, spécialiste en formation et en cours. 12 thèmes différents sur le sujet du vin et des spiritueux permettent de s'initier au langage, aux méthodes de dégustation, d'approfondir les connaissances et d'expérimenter par la dégustation de produits. Aussi, cours privés, animations personnalisées à domicile ou en entreprise, vins et fromages et autres animations. Cours bilingues.

ÉPICERIES FINES

AVRIL SUPERMARCHÉ SANTÉ
1218, rue de la Concorde, LÉVIS
418-903-5454

Grande variété de fruits et légumes certifiés biologiques. Produits équitables, écologiques et locaux. Viandes biologiques sans additifs chimiques. Grande section de produits sans gluten. Suppléments alimentaires et vitamines. Comptoir Crudessence et Avril café avec possibilité de manger sur place.

CRAC ALIMENTS SAINS
690, rue Saint-Jean, QUÉBEC
418-647-6881
Produits naturels et aliments sains certifiés biologiques, mets cuisinés. Section d'épices, de fines herbes et de thés. Choix de céréales, de noix et de légumineuses. Fruits et légumes. Vitamines et suppléments.

ÉPICERIE EUROPÉENNE
560, rue Saint-Jean, QUÉBEC
418-529-4847
Produits européens. Belle sélection de charcuteries (jambon de Parme d'Italie, serrano d'Espagne). Grand choix d'huiles d'olive, très importante section de fromages de grande qualité et beaucoup de produits importés. Variété de pâtes. Cafetières à espresso. Biscuits.

ÉPICERIE J.A. MOISAN
699, rue Saint-Jean, QUÉBEC
418-522-0685
Une grande variété de produits d'épicerie servis dans l'ambiance d'autrefois. Produits du terroir québécois et d'importation. Grand choix de fromages, de charcuteries et de chocolats. Plats cuisinés à emporter, aire de dégustation sur place. Paniers-cadeaux. Bières de microbrasserie. Variété d'épices. Thés Kusmi et cafés. Ouvert 7/7.

ÉPICERIE LAO-INDOCHINE
538, av. des Oblats, QUÉBEC
418-524-3955
Grand choix de produits pour cuisiner des mets asiatiques. Mets thaïlandais à emporter. Petite salle de dégustation.

LA CORNE D'ABONDANCE
1988, rue Notre-Dame,
L'ANCIENNE-LORETTE
418-872-7987
Une centaine de fromages importés et de fabrication québécoise. Boucherie, boulangerie, charcuterie et épicerie fine. Fruits et légumes frais. Produits biologiques.

LA MONTAGNE DORÉE
652, rue Saint-Ignace, QUÉBEC
418-649-7575
Grand choix de produits pour cuisiner des mets asiatiques. Excellents rouleaux impériaux et de printemps.

LA RÉSERVE ÉPICERIE FINE
994, 3e Avenue, QUÉBEC
418-914-5061

Du prêt-à-manger, des fromages, des charcuteries ainsi que des conserves et une grande sélection de pâtes sèches constituent le garde-manger de La Réserve, nouvelle épicerie fine du secteur Limoilou. Dépositaire des chocolats fins François Pralus.

LA ROUTE DES INDES
Marché du Vieux-Port
160, Quai Saint-André, QUÉBEC
418-692-2517 #241
Produits fins exotiques, biologiques et équitables des 5 continents. Toutes les épices du monde. Gousses de vanille. Tisanes fraîches et 300 sortes de thé en feuilles. Théières. 100 sortes de plantes à infusion. 40 sortes de riz et de fèves. Noix, sels, poivres. Comptoir d'huiles et vinaigres en vrac. Desserts glacés.

LE CANARD GOULU
1281, av. Maguire, QUÉBEC
418-687-5116
955, route Jean-Gauvin, CAP-ROUGE
418-871-9339
524, Bois Joly O.,
SAINT-APPOLLINAIRE
418-881-2729
Producteur artisanal de canard de Barbarie: foie gras, rillettes, pâtés aromatisés, cuisses confites, gamme complète des produits de canard. Des mets préparés tels que cassoulet et sauce à spaghetti en vente dans une boutique épicerie-concept. Menu tout canard où le gibier à plume a la vedette, sur la rue Maguire, sur réserv. 10 à 35 pers.

LE COMPTOIR DU TERROIR
Marché du Vieux-Port
160, quai Saint-André, QUÉBEC
418-692-2517 #292
Boutique regroupant les meilleurs produits du terroir québécois, cidres, vins, alcools, confitures et confits, terrines et foie gras, caviars. Variété de miels, de vinaigres, de vinaigrettes et de produits fins de l'érable. Choix de tisanes.

MARCHÉ EXOTIQUE LA FIESTA
101, rue Saint-Joseph E., QUÉBEC
418-522-4675
Épicerie fine. Produits pour cuisiner les spécialités d'Amérique latine.

MORENA PRÊT À MANGER
Épicerie
1038, av. Cartier, QUÉBEC
418-529-3668
Grandes huiles et fameux vinaigres. Pâtes fraîches et sèches, fines et farcies. Café, thé, tartinades de premier choix, épices et produits du terroir québécois. Spécialités méditerranéennes. Plats préparés à emporter. Spécialité: le prêt-à-manger. Paniers et cadeaux gourmands. Service de traiteur (cocktails, buf-

fets, boîtes à lunch). Bistro ouvert 7 jours.

OLIVE ET OLIVES
1066, rue Saint-Jean, QUÉBEC
418-692-1999
Spécialisé en huiles d'olive extra-vierge d'Espagne, de France, de Grèce, d'Italie, de Tunisie, d'Afrique du Sud, des États-Unis, d'Argentine et du Portugal. Huiles d'appellation d'origine contrôlée. Superbe variété d'olives. Dégustation sur place.

PAIN ET PASSION
85, rue Saint-Vallier E., QUÉBEC
418-525-7887
Épicerie spécialisée dans l'huile d'olive avec vente en vrac. Huiles fines aromatisées, épices, bar à olives, confitures, biscuits. Produits gourmets de la Méditerranée. Plats cuisinés, petit bistro. Repas santé à déguster sur place ou à emporter.

PICARDIE DÉLICES ET BOULANGERIE
1029, av. Cartier, QUÉBEC
418-522-8889
1292, av. Maguire, SILLERY
418-687-9420
Une bonne variété de fromages des terroirs français et québécois. Maison spécialisée dans les produits d'épicerie provenant d'Europe, huiles d'olive, vinaigres, pâtes. Saucissons, jambons, pâtés, terrines et rillettes, confits de canard, magrets et blocs de foie gras. Plats cuisinés. Confitures, sucreries.

FABRIQUES DE PÂTES

ET PÂTACI ET PÂTAÇA
Halles du Petit Quartier
1191, av. Cartier, QUÉBEC
418-641-0791
Une fabrique de pâtes fraîches à l'italienne avec, aussi, des pâtes sèches ou farcies. Grande sélection d'huiles d'olive et de vinaigres balsamiques. À découvrir, les pestos et la fondue parmesan maison.

PÂTES-À-TOUT
42, bd René-Lévesque O., QUÉBEC
418-529-8999
Halles de Sainte-Foy
2500, ch. des Quatre-Bourgeois, QUÉBEC
418-651-8284
Pâtes fraîches, pâtes farcies comme on les fabrique en Italie avec des œufs frais et de la semoule de Durum. Aucun additif ni agent de conservation. Une vingtaine de sauces et de nombreux plats cuisinés. Cannelloni et lasagne préparés.

FLEURISTES

ARCHER FLEURISTE
3214, bd Nelson, SAINTE-FOY
418-653-7284
Fleurs coupées, plantes annuelles, arrangements décoratifs divers, plantes et fleurs en soie.

CENTRE JARDIN HAMEL
6029, bd Hamel,
L'ANCIENNE-LORETTE
418-872-9705
Fleurs coupées, paniers de fruits, arrangements pour mariages, funérailles ou autres. Centre de jardin intégré à la boutique de fleuristerie. Grand choix de fines herbes. Serre de vente avec plantes tropicales. Pépinière. Boutique cadeau. Décorations de Noël.

FLEUR CONCEPT
263, rue Saint-Paul, QUÉBEC
418-692-5040
Exclusivité florale. Arrangements floraux pour mariages, congrès. Centres de table. Spécialiste dans la mise en valeur de la fleur naturelle et artificielle.

LA FLEUR D'EUROPE
Château Frontenac
1, rue des Carrières, QUÉBEC
418-694-2424
Ce magasin se spécialise dans la fleur naturelle, offrant à sa clientèle des compositions contemporaines et recherchées pour les mariages, événements corporatifs et service aux particuliers. Une boutique urbaine réputée pour offrir la différence.

L'ÉLYSÉE FLEURS
1335, ch. Sainte-Foy, QUÉBEC
418-687-1437
Fleurs champêtres et exotiques, montages, centres de table personnalisés, arrangements funéraires et pour mariages. Service de livraison.

LES HALLES EN FLEURS
1191, av. Cartier, QUÉBEC
418-523-3443 et 1-888-660-3443
Vaste choix de belles fleurs et de plantes provenant des plus beaux endroits du monde, de la Hollande à la Californie, en passant par la région de l'île d'Orléans où poussent les plus grosses pivoines de la planète! En juin et juillet, importation de baobabs du Sénégal. Tous les produits sont équitables et les objets décoratifs sont choisis avec goût et raffinement. Service accueillant et courtois.

MCKENNA
3440, ch. des Quatre-Bourgeois, SAINTE-FOY
418-653-6847

Fleurs coupées, plantes vertes, paniers gourmets, arrangements pour mariages, funérailles ou autres.

ORCHIDÉE FLEURISTE
1068, av. Cartier, QUÉBEC
418-529-0739 et 1-800-529-0739
Fleurs exotiques, montages européens. Fleurs pour toutes occasions. Paniers de fruits et de gourmandises. Livraison rapide.

FROMAGERS MARCHANDS

AVIS
Il y a une différence entre un fromager marchand qui vend des fromages et un fromager artisan, ou fermier, qui fabrique des fromages. Cependant, les deux peuvent faire l'affinage ou le vieillissement.

AUX PETITS DÉLICES
1191, av. Cartier, QUÉBEC
418-522-5154
Les Halles de Sainte-Foy
2500, ch. des Quatre-Bourgeois, SAINTE-FOY
418-651-5315
Un très grand choix de fromages (350 variétés), charcuteries, importations européennes, produits maison (terrines, pâtés de foie).

ÉPICERIE J.A. MOISAN
699, rue Saint-Jean, QUÉBEC
418-522-0685
Quelque 200 sortes de fromages, à la coupe et à l'unité, québécois ou européens, à pâte molle ou ferme, de chèvre, de brebis ou de vache.

LA FROMAGÈRE DU MARCHÉ
Marché du Vieux-Port
160, Quai Saint-André, QUÉBEC
418-692-2517 #238
Fromager de père en fille. Au cœur du marché du Vieux-Port, cette fromagerie propose entre 100 et 150 sortes de fromages issus du terroir québécois. Grand choix de fromages vendus à pleine maturité et coupés selon la demande.

YANNICK FROMAGERIE
901, 3e Avenue, QUÉBEC
418-614-2002
Spacieuse fromagerie, avec un très bon design, avec un très bon choix d'environ 150 fromages fins québécois et importés, au lait cru et pasteurisé. Location d'équipement lié au fromage. Épicerie fine, majoritairement d'importation privée. Soirée de dégustation vins/fromages en hiver.

GLACIERS

ÉRICO
CHOCOLATERIE PÂTISSERIE
634, rue Saint-Jean, QUÉBEC
418 524-2122
Outre une sélection de glaces chocolatées, Érico concocte 69 glaces et sorbets (en alternance) aux parfums aussi exotiques que le «chaï Bombay», thé et dattes et «l'hibiscus», bière Stout, fraise basilic et yogourt à l'argousier.

LES CHOCOLATS FAVORIS
9030, bd L'Ormière, QUÉBEC
418-476-1647
32, av. Bégin, LÉVIS
418-833-2287
1810, route des Rivières, LÉVIS
418-836-1765
8320, 1re Av., CHARLESBOURG
418-627-2288
1480, rue Provancher,
CAP-ROUGE
418-653-2414
65, bd René-Lévesque O., QUÉBEC
418-653-2414
Une destination pour quiconque raffole de la crème glacée molle enrobée de chocolat véritable. On fait tremper sa crème glacée dans un chocolat fondu offert en 12 saveurs. Sorbets, yaourts glacés et glaces artisanales. Glacerie de style européen ouverte du printemps à la fin d'octobre. Terrasse extérieure.

TUTTO GELATO
716, rue Saint-Jean, QUÉBEC
Glaces artisanales italiennes, sorbets et desserts glacés. Espresso importé d'Italie. Biscotti maison. Sandwich fourré à la crème glacée. Ouverture saisonnière: fin mars à mi-octobre.

MARCHÉ PUBLIC

MARCHÉ DU VIEUX-PORT
Vieux-Port de Québec
160, quai Saint-André, QUÉBEC
418-692-2517
Situé en plein coeur du quartier portuaire, on y trouve toute l'année des produits frais et transformés de qualité, directement des producteurs locaux (produits du terroir québécois à l'honneur). Marché de Noël fin nov. à fin déc.

PÂTISSERIES

AU PALET D'OR
1325, route de l'Église,
SAINTE-FOY
418-692-2488
Spécialités européennes: millefeuilles, opéras, éclairs, mousses assorties ainsi qu'un large choix de gâteaux secs et de sablés. Dégus-

tation de différents sandwichs préparés avec les pains faits sur place, ainsi que des pâtisseries vendues en magasin. Aussi cafés, chocolats chauds maison, cappuccinos et espressos. Salon de thé, 50 pers., terrasse, 45 pers.

BOULANGERIE PÂTISSERIE
LE CROQUEMBOUCHE
225, rue Saint-Joseph E., QUÉBEC
418-523-9009
Le chef propriétaire d'abord pâtissier se tourne bientôt vers les mystères de la boulangerie et de la viennoiserie pour enfin ouvrir son commerce en 2003. Pâtisseries françaises, viennoiseries, chocolats, «gelato», petits fours, assortiment de 15 éclairs, pains, sandwichs. Tout est fait maison. On peut manger sur place.

LES CUPCKAKES
DE COQUELIKOT
Marché public de Lévis
5751, rue J-B Michaud, LÉVIS
418-903-4881
9145, bd de l'Ormière, QUÉBEC
418-843-7222
Coquelikot ratisse large, aussi bien sur la rive-sud que sur la rive-nord de Québec, avec des petits gâteaux aux essences naturelles de fleurs, à l'alcool (en saison estivale) ainsi que d'autres plus classiques, comme l'Himalaya à la vanille. Les seuls à offrir des cours de décoration de cupcake à l'année. Teneur de la collection bonheur sucré.

LE TRUFFÉ
2300, bd Père Lelièvre, QUÉBEC
418-681-3384
Alain Bolf, chef pâtissier, est propriétaire du Truffé depuis 1988. Il mène de front les activités de pâtissier et de traiteur. Pâtisseries classiques confectionnées artisanalement. Choix de 32 pâtisseries par année, suivant des thèmes saisonniers: fruits l'été, érable au printemps, etc. Chocolaterie, goûter son Truffé noisette et chocolat.

Mlle CUPCAKE
PETITS GÂTEAUX
1660, rue de Bergeville, QUÉBEC
418-614-7700
Une adresse incontournable pour tout amoureux de petits gâteaux. À base d'ingrédients frais et naturels, ces douceurs se déclinent en plusieurs saveurs avec des glaçages pur beurre, à la vanille, au citron, au thé matcha, au café, etc. Produits sans arachides, sans noix, sans colorants ni arômes artificiels. Section sans gluten. Gelato maison en saison. Spécialisé en cupcakes et gâteries sucrées.

NOURCY
2452, bd Laurier, SAINTE-FOY
418-651-7021

Grand choix de pâtisseries françaises et libanaises de style classique et actuel. Produits de viennoiserie et épicerie fine (huiles, vinaigres et confitures). Plats cuisinés.

PÂTISSERIE ANNA PIERROT
Les Halles du Petit Cartier
1191, av. Cartier, QUÉBEC
418-524-2662
Les Halles de Sainte-Foy
2500, av. des Quatre-Bourgeois,
SAINTE-FOY
418-659-4876
Pâtisserie et chocolaterie. Grande variété de pâtisseries françaises. Choix de viennoiseries, de caramels salés, de chocolats de dégustation, macarons aux divers parfums et de petits fours. À Sainte-Foy, tout est fait sur place. Comptoir mobile à Cap-Rouge.

PICARDIE DÉLICES ET BOULANGERIE
1029, av. Cartier, QUÉBEC
418-522-8889
1292, av. Maguire, SILLERY
418-687-9420
Un bon choix de pâtisseries françaises classiques. Framboisier, Opéra, Trois chocolats, Royal, tarte au citron, érable et chocolat, tarte normande, etc.

POISSONNERIES

JEF POISSONNERIE
223, rue Saint-Joseph E., QUÉBEC
418-523-3474
En plus des poissons d'arrivage avec une préséance pour les produits du Québec et la pêche éco-responsable, JEF offre un choix d'huîtres ainsi qu'un comptoir de prêt-à-manger, dont des tartares aux recettes originales, des calmars frits, paella et saumon général Tao. Très bon service-conseil.

POISSONNERIE UNIMER
1191, av. Cartier, QUÉBEC
418-648-6212
25, bd Lebourgneuf, QUÉBEC
418-622-6212
2500, ch. des Quatre-Bourgeois,
SAINTE-FOY
418-654-1880
Poissons et fruits de mer variés. Comptoir à sushis. Prêts à emporter ou sur réservation. Ouvert 7/7.

QUÉBEC OCÉAN
Les Halles Fleur de Lys
245, rue Soumande, QUÉBEC
418-704-3757
1699, route de L'aéroport,
L'ANCIENNE-LORETTE
418-874-7773
Fruits de mer et poissons en tout genre. Au magasin des Halles Fleur de Lys seulement, il y a un comptoir à sushis et on peut manger un Fish and chips pour le dîner. Huî-

tres, crabes et homards en saison. Service de cuisson. Plats cuisinés (pâtés, tartares, coquilles Saint-Jacques, etc.).

SALONS DE THÉ ET CAFÉS

BRÛLERIE DE CAFÉ DE QUÉBEC
575, rue St-Jean, QUÉBEC
418-529-4769
Les brûleries Faro vendent du café biologique équitable, la sélection Faro classique et la limited roast (torréfaction limitée). Bar à espresso. Choix de 60 cafés en grains, torréfiés chaque jour sur place, depuis 1982. Cafés à déguster sur place ou à emporter. Pâtisseries.

BRÛLERIE ROUSSEAU
1191, rue Cartier, QUÉBEC
418-522-7786
710, rue Bouvier, #110, QUÉBEC
418-948-7786
Les Halles de Sainte-Foy
2500, ch. des Quatre-Bourgeois,
SAINTE-FOY
418-659-7786
Plus de 50 sortes de cafés en grains provenant du monde entier, torréfiés sur place. Vente de cafés en grains pour la maison. Cafés frais tous les jours. Distributeur de la cafetière italienne Simonelli. Pâtisseries et sandwichs maison.

BRÛLERIE SAINT-ROCH
375, rue Saint-Joseph E., QUÉBEC
418-704-4420
Un grand choix de cafés, de Sumatra jusqu'au Brésil, torréfiés à Vieux-Limoilou. Une grande sélection de thés ainsi que des repas légers sont servis dans cette brûlerie de quartier. Aussi cinq autres adresses, Brûleries St-Jean, Limoilou, Vieux-Limoilou, Sainte-Foy et Vanier.

CAFÉ KRIEGHOFF ET PETIT HÔTEL
1089, av. Cartier, QUÉBEC
418-522-3711
Café de style européen installé depuis 1977 sur la très animée rue Cartier. Café espresso de goût européen au mélange bien choisi. Cuisine bistro. Grillades, canard confit, plats cuisinés maison. Petit hôtel 3 étoiles au-dessus du café.

CAMELLIA SINENSIS
624, rue Saint-Joseph E., QUÉBEC
418-525-0247
Thés en vrac (vert, noir, blanc, jaune, wulong, pu-erh, thés sculptés), importés directement de l'artisan (Chine, Japon, Taïwan, Inde). Accessoires pour le thé. Livres sur le thé. École du thé. Dégustations et conférences, cérémonie du thé.

LES THÉS DAVIDsTEA
Galeries de la Capitale
5401, bd des Galeries, QUÉBEC
418-624-1333
1049, rue Saint-Jean, QUÉBEC
418-692-4333
Un milieu accueillant, une boutique moderne, spacieuse et colorée. Plus de 150 sortes de thés, dont des mélanges exclusifs, des collections saisonnières de série limitée, des thés classiques traditionnels et des infusions exotiques provenant des quatre coins du globe. Sans oublier une vaste collection de thés et infusions biologiques en Amérique du Nord. Une gamme novatrice, ludique d'accessoires pour le thé de conception maison, des cuillères aux infuseurs, en passant par les services à thé et les tasses de voyage.

MONSIEUR T.
Les Halles du petit Cartier
1191, av. Cartier, QUÉBEC
418-524-5544
Les Halles de Sainte-Foy
2500, Quatre-Bourgeois #22,
QUÉBEC
418-353-2943
Thés en vrac, mixologie et infusions pour emporter. Consommation sur place. Accessoires de thé.

SEBZ THÉ ET LOUNGE
67, bd René-Lévesque E., QUÉBEC
418-523-0808
Une maison qui tient plus de 190 variétés de thés classiques ou aromatisés (avec des fruits entiers), vendus au poids. On y trouve aussi un choix de tisanes ainsi que des théières. Ateliers de dégustation. Club de thé; dégustation mensuelle de thé, nouvel arrivage ou thé plus rare.

TRAITEURS

BUFFET MAISON
1165, av. Cartier, QUÉBEC
418-828-2287
340, Seigneuriale, BEAUPORT
418-828-2287
1090, bd des Chutes, BEAUPORT
418-828-2287
995, route Prévost,
ST-PIERRE, ÎLE D'ORLÉANS
418-828-2287
Savoir-faire, tradition des mets faits à partir de matières de première qualité. Réceptions jusqu'à 2 000 pers. (mariages, funérailles, etc.), buffets chauds et froids, plats cuisinés et pâtisseries maison. Épicerie fine. Service de chef à domicile. Beauport et Cartier sont seulement des points de service sans cuisine faite sur place.

CHEF CHEZ SOI
1280, av. Chanoine-Morel,
QUÉBEC
418-704-6114

En plus d'un menu du jour à consommer sur place le midi et d'un service de chef à domicile, le Chef chez soi prépare une sélection de plats frais et surgelés. Peut recevoir jusqu'à 20 pers. dans sa salle à manger. Services cocktails, mariages, événements corporatifs.

DEUX GOURMANDES, UN FOURNEAU
2405-3, rue De Celles, QUÉBEC
418-687-3389
Boîtes à lunch à partir de 5 pers. aussi sans gluten ou végétariennes. Buffet froid ou chaud, cocktail dînatoire, repas à l'assiette, chef à domicile. Service de traiteur pour 8 à 800 pers. Mariages.

LA CORNE D'ABONDANCE
1988, rue Notre-Dame,
L'ANCIENNE-LORETTE
418-872-7987
Service de traiteur jusqu'à 1 000 pers. Vaste gamme de produits biologiques. Tartare de saumon. Tartare de bison. Bouchées chaudes et froides. Repas santé. Service de livraison.

LA PAPILLOTE
42, bd René-Lévesque O., QUÉBEC
418-529-8999
Halles de Sainte-Foy

2500, ch. des Quatre-Bourgeois,
SAINTE-FOY
418-651-8284
Un grand choix de mets préparés et prêts à emporter. Grande variété de pâtes fraîches et sauces maison. Produits du Canard Goulu (canard gavé de façon artisanale). Variété de pizzas maison. Cuisine sous-vide.

LE TRUFFÉ
2300, bd Père Lelièvre, QUÉBEC
418-681-3384
Les plats cuisinés de la section traiteur méritent que l'on s'y attarde. Variété de salades. Terrines. Buffets froids. Menu traiteur. Plats cuisinés sur place. Mets régionaux. Pâtisseries. Repas distinction chaud servi à l'assiette. 5 à 7, réceptions, événements.

MAISON THAÏLANDAISE
3, bd René-Lévesque E., QUÉBEC
418-523-1849
4307, rue Saint-Félix,
CAP-ROUGE
418-659-2332
Prépare une variété de plats thaïlandais sous vide; il suffit de réchauffer. Commande sur place seulement; plats savoureux et authentiques à emporter. Aucun service à domicile. Une cuisine santé, épicée

et sans MSG (glutamate monosodique).

NOURCY TRAITEUR
5600, bd des Galeries, QUÉBEC
418-653-4051
Service de traiteur complet, conseiller en vins, personnel, location de matériel, livraison. Grande variété de boîtes à lunch. Buffets chauds et froids. Traiteur pour 5 à 7, cocktails dînatoires, mariages, concept clé en main. Nourcy a ouvert un restaurant à cette même adresse en avril 2015.

PASTISSIMO
272, rue Saint-Joseph E., QUÉBEC
418-648-2805
Traiteur de fine cuisine internationale. Plusieurs mets internationaux. Buffets, cocktails dînatoires. Boîtes à lunch. Fontaine de chocolat. Spécialisé dans les événements corporatifs et culturels.

PICARDIE DÉLICES ET BOULANGERIE
1029, av. Cartier, QUÉBEC
418-522-8889
1292, av. Maguire, SILLERY
418-687-9420
Tous genres de réceptions, jusqu'à 1 000 pers. Plats cuisinés maison. Boîtes à lunch, buffets, canapés.

La SAQ: au coeur de la découverte

Les Québécois, c'est connu, sont curieux et apprécient la découverte de nouveaux produits. C'est pourquoi la **SAQ** offre 12 500 vins, bières et spiritueux en provenance de 71 pays. Elle les commercialise dans son réseau de 400 succursales et 440 agences et aussi sur le site SAQ.com. Chaque année, elle renouvelle 10 % de ses produits pour satisfaire les clients. Ce renouvellement constant de la gamme d'alcools est le fruit d'une collaboration entre la SAQ et ses 3 100 fournisseurs.

DU NOUVEAU CETTE ANNÉE

SAQ Inspire : une expérience à mon goût
Parce que chaque client est unique, la SAQ propose une nouvelle expérience encore plus branchée sur ses goûts. Le client est invité à se procurer **sa carte SAQ** Inspire en succursale ou sur SAQ.com et à créer son profil en ligne. Il recevra ainsi des informations liées à ses goûts et à ses intérêts, comme des idées de recettes, des nouveaux arrivages, des concours, des invitations à des dégustations, des promotions, etc. Le client pourra ainsi accumuler des points sur tous ses achats de pro-

duits effectués en succursale, sur SAQ.com, par le Courrier vinicole, et sur certains services dont des ateliers de formation. Ce sera une autre façon, pour le client, de se faire plaisir. Le client pourra aussi consulter **son espace personnel en ligne**, dans lequel il retrouvera des informations, comme son solde de points, son profil de goût et les promotions liées à ses préférences. Au fil du temps, le client profitera d'autres avantages, toujours axés sur le plaisir et la découverte.

Accompagner dans la découverte
Qui de mieux que les experts en succursale pour guider les clients dans leurs choix? Passé maître dans l'art de prodiguer des conseils en matière d'accords vins et mets, mais surtout de comprendre les goûts et besoins, le personnel de la SAQ se distingue par sa passion, son professionnalisme et ses connaissances.

Pour tout renseignement, communiquez avec le Centre de relation clientèle de la SAQ au **514-254-2020**, au **1-866-873-2020** ou consultez la page «Pour nous joindre» de **SAQ.com**.

Les
RESTAURANTS

Les **chefs et apprentis de l'année** SCCPQ p. 36

Coups de cœur Debeur 2016 p. 39

Introduction et **cotation des restaurants** p. 40

Montréal et région p. 41
(Banlieues de Mtl, Lanaudière, Laurentides, Montérégie)

Québec et région p. 97

Chicoutimi et région p. 111

Granby et région p. 111

Gatineau - Ottawa et région p. 112

Sherbrooke et région p. 120

Trois-Rivières et région p. 123

Bas-Saint-Laurent p. 125

Charlevoix p. 125

Gaspésie p. 126

Index des restaurants p. 129

CHEFS et APPRENTIS de L'ANNÉE

par Françoise Pitt

LA SOCIÉTÉ DES
CHEFS, CUISINIERS & PÂTISSIERS
DU QUÉBEC

Denis Girard
Chef cuisinier de l'année

Parcours impressionnant que celui de **Denis Girard**, chef de cuisine du Casino du Lac-Leamy, de l'hôtel Hilton Lac-Leamy et du Casino de Mont-Tremblant. Il sera pourtant sous le choc en prenant conscience de l'honneur qui lui échoit, cette reconnaissance de ses pairs. À l'annonce de sa nomination au gala de la SCCPQ, il avoue avoir été dans un état second pendant un bon moment. «Je me souviens d'avoir remercié ma conjointe et mon équipe, souligne-t-il. Car on n'y arrive pas sans le soutien de tous, du premier au dernier.»

C'est sa particularité de faire les choses différemment qui a poussé **Denis Girard** vers les métiers de bouche. Les cours d'exploration à la polyvalente proposaient quatre options: mécanique, mécanique d'ajustage, électricité et cuisine. Zéro intérêt pour les trois premiers, contrairement à ses copains, qui préféraient aussi le hockey, alors que lui s'adonnait à l'escrime. Il s'inscrit donc à l'ITHQ et y obtient ses diplômes en cuisine professionnelle, en pâtisserie-boulangerie spéciale et en nouvelle cuisine québécoise. Il a eu la chance unique d'effectuer des stages en Suisse, au Montreux Palace, et sur le paquebot *Jean-Mermoz* lors de la course Québec–Saint-Malo. De nombreux voyages ont parfait sa formation.

Il qualifie sa cuisine de simple, fraîche, faite d'excellents produits de chez nous. Il avoue préférer la cuisine à la pâtisserie: «En cuisine, on y va plus avec l'instinct», tranche-t-il. Il adore manger et faire à manger. Depuis 35 ans qu'il évolue dans le métier, il a été témoin de l'évolution marquante de la cuisine au Québec. «La diversité des produits, l'émergence de mets plus fins et plus aérés, l'accès à des techniques améliorées ont permis au Québec de détenir une place de choix dans l'échiquier de la gastronomie», fait-il valoir.

Comment réussit-il à gérer une telle structure, 170 personnes au total à Lac-Leamy et à Mont-Tremblant? Grâce à ses qualités d'organisateur hors pair et à l'importance accordée au travail d'équipe. Il résume ainsi sa définition du gestionnaire efficace: «Le meilleur cadre est celui qui a suffisamment de bon sens pour choisir les bonnes personnes, celles capables de bien faire ce qu'il entend accomplir, et assez de discipline personnelle pour ne pas interférer dans l'accomplissement des tâches qui leur sont assignées.» Tout au long de sa carrière, il a suivi les précieux conseils de son mentor, le chef Denis Paquin. Il fait confiance aux gens, comme il a fait confiance à la vie: «Je suis le flot en mouvement, car tout vient à point, au bon moment.»

Son engagement social est bien connu, surtout auprès de la Société canadienne du cancer. De quoi est-il le plus fier? «D'être encore là, répond-il tout de go. D'entrer dans les cuisines et d'être aussi heureux qu'au premier jour. De trouver ce métier toujours aussi beau. De réaliser que les arômes viennent me chercher autant qu'avant. De réussir à faire fonctionner une aussi grosse équipe dans l'harmonie. N'étant pas carriériste, je ne visais pas une carrière semblable. Je serai un bon cuisinier, me disais-je, peut-être chef un jour.» Il a été tellement plus: un modèle pour la relève et la profession.

Isabelle Deschamps-Plante
Chef pâtissière de l'année

E lle est chef pâtissière pour les quatre restos du Centre de congrès et d'expositions de Lévis. Elle, deux pâtissières et trois aides-pâtissiers réussissent à sortir de 4000 à 5000 desserts par semaine. «Une pâtisserie hyper-fonctionnelle et bien organisée», reconnaît Isabelle Deschamps-Plante. Mais elle ne s'attendait pas du tout à sa nomination au titre de chef pâtissière de l'année. «Je suis pâtissière depuis cinq ans, indique-t-elle, et j'ai plus d'expérience en cuisine.» Elle se dit fière et très flattée d'un tel honneur: «C'est un sérieux coup de pouce pour la suite des choses.»

Elle est venue à la pâtisserie un peu par hasard. Alors qu'elle travaille au 47e Parallèle, le chef pâtissier, Jean-Luc Piquemal, l'informe de son départ. Remarquant son intérêt pour la pâtisserie, il lui suggère de prendre le relais. Elle accepte le défi: «J'ai toujours eu la dent sucrée et j'aime le côté artistique de la pâtisserie. Mon expérience en cuisine m'aide énormément dans la pâtisserie, pour les mélanges de saveurs et les textures notamment.» Elle a effectué plusieurs stages, ici et en Europe, et elle est une accro de la littérature gourmande, si inspirante. «Lors de mes voyages, j'adore fouiner dans les pâtisseries que je trouve sur mon chemin», confie-t-elle.

La lauréate du titre 2015 a plusieurs cordes à son arc. Son certificat en enseignement de l'Université Laval lui a permis d'enseigner au Centre de formation professionnelle Fierbourg, ce qu'elle a beaucoup aimé: «Je compte donner de petits modules de temps à autre auprès des élèves qui font leur DEP en pâtisserie, pour non seulement les aider à parfaire leurs habiletés, mais pour leur faire partager ma passion de la pâtisserie.»

Ce qu'elle aime par-dessus tout: créer des desserts à l'assiette, ce qui lui permet de mettre à profit sa créativité. Elle avoue un intérêt marqué pour la confection de crèmes glacées aux saveurs nouvelles, inusitées, telle sa dernière création, à la bière noire. Avec les baies d'argousier, elle réalise des merveilles: gelées, sorbets, glaces, gâteaux... Elle aime équilibrer ses desserts en sucré-acidité et décliner un fruit de différentes façons (gelée, confit, sorbet) dans l'assiette. Audacieuse et hasardeuse dans ses préférences et ses choix de saveurs, elle ne craint pas d'élaborer des combinaisons qui sortent de l'ordinaire: «J'aime oser des mélanges inhabituels, retravailler de grands classiques, comme un forêt-noire, en leur donnant un goût et un look actuels.»

Pas étonnant que la pâtisserie du Centre de congrès et d'ex-positions de Lévis réalise de petits miracles en production. La chef pâtissière privilégie l'esprit d'équipe. Elle sait gérer le stress et garder son sang-froid pour livrer la marchandise. «Même en plein coup de feu», assure-t-elle. Il faut dire que ses deux participations à l'émission Les Chefs! ont été pour elle une expérience unique, surtout la deuxième, lors de La revanche. «Cela a complètement changé ma vie, clame-t-elle. Et m'a fait grandir professionnellement, car je me remettais constamment en question.» À cause de la visibilité que procure l'émission, des portes se sont ouvertes pour elle. On l'a vite adoptée. «Ce fut un formidable élan, une superbe expérience, conclut-elle. J'ai reçu là la piqûre des compétitions.»

Julien Tom
Apprenti cuisinier de l'année

T out en se disant heureux et fier d'avoir décroché ce titre, **Julien Tom** souligne qu'il a travaillé très fort pour y arriver. Il rend aussi hommage à son mentor et professeur à l'École hôtelière de Laval,

GUIDE DEBEUR 2016

Sylvain Gilbert, qui n'a pas compté ses heures pour l'entraîner. Les membres du jury ont particulièrement apprécié ses présentations, sa créativité, sa recherche de goûts différents.

La passion de la cuisine lui vient de son enfance. Ses parents l'amenaient souvent manger dans des restos de cuisines diverses où il prenait plaisir à goûter à tout. «J'étais très ouvert, rien ne me faisait peur, se souvient-il. De ces expériences me sont restées les possibilités immenses qui s'offrent à nous d'apprêter les produits différemment.» Au départ, il ne voulait pas en faire un métier, à cause des heures parfois trop longues, mais il a vite réalisé qu'il ne pouvait faire autre chose. Et il ne l'a jamais regretté. Il se dirige donc à l'École hôtelière de Laval et y obtient un DEP en cuisine et un ASP en cuisine du marché. Tout au long de ses études, collégiales et hôtelières, il travaille comme premier cuisinier chez IKEA. Depuis août dernier, il est chef au tout nouveau restaurant de la rue Saint-Laurent à Montréal, *Quel sacrifice! Boucherie végétarienne*.

Les modules du DEP à Laval lui ont permis de toucher à tous les aspects du métier, avec un terminal en grand au restaurant Toqué! Ce qu'il aime par-dessus tout: mettre sa créativité à l'épreuve avec un produit qu'il travaillera de mille et une façons. Ses principales qualités: le souci du détail, le sens de l'observation, la bonne gestion du stress, l'esprit d'équipe, l'art de faire plusieurs choses en même temps. «Et, surtout, le bon nez pour bien sentir les arômes, la bonne oreille pour

être à l'écoute des aliments», conclut-il.

Sébastien Laroche
Apprenti pâtissier-
chocolatier de l'année

«Si ça n'est pas difficile, ça ne vaut pas la peine», lance **Sébastien Laroche**. On peut même dire que ce second pâtissier au Saint-Amour recherche la complexité et la difficulté. Il avoue volontiers que la préparation pour le concours a été laborieuse et intense. Aussi ne s'attendait-il pas du tout à gagner. Mais le jury en a décidé autrement: l'accord des saveurs et la complexité des techniques et des textures utilisées l'ont impressionné.

Fils d'un père cuisinier-boucher et d'une mère pâtissière émérite, Sébastien a très tôt appris à cuisiner à la maison. Sa mère confectionnait elle-même de superbes gâteaux de fête pour les enfants. S'il a commencé à travailler dans les cuisines de restaurants pour son argent de poche, il n'envisageait pas alors d'en faire son métier, jusqu'à ce

qu'il réalise qu'il était fasciné par le côté artistique de la pâtisserie, cette réelle beauté que l'on peut donner à une réalisation façonnée avec art et passion. Il s'est donc inscrit en pâtisserie à l'École hôtelière de la Capitale pour obtenir son DEP en 2014.

Il ne tarit pas d'éloges sur le chef pâtissier du Saint-Amour, Éric Lessard. Avec lui, il apprend à travailler comme un pro et peut laisser libre cours à son talent pour créer de succulents desserts. Ce qu'il aime par-dessus tout: la sculpture de fleurs sur les gâteaux, le travail minutieux avec le sucre, le fondant et, surtout, le chocolat. Il apprécie hautement le fait que le métier a repris du galon. «Quand je dis que je suis pâtissier au Saint-Amour, on me lance un WOW! bien sonore», s'enorgueillit-il.

Ce perfectionniste à outrance carbure au stress. «C'est mon adrénaline», confesse-t-il. Le dessert à l'assiette qui a séduit le jury: parfait glacé au chocolat noir avec cœur coulant, mangue, fruit de la passion, rhum, vanille et pain de Gênes aux amandes. Le cœur coule comme un œuf quand on le craque... Sensationnel! Un as des techniques, ce pro de 26 ans. **D**

LA SOCIÉTÉ DES
CHEFS, CUISINIERS & PÂTISSIERS
DU QUÉBEC

Coups de cœur 2016
des critiques de restaurants du guide Debeur

Établissements qui ont fait l'objet d'un coup de cœur de nos journalistes. Ils sont également identifiés dans les pages suivantes avec l'icône ci-contre.

Montréal

L'ORCHIDÉE DE CHINE (chinois) p. 43
2017, rue Peel, MONTRÉAL
Excellente cuisine chinoise dans la tradition de New York.

ALEXANDRE ET FILS (bistro français) p. 47
1454, rue Peel, MONTRÉAL
Une table sympathique dans un cadre débordant d'ambiance parisienne.

CHEZ LA MÈRE MICHEL (français classique) p. 51
1209, rue Guy, MONTRÉAL
De solides classiques français, à base de produits frais et naturels.

CHEZ LÉVÊQUE (bistro français) p. 51
1030, av. Laurier O., MONTRÉAL
Vrai resto-bistro, sympathique et confortable. Cuisine faite de solides classiques de brasserie française.

MAISON BOULUD (français) p. 58
Hôtel Ritz Carlton
Restaurant de l'année Debeur 2013
1228, rue Sherbrooke O., MONTRÉAL
Une assiette contemporaine raffinée, créative et chaleureuse, magnifiquement élaborée.

TOQUÉ ! (français) p. 60
Restaurant de l'année Debeur 2005
900, pl. Jean-Paul Riopelle, MONTRÉAL
Une cuisine originale et raffinée avec la mise en valeur des produits du Québec.

XO LE RESTAURANT (français) p. 60
Hôtel Saint-James
355, rue Saint-Jacques, VIEUX-MONTRÉAL
Un décor d'une autre époque, luxueux et élégant où l'on déguste la divine cuisine du chef Robillard.

MONTRÉAL PLAZA (international) p. 67
6230, Saint-Hubert, MONTRÉAL
Enfin un chef qui étonne, qui surprend, qui n'a pas peur d'essayer des assemblages quelquefois hétéroclites pour en faire d'inoubliables petits chefs-d'œuvre d'harmonie et de saveurs.

RESTAURANT LA CHRONIQUE (international) p. 69
104, av. Laurier O., MONTRÉAL
Une assiette exceptionnelle et originale, magnifiquement présentée. Une des grandes tables de Montréal.

TOMATE BASILIC (italien) p. 73
12585, rue Sherbrooke Est, MONTRÉAL
Cuisine généreuse, savoureuse et honnête. Ici pas de chef rock star de la cuisine.

JUN I (japonais) p. 74
156, av. Laurier O., MONTRÉAL
Une cuisine où la tradition japonaise s'allie aux nouvelles tendances avec élégance.

Québec

LAURIE-RAPHAËL (français) p. 101
Restaurant de l'année Debeur 2005
Restaurant Atelier Boutique
117, rue Dalhousie, VIEUX-PORT, QUÉBEC
Une cuisine innovante faite de saveurs franches avec un grand respect des produits.

LE PATRIARCHE (français) p. 103
17, rue Saint-Stanislas, QUÉBEC
Un restaurant à découvrir impérativement autant pour la table que pour la courtoisie.

PANACHE (français) p. 104
Auberge Saint-Antoine
10, rue Saint-Antoine, QUÉBEC
Une cuisine gourmande qui allie élégance, savoir-faire européen et terroir québécois.

RESTAURANT CHAMPLAIN (français) p. 104
Fairmont le Château Frontenac
1, rue des Carrières, QUÉBEC
Une cuisine créative, à la fois réfléchie et sensuelle.

RESTAURANT INITIALE (français) p. 104
54, rue Saint-Pierre, QUÉBEC
Probablement l'un des meilleurs chefs au Québec, Yvan Lebrun est un orfèvre en cuisine.

Gatineau - Ottawa

COCONUT LAGOON (indien) p. 114
853, bd Saint-Laurent, OTTAWA
Une cuisine indienne différente, aux atouts insoupçonnés, typique du sud de l'Inde, comme celle de la province de Kerala.

LE BACCARA (français) p. 116
Restaurant de l'année Debeur 2009
Casino du Lac-Leamy
1, bd du Casino, GATINEAU
La grande cuisine canadienne, dans un écrin d'exception, une équipe de grands professionnels dévoués aux plaisirs de la table.

SOIF
Bar à vin de Véronique Rivest
(bistro français) p. 118
88, rue Montcalm, GATINEAU
Un bar à vin chaleureux, une sélection de formidables découvertes, de petits plats simples, mais goûteux, avec la sommelière Véronique Rivest.

Région de Sherbrooke

LE HATLEY (québécois revisité) p. 121
Manoir Hovey
575, rue Hovey, NORTH HATLEY
Une très belle cuisine contemporaine québécoise revisitée mettant en valeur les produits régionaux.

GUIDE DEBEUR 2016

Introduction et cotation

Cotation 5 étoiles

Jusqu'en 2014, nous avons attribué un maximum de quatre étoiles aux restaurants alors que la plupart des systèmes nord-américains accordent cinq étoiles. Dans ce dernier cas, il semble que cela souligne mieux l'«excellence», car dans l'esprit de la plupart des gens la note parfaite est cinq étoiles et non pas quatre. Pour notre guide des vins (*Le Petit Debeur*), nous donnions déjà des cotes de cinq étoiles.

En 2015, afin d'uniformiser le système d'évaluation de nos guides et aussi de l'aligner sur le système d'évaluation nord-américain, nous avons décidé d'adopter dorénavant cinq étoiles pour la plus haute évaluation du *Guide Debeur*.

ÉVALUATION

10/20	★	: digne de mention.
12/20	★★	: bon.
14/20	★★★	: très bon.
16/20	★★★★	: excellent.
18/20	★★★★★	: haut de gamme.

[ER]: [en Évaluation ou en Réévaluation]. Cette mention stipule que, soit l'établissement est trop récent, soit il a subi un changement lui valant une période probatoire (il sera donc évalué ou réévalué), soit les évaluateurs ont un doute.

Précisions

Chaque restaurant est évalué selon sa catégorie culinaire et son type de cuisine. Un trois étoiles cuisine française ne sera pas comparé à un trois étoiles cuisine italienne. Chaque catégorie a ses critères et concepts gastronomiques qui ne peuvent s'appliquer à tous les genres de cuisine. Les évaluateurs se basent sur des critères précis qui sont, par ordre d'importance, la cuisine, le service, le décor et l'ambiance.

Spécialités

Les mets que nous publions dans les spécialités y sont à titre indicatif, pour fournir une couleur culinaire, une idée de ce que les restaurants peuvent offrir. Il est évident que la plupart ne vont pas conserver le même menu toute l'année, sauf peut-être certains de ses classiques.

Qualité de l'information

Nos listes de restaurants et de boutiques sont mises à jour chaque année et modifiées en cas de changement notable. Les commentaires sont traités de la même façon. Cet ouvrage est avant tout un guide et non un annuaire exhaustif... Notre choix est délibéré et arbitraire, mais il se veut représentatif de la gastronomie au Québec. Enfin, tous les articles sont nouveaux afin de vous offrir une information actualisée.

Les informations contenues dans cet ouvrage ont été vérifiées avec grand soin et sont données à titre indicatif. Elles n'ont aucune valeur contractuelle et n'engagent ni leur auteur, ni l'éditeur, ni les personnes intéressées. Elles font partie de notre contenu rédactionnel et doivent être considérées comme un service à nos lecteurs, non comme de la publicité. **Aucun établissement n'a payé pour y figurer.** Le choix est à notre seule discrétion.

Politique d'évaluation

Tous les restaurants sont visités incognito. On réserve sous un faux nom, on déguste, on paye notre addition et on s'en va. C'est la seule façon valable, selon nous, de vous rapporter les expériences gastronomiques de façon honnête, objective et impartiale.

Notre évaluation est TOUJOURS faite sur place, mais les renseignements complémentaires dont nous avons besoin sont obtenus par téléphone. Le restaurateur, qui n'a jamais été au courant de notre visite chez lui, peut se méprendre et penser que notre évaluation sera basée sur cet appel. Inconcevable! Pis encore lors de la mise à jour annuelle, juste avant de mettre sous presse: nos recherchistes appellent tous les restaurants pour vérifier certains points qui n'ont rien à voir avec nos évaluations ou nos commentaires. Ce travail indispensable à la bonne qualité de l'information est encore confondu avec celui de nos journalistes. Pourtant, nos factures sont la preuve de nos visites. Désolés pour les esprits chagrins (les mauvaises langues?), il va falloir vous y faire!

Enfin, les évaluations figurant sur cette liste sont subjectives et reflètent les opinions de nos journalistes gastronomiques. Au lecteur maintenant de faire sa propre expérience, de se forger une opinion.

Abréviations des prix

Prix: T.H. = Table d'Hôte - **C.** = Carte (moyenne de prix pour une entrée, un plat principal et un dessert, du moins cher au plus cher) - **F.** = Forfait (table d'hôte à laquelle il manque un plat)

Lorsqu'il y a un sommelier

Les restaurants, qui ont un sommelier professionnel accrédité par l'**Association canadienne** des sommeliers professionnels **(ACSP)**, sont indiqués dans la liste des restaurants du guide **Debeur,** par la représentation du logo de l'ACSP.

La bouteille

Cette bouteille indique qu'il s'agit d'un établissement où on peut apporter son vin. En Ontario certains restaurants vous chargent malgré tout un droit de bouchon.

Restaurants de Montréal

ALGÉRIEN

AU TAROT ★★★
500, Marie-Anne E., MTL
Tél.: 514-849-6860
SPÉCIALITÉS: Pastilla (poulet et pigeon dans une pâte feuilletée). Couscous à la souris d'agneau. Couscous royal (agneau, poulet, merguez). Tajines (de canard au miel et épices, d'agneau aux pruneaux et de poulet au citron). Différentes sortes de briks (sorte de pâte filo farcie). Gâteau au miel. Baklava. Pâte d'amande.
PRIX Midi: (fermé)
Soir: C. 35$ à 55$ T.H. 35$
OUVERTURE: 7 jours 17h à 23h. Fermé 24 et 25 déc., 1er janv. et les 2 sem. de la construction.
NOTE: Couscous sans gluten ou couscous d'épeautre. Pâtisseries orientales. Service de traiteur. Valet de stationnement. Service de livraison. Musique orientale. Fête ses 35 ans!
COMMENTAIRE: Nourédine Kara, le propriétaire, vous accueille avec beaucoup de gentillesse, dans son coin de pays à Montréal, l'Algérie, pays d'Afrique du Nord bordant la mer Méditerranée. Au son d'une musique d'ambiance adéquate, Nourédine dépose tranquillement, un à un, les différents plats composant les fameux couscous de son pays. Les portions sont réel-

lement généreuses et les cuissons justes. Le décor est sans prétention, mais confortable. On s'y sent bien. Le thé à la menthe est servi dans la plus pure tradition.

LES RITES BERBÈRES ★★
4697, rue de Bullion, MTL
Tél.: 514-844-7863
SPÉCIALITÉS BERBÈRES: Assortiment d'entrées. Shorba. Merguez faites maison. 10 sortes de couscous. Brochettes d'agneau. Chekchouka. Méchoui. Baklava maison. Assortiment de desserts maison. Thé à la menthe.
PRIX Midi: (fermé)
Soir: C. 29$ à 40$
OUVERTURE: Mar. à dim. 17h à 23h. Fermé lun.
NOTE: Apportez votre vin.

COMMENTAIRE: C'est le propriétaire qui fait la cuisine. Musique berbère. L'assiette est bonne dans l'ensemble, mais le service manque d'attention. Il est lent et désabusé.

ARGENTIN

L'ATELIER D'ARGENTINE ★★★
355, rue Marguerite-d'Youville, VIEUX-MTL
Tél.: 514-287-3362
SPÉCIALITÉS: Terrine de pieuvre, roquette, flocons de piments chipotle, limette, huile d'olive. Empanadas et panqueque. Bavette de flanchet grillée avec chimichurri et sauce criolla. Bœuf Black Angus grillé. Crème renversée à la vanille, caramel au lait de coco.
PRIX Midi: F. 16$ à 24$
Soir: C. 32$ à 62$
OUVERTURE: Lun. et mar. 11h30 à 22h. Mer. à ven. 11h30 à 1h du mat. Sam. 10h30 à 1h du mat. Dim. 10h30 à 22h. Fermé 25 déc. et 1er janv.
NOTE: Très grande sélection de vins argentins, 50% d'importation privée. Mer. à sam. spécial après 22h30: entrée et plat 22,50$. D.J. et percussions jeu. et ven. soir. Lun. à ven. 5 à 8, boissons, cocktails spécialisés, vins au verre 6$.
COMMENTAIRE: Beau décor moderne avec ses séparations en verre, son style résolument moderne

et ses sièges confortables… Par contre, l'assiette a changé du tout au tout avec des mets argentins revisités. La chef nous propose des viandes, bien sûr, on s'y attendait, mais aussi des légumes apprêtés de façon intéressante et savoureuse. Le service est extrêmement courtois.

ASIATIQUE

BLEU CARAMEL ★★★
4517, rue de La Roche, MTL
Tél.: 514-526-0005
SPÉCIALITÉS 70% JAPONAISES. 30% CORÉENNES: Assiette de dégustation de sushis. Tempura. Teriyaki. Kalbi bulgogi. Gyoza mandoo (raviolis coréens). Kimchi. Dakalbi (poulet mariné épicé). Thon grillé au sésame.
PRIX Midi: (fermé)
Soir: C. 21$ à 36$
OUVERTURE: Mar. à dim. 17h à 23h. Fermé lun.
NOTE: Service de traiteur. Plats végétariens.
COMMENTAIRE: Restaurant nippo-coréen et salon de thé. L'endroit n'est pas spacieux, mais chaleureux et sympathique. Côté cuisine, un bon choix de spécialités coréennes et japonaises. La chef propriétaire propose des sushis à la façon de son pays d'origine, la Corée. On peut aussi y siroter, assis sur un tatami, plusieurs variétés de thés de Chine, du Japon, du Vietnam, de la Corée et de la Thaïlande.

CÔ BA ★★★★
1124, av. Laurier, OUTREMONT
Tél.: 514-908-1889
SPÉCIALITÉS: Homard Rockefeller. Rouleau au homard. Thon tataki. Salade mesclun et mangue. Nouilles pad thaï au poulet et aux crevettes. Rouleau Cô Ba: fraise, mangue, pétoncle épicé et crevettes tempura. Mille feuille. Explosion chocolat frit et crème glacée.
PRIX Midi: (fermé)
Soir: C. 28$ à 58$ T.H. 27$ à 35$
OUVERTURE: Dim., mar. à jeu. 17h à 22h. Ven. et sam. 17h à 23h. Fermé lun., 24, 25 déc. et 1er janv.
NOTE: Bar à sushis. Menu 6 serv. pour deux, 85$ à 95$. Fenêtres coulissantes en été.
COMMENTAIRE: Une très bonne cuisine vietnamienne, savoureuse, avec un léger mélange de mets thaï et japonais. Il y a aussi un bar à sushis. Les très belles présentations sont un réel plaisir pour les yeux. Formule «apportez votre vin». Thé vert excellent, parfumé au jasmin et joliment pré-

senté. Très beau salon privé avec tatami pour environ 14 personnes. Service professionnel et très courtois.

MISO ★★★
4000, rue Sainte-Catherine O., MTL
Tél.: 514-908-6476
SPÉCIALITÉS CUISINE FUSION ASIATIQUE: Huîtres fraîches avec sauce ponzu gingembre. Sashimi de thon blanc poêlé aux épices japonaises, vinaigrette au yuzu sunomono. Sake no takaki, saumon grillé cajun, sauce wasabi. Magret de canard poêlé, œufs de caille. Soufflé au chocolat, nougat glacé, crème glacée tempura.
PRIX Midi: F. 15$ à 23$
Soir: C. 40$ à 65$ T.H. 30$ à 60$
OUVERTURE: Lun. à ven. 11h30 à 14h30. Dim. à mer. 17h à 22h. Jeu. à sam. 17h à 23h. Fermé 25, 26 déc., 1er et 2 janv., 24 juin et 1er juil.
NOTE: Menu soir 4 serv. 45$ à 55$. Arrivages du Japon jeu. à sam.
COMMENTAIRE: Restaurant au concept fusion asiatique et sushibar. Vaste sélection de plats du Japon et asiatiques. Cuisine de qualité naviguant entre le classicisme et l'innovation.

ODAKI ★★★★
1836, rue Sainte-Catherine O., MTL
Tél.: 514-846-1268
SPÉCIALITÉS CUISINE FUSION ASIATIQUE: Sashimis. Sushis nigiris général Tao. Crevettes tempura. Makis. Crevettes sautées avec sauce. Riz frit japonais. Pad thaï. Canard ou porc terriyaki. Bananes frites.
PRIX Midi: Buffet à volonté 12$ à 17$
Soir: C. 11$ à 29$ Buffet 24$ à 30$
OUVERTURE: Lun. à sam. 11h30 à 15h et 17h à 23h. Dim. 11h30 à 15h et 16h à 22h30.
NOTE: Buffets midi makis 12$, sushis 17$. Buffet sushis soir 24$ à 30$. Menu combo et pour emporter.
COMMENTAIRE: Ce restaurant de sushis et de sashimis du centre-ville ouest est un «must» pour son ambiance autant que pour sa cuisine. Les sushis sont excellents. La cuisine fusion à l'asiatique marie subtilement les saveurs et les parfums de toute l'Asie.

SOY ★★★★
5258, bd Saint-Laurent, MTL
Tél.: 514-499-9399
SPÉCIALITÉS: Crevettes croustillantes sautées au wok, garnies d'ail. Pétoncles tempura, sauce miso et sésame. Saumon grillé aux 7 épices, mayonnaise miso.

Morue avec croûte au gingembre. Canard à la sichuanaise servi avec pain à la vapeur. Bœuf kalbi grillé façon coréenne.
PRIX Midi: T.H. 14$ à 15$
Soir: C. 16$ à 33$ T.H. 22$ à 27$
OUVERTURE: Lun. à ven. 11h30 à 15h. Dim. à mer. 17h à 22h. Jeu. à sam. 17h à 23h. Fermé 25 déc.
NOTE: Menu dégustation 9 serv. 37$. Dumplings frais du jour. Carte des vins. Service de traiteur.
COMMENTAIRE: Le restaurant est presque toujours plein. La cuisine de Suzanne Liu est toujours savoureuse et l'accueil est très sympathique. Les plats sont merveilleusement pensés. Subtil équilibre entre tradition et modernité.

CAJUN

LA LOUISIANE ★★[ER]
5850, rue Sherbrooke O., MTL
Tél.: 514-369-3073
SPÉCIALITÉS: Crevettes à la créole. Galettes de crabe, mayonnaise créole. Alligator, frites, mayonnaise aux câpres. Jambalaya de crevettes et poulet. Poisson noirci. Entrecôte cajun Louisiane. Côte de bœuf dinosaure fumée. Tarte aux pacanes, aux deux chocolats.
PRIX Midi: (fermé)
Soir: C. 21$ à 52$ F. 24$ à 32$
OUVERTURE: Mar. à sam. 17h30 à 22h. Fermé dim., lun., 25 déc. et 1er janv.
COMMENTAIRE: Décor assez typique, disparate. Une salle à manger divisée en deux, une moitié est occupée par un mobilier genre bistro et l'autre par la cuisine, où l'on peut voir les cuisiniers faire cuire, flamber, crépiter et concocter des mets furieusement bons et épicés. Musique jazz et blues.

CHINOIS

CHEZ CHINE ★★[ER]
Holiday Inn Select
99, av. Viger O., MTL
Tél.: 514-878-4049
SPÉCIALITÉS CANTONAISES, MANDARINES ET CONTINENTALES: Variété de cuisine asiatique. Crevettes au chili et noix glacées au miel. Poisson entier cuit à la vapeur. Homard sauté au gingembre, oignons verts. Canard laqué à la pékinoise.
PRIX Midi: Dimsum 14$ C. 23$ à 35$
Soir: C. 26$ à 53$ T.H. 26$ à 32$
OUVERTURE: Lun. à dim. 11h30 à 14h. Mer. à sam. 17h30 à 21h30.
NOTE: Buffet au petit déjeuner. Dimsum 7 jours 11h30 à 14h. Canard laqué, 2 serv. 48$. Menu

régional d'Asie soir 4 serv. Environnement Feng Shui.
COMMENTAIRE: Le restaurant est installé dans le quartier chinois, en face du Palais des congrès. Beau décor chinois, typique et élégant, avec pagode, petit ruisseau et bassin animés de poissons vivants dans l'hôtel. Cuisine cantonaise authentique, mais on y offre également une cuisine continentale.

CUISINE SZECHUAN ★★★[ER]
2350, rue Guy, MTL
Tél.: 514-933-5041
SPÉCIALITÉS: Aubergines croustillantes, calmar épicé. Fleur de Tobu et tranches de poisson à la szechuan. Filet de poisson pané et légumes assortis, sauce épicée. Poulet au poivre sichuanais avec épinards. Bœuf ou poulet au cumin. Dumplings épicés.
PRIX Midi: F. 12$
Soir: F. 12$ à 37$
OUVERTURE: Lun. à ven. 11h30 à 22h. Sam. et dim. midi à 22h.
NOTE: Bière et saké.
COMMENTAIRE: La chef et propriétaire de ce restaurant est sichuanaise. Elle propose une cuisine authentique et sans compromis de cette région très montagneuse et difficile d'accès du centre-ouest de la Chine. Une cuisine épicée et savoureuse.

JARDIN DE JADE-POON KAI ★★★
67, la Gauchetière O., MTL
Tél.: 514-866-3127
SPÉCIALITÉS SZECHUANNAISES: Buffet tous les jours (une centaine de plats, dimsums).
PRIX Midi: F. 10,25$
Soir: F. 14$ à 15$
OUVERTURE: 7 jours 11h à 22h.
NOTE: Prix buffet la fin de semaine 15,80$.
COMMENTAIRE: Un buffet qui offre le choix d'une centaine de plats. Tout est frais et savoureux. Dépaysement assuré.

L'ORCHIDÉE DE CHINE ★★★★★
2017, rue Peel, MTL
Tél.: 514-287-1878
SPÉCIALITÉS: Crevettes géantes sautées à la sauce piquante. Côtes levées à l'ail. Filet de poisson au gingembre. Bœuf à l'orange. Canard croustillant dans une crêpe chinoise. Poulet tranché au poivre sichuanais et épinards croustillants. Bœuf sauté sauce piquante à l'ail.
PRIX Midi: T.H. 18$ à 26$
Soir: C. 30$ à 40$
OUVERTURE: Lun. à ven. midi to 14h30. 7 jours 17h30 à 21h30.
Fermé 24, 25 déc. et 1er janv.
NOTE: Ouvert depuis 1985.
COMMENTAIRE: Le cadre est élégant, le service cordial. Cuisine chinoise dans la tradition de New York. L'un des meilleurs restaurants chinois en ville. Vraiment très bon!

MR. MA ★★★★
1, pl. Ville-Marie, #11209, MTL
Tél.: 514-866-8000
SPÉCIALITÉS 70% SICHUANAISES 30% CANTONAISES: Crevettes sichuanaises. Canard de Pékin. Morue noire charbonnière. Poulet général Tao. Bœuf sauce à l'orange. Canard croustillant.
PRIX Midi: T.H. 20$ à 35$
Soir: C. 26$ à 57$ T.H. 20$ à 35$
OUVERTURE: Lun. et mar. 11h30 à 15h en 22h. Mer. à ven. 11h30 à 22h30. Sam. 17h à 23h. Fermé dim. et du 23 déc. au 4 janv.
NOTE: Menu dégustation 60$ à 80$. Stationnement gratuit après 17h.
COMMENTAIRE: Le propriétaire met l'accent sur la fraîcheur extrême et sur les saveurs des produits, principalement les fruits de mer. Service attentif et discret. Décor assez confortable, nappes blanches, salle à manger un peu grande.

RESTAURANT RUBY ROUGE ★★★
1008, rue Clark, MTL
Tél.: 514-390-8828
SPÉCIALITÉS 70% CANTONAISES, 30% SICHUANAISES: Poulet farci aux crevettes. Nid d'oiseau aux fruits de mer. Huîtres à la vapeur, sauce de fèves noires. Crevettes géantes, sauce sucrée et épicée. Homard cuit au four, au gingembre et échalotes. Canard à la pékinoise ou laqué.
PRIX Midi: C. 15$ à 27$
Soir: C. 21$ à 41$ T.H. 29$ à 39$ pour 2
OUVERTURE: 7 jours 8h30 à 22h.
NOTE: Repas congelés pour famille à emporter.

COMMENTAIRE: Restaurant situé à l'étage, fréquenté par de très nombreux Chinois à l'heure du lunch. Les nombreuses variétés de dimsum sont un vrai régal; il y a plus de choix les sam. et dim. La salle est immense. Il est préférable de prendre place près des cuisines pour s'assurer que les bouchées soient les plus chaudes possible.

SZÉCHUAN ★★★★
400, Notre-Dame O., VIEUX-MTL
Tél.: 514-844-4456
SPÉCIALITÉS 80% SICHUANAISES type New York. 20% HUNANAISES: Crevettes géantes, sauce au miel. Crevettes à la Sichuan. Bœuf au parfum d'orange ou au poivre noir. Languettes de porc sauce à l'ail. Poulet général Tao.
PRIX Midi: T.H. 16$
Soir: C. 22$ à 49$ T.H. 18$
OUVERTURE: Lun. à ven. 11h30 à 14h30. Lun. à jeu. 17h à 22h. Ven. et sam. 17h à 22h30. Fermé dim. et du 23 déc. au 3 janv.
COMMENTAIRE: Cet établissement du Vieux-Montréal offre une cuisine sichuanaise et hunanaise dans la tradition de New York. Toujours égal. Un des plus anciens restaurants sichuanais en ville.

TONG POR ★★★
12242, bd Laurentien, VILLE SAINT-LAURENT
Tél.: 514-393-9975
SPÉCIALITÉS 50% CANTONAISES, 30% THAÏLANDAISES ET 20% VIETNAMIENNES: Dimsum. Poulet épicé à la citronnelle. Salade thaïlandaise de homard. Fruits de mer sel et poivre. Poisson à la vapeur sauce aux fèves noires.
PRIX Midi: C. 14$ à 32$
Soir: Idem
OUVERTURE: 7 jours 11h à 23h.
COMMENTAIRE: Ce restaurant sert une variété de bons mets chinois, thaïlandais, vietnamiens et d'excellents dimsums. Variété accrue sam. et dim.

YUAN ★★★
2115, rue Saint-Denis, MTL
Tél.: 514-848-0513
SPÉCIALITÉS VÉGÉTARIENNES: Champignons shiitake au sésame. Bouillon d'aubergine et tofu japonais. Poulet général Tao, riz blanc ou brun. Végé poisson au citron. Végé fruits de mer croustillants au sel et poivre. Combo maki et sushi. Assiette variée de végé viande à la mode Yuan.
PRIX Midi: T.H. 18$
Soir: C. 15$ à 24$ T.H. 18$
OUVERTURE: Mar. à ven. 11h à 15h et 17h à 22h. Sam. et dim. midi à 16h et 17h à 22h. Fermé lun.

CHINOIS

GUIDE DEBEUR 2016

NOTE: Plats végétariens congelés à emporter. Buffet midi 10$, sam. et dim. soir 20$.
COMMENTAIRE: Le premier restaurant de cuisine végétarienne taïwanaise à Montréal. Ici, le propriétaire et les employés sont tous végétariens. Les produits végétariens sont importés de Taïwan au goût et sous forme de poisson, de viande, etc. On peut se les procurer à la boutique dans la cour intérieure.

CONTINENTAL

BOUILLON BILK ★★★★
1595, bd St-Laurent, MTL
Tél.: 514-845-1595
SPÉCIALITÉS: Linguine, oursin, bacon, persil, piment, pollen de fenouil. Bœuf, figue, café, câpres, cayenne doux, champignons de Paris. Pintade, mousse de foie, chou fleur, poireau, chanterelles, prune. Génoise citron, amandes, framboises, yogourt, yuzu, glace thé noir. Gâteau noisette, chocolat, poire, figue, raisins, noix de macadam.
PRIX Midi: C. 29$ à 43$
Soir: C. 55$ à 70$
OUVERTURE: Lun. à ven. 11h30 à 14h30. 7 jours 17h30 à 23h.
COMMENTAIRE: Enfin des tables nappées de blanc. Ras le bol des tables style cafétéria. Quoiqu'ici on peut avoir les deux. Mais c'est la classe dans les deux cas. Ambiance agréable, chaleureuse et courtoise. On y sert une cuisine brillante, fraîche et harmonieuse. Beaucoup de plaisir. Situé près du Quartier des spectacles; on peut aussi y aller avant les représentations. Un endroit où l'on aime retourner. À suivre...

CHEZ DELMO ★★★
275, Notre-Dame O., VIEUX-MTL
Tél.: 514-288-4288
SPÉCIALITÉS: Sole de Douvres meunière ou walleska (nappée d'une sauce aux écrevisses et homard). Saumon poché sauce hollandaise. Carré d'agneau de Kamouraska, pommes de terre rattes, champignons, haricots verts. Fish and chips. Homard Thermidor ou Newburg. Millefeuille chilien.
PRIX Midi: F. 25$
Soir: C. 37$ à 100$
OUVERTURE: Lun. à ven. 11h30 à 14h30. Lun. à sam. 17h30 à 22h30. Fermé dim.
COMMENTAIRE: Le service est charmant et bien fait, répondant à nos attentes. L'assiette est très bonne, mais on pourrait faire un gros effort pour ce qui est des présentations.

CHEZ MA GROSSE TRUIE CHÉRIE ★★★[ER]
1801, rue Ontario E., MTL
Tél.: 514-522-8784
SPÉCIALITÉS: Plateau de cochonnailles artisanales: saucisson sec à l'ail et au fromage de chèvre, jambon blanc à l'ancienne, terrine maison aux pistaches, fromage de tête et ses condiments. Cochonne à s'en lécher les doigts (côte levée fumée, frites au parmesan, salade de céleri et betterave à l'huile de thym et citron). Mousse chocolat Jivara et espresso.
PRIX Midi: T.H. 16 à 20$
Soir: C. 37$ à 57$ F. 29$ à 39$
OUVERTURE: Mer. à ven. 11h à 14h30. Mar. à sam. 17h à 22h30. Dim. et lun. ouvert sur réserv.
NOTE: Méga tout cochon à partager 35$/pers. Vins d'importation privée. Vins et bières du Québec. Sorbet maison. Longue table, 14 à 20 pers. par groupe. Fumoir maison. Mobilier recyclé. Stationnement gratuit (80 voitures).
COMMENTAIRE: Décor de taverne très tendance avec quelques trouvailles et une bonne ambiance. La terrasse, moderne et sympathique, possède un espace couvert. On y sert une cuisine savoureuse, solide et copieuse. On recommande les viandes. La carte des vins comporte des vins du Québec.

GIBBY'S ★★
298, pl. d'Youville, VIEUX-MTL
Tél.: 514-282-1837
SPÉCIALITÉS: Huîtres Rockefeller. Langoustines d'Islande grillées. Poissons frais grillés ou pochés. Homard 2 lb. Entrecôte grillée coupe Gibby's (22 oz), pommes de terre, salade maison Gibby's avec asperges. Carré d'agneau grillé ou à la provençale. Crème brûlée. Crêpes jubilée.
PRIX Midi: (fermé)
Soir: C. 48$ à 91$
OUVERTURE: Lun. à ven. 17h30 à 23h. Sam. et dim. 17h à 23h.
NOTE: Huit à douze sortes de poissons frais tous les jours. Terrasse pour l'apéritif, dans une cour intérieure. Personnel en costume folklorique. Stationnement et service de valet gratuit.
COMMENTAIRE: Très orientée vers les cars de touristes, la cuisine ne semble pas vouloir faire de gros efforts pour suivre l'évolution de la cuisine au Québec. Service aimable. Ambiance d'antan.

LA CHAMPAGNERIE ★★★
343, rue Saint-Paul Est, VIEUX-MTL
Tél.: 514-903-9343
SPÉCIALITÉS: Cœur de bœuf façon smoked meat. Tartare de ca-

nard. Sashimi de cobia. Charcuteries artisanales. Fruits de mer grillés. Short rib de bœuf. Tacos de mérou. Pain perdu pavot et citron. Fondant au chocolat.
PRIX Midi: (fermé)
Soir: C. 36$ à 55$
OUVERTURE: Mar. à dim. 17h à minuit. Fermé lun.
NOTE: Mer. à sam., DJ à partir de 17h30. Valet de stationnement 15$ à partir de 18h. Menu dégustation. Cocktail dînatoire. Évènements corporatifs. Jeu. fruits de mer 25% de réduction.
COMMENTAIRE: Avec les conseils du personnel, on y sabre soi-même les vins mousseux et même le champagne. Ce côté festif et original prélude à un bon moment entre amis. Une assiette conviviale, elle aussi, et goûteuse de surcroît. Situé en face du marché Bonsecours; stationnement payant sur les terrains à proximité et même dans le Vieux-Port, au quai de l'Horloge. L'un de nos collaborateurs, Guénaël Revel, dit «Monsieur bulles», y donne parfois des soirées commentées.

LA FONDERIE (Montréal) ★★
964, rue Rachel E., MTL
Tél.: 514-524-2100
SPÉCIALITÉS DE FONDUES: Carpaccio de filet mignon de bœuf. Soupe à l'oignon au vin blanc. Raclette suisse et québécoise. Fondues chinoise, bourguignonne, neuchâteloise, dégustation. Fondue au chocolat.
PRIX Midi: (fermé)
Soir: C. 30$ à 71$ T.H. 33$ à 45$
OUVERTURE: Dim. à jeu. 17h à 22h. Ven. et sam. 17h à 22h30. Fermé 24, 25 déc.
NOTE: Ouvert midi sur réserv. 15 pers. et plus. Festin de fondues 33$ à 45$. Péché à deux 78$ à 88$/2 pers. Restaurant climatisé. Réserv. en ligne. Stationnement avec navette gratuite ven. et sam., de nov. à avr.
COMMENTAIRE: Le décor est coquet, familial, un poil conservateur, mais on s'y sent bien. Intelligents jeux de miroir qui agrandissent l'avant de la salle; celle-ci est bien découpée, favorisant des coins conviviaux. Plusieurs variétés de fondues mais on devrait faire un effort sur la qualité. Service aimable, un peu lent.

L'APPARTEMENT ★★★
600, rue William, MTL
Tél.: 514-866-6606
SPÉCIALITÉS: Tataki de saumon biologique, gingembre et miel sur betteraves tranchées, caviar citron et émulsion à la poire. Calmars grillés (téquila, chili et lime), salade de tomates et coriandre. Can-

nellonis maison farcis de crevettes, ricotta, courge musquée et basilic, sauce all'arrabbiata. Fondant au chocolat 70% de Tanzanie à la framboise et fleur de sel, glace à la vanille Les Givrés.
PRIX Midi: F. 14$ à 17$
Soir: C. 37$ à 67$ T.H. 35$
OUVERTURE: Lun. à ven. 11h45 à 14h et 17h à 22h45. Sam. 17h à 22h45.
NOTE: DJ mer. à sam. soir. Soirée des dames mer.
COMMENTAIRE: Deux étages, deux espaces, deux ambiances, mais une même cuisine. Une assiette continentale évolutive, joliment présentée de manière très tendance. Quelques spécialités italiennes, mais surtout on apprécie leur viande de bœuf Angus coupée dans les meilleurs morceaux.

LE HACHOIR ★★★
4177, rue Saint-Denis, MTL
Tél.: 514-903-1331
SPÉCIALITÉS: Filet mignon (8 oz) Black Angus «1855» grillé, sauce poivre ou chimichurri et pomme de terre aligot. Trio de tartares (saumon, thon, bœuf). Compote de banane au rhum, glace banane, crumbles de sablés Breton aux pacanes, caramel banane et rhum.
PRIX Midi: T.H. 16$
Soir: C. 34$ à 63$
OUVERTURE: Mar. à ven. midi à 23h. Sam. 11h à minuit. Dim. 11h à 23h. Lundi 17h à 23h. Fermé lun. midi.
NOTE: Tout est haché en cuisine. À 98%, tout est fait maison.
COMMENTAIRE: Un restaurant style bistro sympathique et sans prétention. Décor convivial et serré qui favorise des échanges amicaux. Bonne ambiance. En vedette ce sont les multiples tartares et les hamburgers, mais aussi les fameux steaks. C'est simple et c'est

très bon. Cet établissement est le premier d'une série dont font partie le Grinder et Lea. Quant au service, il est vraiment convivial et rapide. Ici, on s'amuse à faire plaisir!

L'Ô ★★★
Hôtel Novotel
1180, de la Montagne, MTL
Tél.: 514-871-2151
Hôtel: 514-861-6000
SPÉCIALITÉS: L'Ô basmati, risotto de pétoncles et de queue de homard. Cuisse de canard confit, salade roquette, pommes, vinaigrette à l'érable. Fish and chips de morue, sauce tartare. Classique crème brûlée. Tiramisu.
PRIX Midi: T.H. 21$
Soir: C. 35$ à 51$
OUVERTURE: 7 jours 11h30 à 22h. Petit déjeuner lun. à ven. 6h à 10h, sam. et dim. 6h30 à 10h30. Fermé après 19h les 24 et 25 déc.
NOTE: Terrasse de style lounge avec bar et sofa. Sélection de 20 vins au verre et d'importation privée. Brunch fête des Mères et des Pères, Pâques et sur réservation. Buffet déjeuner à partir de 6h. Petit déjeuner gratuit enfant 16 ans et moins.
COMMENTAIRE: La carte propose une cuisine de type continental. Une cuisine de simplicité et de fraîcheur. Service très courtois et plein de bonne volonté. Décor moderne où la symbolique de l'eau, du feu et de la terre est représentée. Il a été créé par l'un des décorateurs du célèbre Hôtel Georges V, à Paris.

MAESTRO S.V.P. ★★★
3615, bd Saint-Laurent, MTL
Tél.: 514-842-6447
SPÉCIALITÉS: Huîtres fraîches. Crevettes à la noix de coco. Assiette de fruits de mer (bruschetta, palourdes, satay de crevettes, crabe des neiges, moules vapeur,

calmars, demi-homard, crevettes à la noix de coco). Moules marinières, frites maison. Crème brûlée.
PRIX Midi: (fermé)
Soir: C. 32$ à 72$
OUVERTURE: 7 jours 16h à 20h. Fermé 24, 25 déc. et du 4 au 25 janv.
NOTE: Moules à volonté dim. et lun. Mar. à jeu. tapas de fruits de mer, 3$ à 15$. Bar d'huîtres fraîches, à l'année, provenant des États-Unis (Washington, New York) et du Canada. Poissons variés frais tous les jours. Crabe royal 110$.
COMMENTAIRE: Un des rares restaurants à servir essentiellement des fruits de mer et des poissons. L'assiette est copieuse et bien présentée. Le décor emprunte un style bistro moderne. Menus sur ardoise. L'atmosphère devient conviviale quand le service y contribue.

MÉCHANT BŒUF ★★★
124, rue Saint-Paul O.,
VIEUX-MTL
Tél.: 514-788-4020
SPÉCIALITÉS: Tartare de saumon, bœuf ou bison. Côtes levées braisées au sirop d'érable et Jack Daniel's. Poulet entier sur canette de bière. Méchant burger, bacon, fromage bleu, gruyère et oignons caramélisés. Filet mignon, purée de pommes de terre maison. Brownie tiède fourré au caramel, crème glacée à la vanille.
PRIX Midi: (fermé)
Soir: C. 35$ à 77$
OUVERTURE: Dim. à mer. 17h à 23h. Jeu. à sam. de 17h à minuit trente. Fermé 1er janv.
NOTE: Bar cru. Huîtres. Duo de chansonniers mar. et mer. soir., D.J. jeu. à sam.
COMMENTAIRE: L'assiette est excellente, généreuse et agréablement présentée. On propose un choix de mets traditionnels de

brasserie et de cuisine continentale faite de produits frais de qualité. C'est vraiment très bien, bon et copieux. Décor confortable, moitié bistro, moitié discothèque, avec un immense comptoir de bar sur un côté.

MOISHE'S ★★★
3961, bd Saint-Laurent, MTL
Tél.: 514-845-3509
SPÉCIALITÉS: Morue noire de l'Alaska cuite au charbon, huile et citron. Poulet spécial Moishes. Chiche-kebab mariné. Bifteck de côte. Pomme de terre Monte-Carlo (beurre, ciboulette, paprika). Filet mignon sur œuf. Tarte Tatin.
PRIX Midi: (fermé)
Soir: C. 45$ à 96$
OUVERTURE: Lun. et mar. 17h30 à 22h. Mer. 17h30 à 23h. Jeu. et ven. 17h30 à minuit. Sam. 17h à minuit. Dim. 17h à 22h. Fermé 24, 25 déc. et 1er janv.
NOTE: Stationnement gratuit. T.H. 45$ dim. 17h à 22h. T.H. 25$ jeu. à sam. 21h à minuit. Réserv. sur opentable.com
COMMENTAIRE: Ce restaurant est une institution à Montréal, il est ouvert depuis 1938. Il s'était taillé une réputation en servant de la viande vieillie. Cette méthode revenant à la mode, Moishe's, grand spécialiste du bifteck, revient à ses premières amours, il choisit sa viande chez les producteurs locaux qui élèvent leurs bœufs naturellement.

NEWTOWN ★★★[ER]
1476, rue Crescent, MTL
Tél.: 514-284-6555
SPÉCIALITÉS: Anticuchos, empanadas. Saumon grillé de l'Atlantique, cresson, cornichon, orange épicée. Club sandwich au poulet grillé, aïoli épicé, tomates italiennes fraîches et roquette. Gâteau au fromage et bleuets.
PRIX Midi: F. 19$
Soir: C. 28$ à 65$
OUVERTURE: Lun. à sam. 11h30 à 23h. Fermé dim.
NOTE: Un premier étage style bistro branché, on mange au bar ou à des tables basses. L'endroit idéal pour se faire voir. Au second étage, c'est une élégante salle à manger, grande, aérée et bien éclairée, ouverte de jeu. à sam.
COMMENTAIRE: Bel établissement résolument moderne, tout comme l'assiette. Plusieur chefs s'y sont succédés ces dernières années sans y rester longtemps.

QUEUE DE CHEVAL et HOMARD FURIEUX ★★★[ER]
1181, rue de la Montagne, MTL
Tél.: 514-390-0091
SPÉCIALITÉS: QDC: Coupes de viandes vieillies à froid. La «Q» steak frittes. Burger de thon Ahi. Surf'n'turf. Burger du chef. Homard furieux: Bisque de homard et huile de truffe. Homard épicé et Crevettes tempura. Rouleaux de homard. Etc.
PRIX Midi: C. 49$ à 90$
Soir: Idem
OUVERTURE: Queue de cheval: Lun. à ven. 11:30 à 15h. Dim. à mer. 17h30 à 22h. Jeu. à sam. 17h30 à minuit.
Homard furieux, salon fruits de mer: Dim. à mer. 17h30 à 2h du mat. Jeu. à sam. 17h30 à 3h du mat.
COMMENTAIRE: Il a fermé puis déménagé deux fois... On attendait patiemment la réouverture de cet établissement connu pour ses steaks et fruits de mer. Après de longues rénovations, on a maintenant non pas un, mais deux restaurants. L'un s'appelle toujours QDC ou Queue de cheval et il est spécialisé en steak de qualité sur le gril comme autrefois. La deuxième salle à manger s'appelle Homard furieux – salon de fruits de mer, ou encore Angry Lobster, ce qui revient au même. Leur site internet queuedecheval. com est d'abord en anglais et l'espace en français est, au moment de mettre ce guide sous presse, une très mauvaise traduction de l'anglais. Une vraie rigolade! Quoique c'est plutôt triste en fait. Il doit certainement s'agir d'une traduction réalisée par un robot genre Google. Pour ce qui est des menus, ils sont tous en anglais et très compliqués quant à leur offre et leur aspect visuel.

RIB'N REEF ★★★
8105, bd Décarie, MTL
Tél.: 514-735-1601
SPÉCIALITÉS: Salade César préparée à votre table. Homard frais au goût du client. Pattes de crabe d'Alaska. Tartare de thon Yellowfin. Surlonge au poivre coupe New York. Côte de bœuf assaisonnée et rôtie lentement. Cerises Jubilée flambées.
PRIX Midi: F. 29$ à 40$
Soir: C. 54$ à 120$ T.H. 39$ à 53$
OUVERTURE: Lun. à mer. 11h30 à 23h. Jeu. à sam. 11h30 à minuit. Dim. 16h30 à 23h. Fermé 24 déc.
NOTE: Arrivage de poisson journalier et de homard deux fois par semaine, par avion. Pattes de crabe de l'Alaska et homard au poids. Choix de caviar. Bœuf premier choix Midwest américain, approuvé USDA. Viande cuite sur gril au

charbon de bois. Viandes vieillies à sec. Salon avec menu de cigares. Stationnement gratuit avec voiturier. Certificat de Wine Spectator depuis 1960.
COMMENTAIRE: Danny Cousineau, l'ancien chef de la défunte Queue de cheval, dirige les fourneaux de cette maison à la décoration luxueuse et confortable. On recommande la viande cuite sur le gril au charbon de bois qui est excellente. Service familial et aimable. Cave à vin imposante, 800 sortes de vin, 12 000 bouteilles, et l'on peut même y organiser des repas pour 10 à 30 personnes.

VARGAS ★★★★
Steak house, sushis
690, bd René-Lévesque O., MTL
Tél.: 514-875-4545
SPÉCIALITÉS: Huîtres Rockefeller. Satay au bœuf grillé, sauce thaïlandaise aux arachides. Côte de bœuf. Filet mignon qualité Angus canadien vieilli à la perfection. Rib steak. Pizza sushi. Crème brûlée.
PRIX Midi: F. 16$ à 21$
Soir: C. 31$ à 77$
OUVERTURE: Lun. à ven. 11h à 23h. Sam. et dim. 17h à 23h. Fermé midi jours fériés et 25 déc. toute la journée.
NOTE: Dégustation de sushis 5 serv. 50$. Les sushis ne sont pas servis entre 14h30 et 17h. Choix de 500 bouteilles de vin.
COMMENTAIRE: Décor classique et de bon goût, voire raffiné. Une cuisine de style steak house et fruits de mer, élaborée avec des produits frais de haute qualité. Leur spécialité c'est la côte de bœuf. Les portions sont très généreuses et conviennent parfaitement aux gros mangeurs de qualité, l'un n'empêchant pas l'autre. Bon choix de vin, nettement dominé par les vins rouges, quelques demi-bouteilles, un choix raisonnable de vin au verre. Service professionnel et attentif.

5000 ANS ★★
2176-A, rue Sainte-Catherine O., MTL
Tél.: 514-932-7565
SPÉCIALITÉS: Salade de tofu. Bibimbap (riz à la vapeur assorti de légumes et de viande). Haïmui Pajean (crêpe coréenne de fruits de mer). Barbecue coréen. Yakiudon (nouilles frites avec poulet, bœuf, tofu ou fruits de mer). Crème glacée au thé vert.
PRIX Midi: T.H. 9$ à 15$
Soir: C. 13$ à 25$
OUVERTURE: Lun. à jeu. 11h45 à 22h. Ven. et sam. midi à 23h.

Fermé dim.
NOTE: Barbecue coréen à volonté, 25$.
COMMENTAIRE: Une carte à prédominance coréenne. Des plats préparés avec soin, tels que le Pajean et Bibimbap, qui permettent d'apprécier une cuisine encore trop peu connue.

LA MAISON DE SÉOUL ★★★
5030, rue Sherbrooke O., MTL
Tél.: 514-489-3686
SPÉCIALITÉS: Jap Chae (nouilles de pommes de terre). Bibimbap (riz avec bœuf, légumes marinés et œuf au plat). Bulgogi (émincé de bœuf mariné, grillé avec sauté de légumes). Jeangol (fondue de fruits de mer). Tempura de crème glacée.
PRIX Midi: F. 12$ à 14$
Soir: C. 19$ à 36$
OUVERTURE: Lun. à sam. 11h30 à 15h et 17h à 22h30. Fermé dim, 24 et 25 déc., 1er janv. et jours fériés.
NOTE: Commandes et livraison payées en argent comptant seulement.
COMMENTAIRE: On va à La Maison Séoul pour sa cuisine authentique jusque dans les moindres détails. Le kimchi est bien dosé et frais, ce n'est pas un plat, mais un accompagnement (voir avis dans cette section).

MIGA ★★★
432, rue Rachel E., MTL
Tél.: 514-842-4901
SPÉCIALITÉS: Bibimbap (bœuf, œuf, courgette, champignon, carotte, chou, riz). Cim Chibap (kimchi, bœuf, légumes et riz). Kalbi (côte de bœuf). Bulgogi. Gâteau de riz.
PRIX Midi: C. 16$ à 21$
Soir: Idem T.H. 18$
OUVERTURE: Lun. à ven. 11h30 à 15h. Lun. à sam. 17 à 21h30. Fermé dim.
NOTE: Lun. à ven. un plat différent en spécial chaque midi. Mets à emporter.
COMMENTAIRE: Bon et pas cher. Kyung Hee Yoo, originaire de la Corée du Sud, vous réserve un accueil tout en courtoisie et en délicatesse, dans ce restaurant qu'elle exploite avec sa sœur et son fils.

RESTAURANT 5000 ANS ★★★
3441, rue Saint-Denis, MTL
Tél.: 514-845-8902
SPÉCIALITÉS: Crêpe aux fruits de mer. Chulpan cuisiné sur la table, soupe et petit bibimbap inclus. Barbecue coréen (côte de bœuf, cuisiné sur la table). Dolsot bibimbab (riz, légumes, bœuf, œuf).
PRIX Midi: F. 19$ à 52$
Soir: Idem
OUVERTURE: Lun. à jeu. 11h à 22h. Ven. à dim. 11h à 23h.
NOTE: Barbecue coréen sur la table, 2 pers. 34$. Pas de dessert.
COMMENTAIRE: Le nom de ce restaurant évoque les 5000 ans d'histoire de la Corée. Les assaisonnements s'harmonisent parfaitement avec les plats de cette cuisine coréenne classique. Très bon rapport qualité-prix.

CRÊPERIE

LA CRÊPERIE
DU VIEUX-BELOEIL ★★★★★
Voir section MONTÉRÉGIE
Sans contredit, la meilleure crêperie au Québec !

ESPAGNOL

PINTXO ★★★[ER]
330, av. Mont-Royal E., MTL
Tél.: 514-844-0222
SPÉCIALITÉS BASQUES: Œufs brouillés à la morue. Chorizo et pieuvre grillée, purée de pois chiches à l'encre de seiche, oignons rouges au citron. Bajoue de bœuf braisée. Boudin noir, chutney aux pommes. Calmar farci au jambon serrano, noix de pin. Carré de cerf en croûte de pistaches. Nougat glacé. Tarte Santiago aux amandes.
PRIX Midi: F. 24$
Soir: C. 37$ à 57$
OUVERTURE: Lun. à ven. midi à 14h. Lun. à dim. 18h à 23h.
NOTE: 39 choix de pintxos. Menu dégustation (4 pintxos, 1 plat principal) 38$. Vins exclusivement espagnols.
COMMENTAIRE: Cet établissement avait fermé pour cause d'incendie. On le retrouve sur Mont-Royal avec bonheur. À l'origine, pintxo était une petite tranche de pain sur laquelle on mettait un peu de nourriture. Pintxo en basque ou tapas en espagnol, ce sont aujourd'hui de petites bouchées délicieuses dont on commande plusieurs variétés pour composer son menu. Ici, c'est à la fois un plaisir des yeux tout autant que du goût.

TAPEO ★★
511, rue Villeray, MTL
Tél.: 514-495-1999
SPÉCIALITÉS: Crevettes à l'ail. Pétoncles aux lardons. Pieuvre grillée. Morue en croûte. Fideos (pâtes courtes, saucisson, crevettes, champignons, aïoli aux amandes). Croquettes de morue. Short rib de bœuf. Thon albacore.
PRIX Midi: F. 20$
Soir: C. 20$ à 46$
OUVERTURE: Mar. à ven. midi à 15h et 17h30 à 23h. Sam. 17h à 23h. Dim. 17h à 22h. Fermé 24, 25, 31 déc. et 2 prem. sem. de janv.
NOTE: Paella pour deux env. 50$. Il faut compter manger 3 à 4 tapas minimum et un dessert de 6$ à 10$. Table semi-privée de la chef, 18 pers.
COMMENTAIRE: Restaurant sur deux étages, au décor de bistro, simple et moderne, dans un quartier populeux. Le menu est inscrit dans des cercles sur un mur genre tableau noir. La jeune chef, Marie-Fleur St-Pierre, a écrit un livre sur les tapas aux éditions de l'Homme. Une sorte de prolongation de son savoir-faire, dont on se régale au Tapeo. Une cuisine conviviale, créative et spontanée. Service enthousiaste et courtois. Ont un second restaurant: Meson restaurant général espagnol, au 345, rue Villeray.

FRANÇAIS

ALEXANDRE ET FILS
★★★★ (bistro) ♥
1454, rue Peel, MTL
Tél.: 514-288-5105
SPÉCIALITÉS: Gambas grillées sur risotto d'orge. Foie gras de canard. Quenelles de brochet. Homard froid parisien. Choucroute de mer. Épaule d'agneau à la semoule de couscous. Bavette à l'échalote. Tartare de bœuf. Cassoulet toulousain. Fondant au chocolat. Gâteau café de Paris. Nougat glacé.
PRIX Midi: F. 24$ à 38$
Soir: C. 48$ à 81$ T.H. Express 34$
OUVERTURE: 7 jours midi à 2h du matin.
NOTE: Côte de bœuf pour 2, 46$/pers. Terrasse et brasserie parisienne au rez-de-chaussée, John Sleeman pub au 2e étage. Bon choix de bières. Salon à cigares au 2e étage. Piste de danse sur réserv. Stationnement 6$ le soir.

LA CRÊPERIE DU VIEUX BELOEIL

940, Richelieu
BELOEIL QUÉBEC
450-464-1726

"Dès l'entrée, une bonne odeur de froment vient vous caresser les narines. Au milieu de l'établissement, l'une des crêpières s'affaire à étaler d'immenses crêpes, qu'elle replie sur une garniture copieuse. La grande plaque de fonte noire fume doucement, tandis que la crêpe fraîchement cuite craque sous le pliage. Vous pouvez le voir, c'est fait devant vous."

"L'espace est attrayant et les crêpes sont toujours délicieuses et généreuses. On aimerait toutes les essayer, mais après une ou deux, il ne nous reste plus que la gourmandise tant on est rassasié. Un délice dont nos papilles gustatives frémissent encore. C'est d'ailleurs, avec la gentillesse du service, ce qui a fait leur succès."

- ❏ Crêpe aux asperges, jambon et fromage
- ❏ Spéciale saumon fumé
- ❏ Crêpe aux fruits de mer
- ❏ Crêpe framboises et bananes avec crème pâtissière

★★★★ Guide Debeur

COMMENTAIRE: Alexandre présente une table sympathique dans un cadre débordant d'ambiance parisienne où la carte bistro, des plus appétissantes, nous fait faire un tour d'horizon des régions de France, de quoi satisfaire tous les goûts.

À L'OS ★★★[ER]
5207, bd Saint-Laurent, MTL
Tél.: 514-270-7055
SPÉCIALITÉS: Os à moelle. Filet mignon À L'Os, légumes de saison, réduction au porto. Tartare de bison, vinaigrette aux cèpes et au porto. Steak d'espadon grillé. Terrine de foie gras. Pain perdu chocolat au lait et noisettes.
PRIX Midi: (fermé)
Soir: C. 51$ à 86$ T.H. 45$
OUVERTURE: Mar. à dim. 18h à 23h. Fermé lun. Fermé 24 au 26 déc. et 1er janv.
NOTE: Menu dégustation 5 serv. 60$.
COMMENTAIRE: La salle à manger est simple et confortable. Belle vaisselle bien adaptée aux mets présentés. La cuisine est ouverte sur un côté de la salle à manger. Une assiette française revisitée, créative, savoureuse et intéressante. Les cuissons sont justes, les saveurs, bien mariées et les garnitures, bien adaptées. Si on boude un peu le sel, par contre on n'a pas peur d'utiliser et de mettre en valeur les épices avec beaucoup de doigté. N'oubliez pas d'apporter votre vin.

ARIEL ★★[ER]
2072, rue Drummond, MTL
Tél.: 514-282-9790
SPÉCIALITÉS: Pieuvre laquée, salade de légumes grillés, hommos fumé aux agrumes. Volaille de Cornouailles, frites, ketchup de poivrons rouges, mayonnaise au sésame, salade de chou, rattes. Guimauve maison, petits fruits, financier grillé.
PRIX Midi: F. 19$ à 26$
Soir: C. 32$ à 50$
OUVERTURE: Lun. à ven. 11h30 à 14h. Lun. à sam. 18h à 22h. Fermé dim., jours fériés et 2 sem. à partir du 24 déc.
NOTE: Jardin intérieur. Le menu change aux deux mois et la carte quotidiennement. Sélection de fromages québécois artisanaux. Bar à vins (plus de 600 sortes). Sélection de portos (15 sortes). Service de traiteur.
COMMENTAIRE: La cuisine n'est plus tout à fait ce qu'elle était. C'est un peu la valse des chefs et ce n'est pas toujours heureux. Un peu désabusé, le propriétaire semble pourtant s'en accommoder. Décor convivial et confortable.

AU PETIT EXTRA
★★★[ER] (bistro)
1690, rue Ontario E., MTL
Tél.: 514-527-5552
SPÉCIALITÉS: Confit de canard, pommes de terre salardaises, salade landaise, sauce aux cerises. Terrine de fromage de chèvre. Anguille poêlée, chanterelles du Québec. Moelleux au chocolat, salade d'orange et glace pistache. Crème brûlée.
PRIX Midi: F. 15$ à 21$
Soir: C. 38$ à 50$ F. 21$ à 29$
OUVERTURE: Lun. à ven. 11h30 à 14h30. Lun. à sam. 17h30h à 22h30. Dim. à mer. 17h30 à 22h. Fermé 24 et 25 déc., 1er janv., 24 juin et 1er juil.
NOTE: Belle carte des vins d'importation privée à prix raisonnables. Menu saisonnier.
COMMENTAIRE: Fidèle à lui-même malgré les années. Genre bistro, on affiche le menu sur une ardoise. Ambiance bistro conviviale.

AU PIED DE COCHON
★★★ (bistro)
536, rue Duluth E., MTL
Tél.: 514-281-1114
SPÉCIALITÉS: Salade de bleu, pommes et endives. Hamburger de foie gras. Carpaccio de canard. Tarte au boudin et foie gras au sel. Pied de cochon farci au foie gras. Lait frappé à la tire éponge à l'érable du Pied de cochon. Pouding chômeur.
PRIX Midi: (fermé)
Soir: C. 29$ à 72$
OUVERTURE: Mer. à dim. 17h à minuit. Fermé lun. et mar.
NOTE: Plats pour emporter. Les fenêtres sur l'avant du resto s'ouvrent en été. Le menu change régulièrement. Plateau de fruits de mer en saison.
COMMENTAIRE: Le chef propriétaire est un passionné du foie gras qu'il décline de multiples façons avec succès. Il nous sert une cuisine française avec quelques spécialités québécoises. Une assiette copieuse, généreuse et très savoureuse, qui vous laisse repus. Nous avons aimé la finition de la viande au four à bois qui lui donne un croustillant savoureux. Ambiance bistro, un peu bruyante, très animée, sans prétention. Décor simple, tables de bois sans nappe. Service attentif et passionné. Carte des vins bien adaptée et bien présentée.

BEAVER HALL
★★★[ER] (bistro)
1073, Côte du Beaver-Hall, MTL
Tél.: 514-866-1331

FRANÇAIS

GUIDE DEBEUR 2016

Restaurants de Montréal

SPÉCIALITÉS: Salade repas de chèvre chaud, saumon fumé. Fish and chips du Beaver Hall. Tartare de bœuf coupé au couteau. Bavette grillée à l'échalote, frites et salade. Foie de veau poêlé, échalotes confites et pommes boulangère. Crème brûlée. Mousse au chocolat.
PRIX Midi: F. 15$ à 33$
Soir: C. 29$ à 65$ F. 36$
OUVERTURE: Lun. 11h30 à 15h. Mar., mer. 11h30 à 22h. Jeu. et ven. 11h30 à 23h. Sam. 17h à 23h. Fermé dim. et jours fériés.
NOTE: Demi-bouteille incluse dans le F. du soir. Cave à vin d'importation privée. Musique d'ambiance.
COMMENTAIRE: L'assiette est excellente. Belles présentations, saveurs et fraîcheur sont au rendez-vous. Un vrai plaisir! Rien à redire sur le carte des vins, bien adaptée avec un bon choix de vins au verre. Le service est jeune et bien dirigé.

BIRKS CAFÉ PAR EUROPEA ★★★★ (bistro)
1240, Square Phillips, MTL
Tél.: 514-397-2468
SPÉCIALITÉS: Pétoncles géants, risotto crémeux aux champignons et parmesan. Suprême de poulet à la sauge, tombée d'oignons rouges, poêlée d'asperges et de champignons. Mousse à la lime, duo de ganaches chocolat noir et au lait.
PRIX Midi: F. 25$ à 27$
OUVERTURE: Repas, lun. à ven. 11h à 14h30. Ouverture du café et salon de thé, lun. à mer. 10h à 18h. Jeu. et ven. 10h à 21h. Sam. 10h à 17h. Dim. midi à 17h.
NOTE: Ouvert 7 jours. Plats salés le midi seulement. On peut manger des collations gourmandes (à partir de 14h) ou des pâtisseries, des chocolats, des compositions de crèmes glacées durant les heures d'ouverture de la bijouterie. «The Afternoon Tea» 26,50$.
COMMENTAIRE: Installés sur la mezzanine de la bijouterie, on y mange dans un décor bistro de luxe où le service se fait à pas feutrés sur le tapis «mur à mur». On y a bu de l'eau minérale dans des verres de cristal Murano, et toute la vaisselle est du même calibre. L'après-midi est réservé au salon de thé pour y boire des thés d'exception et y manger des collations gourmandes.

BISTRO CHEZ ROGER ★★★[ER] (bistro)
2316, rue Beaubien E., MTL
Tél.: 514-593-4200
SPÉCIALITÉS: Tartare de bœuf

classique à l'huile de truffe. Pieuvre grillée, petite salade grecque. Boudin noir, purée de courge et choux de Bruxelles. Surf and turf (filet de bœuf, queue de homard, pétoncles, risotto au crabe). Gâteau au fromage et bleuets.
PRIX Midi: T.H. 13$ à 16$
Soir: C. 33$ à 59$
OUVERTURE: Mer. à ven. 10h à 14h. 7 jours 18h à 23h. Fermé 24, 25, 31 déc. et 1er janv.
COMMENTAIRE: Ancienne taverne de quartier transformée moitié en boudoir, moitié en resto-bistro. Le décor est moderne, agréable et confortable. La cuisine est ouverte sur la salle à manger qui se divise en deux niveaux. L'endroit est simple, jeune, sympa. La formule est facile, on ne se casse pas la tête, c'est bon et c'est copieux. Le service est compétent et jeune.

BISTRO L'AROMATE ★★★[ER] (bistro)
Hôtel Le Saint-Martin
980, bd de Maisonneuve O., MTL
Tél.: 514-807-9005
SPÉCIALITÉS: Surlonge de veau, duxelles de champignons à l'huile de truffe, couscous crémeux. Pieuvre du Maroc, salsa de papaye et de mangue, purée d'avocat au miso, gel de lait de coco. Magret de canard laqué au miel sauvage et épices, purée d'avocat au miso, riz noir aux poires pochées au saké, hibiscus, dumpling de confit de canard, shiitake. Tarte au sucre revisitée, bouchée chaude et fondante en croûte de noix, caramel à la fleur de sel, glace à la vanille.
PRIX Midi: F. 24$ à 35$
Soir: C. 41$ à 72$ F. 28$ à 45$
OUVERTURE: Dim. à mer. 11h30 à 22h. Jeu. et ven. 11h à 23h. Sam 11h30 à 23h. Petit déjeuner dès 6h30.
NOTE: Mar., tatare à volonté 25$.
COMMENTAIRE: De style bistro, jeune, moderne et chic, le décor se joue en blanc, vert amande et gris ardoise. Une assiette créative et savoureuse, presque sensuelle. Service toujours très aimable.

BONAPARTE ★★★★
Auberge Bonaparte
443, rue Saint-François-Xavier, VIEUX-MTL
Tél.: 514-844-4368
SPÉCIALITÉS: Goujonnette de sole de Douvres, meunière d'herbes et pignons de pin. Navarin de homard à la vanille. Mignon de bœuf rôti, cinq poivres et cognac. Raviolis de champignons parfumés à la sauce fraîche. Crème brûlée de foie gras. Soufflé au chocolat.

PRIX Midi: T.H. 18$ à 29$
Soir: C. 40$ à 73$ T.H. 35$
OUVERTURE: Lun. à ven. 11h30 à 14h. 7 jours 17h30 à 22h30. Fermé midi jours fériés. Fermé 25 déc. et 1er janv.
NOTE: Menu dégustation 7 serv. 74$. 10 choix de tables d'hôte le midi, 5 le soir. Section resto-bar. Mets spéciaux sur demande pour personnes allergiques, végétariennes et intolérantes au gluten. Ouvert depuis 1984.
COMMENTAIRE: Cuisine excellente et raffinée, service agréable. Les salles à manger sont claires, l'espace bien découpé et aéré. La section hôtel comprend 30 chambres et une suite, et le restaurant, 3 salles à manger, dont une en forme de serre.

BORIS BISTRO ★★★ (bistro)
465, rue McGill, MTL
Tél.: 514-848-9575
SPÉCIALITÉS: Caponata sur chèvre. Tartare de bison. Salade de crevettes pochées, mayonnaise à l'huile de homard. Risotto au canard, pleurotes et sauge. Cuisse de lapin à la moutarde noire et huit poivres. Marquise au chocolat, caramel au beurre salé. Nem aux framboises fraîches et chocolat blanc.
PRIX Midi: T.H. Aut-hiv. 18$ à 29$
Soir: C. 29$ à 48$
OUVERTURE: Mai à août: lun. à ven. 11h30 à 23h. Sam. et dim. midi à 23h. Sept. à avril: lun. à ven. 11h30 à 14h. Mar. à ven. 17h à 22h. Sam. 18h à 22h. Fermé à la période des fêtes.
NOTE: Pas de T.H. en été. Choix élaboré d'une trentaine de vins au verre d'importation privée par Boris Bistro. Mineurs acceptés uniquement sur la terrasse jusqu'à 20h. Réserv. préférable.
COMMENTAIRE: L'assiette est bonne dans l'ensemble. Le service est jeune, dévoué et très gentil. Décor zen, musique jazz branché. L'été, il y a une très grande terrasse où l'on mange à l'ombre des arbres ou des parasols. Ambiance agréable, un peu perturbée par la circulation de la rue McGill, malgré l'îlot de verdure urbain coupé de la rue.

CHEZ CHOSE ★★★
1879, rue Bélanger, MTL
Tél.: 514-843-2152
SPÉCIALITÉS: Party de champignons, œuf 63°C, copeau de Zacharie Cloutier. La Chose la Chef: Cuisse de lapin farcie de cippolini et chanterelles, glace de viande au romarin. Pavé de boudin noir maison au colombo et sa crème de colombo. Pot de crème au cho-

50

colat noir, noisettes caramélisées et chantilly. Crème glacée maison: baies d'amélanchier, érable et St-Germain.
PRIX Midi: F. 22$
Soir: C. 30$ à 58$
OUVERTURE: Jeu. et ven. 11h30 à 14h. Mer. à sam. 17h à 22h. Dim. 10h30 à 14h30. Fermé lun. et mar.
NOTE: Vins d'importation privée. Produits du terroir à 95%.
COMMENTAIRE: Bon petit restaurant de quartier. C'est honnête et c'est bon. La décoration est assez ordinaire mais agréable. On sent ici un désir de plaire et de partager, en particulier si le client choisit le menu dégustation. Mais, bon, j'y retournerai volontiers, pour la gentillesse, pour l'accès et le stationnement facile et surtout pour les saveurs dans l'assiette.

CHEZ LA MÈRE MICHEL ★★★★★
1209, rue Guy, MTL
Tél.: 514-934-0473
SPÉCIALITÉS FRANÇAISES CLASSIQUES: Barquette aux oignons doux, mesclun à l'huile d'olive. Scampis à la provençale. Omble de l'Arctique grillé à la graine de moutarde. Tournedos de bœuf, béarnaise, champignons, frites. Soufflé Grand Marnier et chocolat. Feuilleté aux fraises maison.
PRIX Midi: (fermé)
Soir: C. 44$ à 89$ T.H. 39$
OUVERTURE: Mar. à sam. 17h30 à 21h30. Fermé dim., lun. et 25 déc.
NOTE: Ouvert depuis 1965, 51 ans déjà! Une des belles caves à vins de Montréal qu'il est possible de visiter. Plusieurs salons souterrains, dont une cave champenoise. Belle variété de vins à prix raisonnables. Serre vitrée. Jardin en façade.
COMMENTAIRE: Le décor est chaleureux tout en ayant de la classe, l'ambiance est cossue et calme. Nous préférons le salon jardin d'hiver et la petite salle attenante, avec leur allure seigneuriale provençale, décorés de magnifiques photos de René Delbuguet, de plantes et de panneaux de cuivre émaillé. Dans ce joli décor, Micheline Delbuguet, l'une des premières femmes-chefs du Québec, nous sert une cuisine toujours aussi délicieuse avec la complicité du chef Stéphane Falvo, de solides classiques français, à base de produits frais et naturels.

CHEZ LÉVÊQUE ★★★★ (bistro)
1030, av. Laurier O., MTL
Tél.: 514-279-7355
SPÉCIALITÉS: Terrine de foie gras, chutney maison et brioche. Foie de veau au vinaigre de framboise déglacé au vinaigre de cidre. Boudin noir aux pommes. Tartare de saumon, frites et salade. Loup de mer grillé flambé au pastis. Sole de Douvres. Filet mignon Rossini.
PRIX Midi: T.H. 21$
Soir: C. 32$ à 82$ T.H. 35$ à 56$
OUVERTURE: Lun. à ven. 11h à minuit. Sam. et dim. 10h à minuit.
NOTE: Huîtres, crabes, crevettes et homards en saison. Service de traiteur et plats cuisinés à emporter. Foie gras maison et gibier du Québec à l'automne. Danse le 31 déc. Menu 21$ après 21h. Carte de vins très variée, importations privées, majoritairement produits français.
COMMENTAIRE: Chez Lévêque, tout tourne autour du thème des évêques. Des icônes un peu partout illustrent des évêques gourmands. Cela va jusque dans les toilettes où l'on entend de la musique grégorienne. Ici, on sert une cuisine savoureuse, faite de solides classiques de brasserie française, soupe à l'oignon, cervelle et rognons de veau, blanquette, crêpes Suzette. Un vrai resto-bistro français, sympathique et confortable. Une équipe dynamique travaille de concert avec leurs mentors André Besson, Pierre et Patricia Lévêque, pour que se fondent les goûts classiques et les saveurs nouvelles afin de toujours renouveler les plaisirs gourmands. Une maison de confiance.

CHEZ QUEUX ★★★
158, rue Saint-Paul E.,
VIEUX-MTL
Tél.: 514-866-5194 866-5988
SPÉCIALITÉS: Magret de canard rôti. Ris de veau aux morilles. Sole de Douvres meunière. Poêlée de foie gras de canard, inspiration du moment. Filet mignon et poêlée de crevettes au whisky. Chateaubriand et sa bouquetière découpé en salle. Crème brûlée à la fleur d'oranger.
PRIX Midi: (fermé)
Soir: C. 41$ à 81$ T.H. 37$
OUVERTURE: Mar. à jeu. et dim. 17h à 22h. Ven. et sam. à 22h30. Fermé lun. et 2 sem. en janv. Terrasse l'été, 7 jours 11h à minuit.
NOTE: Menu-terrasse 12$ à 17$, l'été. Carte des vins de plus de 300 étiquettes. Service au guéridon en salle, mets flambés. Ven. et sam. valet de stationnement 15$, sept. à fin mai.
COMMENTAIRE: Un repère pour les gourmands? Oui! On s'y sent bien? Oui! Voici une autre institution de Montréal. Un de ces restaurants qui ne se démodent pas

parce qu'ils ont une telle personnalité qu'on imagine mal déguster les classiques français de la carte dans un cadre différent. Un classicisme confortable, voire douillet, renforcé par l'extrême courtoise du personnel qui répond promptement à vos attentes. Ouvert depuis 1973.

CHEZ SOPHIE ★★★★ (bistro)
1974, rue Notre-Dame O., MTL
Tél.: 438-380-2365
SPÉCIALITÉS: Cœur de saumon fondant, carottes marinées, chutney à la mangue, espuma de carottes au cari, émulsion au gingembre. Œuf croustillant, mousseline de pommes de terre, poêlée de champignons et épinards, émulsion de lard, jus de bœuf corsé. Pain perdu, caramel beurre salé, glace à la vanille maison, noix de pécan.
PRIX Midi: T.H. 25$
Soir: C. 56$ à 70$
OUVERTURE: Mar. à ven. 11h30 à 14h30. Mar. à sam. 17h30 à 22h30. Fermé dim., lun. et 2 sem. en janv.
NOTE: Plusieurs choix de salades le midi.
COMMENTAIRE: Chez Sophie est un joli petit restaurant de cuisine française avec une touche italienne. Installé à la place d'un magasin d'antiquité qui lui a laissé la moitié de son espace. Décor moderne et de bon goût, avec un comptoir de bar dans le prolongement de la cuisine, où règne la chef copropriétaire Sophie Tabet. Celle-ci propose une cuisine créative, savoureuse et joliment présentée. Des cuissons justes, des assemblages harmonieux et des assaisonnements adéquats. Nous avons eu un véritable coup de cœur pour l'œuf norvégien. Pour ce qui est des vins, Marco Marangi, son conjoint, a de vraies trouvailles. On dirait même qu'il devine votre goût pour vous servir ce qu'il y a de mieux en accord avec la cuisine de Sophie. De plus, ses vins au verre sont d'un très bon rapport qualité-prix.

CODE AMBIANCE ★★★
1874, rue Notre-Dame O., MTL
Tél.: 514-939-2609
SPÉCIALITÉS: Tartare de saumon frais, salade garam masala, croûtons et légumes. Tartare de filet de biche, cerises, Grué de Cacao et sarrasin grillé. Ceviche de pétoncles et gravlax maison. Thon blanc grillé sous-vide façon niçoise. Joues de porc braisées, purée de pommes de terre aux tomates. Crème brûlée vanille malgache.

L'EAU, TELLE QU'INVENTÉE PAR LA NATURE.

Naturellement pure.

Restaurants de Montréal

PRIX Midi: T.H. 15$ à 22$
Soir: C. 32$ à 68$ T.H. 40$ à 55$
OUVERTURE: Mar. à ven. 11h30 à 14h. Mar. à sam. 16h à minuit. Fermé dim., lun., dernière sem. d'août et 25 déc. au 5 janv.
NOTE: Menu découverte 4 serv. 60$. Cave à vin, 90% d'importation privée. 18 ans et plus. Ambiance feutrée.
COMMENTAIRE: Ce restaurant offre un décor résolument moderne, très beau et confortable. Code Ambiance, c'est avant tout une ambiance où la convivialité, la qualité et l'originalité sont mises en honneur. L'assiette est française et propose de solides classiques bien revisités, savoureux et joliment présentés.

EUROPEA ★★★★★
Restaurant de l'année Debeur 2010
1227, rue de la Montagne, MTL
Tél.: 514-398-9229
SPÉCIALITÉS: Calmars citronnés structurés en tagliatelles, œuf de caille poché, croûton d'encre de sèche au beurre à l'ail. Foie gras poêlé. Civet de homard aux ris de veau caramélisés, confit au citron. Tagliatelles fraîches aux porcini, quinoa croquant. Joues de veau du Québec braisées lentement, panais et pommes fondantes.
PRIX Midi: T.H. 35$
Soir: C. 86$ à 107$ T.H. 90$
OUVERTURE: Mar. à ven. midi à 14h, 7 jours 18h à 22h. Fermé 24, 25 déc. et 1er janv.
NOTE: Menu soir 5. serv. Menu dégustation 10 serv. 119,50$. 2 tables du chef de 4 pers., petit salon de 4 à 6 pers. pour l'apéritif. Forfait sommelier 5 verres de vins en accord avec les mets 74,50$. Service de traiteur. Stage en cuisine dim. à ven. de 15h30 à 17h, 55$ (tablier et verre de vin offerts).
COMMENTAIRE: Originaires du sud-ouest de la France, ils sont trois associés passionnés, deux cuisiniers et un maître d'hôtel. Ils ont ouvert ce restaurant en 2002 pour mettre en valeur les produits du Québec avec tout leur talent et leur passion. Un des beaux restaurants de Montréal. Les salles à manger s'étendent sur deux étages. L'assiette est créative et bonne. Service professionnel.

H4C PLACE ST-HENRI
★★★★ (bistro)
538, place Saint-Henri, MTL
Tél.: 514 316-7234
SPÉCIALITÉS: Mousse de foie de volaille. Pieuvre tandoori, yogourt caramélisé, oignon rouge, riz basmati, noix de cajou, noix de coco. Gnudi de ricotta, bouillon, poêlée de champignons. Filet de flétan, girolles, asperges blanches, poireau et mousse de pop corn. Tourte de chocolat, framboises et balsamique.
PRIX Midi: (fermé)
Soir: C. 52$ à 86$
OUVERTURE: Mer. à ven. 18h à 23h. Sam. 10h à 14h et 18h à 23h. Dim. 10h à 15h. Fermé lun. et mar.
NOTE: Vins au verre à partir de 9$.
COMMENTAIRE: Superbe décoration. Installé dans une ancienne poste, ce très bel établissement mérite qu'on s'y arrête et même qu'on fasse un détour. Une salle à manger au coup d'œil agréable et surtout confortable même si on y joue la carte bistro. Enfin bien assis! La carte est courte, mais alléchante, et annonce une garantie de fraîcheur. Sous la direction de l'ancien chef du Réservoir, ce restaurant propose une cuisine française revisitée. Les saveurs y sont exaltées de très belle façon. Les présentations sont magnifiques et l'on se plaît à les regarder longuement avant d'entamer son plat.

Tout y est bien pensé, les saveurs s'épaulent l'une l'autre en une harmonie réussie. Service compétent, attentif et super aimable.

HAMBAR ★★★★[ER] (bistro)
Hôtel Saint-Paul
355, rue McGill, VIEUX-MTL
Tél.: 514-879-1234
SPÉCIALITÉS: Sashimi de saumon, purée de pois wasabi, vinaigrette yuzu et soya. Cavatelli au pesto, tomates séchées et parmesan. Ris de veau, purée de céleri-rave et jus de viande. Sablé breton au sarrasin, mûres, bleuets et crème fraîche.
PRIX Midi: F. 22$ à 26$
Soir: C. 41$ à 65$
OUVERTURE: Lun. à ven. 11h30 à 14h30. Sam. et dim. 11h à 15h. Lun. à dim. 17h30 à 23h.
NOTE: Coin d'Youville et McGill. 25 vins au verre. Carte des vins, 300 inscriptions en majorité d'importation privée. Plateau de charcuteries et bar à huîtres 14h30 à 16h30.
COMMENTAIRE: Le décor, très design, chic et bien éclairé, est vraiment agréable. La cuisine propose une assiette moderne, savoureuse et harmonieuse dans l'ensemble. À souligner l'extrême gentillesse et l'attention constante des serveurs et des serveuses.

KITCHEN GALERIE
★★★ (bistro)
60, rue Jean-Talon E., MTL
Tél.: 514-315-8994
SPÉCIALITÉS: Parfait de foie gras, compote d'oignons caramélisés. Foie gras poêlé sur pain d'épices, réduction de caramel de vin rouge, fruits confits. Huîtres travaillées oui et non. Côte de bœuf rôtie en face à face. Pot de foie gras cuit au lave-vaisselle, gelée de muscat au poivre long.

FRANÇAIS

GUIDE DEBEUR 2016

Restaurants de Montréal

PRIX Midi: (fermé)
Soir: T.H. 31$ à 50$
OUVERTURE: Mar. à sam. 18h à 23h30. Fermé dim. et lun. Fermé du 22 déc. au 22 janv. Fermé semaines de la construction.
NOTE: Menu change tous les jours. Carte des vins change chaque semaine. 150 étiquettes, à partir de 39$.
COMMENTAIRE: Pas de carte, mais une table d'hôte qui reflète ce que le chef trouve quotidiennement au marché. Il est jeune, enthousiaste et créatif, et cela s'exprime jusque dans l'assiette. Celle-ci est savoureuse et présentée de façon originale. Le décor est celui d'un bistro tout petit, mais convivial. La cuisine est dans la salle, derrière le comptoir. Pas de serveur, les chefs servent aux tables.

LABARAKE
Caserne à manger ★★★ (bistro)
3165, rue Rachel E., MTL
Tél.: 514-521-0777
SPÉCIALITÉS: Gaspacho andalou, soupe froide de tomates, salsa de courgettes. Calmars frits. Salade César XXL. Fish and chips. Tartare de saumon. Tartare de bœuf, œuf mollet, croûtons et salade. Burger de bœuf Angus. Short ribs de bœuf braisés, sirop d'érable, soya, balsamique, purée de céleri-rave. Panna cotta dans l'esprit d'une tarte citron.
PRIX Midi: F. 15$
Soir: C. 36$ à 57$
OUVERTURE: Lun. à ven. 11h30 à 14h30. Dim. 10h à 14h. 7 jours 17h30 à 22h30. Fermé sam. midi.
NOTE: Plats à partager, Plateau de charcuteries et fromages 29$. Repas des ouvriers 15$.
COMMENTAIRE: Installé dans les murs d'une ancienne caserne de pompiers, ce restaurant propose une cuisine française généreuse, créative, gentiment présentée et élaborée avec des produits frais du terroir. Lu sur leur site «Aujourd'hui, il s'agit toujours d'une caserne, mais à manger, aménagée en bar-restaurant très tendance et convivial». L'équipe est composée d'anciens du restaurant Le Saint-Gabriel. Ambiance sympathique, menu simple comportant de solides classiques de bistro français, mais aussi des spécialités plus continentales. Bonne sélection de vins au verre à prix très abordable.

LA COUPOLE
★★★★[ER] (bistro)
Hôtel Le Crystal de la Montagne
1325, René-Lévesque O., MTL
Tél.: 514-373-2300

SPÉCIALITÉS: Omble chevalier fumé, yogourt au lait de bufflonne, élevage Saint-Charles-sur-Richelieu, rabioles et noix. Côte de porc Tomahwak Nagano poêlée, extrait de cerise à grappe, oignon rouge braisé. Tartelette à l'érable, espuma aux noix de Gaspésie.
PRIX Midi: F. 25$ à 53$
Soir: C. 32$ à 75$ T.H. 32$ à 60$
OUVERTURE: 7 jours 11h à 15h et 17h à 23h. Petit déjeuner 6h30 à 11h.
NOTE: Petit menu avant spectacle au Centre Bell, 17h à 19h, service rapide.
COMMENTAIRE: C'est moderne, c'est beau, c'est central: on s'y sent bien. Surtout si l'on est assis dans les confortables sièges rouges près de la vitre qui donne sur René-Lévesque. Le chef propose une cuisine française de qualité. Le service, quant à lui, répond adéquatement aux attentes. La carte des vins est appropriée et présente un grand choix de vins au verre.

LA GARGOTE ★★
351, pl. d'Youville, VIEUX-MTL
Tél.: 514-844-1428
SPÉCIALITÉS: Salade d'endives au bleu et aux noix. Tartare de bœuf. Foie gras de canard au torchon aromatisé au cidre de glace, chutney de fruits. Crevettes et pétoncles en broches de romarin. Magret de canard rôti au miel et aux figues. Fondant au chocolat et nougatine. Crème brûlée aux pommes et calvados.
PRIX Midi: T.H. 17$ à 22$
Soir: C. 36$ à 55$ F. 20$ à 26$
OUVERTURE: Lun. à ven. midi à 14h30. 7 jours 17h30 à 22h. Fermé dim. et lun. soir en hiver.
NOTE: La table d'hôte change tous les jours. Superbe terrasse en été. Feu de foyer en hiver. Ouvert depuis 1996.
COMMENTAIRE: Un petit restaurant de quartier chaleureux, où l'on sert une cuisine sans beaucoup d'originalité, mais honnête et généreuse, voire familiale. La salle à manger rappelle les bons petits restos de France. Service très attentif et aimable. Un restaurant de tradition, simple et réconfortant.

LALOUX ★★★ (bistro)
250, av. des Pins E., MTL
Tél.: 514-287-9127
SPÉCIALITÉS: Ris de veau pochés à la cire d'abeille, oignons rôtis, girolles, maïs, gourganes, gel de miel de sarrasin et pollen. Pressé de foie gras, fraises, brioche grillée, purée de pommettes et rayon de miel. Tarte au citron, guimau-

ve au romarin, espuma de yaourt aux agrumes, sorbet au pamplemousse.
PRIX Midi: F. 15$ à 24$
Soir: C. 41$ à 68$
OUVERTURE: Lun. à ven. 11h45 à 14h30. 7 jours 17h30 à 22h30. Fermé 1er janv. et midi jours fériés.
NOTE: La carte évolue en fonction des produits locaux bio-éco-responsables. Menu saisonnier, dégustation au gré du chef 68$. Cave à vin, 80% d'importation privée, bonne sélection. 12 vins au verre. Vins naturels et biologiques.
COMMENTAIRE: Décor typiquement bistro français, très parisien et service à l'avenant. Le chef Jonathan Lapierre-Rehayem a travaillé dans plusieurs excellents restaurants de Montréal. Respectueux de l'environnement.

LA MAISON DU MAGRET
★★ (bistro)
102, rue Saint-Antoine O., VIEUX-MTL
Tél.: 514-282-0008
SPÉCIALITÉS: Foie gras au torchon, salade, chutney aux figues, pain de figues. Burger de canard maison. Magret de canard, légumes, frites, sauce au foie gras. Gâteau basque, pâte brisée, ganache au chocolat. Tarte Tatin caramélisée, avec glace à l'érable.
PRIX Midi: T.H. 20$
Soir: C. 32$ à 64$ T.H. 30$
OUVERTURE: Lun. à ven. 11h à 15h. Mar. et mer. 17h30 à 20h. Jeu. à sam. 17h30 à 22h. Fermé dim.
NOTE: Espace gourmand avec les plats de la carte à emporter, produits locaux et de la Maison du magret. Carte des vins à dominante Sud-Ouest de la France. Desserts maison.
COMMENTAIRE: À mi-chemin entre le restaurant et le bistro de luxe, ce restaurant a été aménagé dans une ancienne banque. Quoique le mot bistro implique un bar ou encore un comptoir où l'on peut manger ou boire un verre, l'endroit respire le style et la convivialité d'un bistro de qualité. À part les desserts, tout ici tourne autour du thème du canard. Si vous aimez le foie gras, les magrets, le confit ou les manchons, c'est un incontournable.

LA SALLE À MANGER
★★★ (bistro)
1302, Mont-Royal E., MTL
Tél.: 514-522-0777
SPÉCIALITÉS: Carpaccio de saison. Saumon grillé, cassolette de palourdes et saucisses, rouille, verdure. Demi-râble de lapin, tarte

Restaurants de Montréal

Tatin à l'oignon, vinaigrette à la pieuvre.
PRIX Midi: (fermé)
Soir: C. 39$ à 55$
OUVERTURE: 7 jours 17h à minuit. Fermé 24, 25 déc. et 1er janv.
NOTE: Nouveau menu chaque jour. Cochonnet rôti pour 12 pers. sur réserv. Charcuterie maison, viande vieillie sur place. 350 à 375 sortes de vins, dont 15 au verre. Sélection de vins natures.
COMMENTAIRE: Une exellente formule qui marche à fond, ambiance sympa, mais vraiment très bruyante. La cuisine est très bien faite, succulente, copieuse et bien servie. On sent que le chef aime ce qu'il fait, il y a de la recherche dans le mariage des éléments qui composent chaque plat. Le menu n'est pas monotone. Le personnel sait travailler et peut faire vite à l'occasion. Le décor surprend par sa simplicité recherchée de bistro d'autrefois, décoration pensée.

LA SOCIÉTÉ ★★★[ER] (bistro)
Loews Hôtel Vogue Montréal
1415, de la Montagne, MTL
Tél.: 514-507-9223
SPÉCIALITÉS: Soupe à l'oignon. Foie de veau, oignon caramélisé, purée de pommes de terre. Sole meunière découpée en salle. Crème brûlée sauce à la vanille de Madagascar.
PRIX Midi: T.H. 19$
Soir: C. 30$ à 73$ F. 26$
OUVERTURE: 7 jours 11h à 15h et 17h à 23h.
NOTE: Menu cocktail 15h à 17h. Mar. et ven. soir «5 à huîtres» 1$ l'huître. Jeu. martini 9$. Service de valet 10$. Entrée pour pers. à mobilité réduite au 1425 de la Montagne.
COMMENTAIRE: Plusieurs restaurants se sont succédés dans cet hôtel au fil des ans, mais celui-ci perdure. Décor tout à fait brasserie parisienne avec son plafond en verre Tiffany qui donne une lumière mordorée dans la salle. C'est beau, c'est spacieux et dépaysant. Dans une autre pièce, un superbe bar où l'on peut aussi manger et où l'on sert des cocktails et autres boissons. L'assiette est bien présentée et c'est très bon. Service agréable.

L'AUBERGE SAINT-GABRIEL ★★★★[ER]
426, rue Saint-Gabriel, VIEUX-MTL
Tél.: 514-878-3561
SPÉCIALITÉS: Filet de flétan, mousseline de chou-fleur, sommités grillées, haricots verts, citron, noisettes et beurre façon bordelaise. Chateaubriand de l'Au-

berge, effeuillé de sucrine, frites maison, béarnaise moderne, jus traditionnel. Tarte citron, gelée de citron infusée, crème onctueuse au citron, meringue légère.
PRIX Midi: F. 25$ à 35$
Soir: C. 40$ à 72$
OUVERTURE: Jeu. et ven. midi à 14h30. Mar. à jeu. 18h à 22h. Ven. et sam. 18h à 23h. Fermé dim. et lun.
NOTE: Menu dégustation 95$. Brunch à Pâques et fête des Mères. Cave à vin. Bar. Service de traiteur à domicile. Terrasse extérieure. Stationnement à l'arrière du restaurant. Annexé au nightclub Le Velvet.
COMMENTAIRE: Il est situé au cœur du Vieux-Montréal. L'assiette est savoureuse, faite avec des produits frais et bien traités. Des mets d'influence française, italienne et asiatique. Aussi, quelques plats de cuisine traditionnelle québécoise.

L'AUTRE SAISON ★★
2137, rue Crescent, MTL
Tél.: 514-845-0058
SPÉCIALITÉS FRANÇAISES CLASSIQUES: Saumon de l'Atlantique grillé aux asperges. Scampis à la provençale. Pâtes cheveux d'ange aux truffes. Crevettes au Pernod. Foie gras poêlé. Confit de canard, frites maison. Soufflé au Grand Marnier ou au chocolat.
PRIX Midi: F. 21$ ou 22$
Soir: C. 39$ à 71$ T.H. 26$ à 31$
OUVERTURE: Lun. à ven. 11h30 à 23h. Sam. 17h à 23h. Fermé dim. et jours fériés.
NOTE: Jeu. à sam. pianiste 18h à 23h. Cave à vin plus de 25 000 bouteilles. Gibier: caribou, wapiti, ours. Champignons sauvages en saison (morilles, chanterelles...).
COMMENTAIRE: Belle maison victorienne du 19e siècle. Un décor surchargé, un peu «over the top», mais qui peut plaire selon les goûts. On y sert une cuisine française très classique, bonne, mais qui pourrait être mieux présentée.

LE CAFÉ DES BEAUX-ARTS ★★★★ (bistro)
1384, rue Sherbrooke O., MTL
Tél.: 514-843-3233
SPÉCIALITÉS: Tataki de thon albacore aux épices douces, salade wakame. Carpaccio de bœuf, parmesan et micropousses. Tartine campagnarde bio aux champignons sauvages rôtis. Foie de veau en croûte de champignons et noix, purée de légumes racines, sauce balsamique. Tarte citron et meringue.
PRIX Midi: F. 23$ à 27$
Soir: C. 39$ à 53$ F. 23$ à 27$

OUVERTURE: Mar. à dim. 11h30 à 14h30. Mer. 17h30 à 21h. Fermé lun., 25 déc. et 1er janv. Suivre les horaires du musée.
NOTE: Bar et belle sélection de vins au verre.
COMMENTAIRE: L'établissement est installé dans les murs du Musée des beaux-arts de Montréal (côté sud) au 2e étage, décoré de toiles. C'est très chaleureux, moderne. L'assiette est excellente et bien présentée. Service courtois.

LE CLUB CHASSE ET PÊCHE ★★★★
423, rue Saint-Claude, MTL
Tél.: 514-861-1112
SPÉCIALITÉS: Pétoncles poêlés à la crème de citron et purée de fenouil. Risotto au cochonnet braisé, lamelles de foie gras. Surf and turf. La bombe: tarte au caramel et au chocolat, sorbet de chocolat 80%.
PRIX Midi: (fermé)
Soir: C. 58$ à 69$
OUVERTURE: Mar. à sam. 18h à 22h30. Fermé dim., lun., 24, 25 déc. et 1er janv.
NOTE: Carte des vins, près de 500 étiquettes.
COMMENTAIRE: Une des excellentes tables de Montréal. On s'y sent bien et l'atmosphère y est calme. Une cuisine de saveurs, où le gibier et le foie gras sont très bien travaillés. Belle présentation des assiettes. Une bonne adresse !

LE MARGAUX ★★★★ (bistro)
5058, av. du Parc, MTL
Tél.: 514-448-1598
SPÉCIALITÉS: Pétoncles poêlés, salsa de mangue. Trilogie de foie gras. Ris de veau en persillade. Trilogie autour du canard. Noisettes de veau réduction au porto, foie gras poêlé. Côte de veau aux morilles. Assiette autour du chocolat.
PRIX Midi: T.H. 19$ à 33$
Soir: C. 42$ à 73$ T.H. 45$
OUVERTURE: Mar. à ven. 11h30 à 14h. Mer. à sam. 17h30 à 22h. Fermé dim., lun., et mar. soir. Fermé 25 déc. au 1er janv.
NOTE: Le midi, plats du jour à emporter, 9$ à 20$. Le soir, menu 4 serv.
COMMENTAIRE: La décoration est celle d'un café bistro, un peu dépouillée, sobre. Tableaux modernes sur un côté. Nappes blanches recouvertes de papier. Belle vaisselle moderne, blanche et épurée. L'assiette est agréable et très savoureuse. Une authentique et belle cuisine de bistro français. Une adresse à mettre dans ses carnets.

FRANÇAIS

GUIDE DEBEUR 2016

LE MAS DES OLIVIERS ★★★
1216, rue Bishop, MTL
Tél.: 514-861-6733
SPÉCIALITÉS: Soupe de poisson (pescadou). Gâteau de crabe. Médaillon au thon bleu, à la façon du Mas. Bar noir du Pacifique au vermouth. Carré d'agneau à la provençale. Steak sauvage. Moelleux au chocolat. Profiteroles au chocolat, glace vanille.
PRIX Midi: T.H. 18$ à 48$
Soir: C. 42$ à 74$ T.H. 27$ à 48$
OUVERTURE: Lun. à ven. midi à 15h. 7 jours 17h30 à 22h. Fermé du 23 déc. au 6 janv.
NOTE: Ouvert depuis 1966.
COMMENTAIRE: C'est un peu comme ces bons petits restaurants que l'on rencontre sur les routes de France. On y trouve un accueil chaleureux dans un décor néo-provençal. C'est un endroit confortable qui dégage beaucoup d'ambiance et une atmosphère des plus sympathiques. Le service est courtois et efficace. Une institution à Montréal.

LEMÉAC ★★★[ER] (bistro)
1045, av. Laurier O.,
OUTREMONT
Tél.: 514-270-0999
SPÉCIALITÉS: Gaspacho aux deux tomates. Tartare de bœuf ou de saumon. Magret de canard, sauce aigre-douce. Onglet de bœuf et frites. Boudin maison, sauce au cidre, purée de céleri-rave. Pain perdu, glace confiture de lait.
PRIX Midi: F. 19$ à 27$
Soir: C. 37$ à 78$
OUVERTURE: Lun. à ven. 11h45 à minuit. Sam. et dim. 10h à minuit. Fermé 25 déc. et 1er janv.
NOTE: Après 22h, spécial à prix fixe 25$ (plus de 25 choix d'entrées et plats principaux). Suggestions du chef en surplus de la carte du soir. Carte de vin, plus de 500 références et plusieurs importations privées.
COMMENTAIRE: C'est beau, c'est élégant, c'est spacieux, mais l'atmosphère fait un peu défaut, un peu froide. L'assiette est savoureuse et bien construite. On y sert une très bonne cuisine de bistro français évolutive. Service aimable.

LE MONTRÉALAIS ★★★
Hôtel Fairmont Reine Elizabeth
900, bd René-Lévesque O., MTL
Tél.: 514-861-3511
SPÉCIALITÉS: Doré jaune étuvé à la feuille de moutarde. Duo de crevettes marinées et cubes de melon d'eau pochés dans le sirop de feuilles de mélisse. Clafouti aux bleuets du lac Saint-Jean.
PRIX Midi: T.H. 21$
Soir: C. 36$ à 65$ T.H. 39$

OUVERTURE: 7 jours midi à 22h. Dim. brunch 11h30 à 15h. Petit déj. 6h30 à 10h30
NOTE: «Afternoon tea» tous les jours dès 14h30.
COMMENTAIRE: Suite à la fermeture du légendaire Beaver Club, il ne reste que le bistro bar Le Montréalais pour offrir une bonne table à l'hôtel Fairmont Le Reine Élizabeth. Le décor bistro de luxe, élégant, dans le style de l'hôtel pourrait être un peu rafraîchi. On entend cependant qu'il y aurait un projet de rénovation. Quant à la cuisine elle s'exprime avec des accents méditerranéens et est exécutée avec des produits frais.

L'ENTRECÔTE ST-JEAN
★★★ (bistro)
2022, rue Peel, MTL
Tél.: 514-281-6492
SPÉCIALITÉS: Salade Boston aux noix de Grenoble. Entrecôte St-Jean dans une sauce à base d'épices et de moutarde avec pommes allumette. Profiteroles au chocolat.
PRIX Midi: F. 25$ T.H. 31$
Soir: Idem
OUVERTURE: Lun. à ven. 11h30 à 23h. Sam. et dim. 17h à 23h. Fermé du 23 déc. au 7 janv.
NOTE: Existe depuis 1991. Spécial entrecôte 25$. Un seul menu.
COMMENTAIRE: On vient ici surtout pour les grillades de bœuf. On aimerait vite devenir un habitué de cet établissement agréable et honnête tant dans le concept que dans ses prix qu'il offre. On en a pour son argent. Excellent rapport qualité-prix. Décor bistro français. Service courtois et attentif.

LE POIS PENCHÉ ★★★ (bistro)
1230, de Maisonneuve O., MTL
Tél.: 514-667-5050
SPÉCIALITÉS: Soupe à l'oignon gratinée «traditionnelle». Huîtres sur écailles. Tournedos Rossini et foie gras. Plateau de fruits de mer. Terrine de foie gras. Moules et frites. Tartares (bœuf, saumon). Tarte Tatin tiède avec glace à la vanille maison. Profiteroles sauce chocolat Valrhona et glace vanille.
PRIX Midi: T.H. 25$
Soir: C. 43$ à 96$ F. 32$ à 35$
OUVERTURE: Lun. à ven. 11h à 23h. Sam. et dim. 10h à 23h. Fermé 2 et 3 janv.
NOTE: Lun. à ven., 5 à huîtres, 20$ la douzaine. Jeu. à sam. bar à huîtres. Brunch 1er janv. Carte des vins 90% d'importation privée.
COMMENTAIRE: Décor de brasserie parisienne qui ne manque pas de charme. Le service peut être d'une extrême gentillesse selon la personne qui vous sert.

Restaurants de Montréal

L'assiette est très bonne et il ne manque pas grand-chose pour atteindre l'excellence. Ne pas manquer les fruits de mer présentés sur glace que l'on peut voir dès l'entrée de la salle à manger, au bout du bar. Bon choix de vins au verre.

LE P'TIT PLATEAU
★★★ (bistro)
330, rue Marie-Anne E., MTL
Tél.: 514-282-6342
SPÉCIALITÉS: Soupe de poisson. Saumon fumé à froid maison. Foie gras maison cuit au torchon. Magret farci au canard confit et foie gras. Souris d'agneau confite 12 heures. Cerf de Boileau sauce au vin rouge. Cassoulet aux cinq viandes. Croustillant gascon glace à l'armagnac.
PRIX Midi: (fermé)
Soir: C. 49$ à 64$
OUVERTURE: Mar. à sam. 17h30 à 22h. Attention, ven. et sam. deux services: entre 17h30 et 18h30 et 20h30. Fermé en juil. et entre Noël et le jour de l'An.
NOTE: Apportez votre vin. Réserv. suggérée. Stationnement payant.
COMMENTAIRE: Dans une petite salle, au décor chaleureux, mais ordinaire, genre resto-bistro sympa. On y sert une cuisine du sud-ouest de la France, généreuse, consistante, riche et savoureuse. Il faut avoir un solide appétit pour terminer tous les plats gentiment présentés de manière un peu rustique, mais combien réconfortants pour l'âme. Une cuisine vraie, sans chichi, conviviale, authentique.

LE QUARTIER GÉNÉRAL
★★★★ (bistro)
1251, rue Gilford, MTL
Tél.: 514-658-1839
SPÉCIALITÉS: Lapin de Stanstead farci au chorizo. Foie gras poêlé et pressé en terrine, craquant aux noisettes pralinées. Caille farcie aux champignons portobello et panée, purée d'artichaut, salade de haricots verts. Côte de veau du Québec grillée, beurre maître d'hôtel au foie gras et noisettes. Marquise au chocolat.
PRIX Midi: F. 20$
Soir: C. 44$ à 47$ T.H. 38$ à 43$
OUVERTURE: Lun. à ven. 11h30 à 14h30. 7 jours 18h à 22h.
NOTE: Apportez votre vin. Cuisine ouverte. Foyer.
COMMENTAIRE: Ce restaurant offre un bon moment de gastronomie simple, abordable et savoureuse. La cuisine est ouverte sur une salle à manger à la décoration sobre, voire zen, mais conviviale. Le menu est écrit à la craie sur de grands tableaux noirs et

propose une cuisine française gentiment interprétée et mise au goût du jour. Les présentations sont agréables et sans prétention. Le service est très bien fait, avec doigté et intelligence. Le talentueux chef Jonathan Rassi dirige la cuisine.

LE RENDEZ-VOUS DU THÉ ★★
1348, rue Fleury E., MTL
Tél.: 514-384-5695
SPÉCIALITÉS: Jarret d'agneau braisé. Carré d'agneau. Confit de canard. Foie de veau de grain. Plateau de pâtisseries françaises.
PRIX Midi: T.H. 13$ à 17$.
Soir: C. 26$ à 45$ T.H. 24$ à 26$
OUVERTURE: 7 jours, midi à 21h.
NOTE: Tout est cuisiné à base de thé. 300 spectacles par an, 80% en français. T.H. incluse avec forfait spectacle. Soirées thématiques des régions du monde. Soirée poésie. Soirée privée.
COMMENTAIRE: D'abord ouvert en tant que salon de thé, cet établissement est devenu un restaurant où la plupart des plats sont cuisinés avec une touche de thé. Une assiette qui tient ses bases dans la cuisine française classique. Quelque 300 soupers-spectacles y sont présentés chaque année. On y passe de très belles soirées. Plaisir garanti!

LES 3 PETITS BOUCHONS
★★★ (bistro)
4669, rue Saint-Denis, MTL
Tél.: 514-285-4444
SPÉCIALITÉS: Pieuvre grillée laquée au miel. Planche de charcuterie artisanale. Tartine de champignons sauvages. Tartare de veau façon vitello Donato. Tartiflette au morbier. Poisson du jour. Bombe Alaska.
PRIX Midi: (fermé)
Soir: C. 30$ à 49$
OUVERTURE: Lun. à sam. 17h30 à 23h. Fermé dim. et jours fériés.
NOTE: Menu qui varie selon le marché. 300 étiquettes de vins naturels d'importation privée. Brunch cabane à sucre en avril.
COMMENTAIRE: Les propriétaires sont trois passionnés du vin. Une carte inscrite à la craie sur des tableaux noirs, peints directement sur les murs, nous propose une cuisine croustillante et savoureuse, style bistro français. Les présentations sont originales et appétissantes. Le service est bien fait, les conseils sont judicieux et la passion est là.

LES CONS SERVENT
★★★ (bistro)
5064, rue Papineau, MTL
Tél.: 514-523-8999

FRANÇAIS

GUIDE DEBEUR 2016

Restaurants de Montréal

FRANÇAIS

SPÉCIALITÉS: Tartare de cerf au couteau, coulis de persil, croûtons, œuf de caille. Papardelle de canard confit, brocoli et peau de canard croustillante. Pétoncles poêlés, polenta frite, purée d'amande, corail de homard, choux de Bruxelles. Beignet de poire, caramel salé et bacon bits.
PRIX Midi: (fermé)
Soir: C. 28$ à 47$
OUVERTURE: Dim. à mer. 17h à 22h. Jeu. à sam. 17h à 23h. Fermé 24, 25 déc., 1er janv., 24 juin et 1er juil.
NOTE: Charcuteries maison. Marinades maison pour emporter. T.H. mar. soir 25$. Carte des vins 100% bio et d'importation privée. Le sommelier est aussi vigneron.
COMMENTAIRE: Pourquoi ce nom? «C'est un jeu de mots, explique le serveur, il y a les conserves et puis on essaie de faire les cons, mais vous allez voir, on est très professionnels, par contre!» Ce fut le cas. Si la tenue vestimentaire est décontractée, le service est tout à fait professionnel et attentif. Pour l'assiette, c'est très bon, une formule bistro français. La salle à manger, avec son mur rempli de conserves et de livres, est résolument bistro, chaleureuse et conviviale.

LE VALOIS ★★
25, place Simon-Valois, MTL
Tél.: 514-528-0202
SPÉCIALITÉS: Calmars à la plancha, coulis pimientos del piquillos. Burger de canard et foie gras en escalope. Croquettes de fromage de chèvre, panko, noix caramélisées, crémeux de betterave rouge, pommes. Cronuts, crème anglaise et crème glacée vanille.
PRIX Midi: F. 18$ à 25$
Soir: C. 27$ à 54$ T.H. 39$ 4 serv.
OUVERTURE: 7 jours 11h à 23h. Été: ven. à sam. 11h à minuit. Fermé 24, 25 déc. et 1er janv.
NOTE: F. 23$ à partir de 21h30. Plats du chef à l'ardoise, tous les soirs. Petit déjeuner 7 jours, 9h à 11h. Carte des vins 250 étiquettes, 100% d'importation privée.
COMMENTAIRE: Voilà une cuisine de brasserie français traditionnelle. les assiettes sont généreuses dans les proportions, elle manque un peu de relief, mais c'est quand même bon! Le service est très gentil, accommodant, un peu lent. Le décorateur Luc Laporte a conçu un décor moderne et vaste.

L'EXPRESS ★★★ (bistro)
3927, rue Saint-Denis, MTL
Tél.: 514-845-5333
SPÉCIALITÉS: Salade de confit de canard. Mousse de foie de volaille

aux pistaches. Pieuvre aux lentilles. Loup de mer frais. Poulet de grain, sauge et citron. Os à moelle au gros sel. Foie de veau à l'estragon. Onglet, beurre à l'échalote. Tartare de bœuf. Pot-au-feu. Île flottante.
PRIX Midi: C. 17$ à 66$
Soir: Idem
OUVERTURE: Lun. à ven. 11h30 à 2h du matin. Sam. 10h à 2h du matin. Dim. 10h à 1h du matin. Petit déjeuner 8h à 11h30. Fermé soir du 24 déc. et 25 déc.
NOTE: Carte des vins 95% d'importation privée. 10 000 bouteilles.
COMMENTAIRE: Une valeur sûre à Montréal. La formule bistro par excellence! Un peu cher, mais c'est toujours plein. Un des meilleurs steaks tartares de Montréal.

MAISON BOULUD ★★★★★
Hôtel Ritz Carlton
Restaurant de l'année Debeur 2013
1228, rue Sherbrooke O., MTL
Tél.: 514-842-4224
et 1-800-363-0366
SPÉCIALITÉS: Raviolo au jaune d'œuf coulant, ricotta di bufala, girolles du Québec. Bœuf tomate: filet de bœuf Angus grillé à l'origan, variation de tomates, jus aux olives noires. Coulant au chocolat, crémeux de caramel, glace au lait caramélisé.
PRIX Midi: F. 38$ T.H. 45$
Soir: C. 71$ à 94$
OUVERTURE: Lun. à ven. midi à 14h. Dim. à jeu. 18h à 22h. Ven. et sam. 18h à 22h30. Sam. et dim. brunch midi et 14h30.
NOTE: Menu dégustation 5 serv. 95$. Carte des vins de plus de 500 étiquettes. Bar au restaurant. Petit déjeuner 7 jours, à partir de 7h.
COMMENTAIRE: Le chef Daniel Boulud, propriétaire de nombreux restaurants à travers le monde, a commencé son ascension à New York où il obtient trois macarons Michelin pour son restaurant Daniel. Cependant, un macaron lui a été enlevé en octobre 2014. Il propose ici une assiette française contemporaine raffinée, créative, chaleureuse et conviviale, magnifiquement élaborée par le chef Riccardo Bertolino, un ancien du restaurant Daniel. Quant au décor, il a été redessiné par le designer japonais Kazushige Masuya. On y retrouve le côté zen, épuré, mais avec beaucoup de classe et d'équilibre. Le service est professionnel et attentif.

MARCHÉ DE LA VILLETTE ★★★★ (bistro)
Quartier des Arts
324, rue Saint-Paul O., VIEUX-MTL
Tél.: 514-807-8084

SPÉCIALITÉS: Gaspacho. Soupe à l'oignon gratinée. Assiette de charcuterie sur planche. Feuillantine comtoise. Cassoulet royal. Choucroute alsacienne. Fondue aux fromages. Cronuts.
PRIX Midi: F. 20$
Soir: C. 21$ à 56$ F. 20$
OUVERTURE: Lun. à mer. 9h30 à 18h. Jeu. et ven. 9h30 à 22h. Sam. 8h30 à 22h. Dim. 8h30 à 19h.
NOTE: Vins au verre. Accordéon ven. et sam. soir. Dim. parties de bureau, soirées privées, mariages. Plateau de charcuteries composé par le client à partir de 29$.
COMMENTAIRE: On y mange bien, pour un prix abordable, les assiettes sont copieuses, le service décontracté et sympathique. Des sandwichs fourrés de charcuteries maison aux solides plats régionaux, tout est servi dans un grand brouhaha de conversation qui essaie de couvrir la musique de ritournelles françaises, sur fond d'accordéon. Le papa Jean-Pierre Marionnet était un boucher charcutier hors pair qui connaissait bien son métier. Nicole, son épouse et Ludovic, son fils, perpétuent la tradition des recettes de famille.

MONSIEUR B ★★★
371, rue Villeneuve E., MTL
Tél.: 514-845-6066
SPÉCIALITÉS: Raviolis ricotta et épinards, beurre noisette à la sauge. Bavette de bœuf Black Angus, polenta crémeuse au persil, pleurotes érigées, sauce au poivre vert de Madagascar. Panna cotta à la vanille, dolce de leche, fraises du Québec.
PRIX Midi: (fermé)
Soir: C. 41$ à 55$ T.H. 50$
OUVERTURE: 7 jours 18h à 22h.
NOTE: Menu dégustation 6 serv. 50$.
COMMENTAIRE: Façade ordinaire, petit resto de quartier, mais pour ceux qui osent pousser la porte et affronter son décor minimaliste, la surprise les attend dans l'assiette. Un jeune chef s'affaire dans une petite cuisine. Il est inventif, imaginatif et au-delà de la cuisine traditionnelle. Dans chaque assiette se révèle un talent inattendu, des mariages qui surprennent, mais qui restent en équilibre. Les mets sont délicieux, simples dans leurs saveurs, mais toujours avec ce je-ne-sais-quoi qui se marie délicatement.

M SUR MASSON ★★★[ER] (bistro)
Bistro de quartier
2876, rue Masson, MTL
Tél.: 514-678-2999

GUIDE DEBEUR 2016

Restaurants de Montréal

SPÉCIALITÉS: Soupe à l'oignon, gruyère réserve. Boudin noir aux pommes, gratin dauphinois, sauce fond de veau et épinards. Tartare de bœuf ou de saumon. Foie de veau rôti, purée à l'ail, sauce lyonnaise. Profiteroles à la fleur d'oranger.
PRIX Midi: F. 18$
Soir: C. 32$ à 55$
OUVERTURE: Lun. à ven. 11h30 à 17h. Lun. à mer. 17h30 à 22h. Jeu. à sam. 17h30 à 23h. Dim 10h à 15h et 18h à 21h30. Fermé sam. midi.
NOTE: Service de traiteur. Plats végétariens.
COMMENTAIRE: La cuisine est simple et savoureuse. Le service, chaleureux, compétent et attentif. Le chef a encore changé...

PÉGASE ★★
1831, rue Gilford, MTL
Tél.: 514-522-0487
SPÉCIALITÉS: Foie gras poêlé du moment. Lapin de Stanstead, lardons, chou braisé. Magret de canard, gnocchis, airelles, sauce à l'orange. Carré d'agneau aux deux moutardes. Tarte Tatin, caramel à la fleur de sel. Mourir de chocolat 70% (mousse, ganache).
PRIX Midi: (fermé)
Soir: C. 44$ à 64$ T.H. 39$ à 47$
OUVERTURE: Mar. à ven. 18h à 21h30. Ven. et sam. 2 serv. 18h et 21h.
COMMENTAIRE: Au rez-de-chaussée d'une petite maison centenaire, un petit resto sympa avec une quinzaine de petites tables nappées de blanc, mais recouvertes d'un napperon de papier. On propose une cuisine française avec des produits frais. Service très aimable et compétent. Apportez votre vin.

RENOIR ★★★★★[ER]
Restaurant de l'année Debeur 2009
Hôtel Sofitel le Carré Doré
1155, rue Sherbrooke O., MTL
Tél.: 514-788-3038
SPÉCIALITÉS: Caille royale en sarcophage, foie gras, truffe noire et petits légumes en cocotte. Pâté en croûte de Roland au foie gras, chutney d'oignons. Dorade royale, grenobloise tomatée, coquillages et artichaut à la barigoule.
PRIX Midi: F. 31$ T.H. 35$
Soir: C. 58$ à 75$ T.H. 60$
OUVERTURE: 7 jours midi à 15h et 17h à 22h30. Petit déjeuner 7 jours 6h à 11h.
NOTE: Le midi formule 30 minutes 28$, 4 serv. et café. Nouveau menu chaque mois et demi. Table du chef pour 12 pers. dans le restaurant. Mets sans gluten.
COMMENTAIRE: Constamment à la recherche de produits frais régionaux de qualité, le chef Olivier Perret, originaire de la Bourgogne, met l'accent sur les saveurs franches et la beauté des présentations. Le décor est chic et moderne; le service, très professionnel, rapide et attentif. On offre une carte des vins intéressante avec une excellente variété de vins au verre. Roland DelMonte, Meilleur ouvrier glacier de France, est devenu le chef pâtissier de l'établissement.

RESTAURANT CHRISTOPHE ★★★
1187, rue Van Horne, MTL
Tél.: 514-270-0850
SPÉCIALITÉS: Ris de veau croustifondant, jus corsé. Rôtisson de cerf de Boileau, sauce au porto. Carré d'agneau en croûte de thym et romarin, tapenade. Médaillon de foie gras poêlé au caramel de bleuets. Triple chocolat: fondant, sorbet au cacao et son coulis.
PRIX Midi: (fermé)
Soir: C. 37$ à 64$
OUVERTURE: Mar. à sam. 18h à 22h. Fermé dim., lun. et jours fériés.
NOTE: Menu découverte 5 serv. 50$. Menu homard 5 serv. 52$. Menu change aux saisons. Festival Montréal en lumière.
COMMENTAIRE: Christophe Geffray nous propose une cuisine française savoureuse, avec mise en valeur des produits du Québec. Ambiance cosy et chaleureuse, service courtois. N'oubliez pas d'apporter une bonne bouteille de vin.

RESTAURANT O'THYM ★★ (bistro)
1112, bd de Maisonneuve E., MTL
Tél.: 514-525-3443
SPÉCIALITÉS: Tarte Tatin de foie gras, figues et échalotes confites. Saumon boucané, beurre wakamé. Cerf de Boileau, purée de topinambours, fleur d'ail et sureau. Magret de canard en croûte de sel de Guérande, sauce O'thym citronnée. Contre-filet de bison de l'Outaouais, persillade de champignons.
PRIX Midi: T.H. 18$ à 21$
Soir: C. 39$ à 63$
OUVERTURE: Mar. à ven. 11h30 à 14h30. Dim. à jeu. 18h à 22h. Ven. et sam. 18h à 23h.
NOTE: Réserv. conseillée.
COMMENTAIRE: Un petit bistro sympathique, sans prétention, pas très confortable, mais au service gentil quoiqu'un peu lent. Le menu est affiché sur des tableaux noirs. On sert une cuisine simple, assez savoureuse et gentiment présentée.

RESTAURANT PLEIN SUD ★★
222, av. Mont-Royal E., MTL
Tél.: 514-824-3333
SPÉCIALITÉS CORSES ET PROVENÇALES: Millefeuille de betterave au chèvre frais. Salade niçoise. Pissaladière. Sauté de veau à la corse et ses gnocchis. Onglet de bœuf grillé, sauce crémée au bleu. Filet de morue aux câpres et tomates fraîches. Tarte aux châtaignes et noix. Profiteroles. Parfait glacé à la ricotta.
PRIX Midi: T.H. 14$ à 19$
Soir: C. 34$ à 44$
OUVERTURE: Lun. à dim. 11h30 à 14h. Lun. à sam. 17h30 à 22h. Été: Sam. 11h30 à 22h. Fermé dim. soir.
COMMENTAIRE: Décor sans prétention, style bistro de quartier, mais convivial et chaleureux. Une assiette familiale bien savoureuse qui offre des spécialités corses ainsi que quelques recettes du Sud de la France. Comme le nom du restaurant l'indique, on est dans un thème «plein sud». Donc du soleil plein les papilles. Un choix de vins du Sud complètera le portrait.

RESTAURANT VALLIER ★★[ER]
425, rue McGill, VIEUX-MTL
Tél.: 514-842-2905
SPÉCIALITÉS: Bavette de bœuf marinée, sauce à l'échalote. Pâté chinois au canard confit, ketchup aux fruits maison. Raviolis de portobella, canard effiloché confit. Pouding chômeur vedette du Vallier avec crème d'érable.
PRIX Midi: F. 19$ à 26$
Soir: C. 31$ à 50$
OUVERTURE: Lun. à ven. 11h30 à 22h. Sam. 11h à 23h. Dim. 10h à 22h.
NOTE: Plats québécois renouvelés.
COMMENTAIRE: Ce que l'on aime tout d'abord ici, c'est l'ambiance. Un restaurant qui a une âme, on s'y sent bien. L'assiette est généreuse et bonne, sans prétention, une cuisine d'inspiration française avec quelques spécialités québécoises. Quant au service, il est attentif, professionnel.

SINCLAIR ★★★[ER]
Hôtel Le Saint-Sulpice
414, rue Saint-Sulpice, VIEUX-MTL
Tél.: 514-284-3332
SPÉCIALITÉS: Ravioles de langoustines au parmesan et basilic, consommé de langoustines. Homard servi froid, eau de rhubarbe et framboises, asperges vertes, pousses de souci. Longe de veau du Québec, mousseline de Yukon gold et moutarde à l'ancienne,

FRANÇAIS

GUIDE DEBEUR 2016

champignons sauvages poêlés, jus de viande xérès.
PRIX Midi: T.H. 25$
Soir: C. 40$ à 73$
OUVERTURE: Lun. à ven. midi à 15h. 7 jours 17h à 23h. Petit déjeuner 6h30 à 11h.
NOTE: Menu dégustation 6 serv. 60$, avec les vins 50$ de plus/pers. Bar à l'intérieur. Salle privée 60 à 80 pers, corporatif et privé.
COMMENTAIRE: Lors de notre première visite, l'assiette était excellente, les saveurs harmonieuses. Notamment un risotto garni de champignons sautés à l'huile de truffe. Une belle réussite! Le chef faisait un bel effort pour les présentations, quelquefois originales, voire spectaculaires et inventives. Nous étions prêts à donner 4 étoiles à la cuisine. Mais lors de notre 2e visite, ce ne fut pas aussi bien. Entre autres, une cassolette de fruits de mer assez ordinaire. Notre évaluation a donc tenu compte des deux visites. Le service, aimable, pourrait être un peu plus raffiné. Au moment de mettre sous presse, on apprend que le chef a encore changé. À suivre...

TOQUÉ ! ★★★★★
Restaurant de l'année Debeur 2005
900, pl. Jean-Paul Riopelle, MTL
Tél.: 514-499-2084
SPÉCIALITÉS: Terrine de foie gras, fraises, meringue, compote de rhubarbe et gelée de fraise. Pétoncles princesse, eau de canneberge. Magret de canard, ravioles, compotée d'algues, carottes, purée de feuilles de radis, sauce à la camomille. Bavarois à la poire, crème au vin jaune, poire pochée, caramel et poudre d'olive.
PRIX Midi: F. 27$ à 48$
Soir: C. 75$ à 97$
OUVERTURE: Mar. à ven. 11h30 à 13h45. Mar. à jeu. 17h30 à 22h. Ven. et sam. 17h30 à 22h30. Fermé dim. et lun. Fermé autour du 22 déc. au 7 janv.
NOTE: Réserv. préférable. Menu dégustation 7 serv. 122$, avec 5 verres de vin 202$, avec 7 verres 227$. Très belle cave de 8 000 bouteilles et 420 étiquettes de vin, on y accède par une cage de verre. Valet de stationnement 15$/véhicule.
COMMENTAIRE: Le chef propriétaire, Normand Laprise, nous propose des mets qui tirent leur inspiration de la cuisine française et québécoise, pour tout dire, nord-américaine évolutive. Une cuisine qui utilise les produits frais du marché avec un accent particulier sur la mise en valeur des produits du Québec. Toutes les assiettes sont très joliment décorées sur un

ton art déco, qui ajoute au plaisir de manger.

VERTIGE ★★★
540 av. Duluth E., MTL
Tél.: 514-842-4443
SPÉCIALITÉS: Carpaccio de bœuf aux saveurs asiatiques. Raviolis de canard sauce porto à la truffe. Morue rôtie aux oignons confits, brandade, sauce beurre blanc. Fondant au chocolat.
PRIX Midi: (fermé)
Soir: C. 21$ à 43$
OUVERTURE: Mar. à sam. 17h30 à 22h. Fermé dim. et lun. Fermé 25 déc. et 1er janv.
NOTE: Menu dégustation 5 serv. 49$, 6 serv. 59$ et 7 serv. 69$. Menu tapas mar. à jeu. 6 tapas 29$.
COMMENTAIRE: Une très belle cuisine, avec de la recherche. Le décor est un peu vieillot avec ses tentures et ses fauteuils rouges, mais c'est confortable et on y mange bien. Service très professionnel. Le menu dégustation offre un bon rapport qualité-prix.

XO LE RESTAURANT ★★★★★
Hôtel Saint-James
355, rue Saint-Jacques,
VIEUX-MTL
Tél.: Tél.: 514-841-5000
SPÉCIALITÉS: Tartare de bœuf et caviar, velouté de pétoncles. Blanquette de veau: Trio de veau de lait, meringue à l'oignon grillé, têtes de violon, morilles, jeunes navets. Beignet aux bleuets et épinette, glace au pudding chômeur.
PRIX Midi: F. 25$ à 40$
Soir: C. 60$ à 76$
OUVERTURE: Lun. à ven. 11h à 15h. Mar. à sam. 18h à 22h. Dim. 11h à 15h. Petit déjeuner à partir de 7h.
NOTE: Menu midi change tous les mois. Menu dégustation 9 serv. 120$, accord mets et vins 70$, cuisine inspirée de l'art moderne. Cave à vin 98% en importation privée. Menu bar 11h à 23h. Service de valet pour la voiture et vestiaire gratuits.
COMMENTAIRE: XO Le Restaurant est installé dans l'ancien hall de la Banker's Hall. L'entrée de l'établissement est riche et imposante, plafond haut, large couloir, décor impressionnant. Mais ce n'est rien comparé à l'intérieur du restaurant. Le décor, d'une autre époque, fascine par sa richesse, son luxe élégant, dorure, couleurs, colonnes immenses montant jusqu'aux mezzanines, escaliers imposant à grande volée, hauteur du plafond, verrière du fond de la salle, alcôves, mobilier, etc. Le calme des lieux, le professionnalisme du service gentiment

prévenant, la qualité du menu rempli de surprises à venir, la présentation des plats, leur composition artistique, tout s'est assemblé pour nous procurer une excellente soirée. C'était divin! Le chef, Julien Robillard, est à la hauteur de la beauté de l'établissement. Une réelle réussite dans le mariage des arômes, la délicatesse des saveurs, et la fraîcheur des ingrédients choisis. Desserts magnifiques, autant dans la présentation que dans la gourmandise. De l'audace, de l'équilibre, surprenant et délicieux. Une cuisine innovante, toute en douce harmonie, un morceau de bonheur à partager!

GREC

FAROS ★★★
362, Fairmount O, MTL
Tél.: 514-270-8437
SPÉCIALITÉS: Grande sélection de poissons grillés. Pieuvre grillée, riz et légumes. Thon au gingembre, wasabi, sauce soya. Côtelettes d'agneau grillées, jus de citron, huile d'olive. Espadon ou bar noir grillé. Côtes de veau grillées. Baklava maison.
PRIX Midi: (fermé)
Soir: C. 33$ à 79$
OUVERTURE: 7 jours, 17h30 à 23h. Fermé 24, 25 déc. et 1er janv.
NOTE: Carte des vins, 50 étiquettes. Service de valet gratuit 18h à minuit.
COMMENTAIRE: Nous y avons dégusté, entre autres, un bar noir grillé à point et d'une grande finesse, des crevettes sauce tomate et fromage feta très savoureuses. Les assiettes sont généreusement remplies, impossible de manger un repas au complet. On nous a servis avec attention, courtoisie et professionnalisme. Le décor chaleureux fait penser à une taverne grecque avec, en plus, un étal de légumes et de poissons. Beaucoup d'ambiance!

IKANOS ★★★★
112, rue Mc Gill, suite 1, MTL
Tél.: 514-842-0867
SPÉCIALITÉS GRECQUES MODERNES: Fleurs de courgettes farcies au crabe. Raviolis de crabe, coquette de ris de veau. Assiette de fruits de mer grillés. Calmars frits ou grillés. Gâteau au fromage feta. Gâteau à l'huile d'olive.
PRIX Midi: T.H. 22$
Soir: C. 32$ à 58$
OUVERTURE: Lun. à ven. 11h30 à 14h30. Lun. à jeu. 17h30 à 22h30. Ven. et sam. 17h30à 23h30. Fermé dim.

NOTE: Four au charbon de bois. Spécialité mézés et fruits de mer.
COMMENTAIRE: On sert ici une cuisine grecque contemporaine (enfin!), où les poissons et les fruits de mer sont servis frais et d'aimable façon. La présentation suit l'invention et l'assemblage des goûts. Une cuisine de saveurs et d'harmonie. Décor contemporain lui aussi et confortable. Service courtois, diligent et attentif.

MILOS ★★★★
5357, av. du Parc, MTL
Tél.: 514-272-3522
SPÉCIALITÉS: Tranches de courgette et d'aubergine légèrement frites, tzatziki maison, fromage saganaki. Pieuvre grillée de la Méditerranée, façon sashimi. Crevettes géantes du Mexique grillées. Thon Big Eyes servi bleu, champignons shiitake et asperges. Crème glacée au baklava.
PRIX Midi: T.H. 25$
Soir: C. 59$ à 108$
OUVERTURE: Lun. à ven. midi à 15h. Dim. à mer. 17h30 à 23h. Jeu. à sam. 17h30 à minuit. Fermé midi sam. et dim.
NOTE: Menu dégustation 5 serv. 75$/pers. Jeu. à sam, T.H. soir 25$ après 22h. Nouvelle décoration.
COMMENTAIRE: Fait venir 4 fois par semaine des produits des États-Unis, du Maroc, du Portugal et de la Grèce. Une institution à Montréal. On y mange, à de petites tables aux nappes à carreaux bleus, des poissons frais que l'on choisit sur l'étal de glace, que l'on pèse et que l'on cuit pour vous avec des fines herbes. Le prix varie en fonction du produit et du poids. C'est excellent et l'ambiance y est formidable, surtout lorsqu'il y a du monde. Cher le soir cependant.

RODOS ★★
5583, av. du Parc, MTL
Tél.: 514-270-1304
SPÉCIALITÉS: Soupe aux lentilles et poisson. Assiette de fruits de mer. Crevettes, pétoncles, espadon, thon, calmar frit, loup de mer ou côtelettes d'agneau grillées avec pommes de terre et légumes. Moussaka. Baklava.
PRIX Midi: F. 15$ à 20$
Soir: C. 30$ à 66$ T.H. 38$
OUVERTURE: Lun. à sam. 11h à 22h. Dim. 17h à 22h. Fermé 25 déc.
NOTE: Menu dégustation 38$, dim. à ven. Ouvert dim. midi sur réserv.
COMMENTAIRE: On sert une cuisine grecque traditionnelle, très familiale, généreuse. Le décor est très beau et dépaysant au possible. Dès l'entrée, on est subjugué

par les pots de géraniums et d'hibiscus en fleurs, ainsi que par la petite terrasse-balcon-tonnelle qui abrite trois tables. À l'intérieur, c'est la Grèce: murs blancs, sol de tomettes, arcades, fausses fenêtres à petits carreaux, tables avec des nappes blanches, sous-nappes à carreaux, grandes potiches de terre cuite, assiettes aux couleurs vives accrochées aux murs, une véritable carte postale!

HAÏTIEN

CASEROLE KRÉOLE
Traiteur, plats à emporter, lunch sur place ★★★
4800, rue de Charleroi, MTL-NORD
Tél.: 514-508-4844
et 514-800-2540
SPÉCIALITÉS: Soupe de giraumon. Poulet créole. Griot de porc grillé au four servi avec bananes pesées et salade. Cabri (gigot de chèvre en sauce). Gâteau rhum et raisins.
PRIX Midi: C. 16$ à 26$
Soir: Idem
OUVERTURE: Mar. à sam. 11h à 18h. Fermé dim.
NOTE: Traiteur et plats à emporter. Musique créole et latine.
COMMENTAIRE: Deux chefs haïtiens Hans Chavannes et Kenny Pelissier, sympathiques et accueillants, une serveuse au sourire magique. On s'y sent bien. Un décor frais et très simple, fait de planches de bois brut peintes de couleurs vives, une belle ambiance qui rappellent les Antilles. Des textes décorent les murs. Le prix du lunch, taxes comprises, est difficile à battre. Outre le petit resto, ils ont aussi une boutique ouverte jusqu'à 17h. Des produits faits maison sont en vente: la traditionnelle sauce Pikliz, marinade pour la viande, sirop à la cannelle, purée de piments, huiles aromatisées. Attention, c'est chaud ce qui veut dire très fort en créole.

INDIEN

RESTAURANT GANDHI ★★★★
230, rue Saint-Paul O.,
VIEUX-MTL
Tél.: 514-845-5866
SPÉCIALITÉS: Agneau tikka (mariné aux épices et rôti au four tandouri). Saumon tandouri. Biryani au poulet. Poulet korma. Prawn poori (crevettes piquantes sur crêpes indiennes). Poulet au beurre. Poulet tikka masala (cuit au four d'argile). Tandouri naan (pâte à pain cuit au four tandouri).
PRIX Midi: F. 17$ à 25$
Soir: C. 25$ à 50$ T.H. 27$ à 35$

OUVERTURE: Lun. à ven. 11h30 à 14h. 7 jours 17h30 à 22h30. Jours fériés de semaine, fermé le midi seulement.
NOTE: Menu végétarien, menu dégustation.
COMMENTAIRE: Musique de fond indienne, flaveurs chargées de mystère, plats aux couleurs chatoyantes. Salle à manger agréable, élégante, nappes blanches et serviettes de tissu. Serviette chaude pour s'essuyer les mains. Service aimable. Un beau choix de mets indiens. Cuisine de l'est de l'Inde agrémentée de mets du Bangladesh. Certains plats sont mis au goût du Québec.

INDONÉSIEN

NONYA ★★★★
151, av. Bernard O., MTL
Tél.: 514-875-9998
SPÉCIALITÉS: Soupe Laksa (cari jaune, vermicelles, poulet, crevettes, œufs de caille). Crevettes grillées, sauce cari rouge. Brochettes d'agneau grillées, sauce aux arachides. Ragoût de bœuf Rendang. Riz collant noir, lait de coco. Crème brûlée à la feuille de pandan.
PRIX Midi: T.H. 8$ à 12$
Soir: C. 33$ à 36$ T.H. 27$
OUVERTURE: Mar. à sam. 11h30 à 22h30. Dim. et lun. 11h30 à 21h30. Fermé 25 déc. et 1er janv.
NOTE: Menu dégustation, tapas, spécial 30$/2 pers.
COMMENTAIRE: Nonya signifie madame. Le seul restaurant indonésien à Montréal. La cuisine est toujours bonne, dépaysante et authentique. Les propriétaires sont très accueillants. Ivan, le chef copropriétaire a fait ses études dans une école hôtelière suisse. Il cuisine des plats savoureux avec de belles présentations.

INTERNATIONAL ET MÉTISSÉ

ACCORDS ★★★★[ER]
212, rue Notre-Dame O.,
VIEUX-MTL
Tél.: 514-282-2020
SPÉCIALITÉS: Calmar, kale, laitue romaine, fromage de chèvre. Maquereau, camerise, laitue sucrine, persil. Agneau, navet, oignon mariné, crème à la moutarde. Thon albacore, courge, graines de citrouille, sarriette. Rhubarbe, miel, panna cotta au babeurre.
PRIX Midi: F. 25$
Soir: C. 33$ à 45$
OUVERTURE: Lun. à ven. 11h30 à 15h. Mar. à sam. 17h30 à 22h30. Fermé dim.

NOTE: Menu basé sur des assiettes partagées. Menu carte blanche à l'aveugle 4 serv. 45$, accord des vins 30$. Une cinquantaine de vins au verre. Une carte des vins avec plus de 400 références.
COMMENTAIRE: Une carte originale tant par le contenu que par l'humour. Par exemple, on vous recommande le Foie grassouillet selon les indications de votre médecin, ou le dessert Trempe ton biscuit. Et puis pour chaque plat on suggère deux vins: l'accord, un bon choix, et le désaccord, un vin dont l'harmonie avec le plat peut surprendre. Enfin, on propose la conciliation, un forfait de deux vins pour comparer l'un et l'autre avec le mets choisi. Des mariages subtils et bien faits. Un vrai bonheur! Le personnel, très courtois et surtout passionné, a une bonne connaissance des vins.

BISTROT LA FABRIQUE
★★★ (bistro)
3609, rue Saint-Denis, MTL
Tél.: 514-544-5038
SPÉCIALITÉS: Salade d'haricots verts, tomates confites, concombre, amandes, croûtons, pommes, vinaigrette balsamique et truffe. Foie gras poêlé. Terrine de fromages coulants du Québec, jambon de pays, marmelade de pommes, graines de moutarde. Tarte fine, marmelade de champignons, tartare de bœuf, copeaux de vieux cheddar, vinaigrette balsamique.
PRIX Midi: (fermé)
Soir: C. 34$ à 63$
OUVERTURE: Mar. à sam. 17h30 à 22h30. Dim. 17h30 à 21h30. Dim. brunch 10h30 à 14h30. Fermé 24 au 27 déc.
NOTE: Cuisine centrale ouverte. Carte des vins 100% d'importation privée, 75% biologique, 80 étiquettes.
COMMENTAIRE: Le décor tourne autour d'une cuisine installée au milieu de la salle à manger. On dirait que les tables et les clients essaient tant bien que mal de s'approprier un bout de plancher, tandis que les cuisiniers s'affairent à préparer des plats à l'origine in-

certaine, mais combien créatifs et savoureux le plus souvent. On est tout à la fois dans la cuisine et dans la salle à manger. C'est jeune, c'est sympa, et surtout cela sort des sentiers battus. Une cuisine conviviale qui étonne, et c'est le but, sinon pourquoi aller au restaurant? Carte des vins bistro adaptée.

BRASSERIE LES ENFANTS TERRIBLES ★★★ (bistro)
1257, av. Bernard O.,
OUTREMONT
Tél.: 514-759-9918
SPÉCIALITÉS: Salade de betteraves cuites en croûte de sel et chèvre chaud. Spaghetti pomodoro. Tartare de saumon. Bavette de bœuf, beurre maître d'hôtel, frites maison. Côtes levées de porc, sauce BBQ maison, frites et salade de chou. Pouding chômeur.
PRIX Midi: F. 16$ à 22$
Soir: C. 25$ à 55$
OUVERTURE: Lun. 11h30 à 23h. Mar. à ven. 11h30 à minuit. Sam. 9h30 à minuit. Dim. 9h30 à 23h. Fermé 25 déc. et 1er janv.
NOTE: Ambiance chaleureuse. Carte sur ardoise renouvelée tous les jours. Produits du terroir québécois.
COMMENTAIRE: L'endroit est résolument bistro. La salle à manger tourne autour d'un imposant comptoir de bar. En ce qui concerne l'assiette, c'est très bon. On sent ici une bonne volonté manifeste et beaucoup de fraîcheur dans l'ensemble. Service sympa.

BRASSERIE LES ENFANTS TERRIBLES ★★★ (bistro)
209, ch. de la Rotonde,
ÎLE DES SŒURS
Tél.: 514-508-6068
SPÉCIALITÉS: Calmars frits. Tartare de bœuf ou de saumon. Fish and chips. Contre-filet de veau grillé. Côtes levées de porc, salade de chou maison, frites. Pouding chômeur.
PRIX Midi: F. 16$ à 22$
Soir: C. 25$ à 55$
OUVERTURE: Lun. 11h30 à 21h30. Mar. et mer. 11h30 à 22h. Jeu. et ven. 11h30 à minuit. Sam. 10h à minuit. Dim. 9h30 à 21h30. Fermé soir du 24 déc. Fermé 25 déc. et 1er janv.
NOTE: Carte sur ardoise renouvelée tous les jours (poisson + création). Produits québécois. Menu pour enfants. Stationnement gratuit.
COMMENTAIRE: Service attentionné, gentil, professionnel, évoluant en un ballet bien réglé dans la vaste salle à manger. Ambiance sympa, un peu bruyante à cause de la musique très rythmée et des conversations enthousiastes des

clients. Malgré le bruit, on se sent bien. Cuisine de brasserie pas compliquée mais réjouissante. Les assiettes sont généreuses, bien savoureuses et présentées de façon moderne. Enfin une bonne adresse à recommander sur l'Île-des-Sœurs.

CHEZ L'ÉPICIER bar à vin ★★★★ (bistro)
311, rue Saint-Paul E.,
VIEUX-MTL
Tél.: 514-878-2232
SPÉCIALITÉS: Tartare de bœuf, ravigote à la fleur d'ail, crème prise au foie gras et moutarde de Meaux. Filet de bœuf, purée de pomme de terre, figues poêlées, sauce aux gadelles. Longe de porc Gaspor, orpin, radis français, lait de pomme. Club sandwich au chocolat, frites d'ananas, salade crémeuse de melon à la menthe.
PRIX Midi: (fermé)
Soir: C. 54 $ à 71$
OUVERTURE: 7 jours 17h30 à 22h. Fermé du 1er au 15 janv.
NOTE: Menu dégustation 7 serv. 85$. Service de traiteur.
COMMENTAIRE: Le chef Laurent Godbout, chef de l'année SCCPQ 2006 et lauréat du Prix Debeur 2006, nous propose toujours une très belle assiette pleine de saveurs, une cuisine généreuse et bien présentée. Aussi chef copropriétaire du restaurant Attelier Archibald à Granby, ainsi qu'un autre établissement à Palm Beach en Floride.

CHEZ VICTOIRE ★★★[ER] (bistro)
1453, rue Mont-Royal E., MTL
Tél.: 514-521-6789
SPÉCIALITÉS: Esturgeon fumé, badigeonné de sirop d'érable, crème fraîche, kimchi et rosti. Pétoncles poêlés, purée de topinambours, salade de poireau, crumble de sarrasin. Cerises bing, ganache de chocolat blanc, crème glacée cerises maison, fenouil confit, pistache maltadextrine.
PRIX Midi: (fermé)
Soir: C. 40$ à 58$ T.H. 45$ à 55$ (4 serv.)
OUVERTURE: Lun. à dim. 17h à minuit.
NOTE: F. 25$ après 22h. Dim. T.H. 30$. Produits du terroir, ferme à 25km de Montréal, légumes 50% bio. Patchworks des années 50 au mur.
COMMENTAIRE: Bistro de quartier de style rétro, sympa. Tout s'organise autour du bar, la mezzanine plonge sur le bar. Cuisine qui suit les saisons, recherchée ou bistro selon les plats, mais accessible. Même propriétaire que Confusion sur la rue Saint-Denis.

COMMUNION ★★★[ER] (bistro)
135, rue de la Commune O.,
VIEUX-MTL
Tél.: 514-937-6555
SPÉCIALITÉS: Charcuterie maison. Rouleau au homard. Gâteau de crabe de Gaspésie. Tartare de bœuf classique. Côte de bœuf à partager. Crème brûlée gingembre et vanille.
PRIX Midi: (fermé) Été: C. 27$ à 39$
Soir: C. 38$ à 60$
OUVERTURE: Mer. à sam. 17h à 22h. Sam. et dim. 10h à 15h. En été, mar. à ven. 11h30 à 15h, mar. à sam. 17h à 22h.
NOTE: Plats végétaliens. Dégustation de vin l'été 15$. Club œnophile mer. soir. Ven. soir Festibulles: trio de bulles 15$. Midi menu enfant 8$.
COMMENTAIRE: Une cuisine bistro inventive, savoureuse, recherchée dans les ingrédients, simple et vraie dans le goût, servie dans un environnement agréable. Décoration alliant le moderne des éclairages, les murs de pierre anciens et les poutres de bois. Un lieu sympathique, jeune et dynamique.

DECCA77 ★★★★
1077, rue Drummond, MTL
Tél.: 514-934-1077
SPÉCIALITÉS: Carré d'agneau, purée de pois verts, petits fruits et oignons confits. Pétoncles rôtis, ail vert, purée de patates brûlées et caramel de tomate. Soufflé à la fraise.
PRIX Midi: T.H. 19$ à 29$
Soir: C. 32$ à 68$
OUVERTURE: Lun. à ven. 11h30 à 14h30. Lun. à sam. 17h à 23h. Fermé dim. et jours fériés.
NOTE: Deux bars à cocktails, 1 section brasserie, 1 section restaurant. Lounge au 2e étage. Cocktails pour 250 pers. Prix spéciaux (5 à 7) tous les jours.
COMMENTAIRE: Décor très design. L'assiette est résolument internationale. On affiche une cuisine contemporaine, inspirée du marché. C'est excellent! Très belle carte des vins avec de grands formats. Le service est professionnel et attentionné.

GARDE-MANGER ★★★
408, Saint-François-Xavier,
VIEUX-MTL
Tél.: 514-678-5044
SPÉCIALITÉS: Huîtres. Plateau de fruits de mer (crevettes, pétoncles vivants, crabes et huîtres). Short ribs de bœuf braisés à l'espresso. Sandwich à la crème glacée.
PRIX Midi: (fermé)
Soir: C. 53$ à 76$

TAYLOR FLADGATE®

POURQUOI REMETTRE À DEMAIN CE QUE VOUS POUVEZ BOIRE AUJOURD'HUI

Taylor Fladgate a été le premier à développer le Porto Late Bottled Vintage et est considéré comme étant le meilleur producteur. Le LBV est un assemblage de vins d'un seul millésime et est vieilli en foudres entre quatre et six ans. Il est alors mis en bouteille, déjà prêt à boire.

SYLVESTRE
VINS ET SPIRITUEUX
— Depuis 1827 —

www.taylorfladgate.com/fr

1932. Création de la recette unique Ricard.

1956. Et si on modifiait la recette ?

1976. Heu…, non.

2012. La recette de Ricard a 80 ans.

80 ANS ET TOUJOURS JAUNE.

L'ABUS D'ALCOOL EST DANGEREUX POUR LA SANTÉ. À CONSOMMER AVEC MODÉRATION.

OUVERTURE: Mar. à dim. 17h30 à 23h. Fermé lun.
NOTE: Jeu. à sam. bar ouvert jusqu'à 3h du matin 18 ans et plus. Bar à huîtres.
COMMENTAIRE: Le décor rappelle les pubs ou brasseries québécoises d'antan avec des murs de briques, de vieilles boiseries, des étagères avec livres et objets hétéroclites. Tout cela donne beaucoup d'ambiance. La carte est écrite sur un tableau noir au mur, avec quelques vins pour la sélection du jour. Le chef Chuck Hughes et son second Josh Lauridsen mélangent les cuisines française et italienne, revues et corrigées à la nord-américaine. Leur spécialité, ce sont les fruits de mer. Il y a d'ailleurs un plat typique de l'endroit, un plateau de fruits de mer, une sorte d'orgie de mollusques de toutes sortes.

GUS ★★★
38, rue Beaubien E., MTL
Tél.: 514-722-2175
SPÉCIALITÉS: Salade César traditionnelle. Tartare de cerf. Carré d'épaule d'agneau. Nachos au foie gras. Côtes de porc, marinade au babeurre. Gâteau au chocolat.
PRIX Midi: F. 16$ à 22$
Soir: C. 40$ à 63$
OUVERTURE: Jeu. et ven. 11h30 à 13h30. Lun. à sam. 17h30 à 22h. Fermé dim.
NOTE: Gus margarita à ne pas manquer. Portes coulissantes créant une semi-terrasse l'été.
COMMENTAIRE: Le chef Fergusson propose une cuisine simple mais toujours bien travaillée et généreuse. Service compétent et attentif.

LAURIE-RAPHAËL ★★★★★
Hôtel Le Germain
2050, rue Mansfield, MTL
Tél.: 514-985-6072
SPÉCIALITÉS: Salade de tomates, melon, ricotta, ail noir. Homard poché au beurre, légumineuses d'été, champignons et amandes Marcona. Faux-filet de bœuf grillé, champignons abalone, arachides, aubergines et sauce aux huîtres. Gâteau crème fraîche, mousse mascarpone, cerises au sirop d'Amaretto, glace au lait d'amande.
PRIX Midi: T.H. 25$ à 39$
Soir: C. 65$ à 87$ T.H. 65$
OUVERTURE: Lun. à ven. 11h30 à 14h. 7 jours 18h à 22h30.
NOTE: Menu-surprise 4 serv. midi 39$, soir 65$. Menu gastronomique 8 à 10 serv. 120$. T.H. du soir Chef-chef (menu à l'aveugle, au choix du chef). La boutique LR au rez-de-chaussée est ouverte 7 jours, 9h à 22h.

COMMENTAIRE: C'est luxueux, très tendance, à la mode. Cependant, les tables sont un peu petites pour la grandeur des plats, pour le confort des convives ou tout simplement pour un établissement haut de gamme. Le chef propriétaire Daniel Vézina propose une cuisine internationale avec une base très française malgré tout, mais repensée avec goût et créativité. Le service est aimable et assez compétent.

LEA ★★★ (bistro)
4922, rue Sherbrooke O., MTL
Tél.: 514-508-0545
SPÉCIALITÉS: Burger de bœuf. Tartare de saumon. Falafel au crabe et pois verts. Calmar grillé. Flétan cuit au four. Brochette de gigot d'agneau. Contrefilet de bœuf grillé 12oz. Gâteau au citron et à l'huile d'olive. Terrine de chocolat.
PRIX Midi: F. 18$ à 24$
Soir: C. 39$ à 67$
OUVERTURE: Lun. à ven. midi à 15h. Lun. à mer. 17h à 23h. Jeu. à sam. 17h à minuit. Fermé dim.
COMMENTAIRE: Pas facile de stationner dans le quartier. Mais l'adresse vaut l'arrêt si vous passez par là. Cet établissement (dont le proprio est le même que pour Grinder et le Hachoir) offre une formule simple: plaisir et saveur, sans chichi. Et on y retourne. Décor moderne mais confortable. Les employés qui font le service sont attachants et cherchent à nous faire passer un bon moment, et c'est réussi, tout comme l'assiette d'ailleurs. Une cuisine moderne, fraîche, internationale dans laquelle les épices sont bien gérées. On aime son côté légèrement audacieux avec des créations souvent uniques. Le tartare de saumon bien relevé, servi sur une tranche de pain brioché et surmonté d'un œuf poché cuit mollet, nous a séduits. Un délice!

LE CHIEN FUMANT
★★★ (bistro)
4710, de Lanaudière, MTL
Tél.: 514-524-2444
SPÉCIALITÉS: Tartare de bœuf coréen. Calmars Chinatown. Taquito de canard, magret et salade de doritos. Flanc de porc Donair. Ribsteak pour deux. Gâteau étagé pistache citron.
PRIX Midi: (fermé)
Soir: C. 39$ à 89$
OUVERTURE: Mar. à dim. 18h à 2h du mat. Brunch dim. 10h à 15h. Fermé temps des fêtes.
NOTE: Plats à partager. Sélection d'alcools forts. Spécialisé dans les cocktails classiques.
COMMENTAIRE: Un bistro qui a l'allure d'un pub anglais et où l'on

Restaurants de Montréal

mange très bien. Le menu est inscrit sur un tableau noir sur le mur. C'est écrit tellement petit que l'on doit se lever pour le lire. Des plats internationaux élaborés avec des produits frais. Une assiette savoureuse et inventive. Un mélange de genres, mais très bien réussi. Un peu cher cependant.

LE COMPTOIR CHARCUTERIES ET VINS ★★★
4807, bd Saint-Laurent, MTL
Tél.: 514-844-8467
SPÉCIALITÉS: Plateau de charcuteries maison. Pieuvre braisée au vin blanc. Pleurote king rôti, magret séché, crème d'ail, amandes, basilic, tomates, balsamique. Terrine de chocolat andao.
PRIX Midi: F. 17$ à 21$
Soir: C. 28$ à 40$
OUVERTURE: Mer. à ven. midi à 14h. 7 soirs 18h à minuit. Fermé 24 au 27 déc. et 1er au 3 janv.
NOTE: Grand choix de vins importés et natures. Cocktails maison. Menu à l'ardoise.
COMMENTAIRE: Restaurant de forme allongée. De la petite salle, on voit les cuisiniers travailler derrière un comptoir qui délimite la cuisine. Le chef fait toute sa charcuterie lui-même qu'il sert sur une planche de bois. Formule sympa. Chacun compose son menu selon son appétit. Décor avec beaucoup de bois. Rien d'époustouflant, mais un endroit très bon et bien sympathique.

LE FILET ★★★
219, av. Mont-Royal O., MTL
Tél.: 514-360-6060
SPÉCIALITÉS: Huîtres au gratin de miso. Tataki de wagyu, aubergines, miso. Rillettes de maquereau fumé, huile, citron, toast. Risotto de langoustine et mascarpone. Cavatelli, joue de veau, copeaux de foie gras. Carré au sirop d'érable, crème fraîche, pacanes.
PRIX Midi: (fermé)
Soir: C. 41$ à 61$
OUVERTURE: Mar. à ven. 17h45 à 22h30. Sam. 17h à 22h30. Fermé dim. et lun. Fermé 24, 25 déc. et 1er janv.
NOTE: Poisson sous toutes ses formes. Grand bar.
COMMENTAIRE: Les propriétaires du Club Chasse et pêche se sont associés avec deux compères pour ouvrir ce restaurant situé sur le plateau entre le boulevard Saint-Laurent et l'avenue du Parc. Une cuisine orientée vers la mer, mais qui offre quand même quelques viandes aux réticents. Une cuisine de saveurs et de charme!

LE LOCAL ★★★ (bistro)
740, rue William, MTL
Tél.: 514-397-7737

SPÉCIALITÉS: Salade de betteraves jaunes, fromage de chèvre, huile de truffe, œuf en panko, lardons. Guedille de homard sur pain brioché au cheddar, cornichon mariné frit. Ravioli aux fromages, canard confit, shiitake et roquette. Tartare de saumon à l'huile de truffe et lime. Assiette de mignardises et petits fours.
PRIX Midi: F. 25$ T.H. 30$
Soir: C. 40$ à 66$
OUVERTURE: Lun. à mer. 11h30 à 22h. Jeu. et ven. 11h30 à 23h. Sam. 17h à 23h. Dim 17h30 à 22h. Fermé 25 déc., 1er janv., 24 juin et jours fériés.
NOTE: Inspiration de la brigade variant tous les soirs. Cave à vin 70 crus, 90% d'importation privée. Section lounge. Réserv. avec bookenda.com
COMMENTAIRE: C'est plein tout le temps, ou presque. Pour l'assiette, le chef se lâche dans une cuisine française aux accents internationaux. Bonne carte des vins. Si vous êtes amateur de vin, vous ne serez pas déçu! Service jeune, aimable et attentif. Stationnement très facile et abordable tout autour de l'établissement.

LE MONTRÉAL ★★★
Resto à la carte
Casino de MTL
1, av. du Casino, MTL
Tél.: 514-392-2709
SPÉCIALITÉS: Crevettes géantes en tempura, rouleau de printemps, coulis de mangue à la cardamome verte, coulis de cerises de terre. Carré d'agneau rôti aux épices tandoori, purée d'aubergines et pois chiches, jus d'agneau. Langoustines en chapelure d'herbes, légumes du moment, riz, beurre à l'ail. Foie gras maison deux façons: poêlé aux champignons sauvages et au jus de rôti ou en torchon, chutney de fruits de saison, huile de granola salé, brioche poêlée. Trilogie de crèmes brûlées.
PRIX Midi: F. 16$ à 20$
Soir: C. 31$ à 79$
OUVERTURE: Lun. à sam. 11h30 à 14h30. Dim. à jeu. 17h à 23h. Ven. 16h30 à 23h. Sam. 16h30 à minuit.
NOTE: Menu expérice 3 serv. 39$/pers. Vue imprenable sur la ville. Atmosphère feutrée. Stationnement gratuit.
COMMENTAIRE: Le Montréal bénéficie d'un décor agréable, complètement refait, avec une cuisine ouverte sur la salle, quoique séparée par des parois vitrées. On peut voir les chefs s'affairer à préparer des plats. La carte propose des mets de cuisine internationale avec une propension aux mets italiens. L'assiette est bonne, voire

très bonne selon les plats choisis, avec des présentations en général agréables. Les cuisines sont toujours sous la responsabilité du chef Jean-Pierre Curtat qui dirige tous les restaurants du casino. Le service est bien fait et bien encadré par les anciens de Nuances. Il faut savoir que ceux-ci sont aussi sommeliers et peuvent vous faire faire quelques belles expériences gastronomiques. Claude Magazzinich, l'excellent maître d'hôtel est toujours là pour diriger les opérations.

LES 400 COUPS ★★★★ (bistro)
400, Notre-Dame E., VIEUX-MTL
Tél.: 514-985-0400
SPÉCIALITÉS: Mousse de foie, gelée au gin, bleuets sauvages, baies de genièvre fraîches. Omble chevalier, sarrasin, maïtakés, argouse, lait à la sauge, courge. Fraises de M. Legault, verveine, crème citron, gelée de sumac, basilic thaï.
PRIX Midi: F. 22$ T.H. 28$
Soir: C. 51$ à 64$
OUVERTURE: Mar. et mer. 17h30 à 22h. Jeu. et ven. 11h30 à 13h30. Jeu. à sam. 17h30 à 22h30. Fermé dim., lun., 25 déc. et 1er janv.
NOTE: Menu dégustation 5 services 75$, accord mets et vins 120$. Menus pour pers. allergiques, végétariens et végétaliens sur demande. Cuisine saisonnière.
COMMENTAIRE: Une équipe prometteuse occupe les cuisines de ce restaurant. Guillaume Cantin, jeune chef bourré de talent, est aux fourneaux et Brian Verstraten est le chef pâtissier. On y sert une cuisine fine, élégante, extravagante dans ses saveurs, qui sort vraiment de l'ordinaire. Beaucoup de recherche, de créativité, d'audace, de fraîcheur, belle utilisation des produits du Québec. De quoi satisfaire le palais les plus aventureux. On y vient non pas pour manger, mais pour se faire surprendre. Les chefs prennent des risques et y réussissent bien, le plus souvent. Dépaysement garanti!

LE ST-URBAIN ★★★ (bistro)
96, rue Fleury O., MTL
Tél.: 514-504-7700
SPÉCIALITÉS: Esturgeon jaune fumé, jeunes betteraves, vidalia grillé, riz noir, amandes, truffe fraîche. Short-rib de bœuf braisé au vin rouge, purée de carottes, pâtisson, sauce Poblano grillé. Crémeux fromage blanc, framboises, pêches, nougatine pistaches, basilic.
PRIX Midi: F. 21$ à 23$
Soir: C. 48$ à 65$
OUVERTURE: Mar. à ven. 11h30 à 14h et 17h30 à 22h. Sam. 17h30

à 22h. Fermé dim., lun., 23 juin au 3 juil. et le temps des fêtes.
NOTE: Menu dégustation 6 serv., 70$, prévoir 2h30. Produits de saison du Québec.
COMMENTAIRE: Si le décor est assez ordinaire et d'une simplicité à toute épreuve, le vrai plaisir, c'est dans l'assiette qu'on le trouve. Elles sont très savoureuses et généralement bien présentées. Et l'on ne lésine pas sur les ingrédients frais de grande qualité. Fier d'être recommandé par Océan Wise garant d'une pêche responsable. Le service est compétent dans l'ensemble, courtois et «friendly». Vins d'importation privée dont 20 servis au verre. Tout à côté, au 114 de la même rue, le chef Marc-André Royal possède aussi La Bête à pain, une boulangerie, pâtisserie et traiteur.

M:BRGR ★★★ (bistro)
2025, rue Drummond, MTL
Tél.: 514-906-0408
SPÉCIALITÉS: Burger végétarien, tomates et aïoli, poivrons rouges rôtis. Burger de porc effiloché, bœuf AAA, sauce BBQ, salade de chou, cornichon, tomates. Burger de bœuf kobe, foie gras, carpaccio de truffe, mayo à la truffe. Biscuit aux pépites de chocolat épais et crème glacée.
PRIX Midi: Boîte à lunch 13$
Soir: C. 26$ à 64$
OUVERTURE: Mar. à jeu. 11h30 à 23h. Ven. 11h30 à minuit. Sam. midi à minuit. Dim. midi à 22h. Fermé lun.
NOTE: On peut composer son burger à son goût. Burger très spécial 100$: 2 boulettes de bœuf Kobe, bacon, ananas grillé, foie gras, fromage Piave Del Vecchio, porc effiloché, champignons porcinis, aïoli au miel truffé, carpaccio de truffe, frites de patates douces et régulières, oignons frits, roquette, tomates cerises demi-sèches.
COMMENTAIRE: C'est jeune, c'est sympathique et chaleureux, tout comme le service d'ailleurs. Un décor moderne, très dans le vent, avec un long bar sur un côté qui fait face à une immense murale, un photomontage illustrant le centre-ville de Montréal. Une cuisine que l'on pourrait qualifier de fast-food, mais qui atteint, quelquefois, un niveau presque gastronomique.

♥ MONTRÉAL PLAZA ★★★★★
6230, rue Saint-Hubert, MTL
Tél.: 514-903-6230
SPÉCIALITÉS: Il n'y a pas de plats spécifiques pour l'entrée et le plat principal. Ce sont des portions dont l'importance est située entre l'entrée et le plat principal. Sauf pour les desserts, il n'y a donc pas d'ordre précis pour l'ensemble des plats proposés à la carte. Voici quelques plats: Huître gratinée. Cerf et couteaux de mer. Bourgots et miso. Patate à rien. Thon confit et sashimi. Dessert bleu et meringue. Sorbet à la fraise, crème vanille, meringue, lame de chocolat et framboises fraîches.
PRIX Midi: (fermé)
Soir: C. 23$ à 60$
OUVERTURE: 7 jours 17h à 23h.
COMMENTAIRE: Charles-Antoine Crête, ancien chef au Toqué!, a fait couler beaucoup d'encre avant et après l'ouverture de son restaurant Montréal Plaza. Il s'est associé à Cheryl Johnson pour ouvrir cet établissement situé à la Plaza Saint-Hubert dans le quartier Rosemont–Petite-Patrie.
Enfin un chef qui étonne, qui surprend, qui n'a pas peur d'essayer des assemblages quelquefois hétéroclites pour en faire d'inoubliables petits chefs-d'œuvre d'harmonie et de saveurs. Pour nous, c'est la justification première d'un grand restaurant. Être étonné et positivement surpris. C'est bien cela que nous recherchons chez un grand chef. Cela n'a pas de prix. Nous avons aimé? Non! Nous avons adoré.
Nous avons vécu là un moment exceptionnel. Un beau morceau de gastronomie à l'état pur. Avec de la créativité non seulement dans les harmonies des saveurs, mais également dans les présentations originales. On sent ici toute la passion du cuisinier, une liberté d'expression qui n'a pas de limite. Un chef éclaté! Dans le bon sens du terme. Vous trouvez peut-être que j'exagère? Allez y faire un tour. Mais il est recommandé de réserver. Nous sommes sortis de l'établissement les papilles émerveillées, encore frémissantes de plaisir.

♥ PASTAGA ★★★
Vin nature & restaurant
6389, bd Saint-Laurent, MTL
Tél.: Tél.: 438-381-6389
SPÉCIALITÉS: Saumon de l'Atlantique mariné, rattes crémeuses et salmon jerky râpé. Magret de canard de Marieville, champignons, gelée de coings, panais rôtis. Gigue de cerf de Boileau rôtie aux pistaches.
PRIX Midi: F. 15$ à 22$
Soir: C. 38$ à 42$
OUVERTURE: Jeu. à sam. 17h à minuit. Ven. 11h30 à 14h. Dim. à mer. 17h à 22h. Brunch sam. et dim. 10h à 14h. Fermé 25 déc.
NOTE: Produits locaux, principalement biologiques. Camion de rue M. Crémeux (bouffe de rue) lors d'événements de la ville (festival Juste pour rire), privés ou corporatifs. Les plats changent suivant les produits de saison.
COMMENTAIRE: L'établissement est installé dans les anciens locaux du restaurant Apollo. Le décor a été amélioré (on y est mieux assis), il est plus convivial aussi et deux tables ont été installées dans la cuisine avec un écran plat au mur pour suivre les matchs sportifs. Les chefs Martin Juneau, gagnant du prix du meilleur chef canadien 2011, anciennement chef de La Montée de lait puis du Newtown, et Louis-Philippe Breton, de la défunte Montée de lait. Ils nous proposent une cuisine savoureuse, généreuse et légère. Service courtois et convivial tout comme la cuisine et le reste de l'établissement.

♥ PULLMAN ★★★★[ER] (bistro)
3424, av. du Parc, MTL
Tél.: 514-288-7779
SPÉCIALITÉS: Plateau de fruits de mer. Huîtres sur écailles et sur glace. Tartare de cerf et chips maison. «Grilled-cheese» de cheddar au porto. Gravlax de saumon à la russe. Mini burger de bison, pommes allumettes. Truffes au chocolat. Churros à la cannelle.
PRIX Midi: (fermé)
Soir: C. 16$ à 34$
OUVERTURE: Dim. à mar. 16h30 à minuit. Mer. à sam. 16h30 à 1h du mat. Fermé lun.
NOTE: Bar à vin. Spécialisé dans les vins et tapas. Le service est assuré seulement par des sommeliers formés. Formule trio de vins thématique chaque semaine.
COMMENTAIRE: C'est presque tout le temps plein: il vaut mieux réserver. Ce resto très branché sert des mets originaux de qualité, très savoureux, dans des portions qui se rapprochent des tapas. La clientèle est plutôt jeune, le service aussi, mais il est compétent et surtout très aimable. Dans un décor unique, l'ambiance est conviviale et animée. Une très belle carte des vins de plus de 300 références, présente aussi un grand choix de vins au verre.

♥ RESTAURANT DE L'INSTITUT ★★★
Hôtel de l'Institut
3535, rue Saint-Denis, MTL
Tél.: 514-282-5155
SPÉCIALITÉS: Religieuse au foie gras, compotée de pruneaux et bleuets, purée de betteraves. Lait et pétales de morue cuite à basse température et sorbet andalou. Filet de veau fumé, fenouil croquant à la rhubarbe, ricotta rôtie à l'anis étoilé, émulsion aux olives noires.

Le site
debeur.com
qu'est-ce que ça mitonne ?

- Des listes de vins et de restaurants visités dans l'anonymat

- Un choix de boutiques et de produits dont nous avons envie de parler

- Des articles consistants sur des sujets d'actualité et des auteurs qui n'ont pas peur de dire ce qu'ils pensent

- Des nouvelles gourmandes quotidiennes et diffusées en même temps sur nos pages Facebook et Twitter

- Des portraits de chefs inspirants

- Des recettes qui nous font plaisir

- Un site du web 2.0 interactif et gratuit, enrichi chaque jour par une équipe de journalistes, de blogueurs et autres passionnés de la gourmandise

- Un lieu du cyberespace pour exprimer vos opinions et partager vos trouvailles

- Une fréquente mise à jour et un soutien en ligne pour les lecteurs de l'édition papier

Restaurants de Montréal

PRIX Midi: F. 20$
Soir: C. 41$ à 54$ T.H. 52$
OUVERTURE: Lun. à ven. midi à 13h30. Mar. à sam. 18h à 21h. Petit déjeuner lun. à ven. 7h à 9h30, sam. et dim.7h30 à 10h30. Fermé jours fériés et 2 sem. aux fêtes.
NOTE: Midi menu express 20$. Menu soir 5 serv. 52$. Promotions fréquentes mar. et mer. soir T.H. 25$ et 35$. Comptoir pour manger et prendre un verre. Réserv. souhaitable. Accessible aux personnes à capacité restreinte. Stationnement payant. Menu saisonnier.
COMMENTAIRE: Restaurant d'application où travaillent les étudiants finissants de l'ITHQ. Belle décoration, ambiance coloniale élégante. La carte est internationale. Présentations recherchées et saveurs sont au rendez-vous. Service gentil, manquant parfois de formation selon la personne. C'est normal puisqu'il s'agit d'une école hôtelière. Très bon choix de vins au verre.

RESTAURANT GRINDER ★★★★
Griffintown
1708, rue Notre-Dame O., MTL
Tél.: 514-439-1130
SPÉCIALITÉS: Tataki de pétoncles, lime, chili thaï, purée d'avocat, ciboulette, menthe, graines de sésame. Flétan tandoori, taboulé de quinoa, tomates cerises, concombre, yogourt au gingembre, betteraves crues, wonton frit.
PRIX Midi: T.H. 20$ à 35$
Soir: C. 39$ à 91$
OUVERTURE: Lun. à ven. midi à 15h. Dim. à mer. 17h30 à 23h. Jeu. à sam. 17h30 à minuit.
COMMENTAIRE: Récession, dites-vous? Allez faire un tour au restaurant Grinder. Nous y sommes allés un mardi et c'était plein. «Le jeudi c'est pire!», nous dit la serveuse. L'endroit est chaleureux, le service attentionné et l'assiette bistro généreuse et bien savoureuse. La formule gagnante quoi! Même propriétaire que le Hachoir, et c'est l'endroit pour manger de la bonne viande. D'ailleurs, à 30 mètres de là, une boucherie du même nom et du même propriétaire a ouvert. Une boutique où l'on fait vieillir à froid de l'excellente viande de bœuf qui figure ensuite sur la carte du restaurant. Du goût, de la convivialité et beaucoup d'ambiance, du plaisir donc, un endroit où l'on aime volontiers retourner.

RESTAURANT LA CHRONIQUE ★★★★★
104, av. Laurier O., MTL
Tél.: 514-271-3095

SPÉCIALITÉS: Tataki de thon, grosse crevette en tempura, concassé d'avocat, champignon armillaire de miel, laque de soya et érable, mayonnaise épicée. Paella à ma façon. Agneau de Kamouraska, aubergines, tomates confites, jus à l'ail rôti. Trilogie de chocolat Valrhona.
PRIX Midi: F. 26$ à 38$
Soir: C. 68$ à 84$
OUVERTURE: Mar. à ven. midi à 14h. 7 jours 18h à 22h. Fermé 24 et 25 déc., 1er et 2 janv., fête du Travail.
NOTE: Menu de saison. Menu soir 5 serv 90$. Menu dégustation avec foie gras 7 serv. 115$, avec vins au verre 195$. Menu thématique dernier mer. du mois 99$. Brunch à Pâques et fête des Mères.
COMMENTAIRE: Ce restaurant propose une cuisine très créative et savoureuse, d'inspiration française, mais avec des escapades orientales, italiennes, etc. Marc De Canck, le chef propriétaire fondateur de l'établissement, s'est associé avec le chef Olivier de Montigny. Deux compères perfectionnistes et passionnés qui nous offrent une assiette exceptionnelle et originale, magnifiquement présentée. Une des grandes tables de Montréal. Une adresse incontournable, où, selon leurs dires «à La Chronique, le bonheur est dans l'assiette!». Et comme c'est vrai.

RESTAURANT PER TE ★★★
371, rue Guizot E., MTL
Tél.: 514-389-3000
SPÉCIALITÉS: Crevettes géantes tempura. Fettuccine au prosciutto fumé, petits pois sauce mascarpone. Médaillon de cerf aux petits fruits et porto. Côte de veau grillée sauce aux porcinis. Tortelli de homard sauce à l'estragon, tomates cerises. Tiramisu à la minute.
PRIX Midi: F. 20$ à 30$
Soir: C. 36$ à 63$ F. 20$ à 30$
OUVERTURE: Mar. à ven. 11h à 15h et 17h30 à 21h. Sam. 17h à 22h. Fermé dim., lun., 24, 25 et 31 déc. et jours fériés.
NOTE: Soirées gastronomiques quatre fois par an, 150$/pers. incluant vin, menu dégustation, service et taxes. Appeler pour les dates.
COMMENTAIRE: Dans un décor à la fois simple, classique et élégant, le maître d'hôtel et copropriétaire Luigi De Rose propose une cuisine internationale avec une dominante italienne. Son associé, le chef Richard Cadet, de parents zaïrois mais né en Belgique, est au Québec depuis 1995 et ne compte pas repartir de sitôt. Tant mieux, car ses assiettes sont

INTERNATIONAL ET MÉTISSÉ - IRANIEN - ITALIEN

GUIDE DEBEUR 2016

savoureuses et généreuses. Voici donc une belle équipe qui nous montre de la convivialité et du plaisir à travailler. Luigi est aux petits soins avec chaque table également et répond rapidement aux désirs des clients. Il aime son métier, qu'il maîtrise parfaitement, son contact est des plus chaleureux.

ROBIN DES BOIS ★★
Le resto bienfaiteur
4653, bd Saint-Laurent, MTL
Tél.: 514-288-1010
SPÉCIALITÉS: Soupe dahl (lentilles rouges, crème sure, coriandre, huile de lime). Ceviche de tilapia. Salade de pieuvre confite, pieuvre grillée, roquette, poivrons marinés, zucchini, fenouil, aïoli. Salade de canard confit. Tarte à la lime.
PRIX Midi: F. 15$ à 25$
Soir: C. 26$ à 43$ F. 19$ à 30$
OUVERTURE: Lun. à sam. 11h30 à 22h. Fermé dim. Préférable de réserver.
NOTE: Plats végétariens et menu sans gluten. Été, cours de cuisine donné par le chef, pour les 10 à 13 ans. Ven. midi à 14h menu 15$ servi par les enfants du camp. Musiciens mer. soir. Réservations pour événements.
COMMENTAIRE: Robin des Bois est un organisme à but non lucratif dont tous les profits sont versés à des organismes de charité. À part les chefs et les gérants, tout le personnel est bénévole. L'ambiance y est des plus conviviales et agréable. De style bistro, le décor est sans chichi, tout comme le service, à cause de la grande gentillesse des bénévoles. L'assiette est bonne.

VERSES ★★★ (bistro)
Hôtel Nelligan
100, rue Saint-Paul O.,
VIEUX-MTL
Tél.: 514-788-4000
SPÉCIALITÉS: Déclinaison de foie gras, encre de seiche, meringue. Faisan, purée de courge, œuf de caille fumé, truffe, bergamote. Flétan, mousseline de pétoncles, tuile de chou-fleur, espuma et agrumes.
PRIX Midi: F. 21$ à 24$
Soir: C. 46$ à 64$
OUVERTURE: Lun. à ven. midi à 14h. Dim. à mer. 17h30 à 22h. Jeu. à sam. 17h30 à 22h30. Petit déjeuner 7 jours 6h30 à 10h30.
NOTE: Bar 7 jours, 11h à 22h30. Midi T.H. annoncée à la voix ainsi qu'un plat en soirée. Menu dégustation 6 serv. 85$. Carte de vin 80% d'importation privée.
COMMENTAIRE: Dans un décor paisible et agréable, un peu colonial, on propose ici une carte bistro de luxe. Choix des vins bien adapté. Service soigné et professionnel. On y sert également une carte en terrasse sur le toit avec une vue superbe sur le port du Vieux-Montréal et l'église Notre-Dame.

IRANIEN

MAISON DE KEBAB ★★★
820, av. Atwater, MTL
Tél.: 514-933-0933
et 514-933-7726
SPÉCIALITÉS: Soupe ash (iranienne). Aubergines grillées et tomates. Kebab au poulet ou au filet mignon. Kabieeh (2 brochettes, bœuf haché et riz). Assiette du chasseur (4 brochettes de 3 viandes et 2 sortes de riz). Crème glacée, gâteau iranien.
PRIX Midi: F. 10$ à 12$
Soir: C. 17$ à 47$ F. 10$ à 12$
OUVERTURE: 7 jours 11h30 à 23h.
NOTE: Thé gratuit à volonté. Ne sert pas d'alcool. Argent comptant seulement. Forfait midi lun. à ven. seulement. Spécial du jour. Repas pour 2 pers. 39$. WIFI disponible.
COMMENTAIRE: L'établissement propose diverses spécialités authentiquement iraniennes. À essayer pour le dépaysement et l'aventure. Service très aimable et attentif, dans la langue iranienne, si vous le voulez. Décor très ordinaire, familial, mais on vient là surtout pour manger. Ce serait le meilleur restaurant iranien à Montréal, pour l'assiette.

ITALIEN

BÉATRICE ★★★[ER]
1504, rue Sherbrooke O., MTL
Tél.: 514-937-6009
SPÉCIALITÉS: Carpaccio de saumon, salsa de fenouil et citron, tomates confites. Agnelotti, sauce aux champignons. Côte de veau milanaise. Carré d'agneau, radicchio, légumes verts, courge rôtie et jus d'agneau naturel. Canolli sicilien traditionnel, compote de cerises.
PRIX Midi: T.H. 25$
Soir: C. 38$ à 83$ Été T.H. 32$ à 38$
OUVERTURE: Hiver: Mar. à ven. midi à 15h. Lun. à sam. 18h à 23h. Fermé dim. Été: 7 jours midi à 15h et 18h à 23h. Fermé 24, 25 déc. et 1er janv.
NOTE: Cave à vin. Service de valet le soir 15$.
COMMENTAIRE: Décor spacieux et élégant, bon chic bon genre. Très belle assiette. Service stylé.

BIS ★★
1229, rue de la Montagne, MTL
Tél.: 514-866-3234
SPÉCIALITÉS: Calmars frits, sauce d'anchois épicée. Pâtes au ragoût d'agneau. Linguines aux fruits de mer. Carré d'agneau, croûte de pistache. Cannoli à la ricotta. Profiteroles.
PRIX Midi: T.H. 23$ à 28$
Soir: C. 35$ à 84$
OUVERTURE: Lun. à ven. 11h30 à 23h. Sam. et dim. 17h à 23h. Fermé 24 et 25 déc., 1er et 2 janv.
NOTE: Arrivage de poisson frais chaque jour. Spécialités truffe blanche en saison et escalope de veau de lait. Menu moins de 495 calories. Menu végétarien et sans gluten.
COMMENTAIRE: L'assiette est sympathique, italienne, classique, de type familial. Le service est très courtois, voire convivial. Ce restaurant pourrait faire mieux compte tenu des prix pratiqués.

CASA CACCIATORE ★★★
170, rue Jean-Talon E., MTL
Tél.: 514-274-1240
SPÉCIALITÉS: Crevettes à la Mike (à l'ail, très épicées). Capresa (tomates, bocconcini). Agneau sauce au romarin et vin blanc. Gnocchi sauce rosée. Veau Pavarotti. Tagliolini alla Gigi (pâtes en sauce flambées au cognac). Linguini pescatore. Tiramisu. Crêpe au mascarpone.
PRIX Midi: T.H. 18$ à 26$
Soir: C. 30$ à 64$ T.H. 28$ à 44$
OUVERTURE: Lun. à ven. 11h30 à 23h30. Sam. et dim. 16h30 à 23h30. Fermé du 24 au 26 déc., le 1er janv. et à Pâques.
NOTE: Pâtes maison. Ouvert depuis 1981.
COMMENTAIRE: Une bonne cuisine, de type plutôt familial, au goût simple et en portions copieuses. Peu ou pas de présentation dans les assiettes. Une cuisine sans surprise. Pâtes maison.

DA EMMA ★★★
777, rue de la Commune O., MTL
Tél.: 514-392-1568
SPÉCIALITÉS ROMAINES: Thon à la marinière. Fettucine aux champignons (aux cèpes). Escalope de veau sauce au vin. Scaloppine alla zingara. Agneau au four. Straccetti (carpaccio de bœuf sauté) à l'espadon. Boulettes de veau sauce à la viande. Petit cochon de lait. Panna cotta.
PRIX Midi: C. 31$ à 81$
Soir: Idem
OUVERTURE: Lun. à ven. midi à 14h. Lun. à sam. 18h à 22h30. Fermé sam. midi et dim. Fermé en mars.

Restaurants de Montréal

NOTE: Pâtes fraîches. Stationnement gratuit.
COMMENTAIRE: Après être descendu par un escalier de pierre au décor très dépouillé, on ouvre une lourde porte de fer, genre pare-feu. Et là, c'est la magie! Dès que l'on pénètre dans la grande salle à manger, au plafond soutenu par de superbes piliers de pierre, on est tout de suite pris en charge par un personnel courtois qui nous installe, à notre convenance, à l'une des jolies tables nappées de blanc. Un immense bar longe l'un des côtés de la salle. Les chefs propriétaires, Emma-Risa et Lorenzo Aureli, proposent une excellente cuisine familiale italienne, sans chichi ni prétention, mais très savoureuse. Service professionnel et attentif.

DA VINCI ★★★★
1180, rue Bishop, MTL
Tél.: 514-874-2001
SPÉCIALITÉS: Osso buco, lit de risotto avec rapini, parmesan. Côte de veau de lait, purée de pommes de terre et légumes. Linguini pescatore (aux fruits de mer).Carpaccio di manzo (bœuf). Tiramisu fait maison.
PRIX Midi: T.H. 24$ à 48$
Soir: C. 42$ à 82$
OUVERTURE: Lun. à ven. 11h30 à 23h. Sam. 17h à 23h. Fermé dim., 25 déc., 1er janv., 24 juin et 1er juil.
NOTE: Poisson frais méditerranéen. Vaste sélection de vins de toute l'Italie. Lounge au rez-de-chaussée ouvert lun. à sam. 17h à 1h du mat.
COMMENTAIRE: Le chef Ferrante propose une fine cuisine, mais pas snob pour un sou. La carte présente une alléchante variété de mets savoureux. Dans cette maison du 19e siècle, le décor est élégant, mais sans ostentation. Il y a plusieurs salles, dont une de genre bistro. Les produits sont frais et bien apprêtés. Service aimable, très accueillant et attentionné.

DOCA RESTAURANT ★★★★
1059, rue Wellington, MTL
Tél.: 514-866-3622
SPÉCIALITÉS: Tagliatelles fraîches, ragoût de gigot d'agneau rôti. Chiatarra avec homard, shiitake, fèves de Lima, roquette, tomates et bisque de homard. Risotto aux champignons de saison, copeaux de parmesan, roquette et huile de truffe. Millefeuille aux fraises du Québec, crème ricotta fraîche à la fraise et cardamone.
PRIX Midi: T.H. 22$ à 25$
Soir: C. 39$ à 70$
OUVERTURE: Mar. à ven. 11h30 à 15h. Lun. à mer. 17h30 à 22h30.

Jeu. à sam. 17h30 à 23h. Fermé dim.
NOTE: Menus dégustation: 5 serv. 65$, accord mets et vins 40$ et 7 serv. 75$, accord mets et vins 50$.
COMMENTAIRE: Nous l'avons découvert par hasard, en faisant un demi-tour au bas de la rue Peel. Heureux hasard, celui qui fait bien les choses. Le restaurant est à l'angle des rues Peel et Wellington, décor moderne genre entrepôt revampé. En entrant, on se trouve face à la cuisine à aire ouverte, où s'affairent activement les cuisiniers, puis on longe un long comptoir de bar élégant entouré de chaises hautes accueillant les personnes seules ou ceux qui aiment manger au bar.
Le chef François Laurin, un ancien du Sofia, y sert une cuisine actuelle bien maîtrisée. Une carte bien diversifiée. Des plats plutôt italiens. L'assiette est excellente, l'assaisonnement est juste, un petit tour de moulin à poivre et nous voilà embarqué pour un beau voyage des sens. C'était délicieux, avec du goût, des saveurs, de la couleur et du plaisir. Un beau moment à passer!
Un détail d'importance, le bar est muni d'une machine à traiter l'eau. Elle produit sans limite de l'eau pure froide, de l'eau température douce et de l'eau pétillante. Nous en avons bu trois bouteilles bien fraîches.

FERRARI ★★★ (bistro)
1407, rue Bishop, MTL
Tél.: 514-843-3086
SPÉCIALITÉS: Mousse de foie de volaille au parfum de truffe blanche. Fettucine Gigi. Tagliani Buccia, beurre, huile d'olive et zeste de citron. Lapin au vin blanc. Escalope de veau, champignons et truffe. Tiramisu.
PRIX Midi: T.H. 17$
Soir: C. 23$ à 47$ T.H. 29$ à 37$
OUVERTURE: Lun. à ven. 11h30 à 22h. Sam. 17h30 à 22h. Fermé dim. et jours fériés.
NOTE: 6 variétés de pâtes fraîches maison, 16 choix de sauces. Vente de café importé d'Italie et d'huile d'olive maison parfumée au basilic.
COMMENTAIRE: On propose une cuisine italienne traditionnelle familiale. Les portions sont justes et savoureuses. Les pâtes fraîches sont particulièrement bonnes, voire incontournables. Petite carte des vins avec une majorité de vins italiens. Service rapide, précis et attentif.

GRAZIELLA ★★★★
Complexe 116
116, rue McGill, MTL
Tél.: 514-876-0116

SPÉCIALITÉS: Calmar farci de poisson blanc, anchois et Pecorino toscano, tomates confites maison. Gnocchi au fromage Pecorino, tomates des Collines. Osso buco à la milanaise. Risotto (selon l'humeur du chef). Crostata de mascarpone et ricotta, confit d'orange. Tarte à l'orge, ricotta et vanille.
PRIX Midi: F. 27$
Soir: C. 50$ à 76$
OUVERTURE: Lun. à ven. midi à 14h30. Lun. à sam. 18h à 22h. Fermé sam. midi. Fermé dim., jours fériés, dern. sem. de juil. et 1re sem. d'août.
NOTE: Carte des vins recherchées (200 à 250 bouteilles). Tout est fait maison.
COMMENTAIRE: Graziella Battista lui a donné son prénom, tout simplement. Le décor est moderne, chaleureux, élégant et bien conçu. La cuisine trône au centre de la salle à manger. L'assiette propose une cuisine du nord de l'Italie, interprétée par Graziella de jolie façon, toute en saveurs et en sensibilité. Les pâtes sont faites maison. Le service est aimable!

IL BOCCALINI ★★★
1408, rue de l'Église,
VILLE SAINT-LAURENT
Tél.: 514-747-7809 et 747-1002
SPÉCIALITÉS: Pieuvre grillée. Linguini alla Gigi (jambon, champignons, fromage crème, échalote). Pizza romana, saucisse italienne, champignons, poivrons. Calmars et zucchini frits. Linguini aux fruits de mer, palourdes, calmars, crevettes. Tiramisu. Soufflé au chocolat. Limoncello.
PRIX Midi: F. 16$ à 24$
Soir: C. 36$ à 59$ T.H. 32$ à 38$
OUVERTURE: Mar. à ven. 11h à 15h et 17h à 22h. Sam. 16h à 23h. Fermé dim., lun. et jours fériés.
NOTE: Situé entre Décarie et Sainte-Croix. Stationnement gratuit à partir de 17h à la bibliothèque nationale. Plats à emporter.
COMMENTAIRE: Si la devanture ne paie pas de mine, à l'intérieur, c'est l'ambiance de l'Italie et c'est excellent. Le chef cuisine très bien les viandes de veau. Service impeccable, chaleureux et rapide.

IL CORTILE ★★★
Passage du musée
1442, rue Sherbrooke O., MTL
Tél.: 514-843-8230
SPÉCIALITÉS: Gnocchi sauce au gorgonzola et épinards. Salade de fruits de mer. Risotto porcini (cèpes et champignons sauvages). Escalope de veau, citron et vin blanc. Papardelles aux champignons sauvages. Éminché de veau

ITALIEN

GUIDE DEBEUR 2016

Restaurants de Montréal

ITALIEN

aux champignons sauvages. Tiramisu.
PRIX Midi: F. 23$ à 40$
Soir: C. 34$ à 51$ F. 27$ à 44$
OUVERTURE: 7 jours 11h30 à 14h30 et 17h à 22h. Fermé 25 déc.
COMMENTAIRE: Le décor est confortable et très agréable, surtout l'été, lorsque la salle à manger s'étend sur la cour intérieure, agrémentée de fleurs et de plantes vertes. Ambiance garantie, rehaussée par le service à l'italienne plutôt chaleureux, attentif et rapide. Une cuisine italienne classique, généreuse et savoureuse. La carte des vins propose un choix exclusif de vins italiens. Soirée réussie, si vous êtes placé au centre de l'espace-terrasse. On se croirait en Italie.

LA DIVA ★★★
1273, bd René-Lévesque E., MTL
Tél.: 514-523-3470
SPÉCIALITÉS: Fusilli a la Norcina (sauce rosée, champignons et saucisse hachée). Boulettes de viande maison. Moules au vin blanc. Saumon au poivre rose. Rognons de veau. Foie de veau à la vénitienne. Tortellini. Penne Romanov. Escalope Diva. Tiramisu.
PRIX Midi: F. 16$ à 23$
Soir: C. 27$ à 55$ F. 26$ à 30$
OUVERTURE: Lun. à ven. 11h30 à 14h30. Mar. à sam. 17h à 22h. Ouvert dim. sur réserv. Fermé du 24 déc. au 2 janv., deux sem. de la construction et midi jours fériés.
NOTE: Spécialisé dans les pâtes et les abats.
COMMENTAIRE: Une bonne cuisine italienne à des prix raisonnables. Les pâtes y sont bonnes et les sauces excellentes. Nous recommandons les légumes et les viandes marinées en entrée.

Rien d'original dans le décor sauf que l'on s'y sent bien. Service rapide et courtois.

LA MOLISANA ★★★
1014, rue Fleury E., MTL
Tél.: 514-382-7100
SPÉCIALITÉS: Gnocchi maison. Penne Molisana au saumon fumé. Pizza au prosciutto, bocconcini. Risotto pescatore (aux fruits de mer). Osso buco à la casalinga (jarret de veau, champignons, sauce demi-glace). Dolce de leche. Panna cotta maison.
PRIX Midi: T.H. 14$ à 22$
Soir: C. 23$ à 52$ T.H. 19$ à 36$
OUVERTURE: 7 jours 11h à minuit. Fermé 24 déc.
NOTE: Menu-terrasse 10 choix 10$ dim. à jeu. Pizzas au four à bois. Musiciens ven. et sam. soir.
COMMENTAIRE: La cuisine est généreuse quoiqu'un peu timide dans les saveurs, mais on s'y sent à l'aise et tout est fait pour nous satisfaire.

LE PETIT ITALIEN ★★[ER]
1265, rue Bernard O., OUTREMONT
Tél.: 514-278-0888
SPÉCIALITÉS: Linguines maison aux fruits de mer. Penne au confit de canard. Linguines Buongustaio (prosciutto, raisin, poulet, basilic, ail et vin blanc). Osso buco de veau, ragoût tomaté de légumes, pâtes fregula. Tiramisu. Cannolo, ricotta, zeste d'orange. Crème brûlée au Galliano.
PRIX Midi: F. 18$ à 19$
Soir: C. 18$ à 54$ F. 25$ à 30$
OUVERTURE: Lun. à mer. 11h30 à 22h. Jeu. et ven. 11h30 à 23h. Sam. 17h à 23h. Dim 17h à 22h.
NOTE: Belle carte de vins avec 120 étiquettes de vins italiens.
COMMENTAIRE: L'endroit est bruyant, mais très sympathique.

Dans un décor style bistro européen (redessiné par Zebulon Perron, de Materia design), on sert une cuisine italienne de type familial, bonne dans l'ensemble. Les prix sont raisonnables et le rapport qualité-prix est bon. Service chaleureux et très aimable.

LE RICHMOND ★★★★
Griffintown
377, rue Richmond, MTL
Tél.: 514-508-8749
SPÉCIALITÉS: Carpaccio de veau, poivre noir et graines de fenouil, sauce tonnato, pêches truffées, pousses d'arugula, copeaux de Pecorino. Filet mignon Rossini, bœuf «Angus Pride», foie gras, truffe fraîche, purée de Yukon Gold, légumes de saison. Semifreddo chocolat et pistache, gel au chocolat blanc, pistaches cristallisées, croquant aux pistaches.
PRIX Midi: T.H. 28$ à 57$
Soir: C. 41$ à 89$
OUVERTURE: Mar. à ven. 11h30 à 15h. Lun. à sam. 17h30 à minuit. Fermé dim.
NOTE: Service de valet 10$ mer. à sam. soir, gratuit le jour et dim. à mar. soir. Plateau de dégustation de desserts/4 pers. 42$. Importation privée et carte des vins à découvrir. Marché italien au 333, rue Richmond.
COMMENTAIRE: Ce restaurant a ouvert dans le quartier Griffintown. Les deux propriétaires sont des anciens du restaurant Misto. L'un étant chef, l'autre designer, ils ont créé un décor très spécial dans un genre de vieil entrepôt industriel qu'ils ont revampé. Bar central illuminant l'ensemble, utilisation de fer, bois rustique, velours, fauteuils ou chaises de métal, portes de garage. Décor hétéroclite sympathique avec une ambiance animée mettant en valeur

GUIDE DEBEUR 2016

la cuisine italienne du nord. Les assiettes sont belles, les mets inventifs, jeunes. Tout est bon! Service attentionné.

MERCURI ★★★★
645, rue Wellington, MTL
Tél.: 514-394-3444
SPÉCIALITÉS: Tartare de bœuf Marguerite. Parpadelle porcini au lapin. Ravioli cendré. Faux-filet sur l'os. Longe de porc rôtie. Bucatini, chili, pesto et noix de pin. Risotto du chef.
PRIX Midi: F. 15$ à 23$
Soir: C. 42$ à 69$
OUVERTURE: Mar. à ven. 11h30 à 14h30 et 17h30 à 23h. Sam. 18h à 23h. Salle gastronomique: mar. à sam. 18h à 23h.
NOTE: Menu dégustation 4 serv. 65$, 5 serv. 75$.
COMMENTAIRE: Joe Mercuri, ancien chef du défunt Bronte, a ouvert son propre restaurant sur la rue Wellington, à l'angle de la rue des Sœurs-Grises (près de McGill). Si le stationnement est un peu difficile, la table par contre vaut largement le détour. Une assiette généreuse, conviviale et savoureuse, où l'italien s'ouvre sur la Méditerranée sans chichi et le résultat est là: du plaisir. Il y a deux salles à manger: le bistro et la gastronomique. Cette dernière n'ouvre que le soir et propose une carte plus élaborée. Un immense foyer à bois réchauffe la salle et constitue à lui seul le show de la soirée. On y cuisine des grillades style parilladas. Il était temps que le chef Mercuri puisse s'exprimer totalement dans toute sa mesure.

RISTORANTE DIVINO ★★
3500, Côte-Vertu, # 105, MTL
Tél.: 514-333-0088
SPÉCIALITÉS: Aubergine gratinée. Linguine aux fruits de mer. Risotto de la semaine. Osso buco à la milanaise. Veau au vin de Marsala ou piccata (citron). Côtelettes d'agneau grillées, légumes, purée ou pâtes. Tarte Tatin maison. Tiramisu maison.
PRIX Midi: F. 15$ à 30$
Soir: C. 17$ à 62$ F. 16$ à 35$
OUVERTURE: Lun. à jeu. 11h à 22h. Ven. 11h à 23h. Sam. 16h à 23h. Dim. 16h à 22h. Fermé 1er janv.
NOTE: Poissons frais du jour. Moules à volonté lun. à mer. 13,95$. Ven. 15h à dim. 22h, vin au prix de la SAQ pour les VIP Divino. Situé sur la rue Beaulac, près du cinéma.
COMMENTAIRE: Le propriétaire tenait une boulangerie à Antibes, entre Cannes et Nice, dans le sud de la France. Ras-le-bol de la France, il arrive au Québec avec femme et enfants et rachète cet établissement pour y perpétuer une cuisine italienne familiale très savoureuse. Le chef n'a pas peur de mettre des aromates, de l'ail, des épices et tout ce qui apporte cette couleur méditerranéenne si agréable. Les portions sont très généreuses. Le décor, de type méditerranéen, est immense, et le son résonne un peu lorsqu'il y a du monde. L'ambiance est agréable, et, dès l'entrée, la bonne odeur des cuisines vous prend dans les narines et vous met en appétit. Service courtois, rapide et compétent.

SOFIA TRATTORIA VINERA ★★★[ER]
Restaurant - Bar
2042, rue Peel, MTL
Tél.: 514-843-5100
SPÉCIALITÉS: Assiette de charcuteries et fromages italiens. Ceviche de poisson frais du marché. Côte de bœuf tomahawk grillée et au four, légumes frais du marché. Sunday à l'ananas rôti, noix de coco, lime.
PRIX Midi: T.H. 26$ à 32$
Soir: C. 38$ à 64$
OUVERTURE: Lun. à ven. midi à 15h. 7 jours 17h30 à 23h. Fermé du 24 déc. au 6 janv., sauf 31 déc.
COMMENTAIRE: On dirait que ce restaurant se cherche encore. A changé plusieurs fois de nom et de vocation. Réouvert depuis le printemps 2015 sous le nom de Sofia. Belles assiettes. Service aimable. À suivre…

♥ TOMATE BASILIC ★★★★
12585, rue Sherbrooke Est, MTL
Tél.: 514-645-2009
SPÉCIALITÉS: Foie de veau aux herbes et vinaigre de vin rouge, pâtes aux herbes et tomates. Calmar frit avec mayonnaise aux tomates séchées. Jarret d'agneau braisé à la milanaise, linguini au beurre et herbes, gremolata fraîche. Tarte aux framboises et chocolat blanc, fromage mascarpone. Tiramisu.
PRIX Midi: F. 11$ à 24$
Soir: C. 18$ à 38$ F. 20$ à 29$
OUVERTURE: Dim. à mer. 11h à 22h. Jeu. à sam. 11h à 23h.
NOTE: Menu 21h/21$, 3 choix d'entrées, 5 choix de plats principaux, si vous arrivez après 21h. Carte des vins 90% d'importation privée, 200 étiquettes. Comptoir de mets et sauces maison à emporter. Menu enfant, coin cinéma.
COMMENTAIRE: En route pour se rendre à ce restaurant, dans l'est de Montréal, bien après LH Lafontaine, on se demandait si cela valait le coup d'aller si loin. Eh bien ouï, c'est réellement un excellent restaurant italien. Joliment décoré, divisé avec goût, intime, sympathique et agréable. Harmonie de gris soutenu avec des points rouges. Nous avons fait là un excellent repas cuisiné géné-

ITALIEN

GUIDE DEBEUR 2016

Restaurants de Montréal

reusement avec des produits savoureux et honnêtes. Ici pas de chef vedette ni des rock stars de la cuisine. Très bon service. Nous avons apprécié le vin au verre servi de la bouteille à la table. Un resto italien qui vaut le détour!

JAPONAIS

AZUMA ★★★
5263, bd Saint-Laurent, MTL
Tél.: 514-271-5263
SPÉCIALITÉS: Salade de thon épicé. Crabe à carapace molle. Morue noire marinée cuite au four. Chawanmushi (flan aux œufs, fruits de mer et poulet). Gyoza (dumplings style japonais). Glace au thé vert. Sésame noir, mousse au chocolat.
PRIX Midi: F. 13$ à 16$
Soir: C. 19$ à 50$
OUVERTURE: Mar. à ven. midi à 14h30. Mar. à jeu. 17h30 à 21h30. Ven. et sam. 17h30 à 22h. Fermé dim. et lun., 25 déc., 1er janv., 24 juin et 1er juil.
NOTE: Poisson du jour. Plateau repas servi avec crevettes et légumes tempura, 4 morceaux de makimono (sushis), légumes assortis, salade et soupe. Fondue japonaise pour deux 54$.
COMMENTAIRE: Un des restaurants qui sert du vrai sushi. Le chef propriétaire japonais fait une cuisine authentique et de qualité. Rapport qualité-prix intéressant. Les prix sont raisonnables.

ISAKAYA ★★★★
3469, av. du Parc, MTL
Tél.: 514-845-8226
SPÉCIALITÉS: Carpaccio de hiramé usuzukuri. Feuilleté d'anguille. Cocktail de thon. Gobo tempura. Sushis. Pétoncles de mer grillés sauce gingem-beurre. Crevettes «roche» frites style popcorn. Filet de morue noire misoyaki grillé.
PRIX Midi: F. 9$ à 13$
Soir: C. 27$ à 45$ F. 19$ à 26$
OUVERTURE: Mar. à jeu. 11h30 à 14h et 18h à 21h30. Ven. 18h à 22h30. Sam. 17h30 à 22h. Dim. 17h30 à 21h. Fermé lun., 25 déc. et 1er janv.
NOTE: Spécial du midi Bento (Bento = boîte à lunch), isakaya bento: sushi, sashimi, tempura, poulet servi avec salade ou soupe miso, 13$.
COMMENTAIRE: Une des meilleures cuisines japonaises de Montréal. Le chef propriétaire est japonais. Entre tradition et modernité, les plats sont merveilleusement pensés. Toujours des produits d'une grande qualité, surtout les poissons. Prix raisonnables.

JUN I ★★★★★
156, av. Laurier O., MTL
Tél.: 514-276-5864
SPÉCIALITÉS: Sashimi de pétoncles, bar, omble chevalier, thon à queue jaune, saumon biologique, 5 sauces. Maguro taru (tartare de thon, champignons et huile de truffe). Trio Kaiso (salade d'algues wakamé, vinaigrette au shiso). Mille crêpes, vanille de Madagascar, sauce caramel amer et banane.
PRIX Midi: T.H. 29$ à 31$
Soir: C. 18$ à 42$
OUVERTURE: Mar. à ven. 11h30 à 14h. Lun. à jeu. 18h à 22h. Ven. et sam. 18h à 23h. Fermé dim., 24, 25 déc. et 1er janv.
NOTE: Carte des vins. Sakés importés.
COMMENTAIRE: JUN I veut dire «pure passion». L'ancien chef de Soto a ouvert ce restaurant en mai 2005. Le décor évoque la forêt québécoise. Côté cuisine, la tradition japonaise s'allie aux nouvelles tendances. Création de plats et de sushis avec une variété de bons produits et un mélange de saveurs.

KYO Bar japonais ★★★ (bistro)
711, Côte de la Place d'Armes, VIEUX-MTL
Tél.: 514-282-2711
SPÉCIALITÉS: Sushis. Okonomiyaki, crêpe japonaise surmontée aux fruits de mer. Hamachi bibimbap, vivaneau à queue jaune. Tori karaage, poulet frit sauce à l'ail. Tempura Moriawase. Morue au miso gindara saikyo yaki.
PRIX Midi: F. 13$ à 19$
Soir: C. 24$ à 44$
OUVERTURE: Lun. à ven. 11h30 à 14h30. Lun. à jeu. 17h à 23h. Ven. et sam. 17h. à 23h. Fermé dim., 25 déc. et jours fériés le midi.
NOTE: Carte de saké (alcool japonais) exceptionnelle. Bar à sushis. D.J. ven. soir.
COMMENTAIRE: Une longue salle spacieuse éclairée de nombreuses fenêtres. Décor nippon moderne dans des murs antiques de briques rouges et de pierre, harmonie de noir et de bois blond ponctuée de rideaux rouges, chaises confortables et tables ordinaires ou tables hautes ou comptoir. Le service est aimable, jeune et charmant. Une carte courte qui semble un peu compliquée au début. De façon tout à fait incontournable, vous serez obligé de demander de nombreuses explications au serveur. Une fois que vous aurez compris la différence entre les sashimis, les sushis, les makis, les plats composés, le comptoir à sushis et les combinaisons, tout ira bien. L'assiette

est agréable, bien présentée et bonne. On y sert, entre autres, un tartare de bœuf coréen, un bon choix de sakés, la boisson alcoolisée traditionnelle japonaise faite à base de riz. Probablement la meilleure sélection à Montréal.

MAÏKO SUSHI ★★★★
387, rue Bernard O., MTL
Tél.: 514-490-1225
SPÉCIALITÉS: Tataki de mangue, choix de poisson (mahi mahi, thon rouge ou kampachi), radis blanc, sauce coriandre. Perles Maïko (6 morceaux de truite en sushi flambé, fois gras, sauce truffe). Délice Maïko, crabe d'Alaska légèrement frit roulé dans une feuille de soja, sauce à l'huile de truffe.Beignet frit de banane, flambé au brandy.
PRIX Midi: T.H. 14$ à 22$
Soir: C. 24$ à 64$ T.H. 31$ à 47$
OUVERTURE: Lun. à ven. 11h30 à 14h30. Lun. à dim. 17h à 23h. Fermé 24, 25 déc. et 1er janv.
NOTE: Bar à sushis. Menu soir 4 serv. Spécialité: Soleil de Maïko (galette de riz croustillant, tartare de thon, tobiko, fromage fondant). Aussi un restaurant à Dollard-Des-Ormeaux. Arrivage de poissons du Japon (rouget, kamikaï...) chaque fin de semaine. Réserv. en ligne.
COMMENTAIRE: Restaurant de quartier. Trois belles salles se succèdent. Le décor est élégant avec des nappes blanches et des chaises en cuir de couleur beige foncé. La chef propriétaire est vietnamienne. Les sushis, sashimis et makis sont frais. Le service est fait avec gentillesse et attention. Agréable terrasse pour les beaux jours.

MIKADO ★★★★★
399, av. Laurier O., MTL
Tél.: 514-279-4809
SPÉCIALITÉS: Hotaté limé ré (pétoncles frais, pâte de prune, shiso-yuzu, mayo wasabi). Rouleau au homard farci à la chair de crabe. Albacore tataki (thon blanc). Limé no sachi shiitake (crevettes et pétoncles sautés au sichimi). Crabe à carapace molle. Sushi Maki. Tarte aux pommes Mikado.
PRIX Midi: T.H. 14$ à 22$
Soir: C. 25$ à 56$
OUVERTURE: Lun. à ven. 11h30 à 14h30. Dim. à mer. 17h30 à 22h. Jeu. à sam. 17h30 à 23h. Fermé 24 et 25 déc.
NOTE: Omakase, menu dégustation 6 à 8 serv. 65$ à 95$ le soir. Bento (boîte à lunch de 6 plats ou tapas).
COMMENTAIRE: La salle est vivante. La carte offre une variété de sushis et de sashimis frais de

qualité préparés par les chefs Kimio et Ryo. D'origine vietnamienne, le chef propriétaire Kimio apprête les sushis depuis fort longtemps. Par rapport aux Japonais, toujours très traditionnels dans ce genre de cuisine, ce chef vietnamien aborde le sushi en toute liberté, avec plus de créativité. Sa création Kamikazé est même copiée par les autres Japonais en ville.

PARK RESTAURANT ★★★
378, av. Victoria, WESTMOUNT
Tél.: 514-750-7534
SPÉCIALITÉS JAPONAISES, CORÉENNES ET SUD-AMÉRICAINES: Soupe miso organique. Jap Chae, nouilles igname, assortiment de légumes sautés. Omakase Poisson Tempura. Nigiri Park Lunch. Côtes levées Kalbi braisées. Teriyaki bœuf Don. Maki du chef. Sashimi ou Nigiri Moriawase.
PRIX Midi: C: 20$ à 48$ sans dessert
Soir: C: 26$ à 73$ sans dessert
OUVERTURE: Lun. à ven. 11h30 à 14h30. Sam. 10h à 14h30. Lun. à mer. 17h30 à 22h. Jeu. à sam. 17h30 à 23h. Fermé dim.
NOTE: Menu dégustation Omakase à partir de 55$ le midi et 85$ le soir. Service traiteur.
COMMENTAIRE: «Park est un restaurant de sushis [...] qui associe la pureté de la cuisine japonaise traditionnelle aux saveurs coréennes et sud-américaines», lit-on sur le site internet de l'établissement. D'origine coréenne, le chef propriétaire Antonio Park a vécu dans plusieurs pays, il a d'ailleurs grandi en Amérique du Sud. Cela explique son interprétation toute personnelle des différentes cuisines qu'il s'est appropriées et a fusionnées. Nous avons dégusté plusieurs plats, dont des sushis très bons et des côtes levées, mais, compte tenu de l'engouement populaire montréalais pour ce restaurant, nous nous attendions à quelque chose d'exceptionnel. Belles présentations des plats, c'est frais et bon, décor minimaliste de la salle à manger, service gentil mais un peu inattentif lorsque le propriétaire est absent. À suivre...

SAKURA ★★★
3450, rue Drummond, MTL
Tél.: 514-288-9122
SPÉCIALITÉS: Omakase (spécial du chef). Kaiso (salade d'algues, vinaigrette au sésame). Sakura (sashimi, saumon, crevettes, pétoncles). Homard tempura. Loveboat (variété de sushis, tempura et yakitori).

PRIX Midi: T.H. 12$ à 23$
Soir: C. 23$ à 58$ T.H. 20$
OUVERTURE: Lun. à ven. 11h30 à 14h30. Lun. à dim. 17h à 22h. Fermé 25 déc. et 1er janv.
NOTE: Happy combo 19$ à 22$. Spécial du jour change quotidiennement. Fondue/2 pers. préparée à votre table 66$.
COMMENTAIRE: La propriétaire est japonaise, les serveuses sont toutes habillées en costumes de style japonais. Cet établissement fait partie des 4 ou 5 restaurants appartenant à des propriétaires japonais traditionnels. Tous les plats sont illustrés, même les desserts et les cocktails sont présentés en photos. Les illustrations sont appétissantes, en plus d'aider les clients à faire leur choix parmi les nombreux plats japonais.

SHO-DAN ★★★★
2020, rue Metcalfe, MTL
Tél.: 514-987-9987
SPÉCIALITÉS: Phoenix (rouleau de feuille soya, goberge, avocat, mangue, oignon frit, thon rouge). Besame Mucho (tartare de thon, tempura, crevette, feuille de soya). Pizza (galette de riz frite, mayonnaise épicée, thon rouge, saumon fumé, tobiko). Mont-blanc (crème glacée vanille, chocolat tempura, coulis de fruits).
PRIX Midi: F. 15$ à 25$
Soir: C. 32$ à 72$
OUVERTURE: Lun. à ven. 11h30 à 14h30. Lun. 17h à 22h. Mar. à mer. 17h à 22h30. Jeu. à sam. 17h à 23h. Fermé dim., 24, 25 déc., 1er janv. et le midi jours fériés.
NOTE: Réserv. préférable. Spécial midi: sushis/2 pers. 46$. Stationnement payant. Accès aux personnes à mobilité réduite.
COMMENTAIRE: Un couple, qui aimait les sushis avec passion, a ouvert un restaurant japonais avec les chefs sushis du Mikado. Comme le restaurant est situé au cœur du centre-ville, le midi, il faut réserver. Les chefs sont motivés à créer selon le goût du client.

TATAMI ★★★
140, rue Notre-Dame O., MTL
Tél.: 514-845-5864
SPÉCIALITÉS: Taboo: queue de homard, crabe épicé, thon, saumon, avocat, concombre, tobico, feuille de soya. Club sandwich de fruits de mer. Dragon ball: crevette tempura, thon épicé, batonnet de crabe, coriandre, feuille de miso. Tara: crevette tempura, crabe épicé, saumon, avocat, feuille de miso.
PRIX Midi: C. 11$ à 17$

Soir: C. 12$ à 42$ F. 14$ à 30$
OUVERTURE: Lun à ven. 11h30 à 14h30. Lun. à jeu. 17h à 21h30. Ven. et sam. 17h à 22h. Dim. 16h à 21h. Fermé midi sam. et dim. Été: dim. 15h à 21h30.
NOTE: Table aquarium. Carte des vins, 5 variétés de sakés froids. Demi-terrasse (portes s'ouvrant sur l'extérieur). Récement rénové.
COMMENTAIRE: La propriétaire est vietnamienne. Les sushis et les sashimis sont d'une fraîcheur irréprochable. On peut même les déguster à une table recouvrant un aquarium d'eau salée.

TRI EXPRESS ★★★
1650, av. Laurier E., MTL
Tél.: 514-528-5641
SPÉCIALITÉS: Salade ceviche de fruits de mer. Pétoncles et pamplemousse. Sushis. Salade de filet mignon. Omakase: maki tempura (le croquant), concassé de homard dans une feuille de concombre (le divin). Filet mignon à la manière de Tri. Le St-Joseph: maki (tartare de thon et saumon, homard). Sashimi à la manière de Tri (thon, saumon, vivaneau).
PRIX Midi: F. 16$ à 19$
Soir: F. 20$ à 40$
OUVERTURE: Mar. et mer. 11h à 21h. Jeu. et ven. 11h à 22h. Sam. et dim. 16h à 22h. Fermé lun. et du 1er au 7 janv.
NOTE: Menu dégustation 4 serv. 42$. Menu/2 pers. 40$ à 60$.
COMMENTAIRE: Maître sushi, le chef Tri Du a ouvert son propre petit restaurant depuis février 2006, après avoir travaillé chez Kaizen et au Petit Treehouse. Une très petite salle dont ce maître sushi est évidemment l'âme du lieu avec ses créations et ses ingrédients d'une très grande fraîcheur. Ce sont parmi les meilleurs sushis en ville.

ZEN YA ★★★★
486, rue Sainte-Catherine O., MTL
Tél.: 514-904-1363
SPÉCIALITÉS: Huîtres fraîches crues. Rouleau de homard, cresson, avocat. Calmar frit. Bar chilien, nouilles et légumes sautés. Homard motoyaki. Spécial Omakase: assiette de sushis et de sashimis, robata (grillades). Bento box. Crème glacée tempura. Gâteau opéra au thé vert.
PRIX Midi: T.H. 16$ à 29$
Soir: C. 23$ à 70$
OUVERTURE: Lun. à ven. 11h30 à 14h30. Lun. à dim. 17h30 à 22h30. Fermé jours fériés, 25 déc. et 1er janv.
NOTE: Tables de tatamis, 12 pers. Salle karaoké. Menu saké.

JAPONAIS

GUIDE DEBEUR 2016

Restaurants de Montréal

COMMENTAIRE: Ce restaurant signe son concept par «Une nouvelle expérience japonaise». Il est situé à l'étage d'un bâtiment anonyme de la rue Sainte-Catherine O. Immense et longue salle peinte en noir pour dissimuler la brique et le plancher. Des lignes modernes de verre et de métal forment un élégant décor contemporain. Le menu est long et varié.

LIBANAIS

AVIS

Les restaurants libanais n'offrent pas tous des spectacles de danseuses du ventre, avec orchestre, chanteurs ou autres. Mais quand cela est prévu, ces spectacles commencent en général vers 22h. La clientèle libanaise arrive alors vers 21h et quitte au petit matin. Renseignez-vous avant d'y aller. Il est préférable de réserver.

DAOU ★★★
519, rue Faillon E., MTL
Tél.: 514-276-8310
SPÉCIALITÉS: Fatouche. Feuilles de vigne (yabrak). Hommos. Taboulé. Kebbe nayé. Poitrine de poulet marinée. Rouget frit. Saumon grillé. Shish-kebab. Agneau grillé. Rakakat (feuilleté au fromage). Baklava. Crêpe farcie au fromage et sirop d'érable.
PRIX Midi: C. 26$ à 53$
Soir: Idem
OUVERTURE: Mar. à sam. 11h30 à 22h. Dim. 11h30 à 21h. Fermé lun. Fermé 25 déc., 1er et 2 janv.
NOTE: Plat du jour le midi. Arak (boisson alcoolisée libanaise). Vins libanais. En affaire depuis 40 ans.
COMMENTAIRE: Décor très ordinaire, genre salle de banquet d'hôtel. Service en chemise blanche, gilet et pantalons noirs, rapide, attentif, aimable, de style bistro. Aucune présentation dans l'assiette, mais le goût est là et la générosité des portions aussi. Entreprise familiale.

LA SIRÈNE DE LA MER ★★★★
114, rue Dresden,
VILLE MONT-ROYAL
Tél.: 514-345-0345
SPÉCIALITÉS: Pieuvre grillée. Friture de La Sirène (fines lamelles frites de courgettes et aubergines). Calmars frits. Machawi grillé (brochettes poulet, filet mignon ou viande hachée). Pieuvre ou bar du Chili grillés. Thon épicé en croûte au sésame. Katayef (crêpe

farcie au fromage et sirop). Halawet el-jiben (pâte semoule farcie au fromage, sirop de rose).
PRIX Midi: F. 15$ à 22$
Soir: C. 29$ à 55$
OUVERTURE: Dim. et lun. midi à 21h30. Mar. à ven. midi à 22h. Sam. midi à 22h30. Fermé 25 déc.
NOTE: T.H. lun. à ven. Concept de plats à partager. Carte des vins, 100 étiquettes. Cellier dans la salle à manger. Mer. soir huîtres à moitié prix 16$/dz. Salle privée, équipement électronique (wi-fi et écran 93 po) pour 65 pers. Rénové en 2015. Toilettes pour personne à mobilité réduite. Stationnement gratuit.
COMMENTAIRE: Belle salle à manger au décor classique et très sobre. Le service aimable et bien fait. Les plats sont servis chauds. On peut choisir son poisson à la poissonnerie (poissons importés de la Méditerranée) qui fait partie de l'établissement. Les poissons sont toujours frais et le chef les prépare selon votre goût.

RESTAURANT SOLEMER ★★★
1805, rue Sauvé O., MTL
Tél.: 514-332-2255
SPÉCIALITÉS: Salade fatouche. Hommos. Pieuvre grillée. Poisson frit ou grillé. Taboulé. Crevettes grillées Solemer. Filet de saumon de l'Atlantique grillé. Brochette de poulet mariné. Chiche-kebab. Chiche-taouk. Crêpes à la crème katayef.
PRIX Midi: T.H. 20$
Soir: C. 27$ à 58$ T.H. 25$
OUVERTURE: Dim. et lun. 11h30 à 21h30. Mar. à ven. midi à 22h. Sam. midi à 23h. Fermé 24 déc. et 1er janv.
NOTE: T.H. midi et soir lun. à ven. Réserv. après 18h. Carte de vins, 90 étiquettes. Poissons frais et fruits de mer vendus au poids.
COMMENTAIRE: La salle est grande, spacieuse et bien décorée. D'un côté se trouve une poissonnerie qui communique avec le restaurant où l'on peut choisir son poisson ou ses crustacés que le chef prépare à notre goût. Le décor n'a pas beaucoup changé depuis la fermeture du restaurant La Sirène de la mer. Rouvert sous le nom de Solemer, cette table libanaise propose une carte plutôt méditerranéenne avec des mets savoureux servis en portions généreuses. Une solide cuisine de type familial. Mais ce qui a vraiment changé c'est le service. Même si on n'a pas complètement fait le ménage, l'accueil est plutôt chaleureux et les serveurs attentionnés et aimables.

MAROCAIN

LA MENARA ★★★
256, rue Saint-Paul E.,
VIEUX-MTL
Tél.: 514-861-1989
SPÉCIALITÉS: Jarret d'agneau aux pruneaux. Pastilla au poulet et amandes. Couscous royal, poulet, merguez et agneau. Tajine de poulet aux olives, citrons confits. Méchoui au gigot d'agneau. Loup de mer poêlé, tombée de tomates, citrons confits. Gâteau amandes et miel. Thé à la menthe.
PRIX Midi: (fermé)
Soir: C. 27$ à 49$ T.H. 42$
OUVERTURE: 7 jours 17h à 22h. Ouvert sur réserv. le midi et pour groupes 15 pers. et plus.
NOTE: T.H. 42$ sam. soir avec spectacle. Danseuse de baladi jeu. à sam. à partir de 20h30.
COMMENTAIRE: Décor typiquement marocain. Dans une partie de la salle, on est un peu comme dans une tente touareg. On mange assis sur des coussins à des tables basses en cuivre ouvragé. Dépaysement assuré. Et c'est bon.

MÉDITERRANÉEN

ANDIAMO ★★★★ (bistro)
La Méditerranée par Europea
1083, Côte du Beaver Hall, MTL
Tél.: 514-861-2634
SPÉCIALITÉS: Authentique soupe de poissons de roche de la Méditerranée, croûtons dorés, pot de rouille. Moules marinières au chorizo et vin blanc. Calmars en croûte de parmesan et pavot, limette et sauce tartare. Pétoncles saisis au citron confit, risotto au safran et parmesan, salade organique d'herbes fraîches. Mousse au chocolat noir, crème pistache. Tarte au citron, crème meringue à l'italienne.
PRIX Midi: F. 20$ à 29$
Soir: C. 30$ à 49$ F. 20$ à 29$
OUVERTURE: Lun. à ven. 11h30 à 14h. Ven et sam. 17h30 à 22h. Fermé dim. et 25 déc.
NOTE: Décor méditerranéen. Musique d'ambiance.
COMMENTAIRE: Excellent restaurant méditerranéen aux allures bistro. La cuisine est originale, inventive autant dans les saveurs que dans les présentations. C'est frais et délicieux! Une cuisine parfumée et ensoleillée de la Méditerranée. Service compétent, attentif et agréable.

BYLA.BYLA. ★★★
Resto-bar café
1395, av. Dollard, LASALLE
Tél.: 514-368-1888

SPÉCIALITÉS MÉDITERRANÉEN-NES ET CONTINENTALES: Salade de poulet Toscane. Œuf poché avec saumon fumé, œufs de poisson, sauce hollandaise. Bifteck d'entrecôte 14 oz, coupe sterling, légumes et pommes de terre. Côte de veau de lait, sauce balsamique aux figues, pommes de terre et légumes. Verrines gourmandes.
PRIX Midi: C. 20$ à 28$
Soir: Idem
OUVERTURE: Mar. à dim. 10h à 14h. Mer. à sam. 17h à 22h. Fermé lun. et 1er janv.
NOTE: Stationnement très accessible.
COMMENTAIRE: Byla Byla est un dérivé du mot espagnol bailar (danser). Sauf qu'ici on ne danse pas, on cuisine. Et plutôt bien. Des spécialités continentales (steaks et fruits de mer), mais revues et parfumées aux senteurs de la Méditerranée, avec quelques touches d'épices nord-africaines. C'est réellement très bon, voire excellent! Tout ici se fait à la minute avec des produits frais, ce qui explique le délai du service quelquefois lent. Les présentations sont assez belles et agréables à l'œil. Décor café bistro confortable et gentiment aménagé.

O.NOIR ★★[ER]
124, rue Prince-Arthur E., MTL
Tél.: 514-937-9727
SPÉCIALITÉS: Crevettes marinées aux herbes. Short ribs BBQ, chips de patates douces maison, rémoulade de céleri-rave. Osso buco braisé au vin rouge et tomates. Profiteroles aux poires, sauce chocolat. Gâteau moelleux aux bleuets, coulis de fraises.
PRIX Midi: (fermé)
Soir: F. 34$ T.H. 41$
OUVERTURE: 7 jours, 11h à 13h sur réserv. 15 pers. min. Soir deux services, 17h15 à 18h15 et 20h30 à 21h30. Fermé 24, 25 déc. et 1er janv. Terasse: jeu. à dim., de midi à 1h du matin. Réserv. recommandée.
NOTE: Jeu. à dim. soir musique live. Carte des vins, plus de 50% d'importation privée. 10 lignes de bières de microbrasseries.
COMMENTAIRE: Un restaurant où l'on mange dans le noir total, une expérience unique. Non seulement on comprend mieux le monde des non-voyants, mais on apprécie mieux ce que l'on mange. Sans la vue, nos autres sens s'intensifient pour savourer l'arôme et le goût de la nourriture. On met l'accent sur la qualité des mets, sur les saveurs. Une cuisine simple, consistante et savoureuse. Mais on ne saura jamais si c'est bien présenté.

OSCO! ★★★
Hôtel InterContinental Montréal
360, rue Saint-Antoine O., MTL
Tél.: 514-847-8729
SPÉCIALITÉS: Magret de canard au verjus, abricot rôti à la lavande, panisse provençale à la fleur de thym. Poitrine de cochonet à l'érable, pleurotes, châtaignes, sucrine au jus et échalotes confites. Joue de veau braisée, spätzle maison, sauce au foie gras. Pavlova, ganache à la fleur d'oranger, baies fraîches.
PRIX Midi: F. 21$ à 23$
Soir: C. 38$ à 49$ T.H. 39$
OUVERTURE: 7 jours 11h à 22h. Petit déjeuner à partir de 6h30.
NOTE: Concept de plats à partager. Cellier, 800 bouteilles d'importation privée. Tapas au bar le Sarah B à l'heure du lunch ou pour continuer la soirée (11h30 à 1h du mat.). Menu à l'ardoise change quotidiennement. Brunch fête des Mères, Noël, jour de l'An, Pâques.
COMMENTAIRE: Les éléments du décor sont modernes, l'ambiance est de style brasserie de luxe. À l'entrée, une cage de verre abrite un cellier avec un grand choix de vins. Pour les vins au verre, un chariot chargé de bouteilles dans des seaux à glace, incluant des blancs et des rosés, est roulé jusqu'à votre table. La cuisine est méditerranéenne d'influence française. Le service est d'une gentillesse extrême.

RESTAURANT L'AUTRE VERSION ★★★★[ER]
295, rue Saint-Paul E.,
VIEUX-MTL
Tél.: 514-871-9135
SPÉCIALITÉS: Linguini maison fumée «carbonara». Gnocchi maison. Notre version de la niçoise au thon Albacore. Carpaccio de dorade. Artichauts barigoule. Terrine de foie gras. Pâtes au homard des Îles de la Madeleine. Shortcake aux pêches fraîches. L'Autre Version du vacherin.
PRIX Midi: T.H. 21,50$
Soir: C. 47$ à 90$
OUVERTURE: Lun. à ven. 11h30 à 14h. Mar. à sam. 17h30 à 22h. Fermé dim. et lun. soir, 25 déc. et 2 premières sem. de janv. Été, 7 soirs 17h à 22h.
NOTE: Menu découverte, soir, 7 serv. 79$, accord mets et vins 133$.
COMMENTAIRE: Beau décor moderne et confortable. De belles présentations dans les assiettes. Une cuisine de parfums qui déborde le cadre méditerranéen avec des goûts d'un peu partout dans le monde.

BISTRO CACTUS
★★[ER] (bistro)
4461, rue Saint-Denis, MTL
Tél.: 514-849-0349
SPÉCIALITÉS: Saumon mariné au basilic, flambé à la tequila. Ceviche. Guacamole. Jalapeno relleno (farci au fromage et au bœuf). Crevettes tropicales sautées, sauce au basilic, coriandre et gingembre. Burritos. Enchiladas. Fajitas. Quesadillas. Poulet mole (sauce au piment et cacao). Tacos.
PRIX Midi: C. 26$ à 45$
Soir: Idem
OUVERTURE: Hiver: dim. à jeu. 16h à 22h. Ven. et sam. midi à 23h. Été: dim. à jeu. midi à 22h. Ven. et sam. midi à 23h. Fermé 24, 25 déc. et 1er janv.
NOTE: Bar de danse CACTUS (salsa, merengue, cumbia, bachata) sur deux étages. Inscription à des cours de danse sur demande. Jeudi pratique de salsa et kizumba dès 20h. Bouteilles de vin à 25$.
COMMENTAIRE: Le décor est propre et chaleureux, les banquettes sont dures et le mobilier est en bois peint. La carte propose des mets mexicains assez bien typés avec quelques adaptations. Les plats sont délicieux et surtout très copieux.

CASA DE MATÉO ★★★
440, rue Saint-François-Xavier, VIEUX-MTL
Tél.: 514-844-7448
SPÉCIALITÉS: Cactus gratinado. Crevettes à la tequila. Enchiladas. Fajitas au poulet, aux crevettes et filet mignon. Mole vert (avec canard) ou rouge (avec poulet). Tamal au poulet. Poulet mariné et grillé à la mangue. Crème caramel mexicaine. Banane flambée.
PRIX Midi: F. 13,50$
Soir: C. 36$ à 53$
OUVERTURE: Lun. à mer. 17h à 23h. Jeu. et ven. 11h30 à 23h. Sam. midi à 23h30. Dim. midi à 23h.
NOTE: Ven. et sam. de 19h à 22h30, musiciens mexicains (mariachi) aux tables.
COMMENTAIRE: Choix de tapas, burritos, enchiladas, quesadillas, tortillas, enfin le soleil du Mexique dans votre assiette. Décor approprié et agréable. C'est bon et ce n'est pas cher.

CHIPOTLE ET JALAPENO ★★
1481, rue Amherst, MTL
Tél.: 514-504-9015
SPÉCIALITÉS: Crevettes sautées à la crème de chipotle. Mole pobla-

no, poulet, piment, noix, cacao. Cochinita pibil, petit cochon mariné avec l'épice achiote, orange, cuit vapeur avec feuille plantain. PRIX Midi: F. 15$ Soir: C. 23$ à 37$ OUVERTURE: Lun. et mar. 10h à 16h. Mer. à sam. 10h à 22h. Dim. 10h à 20h. Fermé jours fériés. NOTE: Menu dégustation 48$/2 pers. Cours de cuisine mexicaine sur réserv. Petite épicerie au 1er étage, au-dessus du restaurant. Bières mexicaines. Vins latino-américains ou espagnols. Margaritas maison. Brunch: café à volonté, jus et salade de fruits inclus. COMMENTAIRE: Tout petit et sans prétention, mais une cuisine honnête, authentique et sincère. Le genre de petit restaurant de quartier comme on en trouve au Mexique.

LE PETIT COIN DU MEXIQUE ★★
2474, rue Jean-Talon E., MTL Tél.: 514-374-7448 SPÉCIALITÉS: Soupe de fruits de mer. Entrée mixte (sopes, guacamole, tacos, quesadilla). Chile poblanorelleno (piments mexicains farcis de fromage). Tortas. Tacos al pastor (porc mariné). Enchilada verte ou de mole. Chilaquiles rouges ou vertes. Gâteau trois laits. Pêche rompope. PRIX Midi: F. 10$ à 12$ Soir: C. 16$ à 40$ T.H. 12$ à 19$ OUVERTURE: Mar. et mer. 11h30 à 21h. Jeu. à sam. 11h à 22h. Dim. 11h à 21h. Fermé lun., 25 déc. et 1er janv. NOTE: Produits mexicains. Menu de fruits de mer (ceviche, poisson, brochette de crevettes). Service de traiteur sur réserv. COMMENTAIRE: Un petit restaurant sympa, une cuisine simple et savoureuse typiquement mexicaine, que l'on peut accompagner de bières du pays, de téquila ou de margarita. Pour continuer l'expérience, ne pas oublier de goûter aux desserts. Ambiance familiale.

TAQUERIA MEX ★★
4306, bd Saint-Laurent, MTL Tél.: 514-982-9462 et 514-573-5930 SPÉCIALITÉS: Quesadilla au poulet ou végétarienne. Nachos au fromage fondu. Guacamole maison. Tostada (salade). Tacos. Burrito de crevettes, de poulet, de steak ou végétarien. Ranchero au poulet, au steak ou végétarien. Enchilada au poulet, de steak ou végétarien. Churos maison (beigne au caramel). Flan de coco. PRIX Midi: C. 20$ à 27$ Soir: Idem

OUVERTURE: Lun. à ven. 11h30 à 22h. Sam. et dim. midi à 22h. Fermé 24, 25, 31 déc. et 1er janv. NOTE: Musique latine continuelle. Bières et sangria mexicaines. Margarita et mojito maison. Daïquiris aux fruits (mangue, fraise, framboise,). COMMENTAIRE: Situé en face du parc Vallières, voici un petit resto sympathique au décor ordinaire, mais très coloré. Le décor fait plus penser à un restaurant-minute qu'au restaurant, sauf que la ressemblance s'arrête là. Les assiettes sont généreuses, toutefois il n'y a pas de dessert à la carte. En résumé: amusant, intéressant, sympathique, consistant, parfumé, sans prétention!

PÉRUVIEN

CALLAO ★★★
114, av. Laurier O., MTL Tél.: 514-227-8712 SPÉCIALITÉS: Ceviche de poisson, jus de lime, piment rocoto, patate douce. Anticucho de poulpe ou de bœuf. Agneau braisé bière et coriandre. Tiradito de poisson ou de magret de canard. Pouding au maïs pourpre, meringue, dulce de leche. PRIX Midi: (fermé) Soir: C. 44$ à 50$ OUVERTURE: Jeu. à sam. 17h30 à 22h. NOTE: Menu dégustation 5 serv. 52$. Spéciaux saisonniers. Bar à ceviche et pisco. Table du chef. COMMENTAIRE: Cuisine fraîche du marché latin. Le chef propriétaire se trouve à la tête de trois restaurants dont celui-ci, plus Madre et Madre sur Fleury.

MADRE ★★★ (bistro)
2931, rue Masson, MTL Tél.: 514-315-7932 SPÉCIALITÉS: Ceviche classique de pétoncles au jus de lime. Tacos aux crevettes et haricots noirs. Jarret d'agneau braisé, bière et coriandre, cassoulet de haricots. Cavatellis maison aux champignons, sauce amarillo. Petit pot chocolat noisette. PRIX Midi: (fermé) Soir: C. 33$ à 46$ F. 26$ à 33$ OUVERTURE: Lun. à sam. 17h30 à 22h. NOTE: Le prix des plats principaux inclut une entrée. Stationnement facile. COMMENTAIRE: Mario Navarrete Jr, chef propriétaire, propose une cuisine «nuevo latino», nouvelle cuisine latine d'influence péruvienne, de son pays d'origine. L'assiette est réellement très sa-

voureuse, simple et créative, et constitue une découverte et un plaisir des sens. Le décor est minimaliste, un peu comme dans un couloir, tout en longueur, avec des tons de brun très foncé. On y est servi avec beaucoup d'amabilité.

MADRE SUR FLEURY ★★★
124, rue Fleury O., MTL Tél.: 514-439-1966 SPÉCIALITÉS: Ceviche classique de pétoncles au jus de lime. Jarret d'agneau braisé, bière et coriandre, cassoulet de haricots. Tacos aux crevettes et haricots noirs. Cavatellis maison aux champignons, sauce amarillo. Petit pot chocolat noisette, meringue et baies de saison. PRIX Midi: (fermé) Soir: C. 33$ à 46$ F. 26$ à 33$ OUVERTURE: Lun. à sam. 17h30 à 22h. NOTE: Le prix des plats principaux inclut une entrée. COMMENTAIRE: Anciennement «À table», ce restaurant a changé le nom pour devenir «Madre sur Fleury». Le chef propriétaire Mario Navarrete Jr, a changé aussi la vocation internationale du restaurant pour revenir vers sa spécialité et ses origines: la cuisine péruvienne savoureuse et revisitée par lui et ses assistants. Une cuisine latine avec la technique française.

MOCHICA ★★★★
3863, rue Saint-Denis, MTL Tél.: 514-284-4448 SPÉCIALITÉS: Tartare d'alpaga. Bar poisson étuvé. Steak d'alpaga grillé. Causa (étagé de crabe, de poisson, de pommes de terre, avocat et maïs). Anticucho de corazon (cubes de cœur de veau marinés, grillés, pesto de huacatay, patates douces, manioc et maïs géant). PRIX Midi: (fermé) Soir: C. 31$ à 57$ OUVERTURE: Mer. et jeu. 17h à 22h. Ven. à dim. 17h à 23h. Fermé lun. et mar. NOTE: Menu «Mer», menu «Terre». Viande d'alpaga et poisson corvina en exclusivité. Vins péruviens d'importation privée. COMMENTAIRE: Harmonie des couleurs, vitrines d'artefacts, collection de masques, bas-reliefs, nous transportent dans un resto-musée à la gloire des Mochicas. Service courtois, compétent et attentif. Le serveur connaît bien les plats qu'il sert. La cuisine est bonne. Les mets servis surprennent et dépaysent par la nature des aliments utilisés, parfois inconnus pour nous. Ils nous permettent de

voyager et nous donnent envie d'en apprendre davantage sur le Pérou.

PUCAPUCA ★★
5400, bd Saint-Laurent, MTL
Tél.: 514-272-8029
SPÉCIALITÉS: Agillo (poisson, ail, piment jaune du Pérou). Chupe de camarones (velouté de crevettes). Escabèche (poulet mariné, pimenté à la péruvienne, vinaigre de vin rouge). Sudado de pescado (sauce aux piments jaunes péruviens, coriandre, tomates, poisson). Poulet arachides et coriandre. Foie de veau sauté aux légumes, piments jaunes du Pérou. Filet de porc maigre à la sauce adobo (trois herbes et bière). Sorbets.
PRIX Midi: F. 8$
Soir: C. 18$ à 24$ T.H. 15$
OUVERTURE: Mar. à ven. midi à 14h30. Jeu. à sam. 18h à 23h. Ouvert sur réserv. dim. et lun. midi et soir, mar. et mer. soir. Fermé 24, 25 déc., 1er janv. et 24 juin.
NOTE: 3 à 5 choix de poissons frais. Plats du chef chaque soir. Musique latino-américaine. Carte des vins (15 étiquettes) majoritairement sud-américains. Ambiance relaxante. Cuisine familiale.
COMMENTAIRE: Un petit restaurant péruvien de style café-bistro, aux murs peints en rouge et au sol en béton coloré, aux chaises dépareillées et aux tables bancales. La cuisine péruvienne, à l'origine familiale, n'est pas forcément très épicée. C'est selon les mets. Service très sympathique et familial.

PORTUGAIS

CASA VINHO ★★★
3750, rue Masson, MTL
Tél.: 514-721-8885
SPÉCIALITÉS: Saucisson portugais à l'ail et à l'huile d'olive. Pieuvre grillée. Mixte de fruits de mer: pétoncles, pieuvre et calmar grillés. Filets de sardine poêlés, huile, ail et oignon. Côtes levées, poulet, saucisse, frites maison, salade. Crème brûlée. Natas de l'univers (petit gâteau).
PRIX Midi: (fermé)
Soir: C. 17$ à 47$ T.H. 19$ à 24$
OUVERTURE: Mar. à dim. 17h à 21h30. Fermé lun., 24, 25, 26 déc., 1er et 2 janv.
NOTE: Cave à vin, 40 étiquettes, 50% d'importation privée. Bières des Îles de la Madeleine et de microbrasseries. Ouvert midi sur réserv. à partir 12 pers., avec menu établi.

COMMENTAIRE: La façade n'attire pas l'attention. On pourrait passer tout droit sans remarquer qu'il y a un restaurant. Mais une fois à l'intérieur, on se sent au Portugal. Une belle ambiance, le fado joue en toile de fond en permanence. Un menu simple met à l'honneur une cuisine portugaise familiale authentique, faite de produits naturels et frais, apprêtée avec beaucoup de soin et d'honnêteté. C'est délicieux et copieux.

CHEZ DOVAL ★★[ER]
150, rue Marie-Anne E., MTL
Tél.: 514-843-3390
SPÉCIALITÉS: Pieuvre grillée. Crevettes sautées, vin blanc, citron, ail. Casserole de fruits de mer. Calmars, sardines, morue, poulet ou caille grillés. Steak à la portugaise au curry. Porc et palourdes. Tartelette aux œufs. Pouding au riz. Crème caramel.
PRIX Midi: T.H. 13$ à 15$
Soir: C. 20$ à 48$ T.H. 14$ à 29$
OUVERTURE: 7 jours 11h30 à 23h. Fermé 25 déc. et 1er janv.
NOTE: Poissons frais grillés sur charbon de bois. Nouvelle T.H. chaque jour.
COMMENTAIRE: Il y a deux salles à manger: l'une a gardé sa décoration des années 1970, aux murs crépis flanqués de quelques assemblages de briques rouges et de chaises de type saloon; l'autre a des allures de bistro avec bar et gril. L'ambiance est chaleureuse. On y mange une cuisine traditionnelle portugaise de type familial, généreuse et savoureuse, servie avec amabilité et nonchalance. Petit choix de bons vins portugais.

CHEZ LE PORTUGAIS ★★★
4128, bd Saint-Laurent, MTL
Tél.: 514-849-0550
SPÉCIALITÉS: Soupe caldo verde. Bacalhau a braz (morue, pommes de terre et œufs). Côtelettes d'agneau grillées. Crevettes style Açores. Boudin au porto et ananas. Poulet grillé à la portugaise. Filet mignon, fromage bleu et porto. Délices du ciel (biscuits, crème fouettée, sirop au jaune d'œuf).
PRIX Midi: T.H. 17$
Soir: C. 30$ à 43$ T.H. 20$ à 26$
OUVERTURE: Dim. et mar. à ven. 11h30 à 15h. Mar. à dim. 17h à 23h. Fermé lun.
NOTE: Bonne sélection de vins et de portos. Cours sur les portos. Menu dégustation 5 serv. 35$, 6 serv. 45$. Menu midi express 10$. Poissons frais et fruits de mer.
COMMENTAIRE: Le chef propriétaire, Henrique Laranjo, propose une cuisine traditionnelle, savou-

reuse et authentique, où l'on perçoit la volonté de faire plaisir. Les présentations sont agréables, les portions généreuses et l'esprit est là! On se sent bien dans ce décor simple, ensoleillé et joyeux. Le service est très aimable et accommodant. Un excellent rapport qualité-prix.

FERREIRA CAFE ★★★★
1446, rue Peel, MTL
Tél.: 514-848-0988
SPÉCIALITÉS: Risotto aux champignons sauvages et cuisse de canard confite. Filets de sardine rôtis à la fleur de sel. Morue noire rôtie en croûte de cèpes, réduction de porto. Natas maison: tartelettes à la vanille, glace riz au lait.
PRIX Midi: F. 24$ à 45$
Soir: C. 41$ à 70$
OUVERTURE: Lun. à ven. 11h45 à 15h. Dim. à mer. 17h30 à 23h. Jeu. à sam. 17h30 à minuit. Fermé dim. en hiver.
NOTE: Poissons entiers et fruits de mer importés du Portugal. Menu après 22h, 2 serv. 24$. Mar. «wine night», remise 50% sur vins portugais. Cave à portos (100 sortes).
COMMENTAIRE: Ouvert en 1996, des rénovations majeures en automne 2015 ont transformé le Ferreira en un lieu à la décoration plus moderne, plus sobre sans pour autant renier la culture portugaise. On ajouté des panneaux de verre, des murs de plâtre traités à la main où s'accrochent des hirondelles en porcelaine noire (symbole de la famille). La cuisine est généreuse et bonne, la carte des vins impressionnante.

L'ÉTOILE DE L'OCÉAN ★★★
101, rue Rachel E., MTL
Tél.: 514-844-4588
SPÉCIALITÉS: Pieuvre et calmars marinés et grillés. Casserole de palourdes et de porc Alentegana. Agneau au four. Paella. Saucisses portugaises flambées à la grappa. Plat mixte (poisson et fruits de mer grillés au four). Cataplana de fruits de mer.
PRIX Midi: T.H. 14$ et 20$
Soir: C. 22$ à 52$ T.H. 28$ à 35$
OUVERTURE: 7 jours 11h30 à 23h. Fermé 25 déc.
NOTE: Musiciens ven. et sam. dès 19h.
COMMENTAIRE: Décor très agréable, coloré et chaleureux. On se sent transporté au Portugal. L'ambiance est intime, assez animée et confortable. Le service se montre hyper aimable, très accommodant, mais excessivement lent

PÉRUVIEN - PORTUGAIS

GUIDE DEBEUR 2016

Restaurants de Montréal

lorsqu'il y a beaucoup de monde. La cuisine propose des grillades au charbon de bois, des poissons frais et des fruits de mer. Il y a aussi une bonne sélection de vins, de portos et de fromages.

PORTUS CALLE ★★★★
4281, bd Saint-Laurent, MTL
Tél.: 514-849-2070
SPÉCIALITÉS: Morue à la Portus Calle. Riz aux fruits de mer, demi-homard, crevettes, calmars, moules, palourdes. Flan de porcelet braisé. Figues au chocolat.
PRIX Midi: T.H. 21$
Soir: C. 55$ à 77$
OUVERTURE: Lun. à ven. midi à 15h et 18h à 23h. Sam. 18h à 23h. Fermé 24, 25 déc., 1er janv. et jours fériés.
NOTE: Service de valet gratuit jeu. à sam. soir.
COMMENTAIRE: Dans cet établissement, les fruits de mer et les poissons sont à l'honneur et on y sert d'excellentes tapas. Très belle cuisine, pleine de saveurs et de délicatesse avec, en plus, la fraîcheur et la générosité. Le service est compétent, attentif et courtois. En février 2016, il devrait déménager au centre-ville pour s'installer à la place de l'ancien restaurant tournant Le Tour de Ville, en haut de la tour Evo et s'appeler *Portus 360*.

RESTAURANT HELENA
★★★★ (bistro)
438, rue Mc Gill, VIEUX-MTL
Tél.: 514-878-1555
SPÉCIALITÉS: Caldo verde (soupe verte). Feijoada de mariscos (ragoût de fruits de mer aux fèves de Lima, calmars, crevettes, palourdes, moules). Parillada aux fruits de mer et serrano. Morue à la portugaise. Effiloché de morue salée confit à l'huile d'olive, grelots et oignons perlés.
PRIX Midi: T.H. 22$
Soir: C. 43$ à 70$
OUVERTURE: Lun. à ven. 11h30 à 14h30. Lun. à sam. 17h30 à 23h. Fermé sam. midi, dim., 24, 25 déc., 1er janv. et fêtes légales.
COMMENTAIRE: Une excellente table qui déborde un peu la cuisine portugaise par ses accents plus méditerranéens. Mais le goût et le plaisir sont là, sans compromis. Belles présentations des assiettes, sans pour autant tomber dans l'extravagance. Le décor est moderne, voire tendance, mais imprégné de la culture portugaise. Le service est très aimable.

SOLMAR ★★
111 et 115, rue Saint-Paul E., VIEUX-MTL
Tél.: 514-861-4562

SPÉCIALITÉS: Pétoncles sautés au chorizo. Cataplana de fruits de mer. Filet mignon à la portugaise. Filet de porc et palourdes poêlés, flambés au cognac, déglacés au fond de veau. Escalope de veau au porto sec. Gâteau aux amandes maison. Poires au vin rouge.
PRIX Midi: F. 12$ à 20$
Soir: C. 40$ à 80$ T.H. 30$ à 48$
OUVERTURE: 7 jours midi à 23h.
NOTE: Plat du jour à partir de 12$. Sélection intéressante de portos depuis 1900 et de vins rouges depuis 1968. Menu gastronomique 4 serv. 48$.
COMMENTAIRE: Ce restaurant portugais, situé dans un bâtiment deux fois centenaire, est ouvert depuis 1979. La salle à manger est très belle, chaleureuse et confortable; la cuisine, simple et copieuse. La fin de semaine ou lors du festival d'avril ou d'automne, les soirées fados apportent une très bonne ambiance.

QUÉBÉCOIS

LES FILLES DU ROY ★★★
Hôtel Pierre du Calvet
405, rue Bonsecours, VIEUX-MTL
Tél.: 514-282-1725
SPÉCIALITÉS: Assiette traditionelle du Québec: tourtière, ragoût de boulettes et de pattes, ketchup de fruits et patates en purée. Filet mignon sauce caribou. Poisson doré sur risotto de pétoncles. Filet de cerf glacé au miel, sauce poivrade et canneberges, purée de pommes de terre. Gâteau mi-cuit au chocolat.
PRIX Midi: C. 10$ à 20$
Soir: C. 42$ à 71$
OUVERTURE: 7 jours 10h à 22h30.
NOTE: Menu-terrasse en été. On peut bavarder avec les perroquets dans la serre. Salle musée avec exposition des sculptures en bronze de M. Trottier, le propriétaire, et d'autres artistes.
COMMENTAIRE: Dans un décor très ancien, on retrouve tous les éléments du Québec d'autrefois. Un peu comme dans un musée, on se sent carrément transporté dans une autre époque, en l'occurrence, celle des coureurs des bois, mais avec le luxe des grandes familles montréalaises du 18e et 19e siècles. C'est, malgré tout, très beau, voire surtout très romantique. Mais pas un romantisme de dentelle, non, un romantisme solide, puissant, de marchand bien nanti. La carte n'a rien d'original ni de très inventif, mais l'assiette est bonne et copieuse. Elle se veut traditionnelle, classique, avec une connotation dite

québécoise (tourtière, ragoût de boulettes, ketchup maison).

SALVADORIEN

LA CARRETA ★★★[ER]
350, rue Saint-Zotique E., MTL
Tél.: 514-273-8884
SPÉCIALITÉS: Tamal (bouillon, pain de maïs, poulet). Carreton (riz, poulet, crevettes). Albondigas (boulettes de viande salvadoriennes). Pupusa (galette garnie de fromage ou de viande). Guacamole. Burritos. Fajitas au poulet. Quesadillas. Trio de tacos. Arroz à la plancha (crevettes, poulet, riz). Steak à l'oignon sauté (avec riz et salade). Plantain grillé. Beignet frit, sauce chaude.
PRIX Midi: C. 18$ à 43$
Soir: Idem
OUVERTURE: Dim. à mer. 11h à 22h. Jeu. à sam. 11 h à 23h. Fermé 25 déc. et 1er janv.
NOTE: Divers types de combos (combo typico: pupusa, yuka, enchilada). Boissons salvadoriennes traditionnelles. Sangria blanche ou rouge, piña colada, margarita, mojito maison.
COMMENTAIRE: Idéal pour se décontracter en famille ou entre amis. Une pupuseria, petit restaurant spécialisé en cuisine salvadorienne qui ne paie vraiment pas de mine. On dirait deux anciennes boutiques aménagées, tant bien que mal, en un seul établissement. Mais, c'est sympathique et le service aussi, très souriant et aimable. On y mange bien et pour pas cher.

THAÏLANDAIS

AVIS

Dans les restaurants végétariens des pays d'Asie tels que la Thaïlande, la Chine, la Malaisie, etc., tous les plats portant les appellations de viandes, de poissons et de fruits de mer, sont strictement faits à base de produits végétaux. Les chefs utilisent les ingrédients (légumes, soja, seitan, farine de gluten et autres produits végétaux) qu'ils manipulent afin de leur donner les formes, les textures et les saveurs rappelant la viande, le poisson et les fruits de mer.

CHAO PHRAYA ★★★★★
50, av. Laurier O., MTL
Tél.: 514-272-5339
SPÉCIALITÉS: Salade de mangue et homard. Dumplings, sauce au

beurre d'arachides. Crevettes grillées aux feuilles de menthe, piment et oignons rouges. Bœuf sauté, piments forts, échalotes et oignons. Filet de poisson, sauce aux trois saveurs épicées. Poulet au cari vert, lait de coco et basilic.
PRIX Midi: (fermé)
Soir: C. 27$ à 49$
OUVERTURE: Dim. à mer. 17h à 22h. Jeu. à sam. 17h à 23h.
NOTE: Musique thaïlandaise. 2e étage privé, 20 pers.
COMMENTAIRE: La fraîcheur des ingrédients, la préparation des plats, au fur et à mesure des commandes, contribuent à l'excellence de la nourriture. D'ailleurs depuis son ouverture en 1988, ce restaurant n'a rien perdu de sa popularité. Il est recommandé de réserver.

CHU CHAI ★★★
4088, rue Saint-Denis, MTL
Tél.: 514-843-4194
SPÉCIALITÉS VÉGÉTARIENNES THAÏLANDAISES: Bouchées cinq saveurs. Crevettes panées sel et poivre. Brochette de poulet à la sauce d'arachides. Canard au carry rouge et noix de coco. Bœuf au piment et basilic.
PRIX Midi: F. 10$ à 18$
Soir: C. 26$ à 38$ T.H. 50$
OUVERTURE: Jeu. à sam. 11h à 14h. Mar. à jeu. 17h à 22h. Ven. et sam. 17h à 23h. Fermé dim. et lun., 25 déc. et 1er janv.
NOTE: Restaurant flexitarien. Cuisine santé, végétalienne et sans glutamate. Menu du soir 4 serv. comprend un cocktail. Loft privé 50 pers.
COMMENTAIRE: Premier restaurant de fine cuisine végétarienne thaïlandaise. Cuisine végétarienne authentique et traditionnelle comme en Thaïlande. Tous les plats portant les appellations de viande, fruits de mer sont strictement faits à base de produits végétaux. Au Chuch Bistro, adjacent à la maison mère, on sert une gastronomie végétalienne sans produit animal, sans GMS dans une ambiance conviviale et décontractée. On peut emporter les mets chez soi ou manger sur place.

PHAYATHAÏ ★★★★
1235, rue Guy, MTL
Tél.: 514-933-9949
SPÉCIALITÉS: Soupe au lait de coco, galanga. Salade poulet et mangue verte. Pinces de crabe, piments maison. Fruits de mer sautés au basilic. Pad thaï. Poisson entier frit à la sauce aux piments. Poulet au cari Panang, crevettes citronnelle. Poulet au cari vert et au lait de coco.
PRIX Midi: T.H. 14$ à 19$

Soir: C. 26$ à 39$
OUVERTURE: Mar. à ven. 11h30 à 14h30. Mar. à dim. 17h à 22h30. Fermé lun., 25 déc., 1er janv. et 24 juin.
NOTE: Carte des vins.
COMMENTAIRE: Cuisine authentique et beaucoup de fraîcheur. Le mariage des divers ingrédients tropicaux est bien équilibré. Service courtois.

TALAY THAÏ ★★★
5697, ch. Côte-des-Neiges, MTL
Tél.: 514-739-2999
SPÉCIALITÉS: Tom yam kung (soupe aux crevettes et citronnelle). Poulet Bangkok. Choix de crevettes, poulet ou filet de poisson au cari rouge ou vert. Pad thaï. Bœuf sauté à l'ail, poivrons et feuilles de basilic. Rouleau froid avec poulet, œuf, carotte, coriandre et laitue. Panier doré de poulet, oignons, petits pois avec sauce thaï.
PRIX Midi: F. 10$
Soir: C. 19$ à 29$ F. 18$
OUVERTURE: Lun. à ven. 11h à 22h. Sam. à dim. (fermé le midi) 16h à 22h. Fermé 1er juil., 24, 25 déc. et 1er janv.
NOTE: Carte des vins.
COMMENTAIRE: Un restaurant de cuisine traditionnelle thaï, dans un cadre agréable typiquement thaïlandais, situé à l'étage.

THAÏLANDE ★★★★
88, rue Bernard O., MTL
Tél.: 514-271-6733
SPÉCIALITÉS: Fruits de mer au cari rouge à la marmite. Mok Pla (filet de poisson au lait de coco, cari rouge, enrobé de feuille de bananier, cuit à la vapeur). Filet de poisson, jus de lime. Ped Krob (canard croustillant, sauce épicée). Crème brûlée au thé de jasmin.
PRIX Midi: T.H. 13$ à 19$
Soir: C. 25$ à 47$ F. 32$ à 45$
OUVERTURE: Mer. à ven. 11h30 à 14h. Mer. à lun. 17h à 22h30. Fermé mar., 24, 25 déc. et 1er janv.
NOTE: Carte des vins.
COMMENTAIRE: Sans aucun doute, une des meilleures tables thaï à Montréal. C'est un réel bonheur de goûter la cuisine de ce restaurant qui utilise toujours les meilleurs produits. Il faut goûter le Mok Pla (filet de poisson), un plat du nord de la Thaïlande, d'où le propriétaire est originaire.

TIBÉTAIN

SHAMBALA ★★★[ER]
3439, rue Saint-Denis, MTL
Tél.: 514-842-2242

SPÉCIALITÉS: Bha-Le (pain semblable au pain indien). Thenthuk (soupe-repas garnie de nouilles, bœuf, poulet ou légumes). Momos (raviolis farcis de bœuf ou de tofu, fromage, pommes de terre). Shamdey (poulet au curry). Bhocha (thé traditionnel tibétain au beurre et au sel).
PRIX Midi: F. 10$ à 12$
Soir: C. 18$ à 45$ T.H. 21$ à 84$
OUVERTURE: Lun. à ven. 11h30 à 14h30. 7 soirs 17h30 à 22h.
NOTE: Menu pour 4 pers. 84$. Viande de yack.
COMMENTAIRE: Depuis des siècles, du fait de leur proximité, les cultures chinoises et indiennes ont influencé la cuisine tibétaine. Fervents bouddhistes, les Tibétains sont pourtant carnivores. Un rude climat en haute altitude et un sol rocailleux font en sorte que le Tibet est pauvre en végétation. La consommation de viande est une affaire de survie.

TURC

RESTAURANT SU ★★★
Restaurant-traiteur
5145, rue Wellington, VERDUN
Tél.: 514-362-1818
SPÉCIALITÉS: Pâtes fraîches traditionnelles turques (yogourt à l'ail, sauce tomate). Aubergine farcie d'agneau, riz et yogourt. Kebab d'agneau et aubergine. Poisson du jour grillé. Pâtes kadaif farcies au fromage, sirop de sucre.
PRIX Midi: (fermé)
Soir: C. 32$ à 50$
OUVERTURE: Mar. à sam. 17h à 22h. Fermé dim. et lun.
NOTE: Menu change selon les produits disponibles. Menu découverte 3 serv. 45$, formule à partager. Potager sur le toit.
COMMENTAIRE: Perdu dans un quartier à vocation commerciale et ouvrière, ce restaurant propose une cuisine familiale turque. La propriétaire est une cuisinière passionnée, et ce, depuis l'enfance. C'est bon et sincère. Le service est gentil et attentionné. L'ambiance est agréable. A aussi ouvert un autre restaurant, Barbounya, au 234, av. Laurier Ouest.

VIETNAMIEN

HOÀI HU'O'NG ★★
5485, rue Victoria, MTL
Tél.: 514-738-6610
SPÉCIALITÉS: Soupe tonkinoise. Crevettes à la canne à sucre. Brochettes de porc barbecue, rouleaux aux cheveux d'ange. Bœuf au poulet à la citronnelle. Crêpe

THAÏLANDAIS - TIBÉTAIN - TURC - VIETNAMIEN

GUIDE DEBEUR 2016

vietnamienne aux crevettes, porc et salade. Spécial pour familles: soupe (poisson, crevettes ou poulet), poisson mijoté dans terrine, crevettes sautées aux épices, poulet sauté, salade avec crevettes et porc, bœuf en cubes sautés sur feu vif.
PRIX Midi: F. 8$ à 20$
Soir: C. 15$ à 30$ F. 9$ à 23$
OUVERTURE: Mar. à dim. 11h à 15h et 17h à 22h. Fermé lun.
NOTE: Midi express 7,50$. Soir express 8,75$.
COMMENTAIRE: Affaire familiale. Toute la famille est à l'œuvre dans ce restaurant. On y mange bien à des prix très raisonnables.

ONG CA CAN ★★[ER]
79, rue Ste-Catherine E., MTL
Tél.: 514-844-7817
SPÉCIALITÉS: Grillades. Sautés au wok. 7 spécialités au bœuf (potage, fondue maison, 3 sortes de rouleaux, bœuf grillé, galantine). Sauté de poulet avec feuilles de basilic.Nouilles croustillantes sautées aux légumes, à la viande ou aux fruits de mer.
PRIX Midi: F. 12$ à 17$
Soir: C. 22$ à 37$ T.H. 22$ à 25$
OUVERTURE: Mar. à ven. 11h30 à 14h. Mar. à sam. 17h30 à 21h. Fermé dim. et lun.
COMMENTAIRE: Une entreprise familiale considérée comme l'une des meilleures pour les mets vietnamiens. Personnel pas toujours aimable.

PHO BANG NEW YORK ★★★
1001, bd Saint-Laurent, MTL
Tél.: 514-954-2032
SPÉCIALITÉS: Rouleaux de printemps, porc, crevettes. Soupe tonkinoise au bœuf, crevettes, poulet, citronnelle et légumes. Vermicelles au poulet grillé et rouleaux impériaux. Poisson arc-en-ciel, fèves jaunes, farine tapioca, lait de coco.
PRIX Midi: F. 8$ à 13$
Soir: Idem
OUVERTURE: 7 jours 10h à 21h30. Fermé 25 déc.
NOTE: Soupe piquante à la citronnelle (seul. sam. et dim.).
COMMENTAIRE: Très bon pho (resto spécialisé dans les soupes tonkinoises aux nouilles de riz à base de bouillon de bœuf). Ce restaurant affiche très souvent complet.

PHO TAY HO ★★★
6414, rue Saint-Denis, MTL
Tél.: 514-273-5627
SPÉCIALITÉS: Soupe tonkinoise. Salade de bœuf saignant au citron. Salade de poulet et abats. Poisson grillé, sauce aux crevet-

tes. Porc barbecue avec vermicelles et salade. Nouilles frites aux légumes et fruits de mer.
PRIX Midi: T.H. 12$
Soir: C. 16$ à 35$ T.H. 12$
OUVERTURE: Mer. à lun. 10h à 21h. Fermé mar.
NOTE: Carte des vins. Paiement interac ou comptant seulement.
COMMENTAIRE: Les Vietnamiens aiment se retrouver en famille dans ce restaurant. Il offre une grande variété de plats et affiche souvent complet midi et soir.

RESTAURANT PHO LIEN ★★
5703, ch. Côte-des-Neiges, MTL
Tél.: 514-735-6949
SPÉCIALITÉS: Soupe piquante. Pho (soupe tonkinoise, 16 variétés). Salade de papaye verte. Galettes de riz grillées avec œuf. Côtelette de porc grillée avec riz et salade. Bœuf grillé avec vermicelles de riz.
PRIX Midi: F. 13$ à 14$
Soir: C. 16$ à 22$ F. 15$ à 16$
OUVERTURE: Lun. à ven. 11h à 22h. Sam. et dim. 10h à 22h. Fermé mar.
NOTE: Ven. à dim. soupe piquante. Attention: paiement comptant seulement.
COMMENTAIRE: Ce resto est situé dans le quartier multiculturel par excellence de Côte-des-Neiges. Comme de nombreux restaurants vietnamiens, Pho Lien se spécialise dans la soupe tonkinoise. Le bouillon a un goût remarquable. Il faut aussi essayer le dessert trois couleurs, délicieux! Un peu bruyant.

RESTAURANTS DE LA BANLIEUE DE MONTRÉAL

OUEST DE L'ÎLE DE MONTRÉAL

AUBERGE DES GALLANT ★★★★★ qué
Voir section MONTÉRÉGIE (RÉGION Vaudreuil-Soulanges).

LE SURCOUF ★★★ fra
51, rue Sainte-Anne, SAINTE-ANNE-DE-BELLEVUE
Tél.: 514-457-6699
SPÉCIALITÉS FRANÇAISES: Étagé de veau au shiitake et portabella à la crème d'Oka. Pétoncles gratinés au parmesan sur lit de poireaux. Scampi à la provençale. Foie gras poêlé. Foie de veau à l'échalote. Filet mignon au poivre flambé au cognac. Crème brûlée.

Profiteroles au chocolat.
PRIX Midi: F. 15$ à 20$
Soir: C. 37$ à 86$ T.H. 34$ à 55$
OUVERTURE: Mar. à ven. 11h30 à 14h. Mar. à dim. 17h30 à 21h. Fermé 24 au 26 déc. et sem. de relâche scolaire.
NOTE: Menu bistro 25$. Véranda vitrée. Foyer créant une ambiance chaleureuse.
COMMENTAIRE: Le restaurant est installé dans une petite maison de ville. On y sert une cuisine typiquement française traditionnelle, avec une formule bistro intéressante.

RIVE SUD DE MONTRÉAL

BISTRO DES BIÈRES BELGES ★★ bel
2088, rue Montcalm, SAINT-HUBERT
Tél.: 450-465-0669
SPÉCIALITÉS BELGES: Soupe à l'oignon à la bière Maudite. Pieuvre grillée à la bière Maudite. Lasagne de cerf au fromage bleu. Tartares (bœuf ou saumon). Moules frites: marinière, dijonnaise, sichuannaise, au roquefort, thaï. Carbonnade flamande, braisé de bœuf à la 3 pistoles. Gaufre de Bruxelles, sorbet aux framboises et à la Blanche de Chambly.
PRIX Midi: F. 9$ à 22$
Soir: C. 20$ à 53$
OUVERTURE: Lun. à jeu. 11h à 22h. Ven. 11h à 23h. Sam. 17h à 23h. Dim. 16h à 22h. Fermé 25 déc., 1er janv. et midi jours fériés.
NOTE: 14 préparations de moules différentes servies avec frites. Un bon choix de 120 bières, dont plus de 50% d'importation privée et quelques bières québécoises de qualité.
COMMENTAIRE: Petit resto belge sympa, surtout en été lorsqu'on peut manger sur la terrasse (quoiqu'un peu bruyante à cause du boul. Taschereau). Spécialité de la maison: moules et frites. Service aimable.

BISTRO V ★★★★ fra
1463, rue Lionel-Boulet, VARENNES
Tél.: 450-985-1421
SPÉCIALITÉS FRANÇAISES: Foie gras poêlé, gâteau renversé aux dattes, ricotta et noix de Grenoble. Thon albacore, roquette et chicorée, vinaigrette xérès et amandes, gel de fraise, concombre, tuile de betterave. Gâteau blanc, panna cotta à l'eau de fleur d'oranger, fraises du Québec, chantilly à la vanille de Madagascar, crumble poivré.

PRIX Midi: T.H. 16$
Soir: C. 33$ à 82$ T.H. 27$
OUVERTURE: Lun. à ven. 11h30
à 14h. Mar. à sam. 17h à 22h.
Fermé dim.
NOTE: Nouvelle décoration. Menu dégustation 6 serv. 69$, accord mets et vins 104$ le soir seulement. Brunch Pâques et fête des Mères. Menu enfant 6$ à 10$.
COMMENTAIRE: Voici une belle table style bistro qui rempli bien le contrat que les propriétaires se sont fixés: «bistronomie», contraction des mots bistro et gastronomie. «L'art de faire de la grande cuisine dans un petit restaurant à prix abordable». Même après leur déménagement, le décor est toujours chic et confortable. Le service est courtois, professionnel, attentif et l'assiette ne manque pas de créativité, ni de goût bien sûr. Une bonne adresse!

BRAVI ★★★ ita
2794, Jacques-Cartier E.,
LONGUEUIL
Tél.: 450-448-8111
SPÉCIALITÉS ITALIENNES: Cavatelli, pâtes fraîches, sauce huile et ail, tomates cerises, saucisse et épinards. Escalope de veau de lait panée, sauce tomate et mozzarella. Polpette de la nona (boulettes de veau, sauce tomate, parmesan râpé). Tiramisu maison.
PRIX Midi: T.H. 18$ à 30$
Soir: C. 25$ à 67$ T.H. 31$ à 49$
OUVERTURE: Lun. à mer. 11h30
à 22h. Jeu et ven. 11h30 à 23h.
Sam. 17h à 23h. Dim. 17h à 22h.
Fermé jours fériés.
COMMENTAIRE: Les pâtes et les pizzas cuites au feu de bois (15 sortes) sont excellentes. On propose un bon choix de vins. Le service est amical et souriant.

CERVÉJARIA
★★★★ (bistro) port
540, rue d'Avaugour #1600,
BOUCHERVILLE
Tél.: 450-906-3444
SPÉCIALITÉS PORTUGAISES: Sardinahs: sardines grillées. Frango: demi-poulet de Cornouailles mariné à la portugaise. Peixe empanado: fish and chips portugais. Bife do lombo: faux-filet de bœuf et œuf miroir. Tartelette aux amandes.
PRIX Midi: F. 12$ et 18$
Soir: C. 24$ à 36$
OUVERTURE: Lun. à ven. 11h30
à 22h. Sam. et dim. 17h à 22h.
NOTE: De la bière du Portugal, une carte de vins du Portugal et d'Espagne. Commande à emporter.
COMMENTAIRE: Un restaurant tout en longueur avec un haut

plafond noir, du bois, des carreaux de céramique. Dès l'entrée, des assiettes décoratives grimpent sur le mur, un vase au décor portugais, du bois lustré rehaussé des fameux carreaux de faïence bleus habillent les murs. C'est très moderne, la cuisine est ouverte sur la salle, les flammes montent de la grille de cuisson, un comptoir vitré expose fruits de mer et poissons. Du bruit, de l'ambiance, un personnel jeune, accueillant, sympathique, heureux de vous mettre à l'aise, une bonne cuisine bien typée qui a du goût. Un établissement moderne, avec une belle ambiance du sud de l'Europe.

CHEZ LIONEL
★★★[ER] (bistro) fra
1052, rue Lionel-Daunais #302,
BOUCHERVILLE
Tél.: 450-906-3886
SPÉCIALITÉS FRANÇAISES: Ganache de foie gras, compote de rhubarbe, vanille, pistaches sucrées-salées, flocons de sel Maldon. Macreuse de bœuf vieilli 21 jours, poêlée aux épices à steak, haricots verts, jus de viande, échalote frite. Tarte citron en verrine, crumble aux amandes, crème citron acidulée au beurre non salé, meringue italienne, zestes confits au sirop de gingembre.
PRIX Midi: F. 17$ à 29$
Soir: C. 35$ à 47$
OUVERTURE: Lun. à ven. 11h30
à 15h. Dim. à mer. 17h à 22h. Jeu. à sam. 17h à 23h.
NOTE: Menu sur ardoise. Menu Ian Perrault, dégustation 4 serv. 45$. Vins, 97% d'importation privée.
COMMENTAIRE: Situé à l'emplacement de l'ancien restaurant L'autre côté de la Saulaie, le lieu a été redécoré et repensé avec bonheur. L'espace semble plus grand et on a ajouté deux terrasses chauffées. L'endroit est très agréable et on y mange bien. Il y a cependant une différence dans les présentations: certaines sont très belles alors que d'autres le sont moins. On ne sent pas la fougue du départ. À surveiller.

COPAINS GOURMANDS
★★★ (bistro) fra
352, rue Guillaume, LONGUEUIL
Tél.: 450-928-1433
SPÉCIALITÉS FRANÇAISES: Poêlée de crevettes, crème à la fleur d'ail. Ravioli de canard, sauce tomate et fromage de chèvre. Crème brûlée au foie gras. Boudin noir en croûte. Rognons de veau aux deux moutardes. Tarte feuilletée au sirop d'érable.
PRIX Midi: F. 16$ à 27$

Soir: C. 28$ à 63$ F. 18$ à 37$
OUVERTURE: Lun. à ven. 11h30
à 15h. Lun. à dim. 17h à 22h. Fermé sam., dim. midi et jours fériés.
NOTE: Plats inscrits au tableau, changent tous les jours. Salle climatisée. Stationnement facile.
COMMENTAIRE: Un petit bistro, où l'on sert une cuisine simple et de bon goût, dans une ambiance familiale agréable. La carte est petite, mais savoureuse; le choix de vins, adapté à la carte. Les vins au verre sont servis de la bouteille à la table. Le décor est simple et confortable. Service attentionné. Deux terrasses, l'une extérieure, l'autre intérieure très bistro.

DUR À CUIRE ★★★ (bistro) fra
219, rue Saint-Jean, LONGUEUIL
Tél.: 450-332-9295
SPÉCIALITÉS FRANÇAISES: Risotto calmars et crevettes, légumes, parmesan, copeaux de foie gras. Pavé de maquereau espagnol, tomates, olives, artichaut et basilic. Contre-filet de bœuf, sauce au poivre, cornet de frites. Crémeux citron, foam pistaches, noix caramélisées.
PRIX Midi: F. 15$ à 20$
Soir: C. 39$ à 72$
OUVERTURE: Jeu. et ven. 11h30
à 14h. Mar. à jeu. et dim. 17h30
à 22h. Ven. et sam. 17h30 à 23h.
COMMENTAIRE: La famille des fleuristes Smiths et Frères a occupé ces locaux pendant de nombreuses années. Si l'extérieur n'a pas changé avec les nouveaux propriétaires, l'intérieur a été bien adapté à une formule bistro. Simple mais efficace. L'assiette est très bonne et le service convivial. On y retourne volontiers!

LA FONTANA
Gelati, bar & lounge ★★ ita
Quartier DIX30
6000, bd de Rome, suite 230,
BROSSARD
Tél.: 450-656-7776
SPÉCIALITÉS ITALIENNES: Crevettes géantes, avocat, mangue, tomates cerises, oignons rouges, vinaigrette aux agrumes. Salade de poitrine de poulet, tranches d'oranges, canneberges séchées, noix de Grenoble confites, fromage de chèvre, vinaigrette aux framboises. Duo de tartare de thon et saumon.
PRIX Midi: T.H. 14$
Soir: C. 30$ à 55$ T.H. 22$ à 30$
OUVERTURE: Dim. à jeu. 11 à 22h. Ven. et sam. 11h à 23h.
NOTE: Pâtes maison. Soirée moules et frites à volonté mar. soir. Jeudi soirée latine. Stationnement souterrain gratuit.
COMMENTAIRE: Située à la mezzanine du grand hall de la salle de

BANLIEUE DE MONTRÉAL (RIVE SUD)

GUIDE DEBEUR 2016

spectacle L'Étoile, la salle à manger s'ouvre sur une grande terrasse dominant le quartier DIX30. Le décor est moderne et épuré dans l'ensemble et bénéficie d'une belle clarté venant des grandes baies vitrées de l'établissement. Le menu est bistro avec des spécialités italiennes revisitées et bien adaptées au style du restaurant. Quant au chef cuisinier, il travaille bien mais lentement.

LA MAISON KAM FUNG
★★★★ chi
7209, bd Taschereau #111, BROSSARD
Tél.: 450-462-7888
SPÉCIALITÉS CHINOISES: Dimsums. Dumplings aux crevettes et au porc. Poisson et canard à la mode de Pékin. Fruits de mer. Poulet général Tao. Pad thaï. Homard avec gingembre et échalotes.
PRIX Midi: T.H. 10,95$
Soir: C. 12$ à 38$ T.H. 14$ à 30$
OUVERTURE: 7 jours 10h à 23h.
NOTE: Pas de desserts. Stationnement gratuit.
COMMENTAIRE: Le restaurant propose une grande variété de dimsums ainsi que des menus cantonais selon la tradition de Hong Kong. Pour le brunch du dimanche, il est conseillé d'y aller tôt. Nous aimons beaucoup ces petits plats savoureux, cuits à la vapeur, servis dans de petites boîtes en bois. Tout était excellent.

LA TOMATE BLANCHE
★★★★[ER] ita
Quartier DIX30
9385, bd Leduc, #10, BROSSARD
Tél.: 450-445-1033
SPÉCIALITÉS ITALIENNES: Spaghetti à la salsa cruda, tomates fraîches et confites. Risotto risi bisi (canard confit, pois verts, prosciutto). Escalope de veau ai porcini (champignons porcini, brandy, noisettes, thym, demi-glace, crème, pâte aglio e olio). Beignet ricotta, sauce caramel à la fleur de sel.
PRIX Midi: T.h. 15$ à 21$
Soir: C. 35$ à 76$ T.H. 39$ à 41$
OUVERTURE: Lun. à ven. 11h à 14h30. Dim. à jeu. 17h à 22h. Ven. et sam. 17h à 23h.
COMMENTAIRE: Le décor est magnifique, moderne, avec un souci du détail. Les tables sont nappées de blanc; la vaisselle et les couverts, originaux et bien dessinés. On mange dans une ambiance feutrée. La cuisine est très belle, savoureuse et faite à base de produits frais de qualité. Pas de compromis, donc. Le service est aimable. Une belle soirée! L'été, la ter-

rasse en hauteur, avec ses parasols élégants, ajoute son charme estival.

L'AUROCHS ★★★★ cont
Quartier DIX30
9395, bd Leduc #5, 2e étage, BROSSARD
Tél.: 450-445-1031
SPÉCIALITÉS STEAK HOUSE ET FRUITS DE MER: Plateau de fruits de mer. Tartare de bœuf. Tartare de saumon. Côtes levées Nagano, frites. Ribeye 12 oz saisi à la plancha, fini au gril. Cowboy (côte de bœuf à partager). Gâteau au chocolat maison.
PRIX Midi: T.H. 16$ à 31$
Soir: C. 32$ à 98$ T.H. 39$
OUVERTURE: Lun. à jeu. 11h30 à 22h. Ven. 11h à 23h. Sam. 17h à 23h. Dim. 17h à 22h. Fermé 25 déc. et 1er janv.
NOTE: Viande de bœuf CAB. Spécialisé en viande vieillie à sec. A sa propre chambre de vieillissement.
COMMENTAIRE: Le décor est très design, spacieux et confortable. Une terrasse ombragée de parasols surplombe une place. Ici, c'est l'endroit pour déguster de la viande et des fruits de mer. C'est frais, excellent et bien présenté. Un plaisir pour les yeux aussi. Le service se montre compétent et agréable.

LE MÉCHANT LOUP ★★★ fra
5215, chemin Chambly, SAINT-HUBERT
Tél.: 450-678-7767
SPÉCIALITÉS FRANÇAISES ET CONTINENTALES: Foie de veau poêlé, tarte Tatin à l'oignon, purée céleri-pomme, sauce poivre vert et bacon. Risotto de canard, réduction de balsamique. Bavette grillée, sauce échalote, frites ou légumes. Pouding au pain grillé, chocolat 55%, ganache caramel et chocolat salé, glace vanille.
PRIX Midi: T.H. 19$ à 27$
Soir: C. 35$ à 68$ T.H. 34$ à 46$
OUVERTURE: Mar. à ven. 11h30 à 15h. Mar. à sam. 17h à 21h30. Fermé dim. et lun., 24 et 25 juin, mar. sem. de la construction. Ouvert 24 et 31 déc.
NOTE: Ardoise suit les arrivages. Bar à vin. 15 choix de vins au verre. Vins 50% d'importation privée. Exposition de tableaux. Service traiteur.
COMMENTAIRE: S'il y a un mot pour décrire l'endroit, c'est convivialité. On y est aussi bien accueilli dans une maison unifamiliale bien transformée en restaurant. Le décor est chaleureux tout comme la cuisine. Celle-ci est est bonne, copieuse, sans prétention. On essaie de soigner les présen-

tations. Une assiette française, voire continentale. Carte des vins, moyen de gamme, mais de solides classiques d'un bon rapport qualité-prix.

LE MÉRIDIONAL ★★★ méd
550, chemin Chambly,
LONGUEUIL
Tél.: 450-679-4242
SPÉCIALITÉS FRANÇAISES ET MÉRIDIONALES MAROCAINES: Soupe de poisson. Crevettes sauce au safran et crème vin blanc. Tajine de poulet de Cornouailles, citron confit, olives vertes. Carré d'agneau en croûte d'épices, porto, ail rôti, miel et thym. Veau aux trois moutardes. Tajine de veau aux pruneaux. Mousse de mascarpone, lime, coulis de cerise noire.
PRIX Midi: T.H. 14$ à 20$
Soir: T.H. 24$ à 38$
OUVERTURE: Mer. à ven. 11h30 à 14h30. Mer. à sam. 17h à 22h. Été : fermé mer. Dim. à mar. ouvert sur réserv. 12 pers. et plus.
NOTE: Service traiteur. Menu soir 6 serv. Carte des vins de la Méditerranée seulement. Viande halal.
COMMENTAIRE: Le chef Kamal (d'origine vietnamienne et marocaine) propose une cuisine méridionale et française avec des accents marocains, surtout dans son choix d'épices. Il peut aussi préparer des plats authentiquement marocains, sur demande. Nous y avons fait un repas plein de saveurs, coloré et harmonieux. La salle à manger est confortable et calme. L'épouse du chef assure le service, elle est très fière du travail de son mari. Et pour cause.

LE ROUGE ★★★ asi
Quartier DIX30
6000, bd de Rome, BROSSARD
Tél.: 450-676-8886
SPÉCIALITÉS ASIATIQUES: Rouleaux impériaux. Pad thaï au poulet et crevettes. Bœuf au poivre noir. Poulet général Tao. Chow mein cantonais. Crevettes au sel et poivre. Poulet malaisien, légèrement pané, mélange légumes et fruits. Dragon et phœnix (poulet et crevettes géantes, sauce crémeuse).
PRIX Midi: T.H. 14$ à 19$
Soir: C. 22$ à 47$ T.H. 26$ à 38$
OUVERTURE: Lun. à jeu. 11h à 22h. Ven. 11h à 23h. Sam. 11h30 à 23h. Dim. 11h30 à 22h.
NOTE: Situé dans le hall de la salle de spectacle L'Étoile. Carte des vins. Stationnement souterrain gratuit.
COMMENTAIRE: Cuisine chinoise avec des mets de Sichuan, de Canton et de Hunan, et aussi des plats thaïlandais, malaisiens et mongols. C'est beau, chic et bon. Le service n'est pas mal du tout, quoiqu'il pourrait être un peu plus raffiné. Entrée imposante de la salle à manger, on a l'impression de pénétrer dans un temple gourmand gardé par des statues de soldats, grandeur nature, avec des murs peints en rouge. Les prix sont très abordables.

LE TIRE-BOUCHON
★★★[ER] (bistro) méd
141-K, bd de Mortagne,
BOUCHERVILLE
Tél.: 450-449-6112
SPÉCIALITÉS FRANÇAISES: Profiteroles au saumon et crevettes nordiques à la crème de basilic. Espadon, émulsion au basilic. Tajine d'agneau, pruneaux, amandes et sésame. Couscous merguez. Pastilla. Délice à l'érable. Thé à la menthe comme à Marrakech.
PRIX Midi: T.H. 17$ à 29$
Soir: Idem
OUVERTURE: Lun. à ven. 11h30 à 14h30. Mar. à sam. 17h30 à 22h. Fermé dim., 24, 25 déc., 1er, 2 janv. et jours fériés.
NOTE: Brunch fête des Mères. Près de l'autoroute 20. Ouvert depuis 1997.
COMMENTAIRE: Un bon petit bistro français bien stylé, installé au bout d'un petit centre commercial, qui propose une assiette très honorable et qui fait beaucoup d'effort dans la présentation. Le décor est simple et de bon goût. Le service évolue avec simplicité et compétence. Choix des vins moyen de gamme et bien adapté avec un bon rapport qualité-prix. Attention aux heures de fermeture le soir, peut fermer plus tôt si pas de clientèle.

L'INCRÉDULE ★★ fra
288, rue Saint-Charles O.,
VIEUX-LONGUEUIL
Tél.: 450-674-0946
SPÉCIALITÉS FRANÇAISES: Calmars grillés, purée de tomates séchées et poivrons grillés, couscous israélien, encre de seiche, chorizo. Foie de veau, sauce au poivre vert de Madagascar, purée de pommes de terre aux lardons. Contre-filet de bœuf vieilli, chimichurri. Tarte au citron et meringue à l'italienne. Verrine de tiramisu à la lime.
PRIX Midi: T.H. 17$ à 24$
Soir: C. 38$ à 67$ T.H. 32$ à 53$
OUVERTURE: Dim. à mer. 11h à 21h. Jeu. à sam. 11h à 22h. Brunch sam. et dim.
NOTE: Sélection de vins d'importation privée.
COMMENTAIRE: Un petit restaurant, au décor simple et agréable.

BANLIEUE DE MONTRÉAL (RIVE SUD)

GUIDE DEBEUR 2016

BANLIEUE DE MONTRÉAL (RIVE SUD)

GUIDE DEBEUR 2016

Dans leur menu, on peut lire: «Nous optons pour des produits biologiques et locaux quand nous en avons le choix. Nous valorisons le respect de l'environnement dans tout ce que nous faisons». Un très bel engagement! L'assiette est bonne. Le service est professionnel.

L'OLIVETO ★★★★ méd
205, rue Saint-Jean,
VIEUX-LONGUEUIL
Tél.: 450-677-8743
SPÉCIALITÉS MÉDITERRANÉEN-NES: Tartare de saumon. Feuilleté d'escargots au gorgonzola. Cavatelli, joue de veau braisée parfumée à l'huile de truffe. Pot citron, beurre citron, concassé de petit beurre, yaourt au miel.
PRIX Midi: F. 22$ à 30$
Soir: C. 34$ à 50$
OUVERTURE: Mar. à ven. 11h30 à 14h. Mar. à sam. 17h30 à 21h. Fermé dim., lun., 24 juin, du 24 déc. au 6 janv.
NOTE: Vins d'importation privée et sélection distinguée.
COMMENTAIRE: Joli petit restaurant installé depuis 1996, dans une maison de ville bleue, avec une terrasse jardin l'été. Décor douillet, parquet de bois franc, tables couvertes de blanc. On y sert une cuisine méditerranéenne recherchée.

LOU NISSART ★★★ fra
260, rue Saint-Jean,
VIEUX-LONGUEUIL
Tél.: 450-442-2499
SPÉCIALITÉS NIÇOISES ET PRO-VENÇALES: Salade niçoise. Pissaladière (pizza à l'oignon). Socca (crêpe de pois chiche). Boudin noir, oignons rôtis et sa compote. Daube niçoise. Pavé de foie de veau du Québec ou ris de veau ou gambas à la provençale. Ratatouille. Nougat glacé.
PRIX Midi: F. 15$ à 19$
Soir: C. 35$ à 54$ T.H. 25$ à 39$
OUVERTURE: Mar. à ven. 11h à 14h30. Mar. à sam. 17h à 21h30. Fermé dim., lun., 24, 25, 31 déc., 1er janv. et les sam. midi.
NOTE: Bon choix de pizzas à la provençale. Nouvelle T.H. aux 10 jours, environ 12 choix. Carte des vins d'importation privée. Grand choix de vins au verre.
COMMENTAIRE: Le décor provençal aux couleurs bleu et ocre jaune est confortable et intime. Ambiance méridionale, surtout la terrasse arrière l'été, que nous adorons. Beaucoup de spécialités typiques de la région niçoise (France, Côte d'Azur). Service très agréable et attentif.

MESSINA ★★★ ita
Le resto-club de classe affaires
329, rue Saint-Charles O.,
VIEUX-LONGUEUIL
Tél.: 450-651-3444
SPÉCIALITÉS ITALIENNES: Plateau antipasto (saumon fumé, tomates, mozarella di bufala, crostini au fromage de chèvre chaud, fine pizza végétarienne). Saumon de notre fumoir. Linguini crevettes et fromage de chèvre. Bout de côte de bœuf. Poêlée d'escargots aux pommes et calvados. Veau parmigiana. Tiramisu maison.
PRIX Midi: T.H. 11$ à 17$
Soir: C. 28$ à 79$ T.H. 18$ à 43$
OUVERTURE: Lun. à ven. 11h à 23h. Sam. et dim. 10h à 23h. Fermé 25 déc. et 1er janv.
NOTE: Saumon fumé maison. Ils font des mariages.
COMMENTAIRE: Le décor est très beau, très novateur. La vaisselle est belle, moderne. Rien à dire concernant la verrerie, mais pour ce qui est des couverts en acier inoxydable, on pourrait faire un effort. L'assiette est bonne et ne manque ni de couleurs, ni de relief. Pas d'extravagance, mais une cuisine soignée, classique, dans l'ensemble. Pas de surprise! La carte des vins est intéressante et comporte un choix de vins au verre, en format de 3oz ou 5oz. Cela permet de changer de vin, selon le plat, sans exagérer la consommation. Bon choix de bières.

NIJI ★★★★★ jap
Quartier DIX30
9385, bd Leduc #5, BROSSARD
Tél.: 450-443-6454
et 1-855-443-6454
SPÉCIALITÉS JAPONAISES CON-TEMPORAINES: Maki foie gras. Parfait au saumon. Ceviche aux fruits de mer. Sushi et sashimi. Salade de thon gril. Bar chilien. Gyokai Tempura. Nyu Sashimi Hamachi. Kimchi Tako. Kaki au gratin. Thon Tataki. Tartare de thon. Ebi Tempura. Filet mignon Angus. Grillade Niji.
PRIX Midi: F. 14$ à 27$
Soir: C. 37$ à 72$
OUVERTURE: Lun. à jeu. 11h30 à 14h30 et 17h à 22h. Ven. 11h30 à 14h30 et 17h à 23h. Sam. 17h à 23h. Dim. 17h à 22h. Fermé midi et jours fériés.
NOTE: Huîtres fraîches. Menu spectacle 3 serv. 35$. Soirée huîtres lun et mar. 1$ l'huître. Jeu. martini 2 pour 1 dès 17h. Bento-box.
COMMENTAIRE: L'établissement, joliment décoré, comporte deux salles: la première, près du comptoir de travail, intègre une très belle cuisine ouverte. La seconde comprend une section de tatami installée sur une estrade, une table plus intime en alcôve et des tables sobrement décorées. Si la cuisine est japonaise contemporaine, le décor l'est également. Calme et élégant. Le chef propriétaire porte beaucoup d'attention à travailler avec des produits de qualité d'une très grande fraîcheur. Il utilise des ingrédients choisis avec goût et les dispose en de très belles présentations dans l'assiette ou sur des plateaux de bois. Quant au service, il est tout simplement hors pair. Discret, feutré, attentif, courtois, compétent quoi! Une excellente adresse.

NOVELLO ★★★ (bistro) ita
1052-401, rue Lionel-Daunais,
BOUCHERVILLE
Tél.: 450-449-7227
SPÉCIALITÉS ITALIENNES: Mini burger de bœuf wagyu. Côte de veau de lait grillé avec huile d'olive fines herbes et balsamique. Filet mignon sur os. Crevettes géantes poêlées sauce marinara. Linguini pescatore. Tiramisu maison 100% mascarpone.
PRIX Midi: T.H. 17$ à 25$
Soir: C. 30$ à 78$ T.H. 43$ à 50$
OUVERTURE: Lun. à mer. 11h30 à 22h. Jeu. et ven. 11h30 à minuit. Sam. 17h à 23h30. Dim. 17h à 22h. Fermé 24, 25 déc. et 1er janv.
NOTE: Poissons frais de provenance internationale (Nouvelle-Zélande, mer Rouge et autres). Machine œnomatique, 18 sélections au verre. Jeudi thématique, lounge (boudoir), DJ sur place à partir de 21h30.
COMMENTAIRE: Dans un décor italien qui se veut haut de gamme. C'est confortable et beau, on sert une cuisine généreuse et très bonne. Si le prix peut sembler élevé, il se justifie par les quantités servies dans les assiettes. Font un excellent osso buco. On peut même se passer de l'entrée tant c'est copieux. Les présentations pourraient être améliorées. Le service est très bien fait.

OLIVIER LE RESTAURANT ★★★[ER] fra
679, rue Adoncour, LONGUEUIL
Tél.: 450-646-3660
SPÉCIALITÉS FRANÇAISES: Terrine de foies de volaille maison. Carré d'agneau aux herbes. Abats (foie, rognons, ris de veau). Turbot aux agrumes. Magret de canard au poivre vert. Tartes (sucre, pacanes, bleuets, etc.). Profiterole au chocolat chaud.
PRIX Midi: F. 16$ à 24$
Soir: C. 27$ à 58$ F. 23$ et 39$

OUVERTURE: Lun. à ven. 11h30 à 14h. Lun. à sam. 17h30 à 21h. Fermé dim. et jours fériés.
NOTE: Menu 4 serv. sam. 34$ à 46$. Sélection de 5 choix de fromages. T.H. change tous les jours. Plus de 100 étiquettes de vins. Terrines, sorbets et desserts maison.
COMMENTAIRE: Le chef Gérard Rogé nous propose une belle cuisine française classique. Les présentations sont simples et les saveurs sont en général franches et généreuses. Le service est courtois et chaleureux. Une cuisine goûteuse avec des cuissons justes. Le service est cependant inégal.

PARRA ET CAETERA
★★★ (bistro) fra
181, rue Saint-Charles O., LONGUEUIL
Tél.: 450-677-3838
SPÉCIALITÉS FRANÇAISES: Terrine de foie gras maison mi-cuit au gros sel, pain d'épices, confiture d'oignons et figue. Quenelle de brochet sauce Nantua, tagliatelle fraîche. Cuisse de canard confite sauce à l'aigre-doux orange et airelles, frites de patates douce. Profiterole au chocolat.
PRIX Midi: F. 19$ à 27$
Soir: C. 30$ à 75$ T.H. 24$
OUVERTURE: Lun. à ven. 11h30 à 14h30. Mar. à sam. 17h à 22h.
NOTE: Menu végétarien. Menu sans gluten.
COMMENTAIRE: Les anciens propriétaires Parra-Gendron ont cédé ce restaurant français à un jeune couple de Lyonnais Christine et Stéphane Friso. Christine gère la salle à manger avec doigté et attention, le tout baignant dans une extrême gentillesse, tandis que Stéphane dirige les fourneaux pour nous servir une cuisine française dominée par de solides classiques. On y trouvera par exemple d'excellents rognons de veau tendres et savoureux, un confit de canard, des quenelles de brochet sauce Nantua (typiquement lyonnais), des îles flottantes ou un nougat glacé fait maison. Car tout ici est fait maison avec des produits frais. Une cuisine simple, sans prétention, mais combien généreuse! Le décor n'a pratiquement pas changé. Une ambiance bistro français sympathique et confortable.

PASTA E VINO ★★ ita

1000, av. Victoria, SAINT-LAMBERT
Tél.: 450-671-7377
SPÉCIALITÉS ITALIENNES: Trio de pâtes du jour. Osso buco milanaise. Veau sorrentino, sauce to-mate demi glace, porto, champignons portobello. Escalope de veau saltimbocca (crème, prosciutto, champignons). Crème brûlée.
PRIX Midi: (fermé)
Soir: C. 27$ à 61$ T.H. 28$ à 51$
OUVERTURE: Mer. et jeu. 17h à 22h. Ven. et sam. 17h à 23h. Dim. 17h à 21h. Fermé lun. et mar., 24, 25 déc., 1er janv. et 24 juin.
NOTE: Il est préférable de réserver. Spécial du chef tous les jours.
COMMENTAIRE: Le resto fournit les pâtes; le client, son vin (d'où l'enseigne Pasta e Vino). L'assiette est fraîche, savoureuse et copieuse. Connaît cependant des hauts et des bas quelquefois. Certains plats mériteraient un peu plus d'ail. Le service se montre hyper gentil et accommodant. L'ambiance familiale, confortable et conviviale prend place dans un décor rafraîchissant. Un excellent rapport qualité-prix.

PIZZERIA SOFIA
L'amore della pizza ★★★[ER] ita
Le Square DIX30
9200, bd Leduc, local 140, BROSSARD
Tél.: 450-445-1005
SPÉCIALITÉS ITALIENNES: Arancini à la saucisse. Osso buco de veau braisé. Lasagna bolognese. Linguine aux fruits de mer. Grande variété de pizzas. Pizza avec nutella et fraises. Tiramisu. Tarte citron et noix de pin.
PRIX Midi: C. 28$ à 58$
Soir: Idem T.H. Pizza 16$ à 20$
OUVERTURE: Lun. à dim. 11h à 23h.
COMMENTAIRE: Endroit sympathique et chaleureux. Une pizzeria confortable, agréablement décorée, une ambiance comme on en rencontre en Italie. Le plafond est très haut comme dans une manufacture. La décoration est très claire, beaucoup d'espace pour circuler. Derrière un long comptoir deux grands fours à pizza; à l'opposé un bar avec un cellier. La sélection du menu est sobre tout en contenant des surprises dans la composition des plats. Des saveurs franches et des produits frais, un moment de bonheur, une cuisine familiale, simple, aux vrais parfums d'Italie, sans lourdeur. Le personnel est charmant, attentif, prévenant. Cet établissement bénéficie du stationnement du DIX30 fermé, gratuit et chauffé à deux pas de son entrée.

PRIMI PIATTI ★★★★ ita
47, rue Green, SAINT-LAMBERT
Tél.: 450-671-0080

SPÉCIALITÉS ITALIENNES: Escalope de veau poêlée, sauce au beurre et Prosecco, asperges vertes, carpaccio de truffe et mozarella di bufala. Pieuvre fregola vinaigrette à la marjolaine. Poisson frais avec crevettes, palourdes, moules, tomates fraîches, safran et bouillon parfumé au thym. Pain doré poêlé au beurre clarifié, caramel sel de mer, crème glacée vanille à l'ancienne.
PRIX Midi: T.H. 19$ à 26$
Soir: C. 30$ à 83$ T.H. 35$ à 48$
OUVERTURE: Lun. à mer. 11h30 à 22h. Jeu. et ven. 11h30 à 23h. Sam. et dim. 17h à 22h. Fermé jours fériés.
NOTE: Four à bois pour pizzas. 3 caves à vin, 275 sélections, 85% d'importation privée, prix raisonnables. 20 vins au verre.
COMMENTAIRE: Un des bons Italiens de la Rive-Sud au centre-ville de Saint-Lambert. On y mange très bien, c'est même le plus souvent excellent. Le chef n'a pas peur d'assaisonner ses plats et c'est très agréable. Il doit certainement faire la cuisine à son goût sans se baser sur le marketing alimentaire. Des mets savoureux, puissants, corsés et délicieux! Service très bien fait, le personnel répond rapidement aux demandes des clients et sait bien harmoniser les mets et les vins.

RESTAURANT BAZZ ★★★★ int
591, av. Notre-Dame, SAINT-LAMBERT
Tél.: 450-671-7222
SPÉCIALITÉS INTERNATIONALES: Tartare de bœuf à la truffe, pommes et vieux cheddar. Pannequet de porc confit, sauce à l'érable, ananas grillé, purée de céleri-rave. Pétoncles fumés, crevettes poêlées et moules, beurre composé aux tomates confites, couscous israélien au safran, chorizo rôti.
PRIX Midi: (fermé)
Soir: C. 42$ à 52$ T.H. 40$ à 45$
OUVERTURE: Mar. à sam. 17h30 à 22h. Fermé dim., lun., 24, 25 déc., 1er janv. et 2 premières sem. de janv.
NOTE: Menu dégustation 6 serv. 60$.
COMMENTAIRE: Un des très bons restaurants de la Rive-Sud. Une valeur sûre à Saint-Lambert. Simon Craig, le jeune chef propriétaire, est imaginatif: rien qu'en lisant son menu, l'aventure commence. On ne s'ennuie pas avec lui, il sait apporter une touche créative, nouvelle et savoureuse. Il ne craint pas d'assaisonner, de mélanger les saveurs, d'oser de nouveaux mariages.

Restaurants: banlieue de Montréal

RESTAURANT CHEZ JULIEN
★★★ (bistro) fra
130, ch. Saint-Jean, LA PRAIRIE
Tél.: 450-659-1678
SPÉCIALITÉS FRANÇAISES: Crevettes au Pernod, mangue, basilic, tian de mozzarella du Québec, tomates. Terre et mer, filet de porc Nagano et homard, polenta crémeuse aux oignons rôtis. Carré d'agneau en croûte de thym et dijon, ratatouille aux herbes. Tartare de bœuf au couteau, cheddar fumé, tomate confite, frites. Cœur fondant au chocolat, griottes au Kirsh.
PRIX Midi: F. 18$ à 24$
Soir: C. 34$ à 62$ T.H. 38$ à 45$
OUVERTURE: Lun. à ven. 11h30 à 14h30. Mar. à sam. 17h à 22h. Fermé dim., 1er juil., 24, 25 déc. et jours fériés.
NOTE: Menu spécial «début de semaine», mar. à jeu. soir. Bières de microbrasserie en fût. 100 étiquettes de vins en spécialité et importation privée. Brunch pour Pâques et fête des Mères. Menu saisonnier.
COMMENTAIRE: Dans ce petit restaurant à l'ambiance bistro, installé au cœur du Vieux-La Prairie, on sert une cuisine fraîche, simple et bonne. On recommande le steak tartare de bœuf. La carte des vins est bien expliquée.

SHOJI ★★★ jap
2035A, av. Victoria,
SAINT-LAMBERT
Tél.: 450-672-5888
SPÉCIALITÉS JAPONAISES: Rouleaux aux crevettes. Salade sashimi tataki. Taru sancho (trilogie de tartares: thon blanc, rouge et saumon). Nid d'hirondelle au bœuf, poulet ou fruits de mer. Filet akami (filet mignon) ou magret de canard cuit sur sole chauffante.
PRIX Midi: C. 9$ à 15$
Soir: C. 27$ à 46$

OUVERTURE: Mar. à ven. 11h à 14h30 et 17h à 22h. Sam. et dim. 16h à 22h. Fermé lun., 25 et 31 déc.
COMMENTAIRE: Un design très yin et yang, de noir et de blanc, sobre et harmonieux, chic et confortable. La carte est plus évoluée le soir, les plats gastronomiques y ont la vedette. Si vous aimez la viande pas trop cuite, signalez-le à la serveuse, ce sera meilleur. N'oubliez pas d'apporter une bonne bouteille de vin. Service très aimable. Le propriétaire est jeune, le service aussi. Ils méritent beaucoup d'encouragement, car ils veulent bien faire.

SUSHI YASU ★★★ jap
835, ch. de Saint-Jean,
LA PRAIRIE
Tél.: 450-659-1239
SPÉCIALITÉS JAPONAISES: Maguro Tataki (thon semi-cuit, sauce ponzu). Sushis pizza. Aile de raie frite. Tsubugai karaage (palourdes frites). Sushis (Hamachi, Unagi, Ika, Tako, etc.). Calmars grillés et frits. Una-don. Crème glacée à la fève rouge, au thé vert ou au gingembre. Banane tempura.
PRIX Midi: T.H. 11$ à 15$
Soir: C. 14$ à 42$ T.H. 21$ à 32$
OUVERTURE: Mar. à ven. 11h30 à 14h30. Mar. à jeu. 16h30 à 21h. Ven. et sam. 16h30 à 22h. Fermé dim., lun. et jours fériés.
NOTE: Maki 12 à 54 morceaux, 12$ à 56$. Maki et sushi 14 à 54 morceaux, 19$ à 68$.
COMMENTAIRE: Petit restaurant japonais en toute simplicité du décor, géré par une famille, mené par le père respectueux des traditions. Une seconde adresse sur boul. de Rome, à Brossard, où les plats sont plus familiaux. Le chef est un véritable spécialiste en sushi. Il les prépare à l'instant avec des produits d'une grande fraîcheur. Tout est très bon.

TRATTORIA LA TERRAZZA
★★★ ita
Casa da Carlo
575, av. Victoria, SAINT-LAMBERT
Tél.: 450-672-7422
SPÉCIALITÉS ITALIENNES: Risotto aux champignons, saucisse italienne, épinards. Escalope de veau de lait, saumon fumé, sambucca, crème, échalotes françaises. Côte de veau déglacée au Grand Marnier, sauce au poivre. Profiteroles. Tiramisu.
PRIX Midi: T.H. 13$ à 22$
Soir: C. 31$ à 70$ F. 21$ à 40$
OUVERTURE: Mar. à ven. 11h30 à 15h. Dim., mar. et mer. 17h à 22h. Jeu. à sam. 17h à 22h30. Fermé lun., 24 déc. et les 2 sem. suivantes. Fermé dim. en hiver.
NOTE: Établi depuis 2005. Le chef exécute des plats hors-menu sur demande. Terrasse dans un parc.
COMMENTAIRE: L'endroit est sympathique, surtout l'été lorsque la terrasse est ouverte. À l'intérieur, tout respire le plaisir et la bonne humeur. Ambiance italienne, bien sûr. L'assiette est généreuse et bien travaillée par le chef, qui ne se prive pas d'assaisonner comme il convient et de colorer sa cuisine des accents savoureux de l'Italie. Bon choix de vins italiens. Le service, quant à lui, est très bien fait, avec doigté et rapidité.

VESTIBULE signé L'Aurochs
★★★★[ER] (bistro) int
Quartier DIX30
9395, bd Leduc, BROSSARD
Tél.: 450-676-4440
SPÉCIALITÉS INTERNATIONALES: Plateau d'huîtres. Bavette de bœuf et gnocchis maison. Côtes levées sauce barbecue au scotch. Tartare du moment. Plateau de fromages du Québec. Mœlleux au chocolat.

Restaurants: banlieue de Montréal

PRIX Midi: T.H. 15$ à 23$
Soir: C. 21$ à 55$
OUVERTURE: Lun. à mer. 11h à 22h. Jeu. à sam. 11h à 2h du mat. Fermé dim. et 25 déc.
NOTE: Table du chef 8 serv. (pour 2) 88$. Carte de wisky de plus de 130 choix. Stationnement intérieur gratuit. Mar. bouteilles de vin à moitié prix. 25 à 30 choix de vins au verre, change toutes les semaines. Jeu. huîtres à partir 1$/pièce. Menu de saison changeant aux 8 semaines.
COMMENTAIRE: On pénètre dans un décor convivial, chaleureux, un style bistro contemporain confortable. Il y a des soirées à thème comme le jazz tous les jeudis soirs. On peut aussi y suivre les parties de hockey sur un écran géant, mais là il vaut mieux réserver. On se rappelle que Brossard est le fief du Canadien. La cuisine propose une carte principalement faite de tapas, mais aux portions convenables, très bien présentées avec un souci d'originalité et d'esthétique. Elle comporte aussi des plats principaux. Service attentif, courtois, compétent et rapide sauf au moment de régler l'addition.

VILLA MASSIMO ★★★★ ita
120, bd Taschereau, LA PRAIRIE
Tél.: 450-444-3416
SPÉCIALITÉS ITALIENNES: Osso buco milanaise. Filet mignon de cerf, sanglier ou bison. Bœuf de Kobe. Médaillon de veau au gorgonzola. Crème glacée italienne. Tiramisu. Tartufo amaretto
PRIX Midi: T.H. 21$ à 31$
Soir: C. 31$ à 98$ T.II. 31$ à 55$
OUVERTURE: Lun. à ven. 11h à 23h. Sam. 17h à 23h. Dim. 17h à 22h. Fermé 25 déc. et le midi 24 juin.
NOTE: Menu dégustation 8 serv. 70$ et 140$ pour deux. Cave à vin géante (plus de 20 000 bouteilles de vin de collection). Dégustation de vins dans la cave. Création de plats au goût du client. Guitariste jeu. à sam. soir.
COMMENTAIRE: Une des meilleures tables italiennes de la Rive-Sud de Montréal. Une carte abondante, variée, dominée par la plus pure tradition italienne. Les saveurs et la générosité sont au rendez-vous. On trouve encore ici le service en salle avec les flambages, les découpages et les préparations devant le client, ce qui montre une volonté de faire bien et dans la tradition. Les pâtes, les crèmes glacées et tous les desserts sont faits maison. C'est frais et c'est bon. Excellent choix de vins.

RIVE NORD DE MONTRÉAL

LA FONDERIE (Laval)
★★★ cont
2133, bd le Carrefour, LAVAL
Tél.: 450-681-8234
SPÉCIALITÉS DE FONDUES: Escargots à la provençale. Fondues chinoise, bourguignonne, valaisanne, fromage et chocolat. Fondue La Fonderie: filet de bœuf, poulet en aiguillettes, agneau aux herbes, saumon de l'Atlantique, crevettes tigrées, pétoncles des Îles et langoustine. Jarret d'agneau braisé au merlot. Brownie au chocolat.
PRIX Midi: (fermé)
Soir: C. 33$ à 70$
OUVERTURE: Dim. à jeu. 17h à 21h. Ven. et sam. 17h à 22h. Fermé lun.
NOTE: Table à raclette suisse et québécoise. Menu festin 35$ à 49$. Ven. et sam. 21h, menu fin de soirée T.H. 23$.
COMMENTAIRE: Ce restaurant qui était sur la rue Lajeunesse à Montréal depuis 1986, a déménagé à Laval. Le chef est devenu propriétaire, il n'a pas changé le nom ni la vocation du restaurant. Il y a un second «La Fonderie» à Montréal, rue Rachel E.

L'AROMATE RESTO-BAR
★★★★ (bistro) int
Centropolis
2981, bd St-Martin O., LAVAL
Tél.: 450-686-9005
SPÉCIALITÉS FRANÇAISES: Crevettes sautées à l'émulsion orientale. Bavette de bœuf marinée. Plusieurs choix de tartares (bœuf, aux 3 saumons...). Risotto multigrains au canard confit. Tarte au sucre réinventée en boule frite de caramel au sel.
PRIX Midi: T.H. 20$ à 27$
Soir: C. 34$ à 66$ F. 25$ à 35$
OUVERTURE: Lun. à mer. 11h30 à 22h. Jeu. et ven. 11h30 à 23h. Sam. 17h à 22h. Fermé dim., 25 déc. et 1er janv.
NOTE: Mar. soir tartare à volonté 25$. Mer. soir 4 à 8 vins d'importation privée à 50%. Jeu. et ven. 16h à 20h sélection de martinis 2 pour 1.
COMMENTAIRE: On retrouve la philosophie du propriétaire, Jean-François Plante, dans ce restaurant. Le bistro affiche un décor élégant, moderne, avec une très belle terrasse. Le personnel est jeune, dynamique; le service, très bien fait, professionnel. Les assiettes, servies généreusement, dégagent des arômes gourmands.

Les cuissons sont réussies, la viande est tendre et parfumée. Dans chaque présentation, il y a beaucoup de verdure rafraîchissante, de légumes, de fruits avec des accents exotiques dans les sauces. Une formule qui marche.

LA VIEILLE HISTOIRE ★★★ fra
284, bd Sainte-Rose, LAVAL
Tél.: 450-625-0379
SPÉCIALITÉS FRANÇAISES: Boudin de homard et ris de veau, pâtes fraîches au shiitake, duxelles de champignons. Duo de gibier, compotée de cerf et oignons rouges au vinaigre balsamique et garam masala. Verrine de fruits et sorbet, croustillant aux amandes.
PRIX Midi: (fermé)
Soir: C. 44$ à 65$ T.H. 40$ à 45$
OUVERTURE: Mar. à ven. 17h30 à 22h. Sam. et dim. 17h30 à 22h. Fermé lun., 25 déc. et 1er janv.
NOTE: Menu dégustation 5 serv. 54,45$. Nouveau menu aux 4 mois.
COMMENTAIRE: Les propriétaires accueillent la clientèle, depuis 1983, dans cette vieille maison québécoise construite en 1835. Jolie cuisine d'origine française faite tout en sensibilité.

LE FOLICHON ★★[ER] fra
804, rue Saint-François-Xavier, VIEUX-TERREBONNE
Tél.: 450-492-1863
SPÉCIALITÉS FRANÇAISES: Tartare de bœuf, pétoncles et saumon. Bouillabaisse (poissons et crustacés). Rognons de veau à la façon du chef. Magret de canard à la rhubarbe flambé à l'armagnac. Crème brûlée orange et Cointreau. Gâteau Reine-Élisabeth.
PRIX Midi: T.H. 12$ à 29$
Soir: C. 28$ à 60$ T.H. 29$ à 45$
OUVERTURE: Mar. à ven. 11h30 à 14h. Mar. à dim. 17h à 22h. Fermé lun., jours fériés et sem. relâche scolaire, fin fév. début mars.
NOTE: Menu soir, 5 serv. Saumon fumé maison.
COMMENTAIRE: Situé près du Théâtre du Vieux-Terrebonne, ce restaurant ancestral propose une jolie cuisine dans un cadre très sympathique. Une assiette simple, quelquefois audacieuse, mais toujours savoureuse. C'est aussi l'endroit pour déguster du gibier. Du plaisir à l'état brut. Grande terrasse de bois à l'extérieur. Très bien paysagé l'été.

LE MITOYEN ★★★★ fra
652, pl. Publique, SAINTE-DOROTHÉE, LAVAL
Tél.: 450-689-2977
SPÉCIALITÉS FRANÇAISES: Raviolis farcis à la queue de bœuf.

Côte de bœuf, demi-homard ou crevettes tigrées, sauce à la pâte de truffe. Filet de veau au xérès, raviolis aux cèpes, crumble de parmesan. Mignon de cerf de Boileau, sauce au cassis de l'île d'Orléans.
PRIX Midi: (fermé)
Soir: C. 50$ à 83$ T.H. 49,50$
OUVERTURE: Mar. à dim. 18h à minuit. Fermé lun., 24 et 25 déc., 1er et 2 janv. Ouvert en tout temps sur réserv. de 10 pers. et plus.
NOTE: Menu dégustation 7 serv. 100$, avec les vins 130$. Brunch pour Pâques, la fête des Mères.
COMMENTAIRE: Installé dans une romantique maison, cet établissement propose une cuisine française raffinée avec de beaux produits du Québec. Le chef propriétaire, Richard Bastien, sait s'entourer de chefs à la hauteur de son talent, qui font une cuisine savoureuse, avec des choix intéressants, mettant bien en valeur les produits frais utilisés. Les présentations sont soignées et délicates. La carte des vins comporte un bon choix de vins au verre. Le service est aimable, jeune et souriant, un peu sérieux parfois. Une excellente adresse.

L'IMPRESSIONNISTE ★★★ fra
245, chemin de la Grande-Côte, SAINT-EUSTACHE
Tél.: 450-491-3277
SPÉCIALITÉS FRANÇAISES CLASSIQUES: Pavé de thon rouge à la japonaise, sauce ponzu. Confit de canard, frites et salade. Filet de bar du Chili, beurre blanc. Ris de veau glacés, sauce forestière, noix de pin et vin rouge. Carré d'agneau en croûte d'herbes salées du Bas-du-Fleuve, sauce au piment d'Espelette. Gâteau étagé, pistaches, chocolat noir.
PRIX Midi: F. 15$ à 29$
Soir: F. 34$ à 39$
OUVERTURE: Lun à ven. 11h30 à 14h. Dim. au jeu. 17h30 à 20h30. Ven. à sam. 17h30 à 21h30.
COMMENTAIRE: Un joli décor, chic, tranquille et agréable. Des reproductions de peintres impressionnistes, notamment Renoir, ornent les murs. Cuisine très traditionnelle française, avec de solides classiques quelquefois adaptés au Québec. Menu de saison avec une bonne utilisation de produits frais régionaux. C'est excellent! Service agréable. Bon rapport qualité-prix, vaut le détour.

RESTAURANT AMATO ★★★ ita
192, bd Sainte-Rose, LAVAL
Tél.: 450-624-1206
SPÉCIALITÉS ITALIENNES: Fazzoletti farcis épinards et ricotta, sauce aux tomates et parmesan.

Risotto aux cèpes et truffes dans crêpe au parmesan croustillant. Jarret d'agneau braisé au romarin. Escalope de veau de lait du Québec, prosciutto et figues. Crêpes Suzette. Tiramisu.
PRIX Midi: T.H. 16$ à 30$
Soir: C. 30$ à 79$ F. 28$ à 45$
OUVERTURE: Mar. à ven. 11h30 à 14h. Mar. à sam. 17h30 à 22h. Dim. 17h30 à 21h30. Fermé entre Noël et jour de l'An.
COMMENTAIRE: Décor agréable avec ses tables aux nappes blanches et ses fauteuils antiques aux coussins rouges. Cuisine soignée. Service aimable.

TOMO ★★★ jap
214, bd Labelle, ROSEMÈRE
Tél.: 450-419-8878
SPÉCIALITÉS JAPONAISES: Fruits de mer au cari, légumes et riz. Tartare de thon et miel. Queue de homard roulé en sushi. Nid d'amour, légumes sautés avec bœuf, poulet, crevettes sur nid de nouilles croustillantes. Carré d'agneau grillé, sauce maison. Crème glacée frite.
PRIX Midi: F. 15$ à 22$
Soir: C. 24$ à 41$ F. 20$ à 30$
OUVERTURE: Mar. à ven. 11h à 15h. Mar. à dim. 17h à 22h. Fermé lun. et 25 déc.
NOTE: 5 salles de tatamis. Grand stationnement gratuit.
COMMENTAIRE: L'assiette est très bonne, copieuse et joliment présentée. Le service se montre très aimable, patient et compétent. La cuisine s'ouvre sur une très grande salle à manger moderne, de sa table on regarde vers les cuisiniers qui s'affairent aux différentes préparations culinaires.

RESTAURANTS DE LA RÉGION DE MONTRÉAL

LANAUDIÈRE

LE LAPIN QUI TOUSSE ★★★ (bistro) fra
410, rue Notre-Dame, JOLIETTE
Tél.: 450-760-3835
SPÉCIALITÉS FRANÇAISES: Lapin sauce ardennaise. Scampi à la fleur de sel. Rognons de veau aux baies de genièvre. Confit de canard aux poires. Paella (pétoncles, scampi, crevettes, moules). Filet mignon de bœuf de M. Bérard, duo de sauces (béarnaise et poivre de Madagascar). Crème brûlée.
PRIX Midi: T.H. 18$ à 23$

Soir: C. 41$ à 72$ T.H. 36$ à 45$
OUVERTURE: Lun. à ven. 11h30 à 14h. Mar. à sam. 17h30 à 21h30. Fermé dim., lun. soir et jours fériés.
COMMENTAIRE: On ne sait plus très bien qui fait quoi dans cet établissement. La chef a formé son directeur de salle pendant deux ans, plus un stage de perfectionnement sur le foie gras en Alsace, et ils ont interverti leur rôle. La chef est responsable de la salle et lui est responsable des fourneaux. Une façon de tout savoir faire et de se rapprocher du client? En fait, il s'agit du mari et de sa femme et vice versa. Cependant, on propose une assiette classique bistro savoureuse. Ambiance intime et chaleureuse.

LE PRIEURÉ ★★★★★ fra
402, bd l'Ange-Gardien, L'ASSOMPTION
Tél.: 450-589-6739
SPÉCIALITÉS FRANÇAISES: Sauté minute de crabe, pétoncles et crevettes à la fondue de tomates, crème et vin blanc. Pétoncles géants à la chablisienne. Boudin noir au porto. Cuisse de canard confit, marmelade d'oignons au vin rouge. Nougat glacé aux pacanes et sirop d'érable.
PRIX Midi: T.H. 23$ à 40$
Soir: C. 48$ à 78$
OUVERTURE: Mar. à ven. 11h45 à 13h30. Mar. à sam. 18h à 21h. Fermé dim., lun., jours fériés et 2 dernières sem. d'août.
NOTE: Cave à vin (200 étiquettes).
COMMENTAIRE: Le chef Thierry Burat et son épouse nous proposent une cuisine d'inspiration française faite avec des produits frais d'ici. Une halte incontournable dans la région de Lanaudière, durant laquelle on pourra admirer la belle maison historique dans laquelle est installé le restaurant, et visiter la chapelle privée destinée aux mariages.

TENUTA Restaurant-Bar ★★★★[ER] ita
310, Montée des Pionniers, TERREBONNE
Tél.: 450-585-6606
SPÉCIALITÉS ITALIENNES ACTUALISÉES: Gnocchis en tenue croustillante et mœlleuse, champignons portobello, asperges, sauce taleggio crémeuse. Salade de homard, avocat, mangue, balsamique vieilli. Raviolis de foie gras monté au beurre de truffe. Carré d'agneau d'Alberta poêlé, sauce aux champignons et marsala. Fondant au chocolat noir, glace vanille fraîche.
PRIX Midi: F. 19$ à 34$

Soir: C. 46$ à 89$ F. 24$ à 43$
OUVERTURE: Lun. à mer. 11h30
à 22h. Jeu. et ven. 11h30 à 23h.
Sam. 17h à 23h. Dim. 17h à 22h.
Fermé 24 et 25 déc.
NOTE: Huîtres à l'année. Carte
des vins, prix Wine Spectator
2006 à 2015.
COMMENTAIRE: Un excellent restaurant italien situé en bordure
d'un centre commercial, près de
l'autoroute. Un décor moderne
très design. Une carte italienne
évolutive offrant une très belle
assiette, savoureuse, faite avec
des produits frais. Une belle carte
de vins avec un très bon choix
de vins au verre. Un service très
compétent, attentif, patient et
courtois. Mériterait d'avoir un sommelier.

TRATTORIA GUSTO ★★★ ita
165, rue Saint-Paul, JOLIETTE
Tél.: 450-398-0888
SPÉCIALITÉS ITALIENNES: Gnocchis sauce gorgonzola et noix de
Grenoble. Osso buco braisé sur
risotto. Veau portefeuille farci prosciutto, fromage provolone, mozzarella et basilic frais, sauce marsala. Jarret d'agneau braisé, polenta. Cannoli sicilen maison. Tiramisu.
PRIX Midi: (fermé)
Soir: C. 29$ à 47$ T.H. 20$ à 41$
OUVERTURE: Mar à jeu. et mer.
16h30 à 21h. Ven. et sam. 16h30
à 22h. Fermé lun., 25 déc. et 1er
janv. Petit déjeuner sam. et dim.
9h à 14h.
NOTE: 40 choix pour la T.H. du soir.
COMMENTAIRE: N'oubliez pas
d'apporter votre vin et de le marier avec les mets italiens que va
préparer le chef Massimo Di Cic-
co. Une cuisine italienne honnête
et savoureuse, mettant en valeur
les recettes traditionnelles typiques de l'Italie. Une adresse sympathique à fréquenter avec des
amis.

LAURENTIDES

AVIS
De plus en plus de restaurants
dans les Laurentides ne sont
ouverts que le soir. Ils ont ap-
paremment de la difficulté à
concurrencer les restos rapides le midi et le problème
s'accentue d'année en année.

AUBERGE DU VIEUX FOYER
★★★ cont
3167, 1er Rang Doncaster,
VAL-DAVID
Tél.: 819-322-2686
et 1-800-567-8327

SPÉCIALITÉS CONTINENTALES:
Gravlax de saumon, crème sure à
l'aneth, salade de concombre. Poitrine de canard du lac Brome, salsa à l'orange. Médaillon de cerf
rouge des Appalaches sur pierre
volcanique. Carré d'agneau rôti,
persillade. Gâteau au fromage,
compote de petits fruits. Gourmand au fudge et bavaroise au
chocolat lacté.
PRIX Midi: (fermé)
Soir: C. 26$ à 42$ T.H. 26$ à 44$
OUVERTURE: 7 jours 17h30 à
20h. Petit déjeuner 8h à 10h.
NOTE: Réserv. requise. Mar. moules et frites à volonté. Chef pâtissier sur place. Pain, confitures
maison. 36 chambres, 5 chalets.
Réception de mariage. Spa et centre de santé.
COMMENTAIRE: Située à la sortie
de Val-David, au milieu des montagnes, cette auberge offre un a-
gréable hébergement. En hiver
comme en été, possibilité de pra-
tiquer divers sports sur place. Le
chef propriétaire, Jean-Louis Martin, propose une cuisine variée et
appétissante. Son brunch du dimanche est toujours très apprécié.

**AUBERGE ET RESTAURANT
CHEZ GIRARD ★★ fra**
18, rue Principale O.,
SAINTE-AGATHE
Tél.: 819-326-0922
et 1-800-663-0922
SPÉCIALITÉS FRANÇAISES: Cas-
cade de pétoncles au cognac. Filet de truite au brie, parfumé à
l'estragon. Bison déglacé au porto.
Foie de veau campagnard. Cuisse
de canard confite, sauce à l'orange. Beignets aux pommes chauds,
sauce à la framboise.
PRIX Midi: T.H. 12$ à 19$
Soir: C. 27$ à 66$ T.H. 25$ à 37$
OUVERTURE: Mar. à sam. 11h30
à 14h et 17 à 21h. Dim. 9h à
13h (petit déjeuner) et 17h à 20h.
Fermé lun., 2 premières sem. de
nov. Fermé mar. en hiver.
NOTE: Le midi, ajoutez 3$ à un
plat à la carte pour avoir une T.H.
Cave à vin 60 étiquettes. Réserv.
préférable. Petit déjeuner dim. à
la carte. Une des plus belles terrasses panoramiques en ville. 3
chambres 2 pers. Ouvert depuis
1955, 60 ans en 2015.
COMMENTAIRE: À quelques pas
du magnifique lac des Sables, ce
restaurant comporte deux salles à
manger et deux terrasses. Cuisine
agréable et parfumée, préparée
avec soin par le chef propriétaire,
Marco Perriard.

AUX GARÇONS
★★★★ (bistro) fra
1049, rue Valiquette,
SAINTE-ADÈLE
Tél.: 450-745-1566

SPÉCIALITÉS FRANÇAISES: Foie
gras au torchon, armagnac et porto. Filet de morue au beurre nan-
tais. Tartare de bœuf. Steak de
thon grillé, salsa de fruits. Mousse
aux deux chocolats: Toblerone et
chocolat noir.
PRIX Midi: (fermé)
Soir: T.H. 23$
OUVERTURE: Dim. à jeu. 17h30
à 21h30. Ven. et sam. 17h30 à
22h.
NOTE: Menu à l'ardoise. Exposition d'artistes régionaux. Ven. et
sam., table des Garçons 23$ à
42$.
COMMENTAIRE: Le chef Jean-
Marc Jorand a quitté les fourneaux pour s'occuper du service
traiteur de l'établissement. Quant
au restaurant, il s'agit toujours
d'une expérience gustative originale tant dans les présentations
que dans les saveurs.

**LA CHAUMIÈRE DU VILLAGE
★★★★ fra**
15, rue Principale E.,
SAINTE-AGATHE-DES-MONTS
Tél.: 819-326-3174
SPÉCIALITÉS FRANÇAISES: Duo
de pétoncles et crevettes sur un
coulis à la provençale. Risotto aux
champignons sauvages. Loup de
mer sauce homardine. Magret de
canard rôti sur son gras, sauce à
l'orange. Escalope de ris de veau
de lait aux pleurotes. Crème brûlée à l'orange.
PRIX Midi: T.H. 18$
Soir: C. 30$ à 62$ T.H. 28$ à 38$
OUVERTURE: Lun. à ven. 11h45 à
14h. Lun. à sam. 17h à 21h. Télé-
phoner pour confirmer les horaires.
NOTE: Menu soir 4 serv. Menu dégustation 5 serv. 48$, 6 serv. 49$,
7 serv. 57$. Accès pour handica-
pés. Carte des vins (100 étiquettes). Plats pour pers. allergiques
au lactose, au gluten et végétariennes. Fromages du Québec.
Certifié terroir et saveurs du Québec.
COMMENTAIRE: Cuisine française classique, simple mais savoureuse. Le restaurant est installé
dans une très charmante maison
ancienne, au cœur de Sainte-Agathe-des-Monts. La terrasse avec
son mobilier blanc lui donne un
air romantique.

**LE BISTRO À CHAMPLAIN
★★★★[ER] fra**
Estérel Suites, Spas & Lac
39, bd Fridolin-Simard, ESTÉREL
Tél.: 450-228-2571
et 1 888 Esterel (378-3735)
SPÉCIALITÉS FRANÇAISES: Magret de canard mi-fumé, pommes
de terre de l'Île d'Orléans au gingembre. Filet mignon de veau de

lait du Québec, ris de veau croustillant, tanin d'épices et sa moelle. Étagé de mousse au citron sur concassé de griottes, gelée de sangria.
PRIX Midi: (fermé)
Soir: C. 53$ T.H. 59$ 5 serv.
OUVERTURE: 7 jours 17h30 à 21h30.
NOTE: Table du chef 4 pers. Menu dégustation 6 serv. ven. et sam. 150$ avec accord mets et vins. Possibilité de manger dans une cave à vin de plus 4 000 étiquettes. Vue sur le lac Dupuis. 200 suites. Spa et massage.
COMMENTAIRE: Il y a plusieurs offres pour manger dans cet établissement chic. Le 260°, un bistro-bar et sa vue sur le lac; le Rok, un restaurant de grillades sur pierre chaude; et la salle à manger proprement dite, élégante et dont la vue donne également sur le lac. C'est cette dernière que nous avons évaluée. Elle s'appelait autrefois L'Ultime. Elle a changé son nom pour celui du Bistro à Champlain, aujourd'hui fermé. Un restaurant grand fondé par Champlain Charest, grand collectionneur de vins et dont l'hôtel a racheté la cave. Nous avons ici une table gastronomique savoureuse et joliment présentée. Beaucoup d'effort pour nous permettre de faire une belle expérience. Service impeccable.

LE CHEVAL DE JADE ★★★★ fra
688, rue Saint-Jovite,
MONT-TREMBLANT
Tél.: 819-425-5233
SPÉCIALITÉS FRANÇAISES: Foie gras poêlé, poire et porto. Bouillabaisse méditerranéenne. Magret de canard, sauce foie gras et truffe. Pétoncles poêlés, jus de canneberges et coriandre. Truffes au chocolat noir de Tanzanie et cardamome sur pralin croustillant.
PRIX Midi: (fermé)
Soir: C. 47$ à 69$ T.H. 50$ à 60$
OUVERTURE: Mar. à sam. 17h à 22h. Fermé lun. et dim. et de mi-oct. à mi-nov.
NOTE: Canneton des Laurentides à la rouennaise/2 pers. sur réserv. Bouillabaisse avec demi-homard. Menu découverte 7 serv. 2 pers. 166$. Mets flambés en salle. Ouvert midi sur réserv. 20 pers. minimum. Mets végétariens. Soirée avec les maîtres canardiers mi-avril. Vérifier si ouvert le dim.
COMMENTAIRE: Situé sur la rue principale, à l'entrée de Saint-Jovite, ce restaurant est spécialisé dans les poissons, les fruits de mer (très bonne bouillabaisse) et le canard à la presse (a vendu son 1 840e canard à la presse en 2015). En cuisine comme en salle, les propriétaires possèdent une belle expérience professionnelle. Oli-

vier Tali, maître canardier depuis 2005, fait un clin d'œil à la cuisine moléculaire. Sa cuisine est évolutive et attrayante. Il utilise des produits naturels régionaux.

LE RAPHAËL ★★★ fra
3053, bd Curé-Labelle, PRÉVOST
Tél.: 450-224-4870
SPÉCIALITÉS NOUVELLE CUISINE FRANÇAISE: Côtes levées de porc à la bière Griffon rousse et sirop d'érable. Cuisses de canard confites. Tartare de bison et de bœuf. Carré d'agneau à la provençale. Pommes de ris de veau aux cèpes. Nougat glacé.
PRIX Midi: (fermé)
Soir: C. 34$ à 70$ T.H. 25$ à 40$
OUVERTURE: Mer. à dim. 17h30 à 21h30. Fermé lun. et mar. sauf pour groupes.
NOTE: Moules à volonté, mer. à ven. et dim. 25,95$. Menu thématique au gré des produits de saison.
COMMENTAIRE: Depuis plusieurs années, ce restaurant offre à une clientèle fidèle des menus intéressants. Depuis que les parents se sont retirés, c'est leur fils Raphaël et sa conjointe qui ont repris la direction de la cuisine et de la salle.

RESTAURANT CHEZ MILOT ★★★ cont
958, rue Valiquette, SAINTE-ADÈLE
Tél.: 450-229-2838
SPÉCIALITÉS CONTINENTALES ET ITALIENNES: Poire farcie de bleu. Carré d'agneau complet rôti avec herbes, pommes de terre et légumes. Filet d'épaule de bœuf, sauce forestière. Gâteau pommes et pacanes, sauce sucre à la crème chaude.
PRIX Midi: T.H. 10$ à 22$
Soir: C. 22$ à 48$ T.H. 20$ à 34$
OUVERTURE: Lun. à ven. 11h à 14h. Dim. à jeu. 17h à 21h. Ven. et sam. 17h à 22h.
NOTE: Dim. à jeu. 5 à 7 4 serv., 19$. Foyer l'hiver. Belle terrasse l'été. Brunch fête des Mères et Pâques. Menu à l'ardoise changeant chaque semaine. Produits frais de saison.
COMMENTAIRE: Sa force, c'est la continuité et une constance dans la qualité de l'accueil et de la nourriture. A une bonne clientèle qui lui est fidèle.

MONTÉRÉGIE

AUBERGE DES GALLANT ★★★★★ qué
1171, ch. Saint-Henri,
SAINTE-MARTHE DE VAUDREUIL
Tél.: 450-459-4241
et 1-800-641-4241

SPÉCIALITÉS QUÉBÉCOISES: Salade d'endives de Saint-Clet, pommes du Québec, noix de Grenoble. Tartare de saumon fumé maison. Foie gras poêlé du Périgord. Tomahawk de porc Nagano, réduction pommes et bleu. Bavette de bison grillée, sauce au shiitake et poivre vert. Crème brûlée à l'érable.
PRIX Midi: T.H. 25$
Soir: C. 35$ à 62$
OUVERTURE: Sur réserv. Lun. à sam. 11h à 21h. Dim. 9h à 14h et 17h à 21h. Petit déjeuner sam. et dim. 7h30 à 10h.
NOTE: Sur réserv. menu gastronomique à l'érable, mars et avril, à la pomme, sept. et oct. Menus saisonniers. Menu accord mets et vin, 120$ soir, sur réserv. Visite du jardin et de la cabane à sucre. Plusieurs forfaits divertissants. Produits de l'érable à l'année. 2 spa extérieurs 10 pers. Animaux les bienvenus, spa pour chien.
COMMENTAIRE: L'Auberge de Linda et Gérard Gallant existe depuis 1972. Elle a été construite dans un boisé de 400 arpents, au centre d'une réserve ornithologique et d'un ravage de chevreuils. En 2012, coup de théâtre: l'auberge a brûlé à 50%. Tel le phénix, elle renaît de ses cendres plus belle et plus spacieuse grâce à l'acharnement de Linda Gallant et à son équipe. Aujourd'hui, l'Auberge des Gallant est un vaste complexe hôtelier et gastronomique, avec, en plus, trois salles de réunion et 42 chambres. La salle à manger habituelle a continué sa vocation, rehaussée de soirées thématiques de dégustation de vins animées par l'excellent sommelier Thomas Le Guilly. Une destination champêtre incontournable!

AUBERGE HANDFIELD ★★★[ER] qué
555, rue Richelieu,
SAINT-MARC-SUR-RICHELIEU
Tél.: 450-584-2226
et 514-990-0468
SPÉCIALITÉS QUÉBÉCOISES ET FRANÇAISES: Terrine de gibier maison, chutney de fruits confits. Confit de canard aux pleurotes, sauce à la diable. Jarret d'agneau au romarin. Ragoût de boulettes et osso buco de porc. Tarte au sucre de l'érablière Handfield.
PRIX Midi: T.H. 25$ à 45$
Soir: C. 39$ à 65$ T.H. 35$ à 56$
OUVERTURE: Mi-juin à mi-oct. mer. à sam. 11h30 à 14h et 17h à 21h. Dim. 10h à 14h. Petit déjeuner 8h à 11h. Le reste de l'année, communiquer pour confirmer les horaires.

Restaurants: région de Montréal

NOTE: Menu soir 4 serv. change aux saisons. Menu santé offert au spa. Brunch musical dim. Produits et vins du terroir. Bar-terrasse. Cabane à sucre sept. à mai. Été, sur la terrasse, buffet petit déjeuner 8h à 11h, BBQ sam. et dim. soir.

COMMENTAIRE: Plusieurs chambres de l'auberge sont situées au bord du Richelieu. Il y a un bateau-théâtre l'été, une marina, une érablière avec cabane à sucre, des pistes pour ski de fond et vélo, en plus d'une station santé nommée Spa les thermes. Si le menu de la cabane à sucre est typiquement québécois avec ses cretons et ses oreilles de crisse, fèves au lard et soupe aux pois, celui du restaurant s'inspire davantage de la cuisine française.

BISTRO CULINAIRE - LE COUREUR des BOIS
★★★ (bistro) fra
Hôtel Rive-Gauche - Refuge Urbain
1810, rue Richelieu, BELŒIL
Tél.: 450-467-4477
et 1-888-608-6565
SPÉCIALITÉS FRANÇAISES: Tartares du Coureur: saumon frais, bœuf et magret de canard. Bœuf Eumatimi, pavé de contre filet Prime AAA rôti. Crème brûlée à la liqueur de «Coureur des bois».
PRIX Midi: F. 21$
Soir: C. 32$ à 74$ T.H. 39$
OUVERTURE: Lun. à sam. 11h à 14h30 et 17h30 à 21h. Dim. 10h30 à 14h.
NOTE: Nouveau menu aux saisons, de concert avec les producteurs locaux. Menu découverte 75$. Nouvelle table du chef en cuisine, 6-8 pers. Menu dégustation 7 serv. à partir de 129$ par pers., accord des vins 179$. Cave à vin, gagnant Wine Spectator 2015, plus de 2 000 bouteilles. Soirée dansante 31 déc.

COMMENTAIRE: Le restaurant revampé de l'hôtel Rive-Gauche personnifie la forêt québécoise – photos d'orignaux, troncs d'arbre, raquette – et correspond bien à la cuisine de Jean-François Méthot. Sa cuisine respecte les produits de la région qu'il utilise largement, on les retrouve dans chacun de ses plats. Il a travaillé avec Renaud Cyr au Manoir des Érables, aux Trois Tilleuls, au Club Saint-Denis, a donné des ateliers au CFP Jacques Rousseau, puis est devenu chef au Coureur des bois en 2009. On parle ici de «bistronomie»: des mets créatifs et réinventés, concoctés à partir des produits du terroir montérégien et québécois, enrichis par une très belle cave à vin.

BLEU MOUTARDE ★★★[ER] fra
965, rue Richelieu, BELŒIL
Tél.: 450-464-8839
SPÉCIALITÉS FRANÇAISES ET ITALIENNES: Calmars frits, sauce tartare. Confit de canard. Terrine de boudin, compotée de pommes flambée au cognac. Tartare de bœuf et frites maison. Bavette de bœuf à l'échalote et frites maison. Mignon de bœuf, sauce porto, vieux cheddar. Crème brûlée. Gâteau au fromage.
PRIX Midi: F. 14$ à 23$
Soir: C. 41$ à 84$ F. 24$ à 53$
OUVERTURE: Mar. à ven. 11h30 à 14h. Mar. à dim. 17h à 22h30. Fermé lun., 24 et 25 déc. Ouvert lun. de fin mai à début sept.
NOTE: Brunch à la fête des Mères et à Pâques. Carte des vins change régulièrement, 60% d'importation privée. Quai pour l'amarrage des bateaux.
COMMENTAIRE: Abrité dans une maison au bord du fleuve au cœur du Vieux-Belœil, l'endroit est coquet et convivial. L'été, on peut profiter de terrasses s'étageant jusque dans le jardin qui borde les rives du Richelieu. Le chef propose une cuisine d'inspiration française et italienne avec des spécialités rappelant celles que l'on trouve dans les bistros. Nous avons apprécié le côté simple, net et franc des assiettes, tant dans les saveurs que dans les présentations. Un service convivial, une table honnête qui nous donne le goût de revenir.

ET CAETERA ★★★ cont
80, rue Saint-Mathieu, BELŒIL
Tél.: 450-281-2211
SPÉCIALITÉS CONTINENTALES ET MÉDITERRANÉENNES: Tartare de bœuf, pomme verte, cheddar fort à l'huile de truffe. Pavé de saumon, sauce vierge aux tomates cerises, câpres et bébés épinards sur pâtes fraîches au pesto de basilic. Crème brûlée napolitaine, confiture de fraises en cachette et mousse de chocolat.
PRIX Midi: T.H. 18$
Soir: C. 33$ à 52$ T.H. 35$
OUVERTURE: Mar. à ven. 11h30 à 13h30. Mar. à sam. 17h à 21h30. Fermé dim. et lun. Fermé 25, 26 déc., 1er et 2 janv.
NOTE: Tous les plats à la carte se transforment en T.H. pour 8$ de plus. Menu moules, menu pâtes. Grillades, bavettes, filets mignons.
COMMENTAIRE: Très belle maison magnifiquement aménagée en restaurant. Tout est en camaieu de blanc. Ambiance douce et paisible, l'endroit idéal pour une belle gastronomie. L'entrée de calmars, bien savoureuse et généreuse, et la délicieuse mousse au chocolat étaient à la hauteur de nos attentes. Par ailleurs, la cuisine s'annonce méditerranéenne, mais elle s'apparente plus à une cuisine continentale aux accents méditerranéens. On y retrouve des plats inflencés par plusieurs

pays. Le chef, Philippe Hamelin et son épouse Josée, tombés en amour avec Beloeil et la belle rivière Richelieu, ouvrent un premier restaurant tout au bord de l'eau, le Jozéphil. Puis une occasion se présente pour acheter une belle maison de maître au coeur du village. Un second restaurant vient de naître. À force de recherche, on le nommera etc. ou plutôt de son nom latin Et Caetera.

FOURQUET FOURCHETTE ★★[ER] qué
1887, rue Bourgogne, CHAMBLY
Tél.: 450-447-6370
et 1-888-447-6370
SPÉCIALITÉS QUÉBÉCOISES: Tartare de saumon à la Rastman. Médaillon de wapiti, os à moelle, fleur d'ail, jus à la bière noire de Chambly. Ballottine de pintade, foie gras poêlé, pleurotes à la fleur d'ail et Fin du Monde. Magret de canard, risotto d'orge aux champignons, sauce au thé des bois. Pouding chômeur à l'érable et à la Maudite.
PRIX Midi: T.H. 14$ à 18$
Soir: C. 33$ à 55$ T.H. 27$ à 43$
OUVERTURE: De sept. à début juin: jeu. à dim. 11h30 à 21h. Début juin au 15 sept: 7 jours 11h30 à 21h. Réserv. suggérée. Fermé 24 et 25 déc.
NOTE: Menu de saison. Carte de vins québécois et de vins français. Carte de bières et de cidres du Québec. Réserv. recommandée les fins de sem. et en période estivale. Animation sur la terrasse durant la période estivale si beau temps. Boutique avec produits du terroir. Musiciens à l'année sam. Stationnement gratuit.
COMMENTAIRE: Cet établissement comporte un magasin, un restaurant avec gril et une étage décoré comme une abbaye, qui sert de salle de banquet. Le décor est rustique et solide. Le menu est simple et sans prétention, d'inspiration Nouvelle France. Il propose des recettes traditionnelles québécoises, et même autochtones, cuisinées avec de la bières. Le service et l'animation en salle sont faits par des jeunes en costume d'époque. On y mange dans une belle ambiance. Très belle terrasse face au fleuve.

HOSTELLERIE LES TROIS TILLEULS ★★★★[ER] fra
290, rue Richelieu,
SAINT-MARC-SUR-RICHELIEU
Tél.: 514-856-7787
SPÉCIALITÉS FRANÇAISES: Foie gras poêlé de Marieville, chutney de figues et tomates. Omble de Gaspé poêlé, sauce bois boudran,

rattes, lardons, choux de Bruxelles, haricots verts. Magret de canard de Marieville rôti, sauce à la réglisse, chèvre frais, noisettes, betteraves, kale, pommes de terre au gras de canard.
PRIX Midi: T.H. 25$ à 35$
Soir: C. 41$ à 68$
OUVERTURE: 7 jours 11h30 à 16h et 17h30 à 22h30. Petit déjeuner 7h30 à 10h.
NOTE: Menu dégustation 98$, avec les vins 148$. Petit déjeuner 18$.
COMMENTAIRE: La propriété est harmonieusement paysagée. Les élégants bâtiments, construits au bord du Richelieu, reflètent tout le charme de la rivière. Il y a même une chapelle dans le boisé pour les mariages célébrés sur place et un spa Givenchy. Une bonne table, dans un cadre agréable, qui existe depuis 1953. À visiter été comme hiver.

HÔTEL-RESTAURANT CHEZ NOESER ★★★★ fra
236, rue Champlain,
SAINT-JEAN-SUR-RICHELIEU
Tél.: 450-346-0811
SPÉCIALITÉS FRANÇAISES: Feuilleté au homard et pétoncles sauce corail. Foie gras frais au torchon. Aiguillettes d'agneau au basilic frais. Escalope de saumon à l'estragon. Escalope de foie gras poêlée à la saveur du mois. Magret de canard et son foie gras. Carré d'agneau en croûte d'épices. Desserts de saison. Glace à l'érable maison.
PRIX Midi: (fermé)
Soir: Menu 40$ à 70$ T.H. 40$
OUVERTURE: Jeu. à dim. 17h30 à 21h. Fermé lun. à mer., 25 déc. et 1er janv. Ouvert sur réserv. 20 pers. et plus.
NOTE: Réserv. préférable. Apportez votre vin (voir menu à www.noeser.com). Menu dégustation 4 à 7 serv. Menus à thème (pommes, chasse, Noël). Service de traiteur. Accessible aux handicapés.
COMMENTAIRE: Ce restaurant est logé dans une maison ancestrale divisée en plusieurs petites salles. C'est une affaire familiale. Denis Noeser officie dans la cuisine pour nous concocter de succulents petits plats. Ginette, son épouse, s'occupe du service et du bien-être des clients en salle. Un endroit sympathique, romantique, où l'on mange bien et où l'on apporte son vin. L'ajout d'une chambre unique, qui se présente comme une suite luxueuse (avec terrasse, spa et foyer), en fait probablement le plus petit hôtel en Amérique du Nord.

LA CRÊPERIE DU VIEUX-BELOEIL ★★★★★ crê
940, rue Richelieu, BELOEIL
Tél.: 450-464-1726
SPÉCIALITÉS DE CRÊPERIE: Soupe à l'oignon gratinée. Crêpe au saumon fumé et crème sure. Crêpe aux fruits de mer. Crêpe oeuf jambon et fromage. Crêpe aux champignons au fromage. Crêpe au cheddar fort et pommes. Crêpe fraises, chocolat et crème glacée. Crêpe banane, caramel, pacanes flambées au rhum.
PRIX Midi: C. 7,25$ à 21$
Soir: Idem
OUVERTURE: Hiver: mar. à ven. 11h30 à 14h et 17h à 21h. Sam. 17h à 21h. Dim. 17h à 20h. Été: mar. à ven. 11h30 à 14h et 17h à 21h. Sam. 17h à 21h. Dim. 17h à 21h30. Fermé lun. et fêtes de fin d'année.
NOTE: Les portions sont tellement grosses que les clients partagent deux crêpes, une salée et une sucrée. Le prix donné tient compte de cette habitude. Terrasse l'été sur une galerie en bois, abondamment fleurie, avec vue sur le Richelieu. Décor enchanteur.
COMMENTAIRE: La meilleure crêperie au Québec! Dans une ambiance chaleureuse et reposante, on y déguste d'innombrables crêpes tant au froment qu'au sarrasin. Nous en avons dénombré une cinquantaine de sortes aux garnitures salées et sucrées, dont 9 dites flambayantes. On aimerait les essayer toutes, mais après une ou deux, il ne reste plus que la gourmandise tant on est rassasié. Très beau décor composé de quatre ravissantes salles, dont une verrière. Les crêpes sont faites devant vous, dans la salle à manger. Et, cela sent terriblement bon!

L'ANGÉLUC ★★★ fra
480, rue Saint-Denis,
SAINT-ALEXANDRE
Tél.: 450-346-4393
SPÉCIALITÉS FRANÇAISES: Tartare de boeuf relevé au cognac, huile de truffe. Médaillon de filet de veau, sauce bisque de homard et pétoncles. Caille royale farcie aux pommes et cidre de pomme, demi-glace vin rouge. Gâteau fondant choco-caramel.
PRIX Midi: (fermé)
Soir: T.H. 50$ (6 serv.)
OUVERTURE: Jeu. à dim. 18h à minuit. Fermé 22 déc. au 10 janv. et 3 sem. en été.
NOTE: Aucune carte de crédit ni débit n'est accepté. Seulement l'argent comptant, les chèques personnels ou de compagnies sont acceptés.

COMMENTAIRE: Situé au sud de Saint-Jean-sur-Richelieu, L'Angéluc est un restaurant français classique, sans prétention, mais bien. Installé dans une maison familiale, chaque pièce a été aménagée en salle à manger. Quant à la carte, c'est bon et surtout c'est très copieux. Nous n'avons pu terminer nos desserts tant il y en avait. Par contre, prenez votre temps, car le service est un peu lent. Très aimable et attentif cependant. En fait, on vient ici pour y passer la soirée.

LA RABASTALIÈRE ★★★★ fra
125, rue Rabastalière O., SAINT-BRUNO
Tél.: 450-461-0173
SPÉCIALITÉS FRANÇAISES: Tataki de thon. Saumon mi-cuit, lit de courgette, sauce choron. Tartare de bœuf. Tournedos de bœuf sauce poivrade, pommes de terre rattes rôties aux lardons et shiitake. Chateaubriand grillé/2 pers. Crêpes Suzette.
PRIX Midi: T.H. 22$
Soir: C. 52$ à 106$ T.H. 27$ à 37$
OUVERTURE: Mar. à ven. 11h30 à 15h. Mar. à dim. 17h30 à 22h. Fermé lun., du 24 au 26 déc. et 2 premières sem. de janv.
NOTE: Tartare de bœuf préparé à la table. Menu gastronomique 6 serv. 70$.
COMMENTAIRE: Ouvert depuis 1979. Une table française classique, savoureuse, avec une touche contemporaine. Le décor est confortable, classique lui aussi; le service, compétent et courtois; la carte des vins, très intéressante. Une belle adresse à vingt-cinq minutes de Montréal, l'endroit idéal pour les repas d'affaires. C'est calme et discret.

LE CLAN CAMPBELL ★★ fra
Manoir Rouville-Campbell
125, ch. des Patriotes Sud, MONT-SAINT-HILAIRE
Tél.: 450-446-6060
SPÉCIALITÉS FRANÇAISES: Risotto de crevettes. Tartare de bœuf, frites maison. Bavette de bœuf Angus (8 oz). Filet de bœuf Angus mariné aux herbes. Mousse citron, cœur parfumé à la framboise sur palet breton et chocolat blanc, sorbet au citron et citron confit.
PRIX Midi: F. 15$ à 29$
Soir: C. 27$ à 64$ T.H. 45$ à 48$
OUVERTURE: Lun. à ven. 11h30 à 22h. Sam. 11h à 22h. Petit déjeuner lun. à ven. 7h à 11h. Sam. 7h à 14h (petit déjeuner ensoleillé). Dim. 7h à 10h, brunch 11h à 14h.
NOTE: T.H. sam. soir sur plats signature. Le resto et le pub ont fusionné, les plats aussi.

COMMENTAIRE: Cette imposante bâtisse au bord de l'eau est toujours aussi belle, cependant la disposition de la salle à manger pourrait être améliorée. Même si la décoration a été refaite, le couloir coupe toujours la vue magnifique sur le jardin et sur l'eau. Il faut reconnaître que la disposition des lieux est assez ingrate. Quant à la cuisine, les assiettes sont bonnes et bien présentées. Service courtois.

LE JOZÉPHIL ★★★★ fra
969, rue Richelieu, BELŒIL
Tél.: 450-446-9751
SPÉCIALITÉS FRANÇAISES ET MÉDITERRANÉENNES: Crabecake, mayonnaise au sriracha. Rognons de veau à la moutarde. Filet mignon de bœuf Angus, sauce au fromage bleu. Foie de veau. Poêlée de pétoncles au beurre safrané. Ris de veau au madère. Crème brûlée. Gâteau au fromage marbré au chocolat.
PRIX Midi: T.H. 17$ à 20$
Soir: C. 40$ à 69$ T.H. 32$ à 40$
OUVERTURE: Lun. à ven. 11h30 à 14h. 7 jours 17h à 21h. Fermé dern. sem. de fév. et prem. sem. de mars.
COMMENTAIRE: Installé au bord de la rivière Richelieu à Belœil, dans ce qui a été une école vers 1817, ce restaurant offre une vue panoramique imprenable sur la rivière, Otterburn Park sur l'autre rive et l'imposant mont Saint-Hilaire. L'été, trois terrasses en palier donnent également sur la rivière. Tables couvertes de blanc, décor tranquille et confortable, éclairage douillet. On y sert une cuisine très savoureuse et bien faite, jumelée à une belle carte des vins. Service attentif et chaleureux.

LE SAMUEL ★★★★★[ER] fra
291, rue Richelieu, SAINT-JEAN-SUR-RICHELIEU
Tél.: 450-347-4353
SPÉCIALITÉS FRANÇAISES: Suprême de pintade rôti, poêlée de champignons, fèves de soya et gnocchis parisiens frits sauce albufera. Tartare de bœuf aux tomates séchées, salade de chou rouge, «pickles» de légumes, œuf de caille mariné, croûtons. Fondant au caramel, glace à la confiture de lait.
PRIX Midi: F. 16$ à 22$
Soir: C. 29$ à 62$
OUVERTURE: Lun. à ven. 11h30 à 14h. Mar. à dim. 17h à 22h. Fermé lun. soir et 25 déc.
NOTE: Menu dégustation 6 serv. 60$. Choix de fromages du Québec. Verrière climatisée avec vue sur la rivière Richelieu.

COMMENTAIRE: Très beau décor, moderne, confortable et de bon goût s'ouvre par de grandes baies vitrées sur la rivière Richelieu. Tout est en harmonie, un réel plaisir pour les yeux, y compris l'assiette moderne, bien présentée dans l'ensemble. Le service est jeune, très gentil, plein de bonne volonté et a su s'adapter aux aspirations de l'endroit. Le restaurant tend maintenant vers la bistronomie.

LES CHANTERELLES DU RICHELIEU ★★★★ fra
611, ch. des Patriotes, SAINT-DENIS-SUR-RICHELIEU
Tél.: 450-787-1167
et 1-877-787-1167
SPÉCIALITÉS FRANÇAISES: Jarret de chevreau des Grands Bois de Saint-Denis. Saumon fumé du fumoir maison, carpaccio de bison au cheddar vieilli. Pintade du terroir aux chanterelles. Nougat glacé avec fruits confits à l'érable.
PRIX Midi: (fermé)
Soir: C. 41$ à 62$ T.H. 31$ à 46$
OUVERTURE: Mer. à sam. 17h30 à 21h. Dim. 11h à 13h pour le brunch. Fermé dim. soir, lun. et mar. Fermé du 1er janv. au 20 mars. Ouvert pour groupes de 20 pers. minimum en tout temps.
NOTE: Nouveaux menus 3 et 4 serv. chaque semaine. Menu gourmand 6 serv. 64,50$. Grands vins. 20e anniversaire en 2016.
COMMENTAIRE: Tenue par Patrick Vesnoc, voilà une charmante maison centenaire, plantée au bord du Richelieu, avec un quai d'amarrage pour les bateaux. Le chef Vesnoc crée des assiettes savoureuses avec son équipe en cuisine. Une table qui met en valeur les produits de la région du Richelieu.

LES ESPACES GOURMANDS ★★★ fra
454, chemin des Patriotes, SAINT-CHARLES-SUR-RICHELIEU
Tél.: 450-584-3112
SPÉCIALITÉS FRANÇAISES: Risotto forestière au confit de pintade, huile de truffe blanche. Saumon de l'Atlantique fumé par le chef au bois d'érable. Carré d'agneau provençal. Cassoulet. Tiramisu.
PRIX Midi: (fermé)
Soir: C. 35$ à 59$ T.H. 26$ à 45$
OUVERTURE: Jeu. à dim. 17h30 à 21h30. Juin à août, mar. à dim. 17h30 à 21h30. 7 jours. réserv. de groupe 10 pers. et plus. En basse saison, vérifier les horaires.
NOTE: Ont aussi un menu bistro. Vue panoramique sur la rivière Richelieu. Stationnement à l'arrière. Quai pour l'amarrage des bateaux.

RÉGION DE MONTRÉAL (MONTÉRÉGIE)

GUIDE DEBEUR 2016

COMMENTAIRE: Restaurant niché dans une maison d'habitant, dans laquelle on se sent bien. Une cuisine française classique, familiale, bien faite avec le respect des produits frais. La spécialité de Michel Lesage, chef propriétaire, c'est la pintade. Monsieur et madame ont aussi une boutique de plats cuisinés et un service de traiteur au Mont-Saint-Hilaire.

MISTA ★★★ ita
955, rue Laurier, BELŒIL
Tél.: 450-464-5667
SPÉCIALITÉS ITALIENNES: Pavé de saumon de l'Atlantique grillé. Risotto de moules, palourdes et crevettes. Raviolis, ricotta, épinards, confit de canard, jus de veau à la truffe. Osso buco façon romaine, filet de tomate, gremolata, pignons de pin, orecchiette et épinards. Fondant de chocolat. Tiramisu.
PRIX Midi: (fermé)
Soir: C. 22$ à 57$ T.H. 20$ à 30$
OUVERTURE: Dim. à mer. 16h30 à 22h. Jeu. à sam. 16h30 à 23h.
NOTE: Foyer ouvert sur quatre côtés au milieu du restaurant. T.H. change chaque semaine. Dim. à jeu. menu 5 à 7 à partir de 12$. Pâtes fraîches maison. Bar à vin.
COMMENTAIRE: Un cadre confortable et agréable, une assiette généreuse et très savoureuse, qui pourrait cependant être plus parfumée «à l'italienne». Service très aimable, mais qui manque un poil d'attention. Service de traiteur en plus.

RESTAURANT LE CÔTE À CÔTE ★★★[ER] cont
12, rue Saint-Mathieu, BELŒIL
Tél.: 450-464-1633
SPÉCIALITÉS CONTINENTALES: Assiette de langoustines, poêlée de champignons, ail, citron. Moules et frites à volonté. Tartare de bœuf au couteau. Côtes levées de porc braisé cuites sur le grill et au four, légumes inspirés, béarnaise. Fondant au chocolat.
PRIX Midi: T.H. 12$ à 24$
Soir: C. 26$ à 62$ T.H. 27$ à 49$
OUVERTURE: Lun. et mar. 16h à 22h. Mer. à ven. 11h30 à 22h. Ven. 11h30 à 22h30. Sam. 11h30 à 22h30 (été) et 16h à 22h30 (hiver). Dim. 11h30 à 22h (été) et 16h à 22h (hiver). Fermé 25 déc.
NOTE: T.H. midi sept. à mai seulement. 5 à 7 dim. à jeu. 15$ à 22$. Soirée avec musiciens, jeu. à dim. soir sur la terrasse l'été.
COMMENTAIRE: Établissement côte à côte avec le Mista. Si l'on soigne ici l'entrée et le dessert, on pourrait faire un effort pour le plat principal. Joli décor. Terrasse agréable l'été, mais sièges inconfortables. Très bon service.

RESTAURANT LE VIEUX SAINT-MATHIAS ★★★ fra
284, chemin des Patriotes, SAINT-MATHIAS-SUR-RICHELIEU
Tél.: 450-658-5613
SPÉCIALITÉS FRANÇAISES: Salade de chèvre chaud et miel. Duo de crevettes et pétoncles à la nantaise. Filet de poisson selon la pêche, amandine ou meunière. Cassoulet. Carré d'agneau à la provençale. Choix de pâtes (alfredo, bolognaise, puttanesca, cardinal). Gâteau basque maison. Tarte Tatin maison.
PRIX Midi: (fermé)
Soir: C. 31$ à 54$ F. 28$ à 35$
OUVERTURE: Jeu. à sam. 17h à 21h30. Dim. 10h30 à 13h30 (brunch). Fermé lun. à mer., 25 déc. et 1er janv.
NOTE: Réserv. préférable. T.H. 84$/2pers., incluant une bouteille de vin sélection maison. T.H. change aux trois sem. Carte des vins, 25% d'importation privée.
COMMENTAIRE: Une charmante petite maison, au bord de la route qui longe la rivière Richelieu, a été transformée en restaurant par Denis et Catherine. Lui est en cuisine, tandis qu'elle sert avec diligence, attention et beaucoup de gentillesse. L'été, on peut aussi manger sur la terrasse bâtie sur le devant. L'intérieur est confortable et joliment décoré. L'assiette française classique, avec quelques plats de pâtes italiens, est vraiment bonne. La viande est tendre, les produits sont frais et goûteux. La carte des vins est bien adaptée.

RESTAURANT LYVANO ★★★ cont
4, rue Principale, FRELIGHSBURG
Tél.: 450-298-1119
SPÉCIALITÉS FRANÇAISES: Pétoncles confits au beurre de piment d'Espelette. Raviolis maison farcis aux champignons et parmesan, beurre à la sauge. Boudin noir, gratin de pommes de terre au smoked meat. Pouding chômeur. Profiteroles, crème glacée, sauce au chocolat, amandes grillées. Tartelette au citron et noix de cajou.
PRIX Midi: F. 12$
Soir: C. 34$ à 49$ T.H. 29$ à 41$
OUVERTURE: Mer. à lun. 11h30 à 21h. Hiver: fermé mer. Fermé en nov., 23 au 25 déc., 1er et 2 janv.
NOTE: Vins 70% d'importation privée. Vins du Québec. Produits locaux.
COMMENTAIRE: Situé au cœur du village de Frelighsburg en bordure de la rivière aux Brochets, le restaurant Lyvano vous offre un menu pâtes et grillades. Terrasse

surplombant la rivière coulant vivement entre de grosses roches dans un bruissement de détente. Élisabeth et Sébastien, les chefs propriétaires, proposent un menu gastronomique en soirée et de type bistro le midi. Une cuisine généreuse et savoureuse qui ne manque pas de créativité. Ambiance simple et conviviale. Service un peu lent.

SUCRERIE DE LA MONTAGNE ★★★★ suc
300, ch. Saint-Georges, RIGAUD
Tél.: 450-451-5204
ou 450-451-0831
SPÉCIALITÉS BEAUCERONNES ET QUÉBÉCOISES: Soupe aux pois du montagnard. Pain croûté cuit sur feu de bois. Jambon fumé à l'érable. Boulettes de viande. Oreilles de crisse. Tourtière de la beauceronne. Fèves au lard du chantier. Omelette soufflée de la fermière. Crêpes québécoises au sirop d'érable. Tarte au sucre maison.
PRIX Midi: T.H. 35$
Soir: T.H. 45$
OUVERTURE: 7 jours 11h à 19h30 sur réserv. Fermé 24, 25 déc. et 1er janv.
NOTE: Réserv. en tout temps. Épluchette de blé d'Inde. Méchoui. Menu végétarien. Menu composé sur demande pour groupe à partir de 8 pers. Tire. Festins du temps des sucres et du temps des fêtes. Chansonniers, animateurs, balade en carriole pour 40 pers. minimum ayant réservé leur place au restaurant. Activités de consolidation d'équipes de bureau. Hébergement: 4 chalets traditionnels avec foyer. Refuge rustique pour 60 pers. Lieu de mariage extérieur exceptionnel avec un genre de gazebo en forme de canoë dressé.
COMMENTAIRE: Probablement la plus belle cabane à sucre du Québec, dirigée par son sympathique et truculent propriétaire Pierre Faucher et son fils Stefan. On mange dans des salles anciennes et authentiques, grandes cheminées, cuisinières au feu de bois, une cuisine beauceronne savoureuse et généreuse, avec quelques recettes de famille. On peut se régaler d'un canard fumé à l'érable ou de bœuf braisé sur demande. Visites de la cabane à sucre, de la boulangerie (pain frais au feu de bois), de la bouilloire (dégustation de tire). Animation folklorique. Très beau cadre pour les familles, les mariages champêtres et les groupes d'affaires.

Château Frontenac *(Photo Debeur)*

AMÉRINDIEN

RESTAURANT LA TRAITE
★★★★
Hôtel-musée Premières Nations
5, pl. de la Rencontre, WENDAKE
Tél.: 418-847-2222
SPÉCIALITÉS PREMIÈRES NATIONS AMÉRINDIENNES: Duo fumé canard et saumon, beurre de pommes et émulsion de tournesol. Rillettes de crabe et salicorne à la vinaigrette de Kalamisi. Côte de cerf grillé et crème au bleu Rébellion 1837. Crevettes rouges d'Argentine et crème au pétillant d'argousier. Fondue à l'érable, petits fruits et délicate meringue.
PRIX Midi: T.H. 17$ à 27$
Soir: C. 57$ à 65$ T.H. 45$ à 52$
OUVERTURE: 7 jours 11h30 à 14h et 17h à 21h30. Petit déjeuner lun. à sam. 7h à 10h30.
NOTE: Le soir, menus des Nations 3 serv. 45$, 4 serv. 52$. Menu découverte 6 serv. 80$ (avec accord vins et mets 140$). Cuisine du terroir du nord, inspiré des Premières Nations. Cercle de vie.
COMMENTAIRE: Martin Gagné est l'un des premiers chefs à Québec à avoir articulé une carte autour du concept de la cuisine boréale. Camerise, asclépiade, brisure de toque et poivre des dunes font partie des condiments qu'il prise autant sur des viandes plus connues (lièvre, canard, cerf, etc.) que d'autres à découvrir comme le phoque. Également, le chef a souci de changer sa carte plu-

sieurs fois par année selon les arrivages de gibiers. Belle salle à manger apaisante décorée sans surenchère avec des références aux Premières Nations. Terrasse bucolique l'été.

ASIATIQUE

L'APSARA ★★★
71, rue d'Auteuil, QUÉBEC
Tél.: 418-694-0232
SPÉCIALITÉS VIETNAMIENNES, CAMBODGIENNES, THAÏLANDAISES: Pad-thaï aux crevettes ou au poulet. Salade au homard à la vietnamienne. Crêpe vietnamienne. Bœuf Khemara. Poulet Oudong, sauté au gingembre. Khemara kayang (brochette de bœuf à la citronnelle et brochette de poulet). Poulet de Bangkok. Bœuf Saïgon. Nid jardinier.
PRIX Midi: T.H. 14$ à 18$
Soir: C. 17$ à 33$ T.H. 28$ à 40$
OUVERTURE: Lun. à ven. 11h30 à 14h. 7 jours 17h30 à 23h. Fermé 24 déc.

NOTE: Menu midi change tous les jours. Plats végétariens. Assiette Apsara: combinaison de spécialités du Cambodge, Thaïlande et Vietnam 28$/pers. Plaisir à deux: 5 serv. apéritif et vin 80$/2 pers. Tournée asiatique incluant 2 bout. de vin 170$/4 pers. Assiette Tridara vin compris 80$/2 pers. Avril: Menu Nouvel An thaïlandais. Oct.: Menu spécial anniversaire 1 bout. vin compris 80$/2 pers.
COMMENTAIRE: Service familial, discret et raffiné, à la mode orientale. Excellentes fleurs de Pailin (rouleaux de printemps). Très bon bœuf Khemara. Décor invitant à la joie et à la détente. Situé sur la rue d'Auteuil, l'une des plus belles rues de Québec, face au Parlement.

BORÉAL

CHEZ BOULAY BISTRO BORÉAL
★★★★
Manoir Victoria
1110, rue Saint-Jean, QUÉBEC
Tél.: 418-380-8166
SPÉCIALITÉS: Tartare de saumon du draveur, parfum de sapin, sirop de bouleau, graines et huile de tournesol. Cuisses d'oie et canard confites en parmentier de panais dauphinois à la racine de valériane, croustillant de graines de citrouille au thé du Labrador, jus de viande. Surprise de chocolat et biscuit noisette au coeur fondant de camerise.
PRIX Midi: F. 14$ à 20$
Soir: C. 36$ à 60$

AMÉRINDIEN - ASIATIQUE - BORÉAL

GUIDE DEBEUR 2016

Restaurants de Québec

OUVERTURE: Lun. à ven. 11h30 à 22h30. Sam. et dim. 10h à 22h30.
NOTE: Carte des vins, 90% d'importation privée (33$ à 1 500$/bout.).
COMMENTAIRE: Arnaud Marchand ne cesse d'étudier le garde-manger nordique. La carte tourne au gré des saisons et chaque visite est prétexte à découvrir un nouveau mets coup de cœur, qu'il soit tiré de la rubrique poisson (avec une prédilection pour les poissons à chair grasse) ou viande (particulièrement les volailles). La joue de bison est l'un des plats vedettes. Salle élégante et un personnel en général empressé et courtois. Brunch distinctif la fin de semaine et très beau rapport qualité-prix les midis. Une table qui combine le courant boréal, une vision actualisée du bistro et la constance à l'assiette.

LÉGENDE par La Tanière
★★★★★ (bistro)
255, rue Saint-Paul, QUÉBEC
Tél.: 418-614-2555
SPÉCIALITÉS: Magret de canard pané, oignons glacés, lentins de chêne. Flanc de porcelet, radis, courgettes et carottes Héritage. Les mains du pêcheur: plateau de la mer pour 2. Charlotte à la poire.
PRIX Midi: T.H. 18$ à 21$
Soir: C. 40$ à 52$
OUVERTURE: Mer. à ven. 11h30 à 14h. 7 jours 17h à 22h.
NOTE: Concept de partage. Bar à vin. Accord de vin sur mesure pour chaque plat.
COMMENTAIRE: Si Légende propose une expérience préliminaire à La Tanière (fermé en prévision d'un déménagement au centre-ville de Québec), il s'agit néanmoins d'une expérience (moins onéreuse) à part entière. Bien que l'environnement soit celui d'un bistro décontracté, le chef Frédéric Laplante, secondé par Émile Tremblay, carbure toujours à la même rigueur et s'illustre par la

recherche-développement qui caractérise sa valorisation des produits locaux. Avec un talent unique, il préside à l'union improbable du tofu et du wapiti. Au volet Menu au doigt, de magnifiques fruits de mer, coquillages et charcuteries maison à partager.

CHINOIS

CHEZ SOI LA CHINE ★★
27, rue Sainte-Angèle, QUÉBEC
Tél.: 418-523-8858
SPÉCIALITÉS: Porc Yu-xiang (vinaigré et épicé). Calmar aux légumes. Canard laqué sauce sha-cha à la flambée. Poulet croustillant à la mode de Sichuan. Gu-laorou (porc pané, sauce aigre-douce). Marmite chinoise (crevettes, porc, bœuf, légumes sautés). Canard sauce aux cinq parfums.
PRIX Midi: (fermé)
Soir: F. 17$ à 37$ F. 22$ à 30$
OUVERTURE: 7 jours 17h30 à 22h.
NOTE: Du canard comme on n'en trouve pas ailleurs!
COMMENTAIRE: Restaurant très sympathique. Une cuisine chinoise typique qui conjugue authenticité des mets et un service familial attentionné mais un peu long. Outre les chaussons à la vapeur, le canard est l'une des spécialités ainsi que la marmite chinoise, un mijoté de plusieurs viandes et de fruits de mer. À retenir: on y apporte son vin.

CONTINENTAL

BISTRO LES TROIS GARÇONS ★★
1084, rue Saint-Jean, QUÉBEC
Tél.: 418-692-3900
SPÉCIALITÉS: Tartare de saumon. Hamburger «Québec 1608»: fromage 1608, oignons caramélisés, roquette fraîche et caramel balsamique. Hamburger «Le p'tit cochon»: effiloché de porc à la sauce BBQ chipotle, oignons rouges, cheddar Perron. Hamburger «Le Tom Pouce»: fromage, laitue, sauce rosée, cornichons.
PRIX Midi: F. 13$ à 18$
Soir: C. 24$ à 37$
OUVERTURE: Dim. à jeu. 11h30 à 23h. Ven et sam. 11h à minuit.
NOTE: 15 choix de vins au verre. Petit déjeuner 7 jours, 7h à 11h30, 7$ à 15$ à la carte. Ambiance festive.
COMMENTAIRE: Pour un burger sur le pouce servi sur pain de chez Paillard avec des frites faites de pommes de terre de l'Île-d'Orléans, Les Trois Garçons sont tout indiqués. Également un choix de salades repas, dont la César. Cadre urbain, jeune et branché. Petit

déjeuner tous les jours de la semaine. Le trio de propriétaires dirige également Sapristi, une pizzeria sise au 1001, rue Saint-Jean.

CHIC ALORS! PIZZA ET PÂTES
★★
927, rue Jean-Gauvin,
QUÉBEC (CAP-ROUGE)
Tél.: 418-877-4747
SPÉCIALITÉS: Croustillant de chèvre (chèvre des neiges, beurre de bleuets, panko, lit de roquette). Pizza prosciutto et figues (confit d'oignons et de figues, mozarella, fromage de chèvre, figues fraîches, prosciutto, aragula, parmesan). Tagliatelles au prosciutto, sauce rosée.
PRIX Midi: F. 10$ à 19$
Soir: C. 19$ à 28$ T.H. 19$ à 29$
OUVERTURE: Dim. à mer. 11h à 22h. Jeu. et sam. 11h à 23h. Ven. 11h à minuit. Fermé 25 déc.
NOTE: Desserts et pâtisseries maison. Menus sans gluten et pour personnes allergiques. Bar sur place, choix de cocktails maison. 10 choix de vins au verre. Service de livraison.
COMMENTAIRE: Sur pâte levée (ou mince sur demande), les pizzas de Chic alors! ont pour point commun des ingrédients de qualité. Les plus classiques (fromage, pepperoni, etc.) se mêlent aux pizzas plus complexes comme la Danoise avec du fromage bleu et la Caliente d'inspiration mexicaine. Certaines créations s'avèrent plus légères, voire modernes, comme la prosciutto et figues. Pizzas pour emporter de type prêtes-à-cuire. Plusieurs choix de vins et une sélection de desserts maison gourmands, l'une des signatures. À noter, un menu sans gluten et un choix de pâtes.

CIEL! Bistro-bar tournant ★★★
Hôtel Loews Le Concorde
1225, cours Général de Montcalm, QUÉBEC
Tél.: 418-640-5802
SPÉCIALITÉS: Carpaccio de cerf, poireaux et huile de tournesol. Queue de homard rôtie, gnocchi au piment d'Espelette, asperges, radis et sauce au verjus. Joue de veau braisée, purée de panais, topinambours et armillaires. Éclair Valrhona du Ciel!
PRIX Midi: T.H. 21$ à 25$
Soir: C. 32$ à 61$
OUVERTURE: Lun. à mer. 11h30 à 22h. Jeu. et ven. 11h30 à 23h. Sam. 9h à 23h. Dim. 9h à 22h.
NOTE: L'un des 7 restaurants rotatifs au monde. Vue remarquable. Menu bar de 8$ à 22$
COMMENTAIRE: Sous la houlette du Groupe Restos Plaisir, l'ex-Astral s'est remis à «tourner» à plein

Restaurants de Québec

régime. L'époque du buffet est révolue, place à une cuisine de bistro faite de produits locaux. Tout sauf ampoulée, la cuisine moderne du David Forbes réunit, sans être végétarienne, quantité de légumes et céréales en abondance. Au volet carné, les ris de veau méritent une mention spéciale. Autrement, il y a la vue époustouflante sur Québec vue du haut.

LA BÊTE BAR-STEAKHOUSE ★★★★
170-2875, bd Laurier, QUÉBEC
Tél.: 418-266-1717
SPÉCIALITÉS: Bar à huîtres. Gâteau de crabe, coulis de poivrons rouges. Salade de pieuvre et chorizo. Bœuf AAA vieilli à sec 40 à 70 jours. Blackvelvet, signé Blanchet.
PRIX Midi: T.H. 16$ à 27$
Soir: C. 38$ à 108$ T.H. 38$ à 49$
OUVERTURE: Lun. à ven. 11h30 à 23h. Sam. et dim. 16h à minuit. Fermé 25 déc. et 1er janv.
NOTE: Vivier de homard. Salle de vieillissement, viande vieillie 55 jours. Service de boucherie (commande en ligne ou sur place, livraison possible). 400 étiquettes de vins. Réserv. en ligne sur le site Internet.
COMMENTAIRE: Prime et AAA-Certified Angus beef, La Bête n'offre que du bœuf de qualité supérieure ou vieilli à sec à déguster dans une atmosphère à la fois sophistiquée et décontractée. Un cellier à viande permet de voir les différentes coupes proposées. Le service est avenant; la carte des vins étoffée, la choix d'accompagnements est élaboré avec, notamment, la purée de pommes de terre et cubes de foie gras. Très bon choix d'huîtres sur glace, crevettes à la livre, excellent tartare de saumon et gâteau de crabe digne de mention. Excellentes côtes levées charnues. Un service de boucherie est offert.

LA CRÉMAILLÈRE ★★★★
73, rue Sainte-Anne, QUÉBEC
Tél.: 418-692-2216
SPÉCIALITÉS: Tartare de bœuf ou saumon. Foie gras en duo (brioche maison et torchon). Pomme de ris de veau, sauce minute porto blanc. Carré d'agneau, tarte à la ricotta, citron, sarriette. Côte de veau grillée.
PRIX Midi: (fermé)
Soir: C. 45$ à 93$ T.H. 35$ à 60$
OUVERTURE: Nov. à avr. mar. à sam. 17h à 22h30. Mai à oct. 7 jours 17h à 22h30.
NOTE: Poissons frais du jour. Steak tartare préparé à la table. 60% des vins en importation privée. Voiturier gratuit. Musiciens les jours de fête.

COMMENTAIRE: L'accueil charmant du propriétaire, Beppino Boezio, témoigne du sérieux de l'établissement. La Crémaillère préserve la tradition d'une cuisine continentale bien faite. Un classique qui a vu cependant défiler plusieurs chefs à sa barre dans les dernières années. Néanmoins, sa cuisine classique n'en souffre pas. Service courtois.

LA FENOUILLIÈRE ★★★★
3100, ch. Saint-Louis, QUÉBEC
Tél.: 418-653-3886
SPÉCIALITÉS: Tataki du Canard goulu, brioche, cassis et porto. Saumon 2 façons, glace safran, pickles de fenouil. Cerf à la framboise. Grenadin de porc Nagano et pétoncles BBQ. Tartelette sablée, praliné parfait. Gourmandise estivale: fruits de saison, pain de Gênes, mousse fromagée, glace pistache et miel.
PRIX Midi: T.H. 19$ à 27$
Soir: C. 62$ à 73$ T.H. 53$ à 62$
OUVERTURE: 7 jours 11h30 à 14h et 17h30 à 22h. Petit déjeuner de 7h à 11h.
NOTE: Carte suit les produits de saison. Menu midi change tous les jours. Chef patissière sur place. Super cellier à température contrôlée. 500 étiquettes de vins. Grand choix de vins au verre. Sélection de plus de 40 portos.
COMMENTAIRE: Salle à manger élégante, claire et confortable, comportant plusieurs divisions. Une belle et fine cuisine classique qui offre des assiettes généreuses et bien présentées. Le service est ponctuel et professionnel. La carte des vins propose un bon choix de grands vins. Excellente sélection de vins au verre. Maison de bonne réputation qui pourrait oser davantage.

LE CHARBON ★★★★
450, rue de la Gare du Palais, QUÉBEC
Tél.: 418-522-0133
SPÉCIALITÉS: Pétoncles de mer au chardonnay. Ribsteak et steak de côte vieillis 40 jours à sec. Tartare de filet mignon Sterling Silver. Gâteau au fromage. Gâteau Reine Élizabeth.
PRIX Midi: F. 16$ à 25$
Soir: C. 32$ à 91$ T.H. 35$
OUVERTURE: Lun. à ven. 11h30 à 22h. Sam. 17h à 23h. Dim. 17h à 22h. Fermé 24 déc.
NOTE: Grillades, fruits de mer et homard à l'année. Situé dans la magnifique gare du palais, plafond à 30 pieds de haut, architecture unique. Certains plats sont gratuits pour les enfants. Variété de coupes de viande certifiée Sterling Silver. Cuisson de fruits

de mer sur blocs de sel himalayen. Cuisson au charbon de bois d'érable. Plats à emporter. Stationnement gratuit durée 2h30.
COMMENTAIRE: Une grilladerie classique, mais d'une constance qui ne se dément pas sur trois points, la qualité des viandes (et des poissons et fruits de mer), les coupes ainsi que les portions généreuses. Le service est précis, la carte des vins bien élaborée. Atmosphère chic, banquettes en cuir. Service de boucherie; un deuxième comptoir dessert le secteur Lebourgneuf.

LE CONTINENTAL ★★★★
26, rue Saint-Louis, QUÉBEC
Tél.: 418-694-9995
SPÉCIALITÉS: Langoustines flambées, salade césar. Sole de Douvres meunière. Filet mignon flambé en boîte (petite casserole). Ris de veau aux morilles. Canard à l'orange flambé. Poire au Pernod. Crêpes Suzette.
PRIX Midi: T.H. 15$ à 28$
Soir: C. 54$ à 104$ T.H. 59$
OUVERTURE: Lun. à ven. midi à 23h. Sam. et dim. 17h à 23h.
NOTE: Entrée d'or (dégustation de 4 mets vedettes). Homard flambé Newburg en saison. 350 étiquettes de vins. Service de voiturier gratuit.
COMMENTAIRE: Le Maxim de Québec. Spécialiste des flambées. Une des grandes tables, située dans la Vieille-Ville. Une véritable institution. L'une des dernières maisons où l'on sert encore le chateaubriand. Une adresse pour revenir aux sources d'une cuisine continentale classique.

MNBAQ RESTAURANT signé Marie-Chantal Lepage ★★★★
Musée national des beaux-arts du Québec
1, rue Wolfe-Montcalm, QUÉBEC
Tél.: 418-644-0020
SPÉCIALITÉS: Asperges en élégance, fromage doré-mi, tartuffata de truffe, gelée d'orange, œufs de caille au plat, pancetta croustillant. Râble de lapin farci, nutella de boudin noir, beurre de poire confite, poireau aux lardons de canard fumé, carottes glacées au miel. Pain aux bananes caramélisé au rhum épicé.
PRIX Midi: T.H. 22$
Soir: C. 53$ à 61$
OUVERTURE: Dim. à mar. 10h à 18h. Mer. à jeu. 11h à 14h et 17h à 22h. Fermé lun. début sept. à fin mai. Fermé 25 déc.
COMMENTAIRE: Le Musée national des beaux-arts du Québec a intégré une nouvelle artiste à ses collections permanentes. La chef Marie-Chantal Lepage y exer-

ce dorénavant sa créativité et sa fougue dans un espace non seulement revampé, mais également ouvert selon l'horaire d'un véritable restaurant. La chef n'a pas fini de surprendre avec des menus thématiques et surtout une cuisine axée sur les produits de proximité qui l'inspirent.

PUB ST-ALEXANDRE ★★[ER]
1087, rue Saint-Jean, QUÉBEC
Tél.: 418-694-0015
SPÉCIALITÉS: Tataki de bœuf mariné. Fish and chips. Pavé de saumon boucané à l'Iroquoise. Jarret d'agneau cuit à la bière maison, braisé au four. Saucisses et choucroute. William-Wallace, boule de crème glacée au caramel écossais frit et caramel au beurre.
PRIX Midi: T.H. 10$ à 22$
Soir: C. 24$ à 70$ T.H. 25$ à 44$
OUVERTURE: 7 jours 11h30 à 22h. Bar ouvert entre minuit et 3h du mat. selon l'achalandage, 18 ans et plus.
NOTE: Grande variété de 200 bières importées, 24 sortes de bières pression. Plus de 50 marques de scotchs malt. 10 spectacles/sem. jazz, blues, folk. 4 à 7 jazz mer. à ven.
COMMENTAIRE: Une destination pour les bières du monde et les scotchs, dont le volet restauration n'est pas accessoire et se révèle plus soigné qu'il n'apparaît. Outre les burgers garnis avec originalité comme le Downton Abbey (fromage bleu, bacon, piment banane), on y trouve la section des grillades qui offre également un rapport qualité-prix inattendu des plus satisfaisants.

CORSE

PETITS CREUX & GRANDS CRUS ★★★
Bistrot et cuisine corse
1125, av. Cartier, QUÉBEC
Tél.: 581-742-5050
SPÉCIALITÉS: Calmars confits à l'ajaccienne. Côte de veau caramélisée à l'hydromel, cuite sous-vide. Civet de sanglier, pâtes fraîches. Planche de desserts corses.
PRIX Midi: F. 15$
Soir: C. 38$ à 97$
OUVERTURE: 7 jours 11h30 à 23h.
COMMENTAIRE: Initialement davantage un bar à vin qu'un restaurant, Petits creux & grands crus s'est fait connaître par ses planches à partager garnies de charcuterie et fromages d'origine ainsi que de fruits de mer. Histoire de partager leurs racines corses, les propriétaires n'ont pas tardé à proposer des plats typiques comme le civet de sanglier, le brocciu maison apprêté et les petits gâteaux à base de farine de châtaigne. Un voyage sur l'île de Beauté. Excellent service conseil pour les vins, la plupart en importation privée.

CRÊPERIE

CRÊPERIE LE BILLIG ★★
481, rue Saint-Jean, QUÉBEC
Tél.: 418-524-8341
SPÉCIALITÉS: Cancalaise (pétoncles, fondue de poireaux, beurre blanc au citron). Béarn (galette de sarrasin, canard confit, épinards, fromage de chèvre, confit d'oignons rouges au vin rouge). Ris de veau sautés aux pleurotes, gratin de pommes de terre feuilleté. Salidou (caramel au beurre salé maison, crème Chantilly).
PRIX Midi: T.H. 14$ à 26$
Soir: C. 20$ à 40$
OUVERTURE: Lun. à ven. 11h à 22h. Sam et dim. 10h à 22h. Fermé 25 déc. et 1er janv.
NOTE: Crêpes bretonnes traditionnelles. Plats bistro et choix à l'ardoise. Vins en importation privée.
COMMENTAIRE: Une adresse sympathique à petits prix, où les crêpes copieuses sont garnies avec des assemblages originaux d'ingrédients. Également au menu de très bonnes soupes du jour et des plats bien mijotés, dont le cassoulet. Toujours aussi chaleureux, sympa et bon. Une chouette adresse pour goûter le quartier Saint-Jean-Baptiste à partir des tables près des grandes fenêtres.

FRANÇAIS

AUBERGE LOUIS-HÉBERT ★★★★
668, de la Grande-Allée E., QUÉBEC
Tél.: 418-525-7812
SPÉCIALITÉS: Navarin de homard entièrement décortiqué, pâtes fraîches, beurre de homard. Tartare de saumon. Pot-au-feu de fruits de mer. Suprême de canard rôti. Carré d'agneau rôti en croûte d'olives et parmesan. Trio de trois chocolats (crème glacée). Gâteau fromage et sirop d'érable.
PRIX Midi: F. 18$ à 22$
Soir: C. 36$ à 82$ T.H. 30$ à 59$
OUVERTURE: Lun. à ven. 11h30 à 14h30. 7 jours 17h à 23h. Fin juin à mi-oct. 7 jours 11h30 à 23h.
NOTE: T.H. midi change chaque jour. Menu change aux trois mois. Petit déjeuner en semaine l'été, 7h à 11h.
COMMENTAIRE: Une salle arrière au style moderne et épuré sert d'écrin à une cuisine classique dressée de manière plus contemporaine. La prestation générale s'avère plus constante que jamais. Au fil des ans, la cuisine du chef Hervé Toussaint ne perd ni sa grâce ni ce savoir-faire savoureux.

BISTRO B par François Blais ★★★★
1144, av. Cartier, QUÉBEC
Tél.: 418-614-5444
SPÉCIALITÉS: Risotto au goût du jour. Contrefilet de bœuf. Ris de veau en croûte de maïs, gnocchi aux chanterelles. Tartare au goût du jour. Crème brûlée du jour.
PRIX Midi: F. 17$ à 22$
Soir: C. 40$ à 66$
OUVERTURE: Lun. à ven. 11h30 à 14h. 7 jours 18h à 23h. Fermé 24, 25 déc., 1er janv. et le midi jours fériés.
NOTE: Cuisine ouverte, 18 places assises au comptoir devant celle-ci. Menu à l'ardoise. Terrasse pour l'apéro.
COMMENTAIRE: François Blais renouvelle son ardoise au quotidien (quelques choix d'entrées et plats bien ciblés) avec les produits de saison. Sa cuisine est goûteuse et inventive sans être inutilement complexe. Réservez au comptoir pour observer sa brigade à l'œuvre. Le menu du midi se veut une introduction. À signaler le brunch de la fin de semaine ainsi qu'un volet cocktails très inspiré.

BISTRO LA COHUE ★★★
3440, ch. des Quatre-Bourgeois, SAINTE-FOY
Tél.: 418-659-1322
SPÉCIALITÉS: Tartare de saumon. Pavé de foie de veau poêlé, sauce Bercy et bacon. Ris de veau, sauce crème Frangelico. Boudin noir à la crème de cognac, pommes sautées et endives. Bagdad café, praliné, ganache au chocolat blanc, montée à la Chantilly, aromatisée de café.
PRIX Midi: T.H. 16$ à 25$
Soir: C. 31$ à 59$ T.H. 35$ à 51$
OUVERTURE: Lun. à ven. 11h30 à 22h. Sam. et dim. 9h30 à 22h. Fermé jours fériés et du 24 déc. au 6 janv.
NOTE: Belle carte des vins. Choix de 25 vins au verre. Musique française. Groupe jazz sept. à juin sam. 18h à 21h30.
COMMENTAIRE: L'accueil chaleureux par les propriétaires de ce sympathique bistro se révèle une valeur ajoutée à une cuisine où les grillades (une mention spéciale pour les sauces) et les ris de veau se distinguent. Notez que la table d'hôte du midi, très étoffée, réserve de nombreuses surprises.

Restaurants de Québec

Une salle à l'arrière permet les réunions.

CAFÉ DU MONDE ★★★
84, rue Dalhousie #140, QUÉBEC
Tél.: 418-692-4455
SPÉCIALITÉS: Pavé de foie gras poêlé, pain brioché aux bananes. Pavé de saumon grillé, salsa de mangue et coriandre. Boudin noir aux pommes et cidre de glace. Confit de canard à la sarladaise laqué au porto.
PRIX Midi: F. 15$ à 20$
Soir: C. 29$ à 59$ T.H. 35$ à 39$
OUVERTURE: Lun. à ven. 11h30 à 23h. Sam. et dim. 9 à 23h.
NOTE: Suivant les arrivages, ardoise de poissons servis entiers. Carte des vins change chaque sem. 60% d'importation privée. Vin au verre et en demi-bouteille. Site exceptionnel, vue sur le fleuve.
COMMENTAIRE: S'il s'éclate dans ses menus du jour, le chef Éric Boutin s'attarde aussi au volet fruits de mer et poissons à l'ardoise. Qui dit Café Du Monde, dit aussi plats classiques intouchables comme le boudin, le foie de veau et le confit de canard. À noter la sélection d'huîtres fraîches selon les arrivages et une carte évolutive des vins versés en plusieurs formats. De nombreux festivals bonifient la carte régulière. Au dessert, le riz au lait justifie à lui seul la visite.

L'AFFAIRE EST KETCHUP
★★★ (bistro)
46, rue Saint-Joseph Est, QUÉBEC
Tél.: 418-529-9020
SPÉCIALITÉS: Pétoncles U10 poêlés, sauce vierge. Ris de veau, crème tartufata. Surlonge de bison de la ferme Takawana, purée de pommes de terre, sauce champignons. Brownie aux noix et au chocolat hyperfondant.
PRIX Midi: (fermé)
Soir: C. 37$ à 51$
OUVERTURE: Mar. à dim. deux services: 18h et 20h30. Fermé lun., 24, 25 et 31 déc, 1er janv. et 24 juin.
NOTE: Réserv. obligatoire. Produits du marché. Menu change tous les jours. Carte des vins 100% d'importation privée, plusieurs vins biologiques.
COMMENTAIRE: Spécialiste de la cuisine qui varie tous les jours sur l'ardoise. Une vraie adresse de cuisine du marché qui n'a pas perdu de sa pertinence ni de sa popularité. Les viandes braisées y sont excellentes et le prix des vins au verre est très raisonnable. Un petit bistro chaleureux où il faut impérativement réserver. Si la salle affiche complet, il est possible

de réserver à Patente et Machin (82, rue Saint-Joseph Ouest), son «petit frère» ainsi qu'au Kraken Cru (190, rue Saint-Vallier Ouest), le bar à huîtres et dernier-né des associés derrière ces bistros bien implantés dans les quartiers Saint-Roch et Saint-Sauveur.

LA GIROLLE ★★★
1384, ch. Sainte-Foy, QUÉBEC
Tél.: 418-527-4141
SPÉCIALITÉS: Poêlée de fruits de mer. Boudin noir maison, caramel d'épices. Magret de canard aux petits fruits. Feuilleté d'escargots au bleu. Ris de veau braisés aux champignons sauvages. Crème brûlée aux saveurs variées. Gâteau au fromage de chèvre.
PRIX Midi: F. 16$ à 23$
Soir: C. 38$ à 68$ F.18$ à 37$
OUVERTURE: Mar. à ven. 11h30 à 14h. Mar. et mer. 17h30 à 21h. Jeu. à ven. 17h30 à 22h. Fermé lun. Fermé 24, 25, 26 et 31 déc., 1er et 2 janv., 2 dern. sem. de juil. et 1re sem. d'août.
NOTE: Carte à l'ardoise variant selon les produits de saison. Desserts 5$ à 7$. Assiette de fromages du Québec/2 pers. 11$.
COMMENTAIRE: Bien que la décoration soit d'une sobriété extrême et le service parfois expéditif le midi, La Girolle constitue une adresse fiable pour déguster une cuisine française classique mais très bien faite, où les sauces sont exquises. L'assiette est très généreuse et toujours brûlante.

LA PLANQUE ★★★★[ER]
1027, 3e Avenue, QUÉBEC
Tél.: 418-914-8780
SPÉCIALITÉS: Saumon du Nouveau-Brunswick saisi et en croquette, tomates, moules bleues, mayo citronnée et fenouil. Cochon biologique de Damien, épaule braisée, sauce barbecue, humus, pois chiches. Tartelette chocolat noir, glace caramel, arachides sablées.
PRIX Midi: F. 15$ à 19$
Soir: C. 43$ à 50$
OUVERTURE: Mar. à ven. 11h30 à 14h. Mar. à sam. 17h30 à 22h. Fermé sam. midi, dim. et lun. Fermé 24 et 25 déc.
NOTE: Soir, menu gastronomique au comptoir cuisine 50$, accords mets et vins 80$, 6 à 12 pers. max. sur réserv.
COMMENTAIRE: Le chef Olivier Godbout a quitté Le Cercle pour remplacer Guillaume St-Pierre à La Planque. Un bistro urbain où il propose une cuisine a priori simple, fraîche et tonique orientée sur les saisons. Sa carte tourne régulièrement ainsi que les garnitures toutes plus variées les unes que

les autres. Une adresse qui combine qualité dans l'assiette et atmosphère décontractée et actuelle. Plus qu'une adresse tendance, La Planque démontre toujours le même sérieux et un bon niveau de créativité. Maintenant il faut voir si l'établissement va maintenir le cap à la suite du départ du chef St-Pierre.

LAURIE-RAPHAËL ★★★★★
Restaurant de l'année Debeur 2005
Restaurant Atelier Boutique
117, rue Dalhousie,
VIEUX-PORT, QUÉBEC
Tél.: 418-692-4555
SPÉCIALITÉS: Terrine de foie gras et truffes d'été, bleuets mûrs et crème de laitue. Duo de veau et ris de veau, tomates cerises à la fleur d'ail, poivrons farcis. Baba aux fraises, chantilly, sabayon et Fragoli maison.
PRIX Midi: T.H. 24$ à 29$
Soir: C. 80$ à 96$
OUVERTURE: Mar. à ven. 11h30 à 14h et 17h30 à 22h. Sam. 17h30 à 22h. Fermé dim., lun., 24 et 25 déc. et 3 prem. sem. de janv.
NOTE: Menu du soir Chef-chef 65$ (menu à l'aveugle, au choix du chef). Menu dégustation 5 serv. 80$, accord vins +55$, 10 serv. 120$, accord vins +75$. Menu change aux saisons. Vins au verre. Brunch fête des Mères, Pâques. Près du Musée de la civilisation. Stationnement à l'arrière.
COMMENTAIRE: Daniel Vézina et son fils Raphaël forment une équipe d'une très grande complémentarité. Leur complicité teinte positivement la prestation d'une assiette toujours axée sur les saveurs franches, l'innovation et les possibles de produits ultra-respectés. À la carte se greffent des événements ponctuels, comme le menu cabane à sucre et le brunch de la chasse, valorisant les plus nobles produits québécois. Le service est toujours aussi prévenant et professionnel sans être guindé.

LE BISTANGO ★★★★ (bistro)
Hôtel ALT Québec
1200, rue Germain-des-Prés, SAINTE-FOY
Tél.: 418-658-8780
SPÉCIALITÉS: Tian de crabe, guacamole, mayo curry, agrumes, chips de pommes de terre. Risotto au homard, pétoncles poêlés. Onglet de bison, frites de pommes de terre douces, aïl, parmesan, gras de canard. Dôme au chocolat. Fondant au chocolat.
PRIX Midi: T.H. 16$ à 20$
Soir: C. 41$ à 83$ T.H. 35$ à 45$
OUVERTURE: Lun. à ven. 11h30 à 15h et 17h30 à 23h. Sam.

17h30 à 23h. Dim. 8h à 14h et 17h30 à 22h. Fermé midi jours fériés. Fermé 24 déc., 24 juin et 1er juil. Petit déjeuner lun. à ven.
NOTE: Pâtes et pâtisseries maison. Bon choix de portos de réputation. Cellier réfrigéré 900 bouteilles.
COMMENTAIRE: Un décor contemporain et feutré met en valeur les cuisines respectives des chefs Sylvain Lambert et Annie Veillette qui cosignent une carte classique (tartares, carré d'agneau, ris de veau, etc.) sans être conventionnelle grâce à des garnitures foisonnantes. Service précis et alerte.

LE BISTROT CLOCHER PENCHÉ
★★★★ (bistro)
203, rue Saint-Joseph E.,QUÉBEC
Tél.: 418-640-0597
SPÉCIALITÉS: Tartare de saumon au pamplemousse et poivre rose. Carré de porcelet de la ferme Turlo sauce à l'érable et cari. Boudin noir. Canaille de bistro en cocotte de terre cuite, servie à la table (2 pers). Fromage frais maison, faisselle au sirop d'érable.
PRIX Midi: F. 17$ à 20$
Soir: C. 37$ à 50$
OUVERTURE: Mar. à ven. 11h30 à 14h. Sam. et dim. 9h à 14h. Mar. à sam. 17h à 22h. Fermé dim. soir et lundi. Fermé durant les fêtes de fin d'année et les deux prem. sem. de janv.
NOTE: Desserts maison. Belle carte des vins, 100% d'importation privée, dont 60% de vins biologiques, 225 étiquettes. Ouvert sam. et dim. pour le brunch.
COMMENTAIRE: De plus en plus tourné vers la cuisine dite de réconfort, le Clocher penché apporte des notes contemporaines à la blanquette de veau, réinvente la cocotte à partager, tout en mettant les producteurs à l'avant-scène (Ferme Turlo, Ferme Eumatimi). Ce bistro est devenu au fil des ans une institution dans Saint-Roch et la prestation générale ne se démentit pas. À noter que de plus en plus de plats végétariens bistronomiques sont inclus au menu du jour. Salé ou sucré, son fromage faisselle mérite la visite. Beau lieu de découvertes viticoles et superbe brunch.

LE BOUCHON DU PIED BLEU
★★★ (bistro)
181, rue Saint-Vallier O., QUÉBEC
Tél.: 418-914-3554
SPÉCIALITÉS: Cervelle de Canut. Tablier de sapeur: tripes de bœuf panées à l'anglaise. Quenelle de poisson sauce Nantua. Boudin traditionnel, pommes sautées, beurre de pomme. Tripes à la lyonnaise, sauce tomate. Buffet de desserts maison.
PRIX Midi: T.H. 16$ à 20$
Soir: C. 41$ à 48$ T.H. 45$ à 65$
OUVERTURE: Mer. à ven. 11h30 à 14h30 et 18h à 21h30. Sam. et dim. 10h à 14h. Sam. 18h à 21h30. Fermé 24, 25 déc., 3 sem. en janv. et 24 juin.
NOTE: Cuisine de bouchon lyonnais au Québec. Comptoir de charcuterie. Vins Côtes du Rhône et Beaujolais d'importation privée.
COMMENTAIRE: Ni plus ni moins qu'une référence à Québec pour déguster des abats selon les règles du bouchon lyonnais. À la carte, des cochonnailles, du foie gras, des tripes, de l'andouillette et un ragoût d'abattis, mais également des poissons et un plat végétarien pour ceux qui les préfèrent. Une table très prodigue surtout si on opte pour le menu avec le défilé de saladiers, plats, desserts et fromages. Unique! Le bouchon s'est doté d'une buvette, Le Renard et la chouette (125, rue Saint-Vallier Ouest), avec tout ce qu'il faut pour commencer la journée et la finir en beauté autour d'un verre de vin et de petits plats toujours dans l'esprit lyonnais et le fait maison.

L'ÉCHAUDÉ ★★★★
73, rue Sault-au-Matelot, QUÉBEC
Tél.: 418-692-1299
SPÉCIALITÉS: Risotto au homard. Nage de poissons et mollusques au court-bouillon de homard. Tartare de saumon. Boudin noir maison, cubes de pancetta, foie gras. Confit de canard, salade et frites allumettes. Tarte au sucre.
PRIX Midi: T.H. 15$ à 22$
Soir: C. 33$ à 63$ F. 31$ à 47$
OUVERTURE: Lun. à ven. 11h30 à 14h30. Sam. et dim. 10h à 14h. 7 jours 17h30 à 22h.
NOTE: Achats locaux (viande). Menu midi 3 entrées 20$. Carte des vins, 250 étiquettes. 25 choix de vins au verre. Bar.
COMMENTAIRE: Depuis 1984, L'Échaudé maintient le cap sur une cuisine fraîcheur qui concilie la tendance bistro (avec les tartares et grillades) et un volet de cuisine du marché plutôt recherché. Voilà une adresse constante où l'on boit bien dans une atmosphère de grand bistro parisien. Sa salle ne vieillit pas. Une institution. Très agréable terrasse piétonnière en saison.

🍇 LE GALOPIN ★★★★
3135, ch. Saint-Louis, SAINTE-FOY
Tél.: 418-652-0991

SPÉCIALITÉS: Foie gras poêlé. Tartares (thon, pétoncles, canard fumé, saumon, bœuf). Rôti d'entrecôte façon Rossini, sauce truffe et échalote. Ris de veau braisé, jus aux lardons et bière rousse. Pyramide au chocolat noir.
PRIX Midi: T.H. 18$ à 25$
Soir: C. 50$ à 75$ T.H. 36$ à 50$
OUVERTURE: Lun. à ven. 11h30 à 14h. 7 jours 17h30 à 21h. Petit déjeuner lun. à sam. 7h à 10h, dim. 7h à 9h. Fermé 24, 25, 31 déc. et 1er janv. Fermé midi jours fériés.
NOTE: Bar à tartares. Menu soir 4 serv. Soir «menu plaisir à 2», à partir de 90$/2 pers., bouteille de vin incluse. Forfait pour repas et hébergement.
COMMENTAIRE: Présentation très soignée. Cuisine avec les produits du Québec. L'établissement est doté d'un bar à tartares dont la popularité, la qualité des produits et l'originalité des assemblages ne se démentent pas. Autour de ce bar qui fait office de table froide, les convives assistent à la confection de leur tartare (bœuf, saumon...) en direct. Service professionnel et aimable.

LE MOINE ÉCHANSON
★★★[ER] (bistro)
585, rue Saint-Jean, QUÉBEC
Tél.: 418-524-7832
SPÉCIALITÉS: Huîtres sur écaille, charcuterie, conserve gourmande en saison. Tarte alsacienne. Brandade de morue et de porc effiloché. Paella aux fruits de mer et viande. Petit salé aux lentilles. Caillette braisée. Poulet au curcuma, pieuvre au paprika, croquettes de paella.
PRIX Midi: F. 10$
Soir: C. 28$ à 45$
OUVERTURE: 7 jours 11h30 à 23h. Fermé 24 au 26 déc. et 1er janv.
NOTE: Brouet commun 8$. Formule midi sandwich et verre de vin 10$. Formule bouchées: 11h à 17h et après 23h. Chaque saison, une région vinicole est à l'honneur dans le verre et dans l'assiette. Carte des vins, 100% vins natures d'importation privée.
COMMENTAIRE: Découvertes viticoles des grands terroirs du monde et cuisines régionales sont ici indissociables. Bien sûr, les cochonnailles occupent un large pan de la carte, mais au fil des ans plus de poissons et de fruits de mer, ainsi que certains mets moins carnés, se sont introduits à l'ardoise saisonnière. Excellent service-conseil sur les vins.

Restaurants de Québec

LE PAIN BÉNI ★★★★
Auberge place d'Armes
24, rue Sainte-Anne, QUÉBEC
Tél.: 418-694-9485
SPÉCIALITÉS: Pain de volaille rôti, ferme des Voltigeurs. Pavé de flétan de l'Atlantique en croûte de pain noir et shiitake. Boudin noir signature au porcelet Turlo, cuit en pain roulé dans la pâte filo, dattes Medjool, carottes, anis étoilé. Pouding au pain béni.
PRIX Midi: T.H. 17$ à 22$
Soir: C. 36$ à 72$
OUVERTURE: Juin au 1er nov. 7 jours 11h à 15h et 17h30 à 22h. Nov. à juin, lun. à ven. 11h30 à 13h30. Mar. à sam. 17h30 à 21h. Sam. et dim. 11h à 15h.
NOTE: Cuisine orientée autour du pain. Soir, repas 3 à 5 entrées 35$ à 55$. T.H. midi la sem. seulement. Service de traiteur. Valet gratuit en soirée. Petit déjeuner 7h30 à 10h.
COMMENTAIRE: À l'ombre du Château Frontenac et à quelques pas de la rue du Trésor, ce restaurant transcende, et de loin, la définition d'«adresse pour touristes». Pour sa cuisine moderne qui privilégie les produits de proximité comme le porcelet de la Ferme Turlot, Le Pain béni mérite d'être découvert le soir plutôt qu'à l'heure du lunch. Forts présents dans les plats, les légumes ont droit à un traitement inspiré. Le boudin est fait maison. Décor à la fois épuré, pimpant et lumineux fort agréable.

LE PATRIARCHE ★★★★★
17, rue Saint-Stanislas, QUÉBEC
Tél.: 418-692-5488
SPÉCIALITÉS: Trilogie de gibier: marcassin bardé, haricots verts, coulis de tomates aux épices; suprême de pigeon fumé, millefeuille de pommes de terre et céleri; caribou, courgette farcie, jus à l'aulne crispé. Trilogie d'agneau: poêlé, gelée de poivrons rouges; braisé, purée de pois chiches, raviole; en merguez, semoule, légumes au Ras-el-hanout. Mourir de chocolat.
PRIX Midi: (fermé)
Soir: T.H. 55$ à 115$
OUVERTURE: Mar. à dim. 17h30 à 22h30. Été, 7 jours 17h30 à 22h30. Ouvert midi pour groupes + de 20 pers. Fermé 25 déc. et le mois de mars.
NOTE: Menu change aux saisons. Produits du Québec. Soirée thématique sur les vins. Cave à vin 75% d'importation privée. Sélection de vins à partir de 39$.
COMMENTAIRE: Le chef Stéphane Roth réfléchit sa cuisine selon trois vecteurs, le produit local, le gibier et la formule de déclinaison en multiples de trois qu'il maîtrise parfaitement. Sa formule unique est à la fois ludique, élégante et justifiée par un souci de mise en valeur du produit. Perfectionniste, le chef fait tout sur place, des fonds jusqu'au pain. Un restaurant à découvrir impérativement autant pour la table que la courtoisie de la brigade en salle. Suivant ce parti pris de bien faire les choses dans le respect du produit, l'équipe de Patriarche a ouvert dans l'Hôtel du Vieux-Québec (1190, rue Saint-Jean) la rôtisserie biologique Le Tournebroche, un bistro doté d'un volet rôtisserie avec des volailles biologiques. Également, plusieurs mets à base de produits du terroir québécois.

LE QUAI 19 ★★★★
48, rue Saint-Paul, QUÉBEC
Tél.: 418-694-4448
SPÉCIALITÉS: Pétoncles de la Côte-Nord, petits pois d'ici, nage au beurre citronné, oignons nouveaux et pommes de terre parisiennes. Risotto lié au fromage fin d'ici, fleur d'ail et trompettes de la mort, chanterelles du Québec. Dessert de maïs, crème brûlée au maïs, framboises du Québec, sphère de framboise.
PRIX Midi: F. 15$ à 20$
Soir: C. 37$ à 57$
OUVERTURE: 7 jours 11h30 à 14h30 et 17h à 22h. Petit déjeuner 7 jours, 7h à 11h.
NOTE: Carte des vins, 90% d'importation privée.
COMMENTAIRE: Le Quai 19 a su rapidement s'imposer dans le secteur du Vieux-Port comme une table locale, courte certes, mais dont l'équilibre dans les propositions (viandes, poissons, pâtes) rallie systématiquement tous les convives. Les présentations sont toujours aussi élégantes et travaillées sans perdre au change une forme de spontanéité. À noter que les entrées s'avèrent particulièrement inspirantes avec les huîtres et les tomates (en saison) traitées avec égard.

LE SAINT-AMOUR ★★★★★
Restaurant de l'année Debeur 2011
48, rue Sainte-Ursule, QUÉBEC
Tél.: 418-694-0667
SPÉCIALITÉS: Poêlée chaude de foie gras et sirop de bouleau. Ris de veau et crevettes sauvages, gnocchis à la courge musquée, compressé de poudre d'épinard à l'ail doux, jus crémeux au muscat de Límnos. Pigeonneau, cuisse farcie et confite au foie gras, suprêmes rôtis, purée de légumes, jus de presse aux abats, pleurotes biologiques des Appalaches. Distinction de chocolat Valrhona.
PRIX Midi: T.H. 18$ à 33$
Soir: C. 67$ à 90$
OUVERTURE: Lun. à ven. 11h30 à 14h. Sam. 17h30 à 22h30. Dim. à ven. 18h à 22h. Fermé les midis sam., dim., 24 juin, 1er juil. et entre Noël et jour de l'An.
NOTE: Menu 68$ 4 serv. Menu dégustation 8 serv. 115$. Service de traiteur. Voiturier. Caviar de la Colombie-Britannique. «Notre Signature», palette gourmande de mignardises: chocolats, verrines, macarons et multiples tentations.
COMMENTAIRE: Établissement ouvert depuis 1978, où le foie gras est toujours l'un des produits privilégiés (en terrine, poêlé, etc.) et où les meilleurs produits (cerf de Boileau, pigeonneau Turlo, etc.) sont traités avec déférence. Dans ce restaurant de haut calibre, un service extrêmement courtois contribue à l'expérience. Des chefs étrangers viennent ponctuellement présenter leurs spécialités à l'invitation de Jean-Luc Boulay dont la réputation n'est plus à faire. De plus en plus, le chef introduit des produits tirés de la forêt boréale à ses menus. Carte des vins d'exception.

LES FRÈRES DE LA CÔTE
★★★ (bistro)
1129, rue Saint-Jean, QUÉBEC
Tél.: 418-692-5445
SPÉCIALITÉS: Pissaladière. Tartare de saumon. Bouillabaisse. Foie gras de canard, brioche grillée, gelée de Fariquet. Croûtons de chèvre chaud. Fish and chips. Bavette de cheval, frites et salade. Foie de veau à la paysanne. Tarte Tatin.
PRIX Midi: F. 12$ à 19$
Soir: C. 25$ à 47$ T.H. 26$ à 28$
OUVERTURE: Lun. à ven. 11h30 à 22h. Sam. dim. 10h30 à 22h.
NOTE: Moules-frites à volonté tous les jours sauf juil. et août. Pizzas pâte mince authentique. Cellier vitré en salle. Très belle carte des vins, 20% d'importation privée.
COMMENTAIRE: Un rendez-vous dans le Vieux-Québec pour un repas gourmand dans le sens de l'abondance et de la générosité. On y sert toujours une cuisine de type bistro au sens littéral (parfois conventionnelle), mais qui fait mouche comme le gigot d'agneau. Un lieu animé et une équipe en salle très sympa. Le fait de déménager n'a pas altéré l'âme de ce bistro. Au contraire, l'adresse gagne en modernité. De quoi séduire une nouvelle clientèle.

Restaurants de Québec

LES SALES GOSSES
★★★★ (bistro)
620, rue Saint-Joseph E.,
QUÉBEC
Tél.: 418-522-5501
SPÉCIALITÉS: Sélection de tartares saisonniers. Bœuf Wagyu, style steak frites. Raviolis de sanglier, flanc de sanglier braisé avec purée de carottes, chutney de dattes, sauce périgourdine. Crèmes glacées maison.
PRIX Midi: C. 18$ à 20$
Soir: C. 38$ à 60$
OUVERTURE: Lun. 11h30 à 14h. Mar. et mer. 11h30 à 21h30. Jeu. et ven. 11h30 à 22h30. Sam. 18h à 22h30. Fermé dim. et lun. soir.
NOTE: Menu dégustation 6 serv. 60$, 7 serv. 88$. Portes acordéons s'ouvrant sur la rue l'été. Cave à vin 90% d'importation privée.
COMMENTAIRE: Les Sales Gosses conjuguent bistronomie et terroir au travers d'une carte qui tourne et valorise les produits de saison et les artisans locaux. On y trouve un bon choix de vins à prix doux, et la cuisine témoigne d'un souci d'amener plus loin le concept de bistro. Le service est décontracté, et après un peu plus d'un an d'activité l'adresse s'impose en véritable bistro de quartier, très prisé le midi.

PANACHE ★★★★★
Auberge Saint-Antoine
10, rue Saint-Antoine, QUÉBEC
Tél.: 418-692-1022
SPÉCIALITÉS: Calmar farci, jus à l'encre de calmar, bergamotte et marjolaine. Homard trois façons, bisque au Talisker, morilles et asperges de l'Île d'Orléans. Chevreau de Kamouraska, garniture d'un pré salé, pommes de terre confites au beurre demi-sel, algues fraîches de Gaspésie. Millefeuille à la vanille, petits fruits du jardin de madame Price.
PRIX Midi: T.H. 20$ à 32$
Soir: C. 64$ à 98$
OUVERTURE: Lun. à ven. midi à 14h. 7 jours 18h à 22h.
NOTE: Situé dans un ancien entrepôt maritime sous un plafond cathédrale. Menu 4 serv. 79$. Menu signature 9 serv. 119$, accord vins 95$ ou 130$. Brunch jour de l'An, Noël, Pâques et fête des Mères. Très beau cellier, choix de 700 étiquettes et plus de 12 000 bouteilles. Auberge Saint-Antoine avec exposition d'artefacts. Quatre établissements saisonniers: Panache mobile à l'Île d'Orléans et à Québec, Café de la promenade au Quai des Cageux et Panache du parc dans le Bois-de-Coulonge à Sillery.

COMMENTAIRE: Malgré son jeune âge, Louis Pacquelin a su prendre les rênes de Panache avec brio tout en apprivoisant très rapidement les produits du Québec. Toujours dans un style de cuisine qui allie élégance, savoir-faire européen et terroir québécois, le chef intègre également la notion de gourmandise à sa carte. Certes, les plats témoignent d'un grand raffinement sans pour autant négliger l'élément épicurien (portions plus généreuses, classiques revisités, etc.) qui faisait défaut à son prédécesseur. Le sommelier Jean Moffet exerce toujours un rôle-conseil avec une judicieuse acuité. Service très courtois. Cadre patrimonial d'exception alliant confort et modernisme. Salle à manger fraîchement rénovée.

PARIS GRILL ★★★ (bistro)
Complexe Jules-Dallaire
2820, bd Laurier, QUÉBEC
Tél.: 418-658-4415
SPÉCIALITÉS: Saumon en cubes fumé maison, purée d'avocats. Grands crus de tartare (10 sortes). Côtes levées de Paris Grill. Trio de crèmes brûlées.
PRIX Midi: F. 13$ à 28$
Soir: C. 30$ à 62$ T.H. 33$ à 41$
OUVERTURE: Dim. à mar. 11h à 22h. Mer. à sam. 11h à 23h. Petit déjeuner lun. à ven. 7h à 11h, brunch sam. et dim. 8h à 14h. Fermé 24 déc. au soir et 25 déc.
NOTE: Carte des vins 80 à 90% d'importation privée. Stationnement souterrain gratuit.
COMMENTAIRE: Une belle brasserie à l'ambiance parisienne où, avec quelques plats mijotés, les steaks frites et les tartares ont la vedette. Retenez la vaste sélection de vins au verre, le service professionnel et décontracté ainsi qu'une carte réjouissante de desserts.

RESTAURANT CHAMPLAIN
★★★★★
Fairmont le Château Frontenac
1, rue des Carrières, QUÉBEC
Tél.: 418-692-3861
SPÉCIALITÉS: Chaud-froid de homard à la noix de coco. Pétoncles des Îles de la Madeleine. Pavé de morue Boston rôtie sur la peau. Magret du Canard Goulu. Selle d'agneau du Québec en croûte de pistaches. Crémeux de chocolat dulce de leche et érable. Disque de crème brûlée à la gousse de vanille.
PRIX Midi: (fermé)
Soir: C. 57$ à 74$
OUVERTURE: Mar. à dim. 17h30 à 22h. Fermé lun. sauf en été.
NOTE: Plusieurs formules de table d'hôte à Champlain, certaines

mettent à l'honneur des accords avec les vins. Expérience MODAT: menu à l'aveugle, 5 serv. selon les arrivages du jour. Verrière couverte. Cellier de 1600 bouteilles. Cellier à fromages du Québec dans le Restaurant Champlain.
COMMENTAIRE: Le chef Stéphane Modat (anciennement de L'Utopie) a pris la charge de la cuisine du Champlain. D'origine française, le jeune chef préconise une cuisine sophistiquée qui allie produits locaux, tradition française et une conception moderne de la gastronomie québécoise. À Champlain, Modat a trouvé un espace pour exprimer sa créativité et sa compréhension des produits. Il sert une cuisine à la fois réfléchie et sensuelle. Quant au bistro évolutif, Le Sam, on y avance une carte plus légère dans un cadre moins formel avec son agréable bar à cocktails. Autre destination au sein de l'établissement, le bar 1608 combine une grande sélection de vins au verre, des assiettes de fromages et de charcuteries québécoises.

RESTAURANT INITIALE
★★★★★
54, rue Saint-Pierre, QUÉBEC
Tél.: 418-694-1818
SPÉCIALITÉS: Foie gras froid crémeux, rhubarbe et compote de nectarines, brioche cacao. Saumon Sockeye mi-cuit à l'oignon fumé, oignon nouveau, mousse de ciboulette, radis, pommes nouvelles et capucines. Cuisse de canard confite, poitrine rôtie, sauce cerises, navet glacé. Tiges de rhubarbe compressées à la fraise.
PRIX Midi: T.H. 24$ à 30$
Soir: C. 97$ à 101$ T.H. 95$
OUVERTURE: Mar. à ven. 11h30 à 13h30. Mar. à sam. 17h30 à 21h. Fermé dim. et lun. sauf pour groupes 12 pers. et plus. Fermé 3 sem. en hiver.
NOTE: Menu dégustation 8 serv. 139$, avec vin au verre si désiré.
COMMENTAIRE: Malgré la présence de grands chefs dans la région, Yvan Lebrun conserve un statut à part, celui d'orfèvre en cuisine. C'est probablement l'un des meilleurs chefs au Québec. Sa table en est une de prestige, de la mise en bouche jusqu'au dessert. De l'art à l'assiette, et ce, toujours au service des produits les plus frais, rares et fins qui soient. Le service est d'une discrétion et d'un raffinement supérieurs. La salle est dirigée avec doigté et prévenance par Rolande Leclerc. L'atmosphère est relativement formelle.

Restaurants de Québec

RESTAURANT LE GRAFFITI ★★★★

1191, av. Cartier, QUÉBEC
Tél.: 418-529-4949
SPÉCIALITÉS: Feuilleté crevettes et pétoncles, beurre blanc aux épinards. Ris de veau, pommes et calvados. Escalope de veau, cheveux d'ange et légumes. Risotto de fruits de mer, crevettes, pétoncles géants, moules et palourdes. Trilogie de canard (fondant de foie de canard, cuisse confite et magret fumé). Tarte aux pommes, sauce à l'érable.
PRIX Midi: T.H. 16$ à 27$
Soir: C. 35$ à 61$ T.H. 38$ à 44$
OUVERTURE: Lun. à ven. 11h30 à 14h30. Dim. à jeu. 17h à 23h. Ven. et sam. 17h à 23h30. Dim. 9h30 à 15h. Fermé 24 déc. (soir). Fermé le midi les sam., les 25 et 31 déc., 1er janv., 24 juin, 1er juil. et jours fériés.
NOTE: Restaurant ouvert sur la rue, belle verrière, vue sur la rue Cartier. Pâtisseries maison. Cave à vin 4 500 bouteilles, carte de vins 450 choix. Gagnant du Wine Spectator depuis 1990.
COMMENTAIRE: L'un des doyens de l'avenue Cartier, Le Graffiti demeure un classique, non dépourvu d'une volonté d'actualiser, sans la changer radicalement, sa cuisine intemporelle. Cave de réputation. Service courtois. Salons privés très intimes. Verrière toujours très convoitée par la clientèle. Décor moderne dans la salle à manger. Brunch à l'assiette de grande qualité le dimanche.

RESTAURANT SIMPLE SNACK SYMPATHIQUE ★★★ bistro

71, rue Saint-Paul, QUÉBEC
Tél.: 418-692-1991
SPÉCIALITÉS: Cheveux d'ange aux deux tomates, fromage de chèvre, canard confit. Tartare de saumon au sésame, avocat, frites, salade. Ailes de canard gingembre et ail. Côtes levées légèrement fumées, frites, salade de chou maison. Pot de fromage, espuma de caramel, crumble.
PRIX Midi: F. 15$ à 23$
Soir: C. 28$ à 60$
OUVERTURE: Lun. à ven. 11h30 à 22h30. Sam. et dim. midi à 22h30 en saison estivale. Hiver (nov. à mai) même horaire sauf sam. et dim. 17h à 22h30.
NOTE: Très grand choix de vins d'importation privée (85%), large sélection de vin au verre. Aucune réserv. sur la terrasse.
COMMENTAIRE: Petite table du Toast!, SSS offre une version simplifiée de la gastronomie du premier avec des tartares bien relevés et des grillades de bœuf Angus AAA. Bel endroit pour bien manger en famille ou entre amis.

RESTAURANT TOAST! ★★★★

Hôtel Le Priori
17, rue Sault-au-Matelot, QUÉBEC
Tél.: 418-692-1334
SPÉCIALITÉS: Foie gras du Canard Goulu au torchon, confit, roulé en poudre de jus de canard déshydraté à la cardamome, poudre de pistache et cèpe, gelée de Chicoutai, sirop au romarin, brioche maison. Chocophile Valhrona: bleuets du Québec mi-séchés, ganache lisse au chocolat au lait, crémeux Valhrona blanc, yaourt et caramel de bleuets translucide.
PRIX Midi: (fermé)
Soir: C. 52$ à 89$
OUVERTURE: Dim. à jeu. 18h à 22h30. Ven. et sam. 18h à 23h.
NOTE: Carte des vins avec de grandes appellations. 60% d'importation privée.
COMMENTAIRE: Toast! ne perd ni de sa pertinence ni de ces éclats d'ingéniosité dans l'assiette. À sa carte, des plats et des entrées qui tournent mais qui ont pour point commun d'avoir bâti la réputation de la maison au fil des ans. Crostini aux champignons frais (avec mozzarella di bufala), bloc de bison rôti du Québec, tarte aux poireau et champignons façon rösti de pomme de terre à l'ail noir... que de grands produits (dont bien sûr le foie gras du Canard Goulu) stimulent le chef Christian Lemelin. Excellent service très attentionné. Très belle terrasse chauffée et couverte dans une romantique cour intérieure.

GREC

LE MEZZÉ ★★★

299, rue Saint-Paul, QUÉBEC
Tél.: 418-692-5005
SPÉCIALITÉS: Calmars farcis aux poivrons de Florina et fromage manouri. Moussaka, gratin d'aubergines à l'agneau. Pieuvre grillée, lit d'oignons rouges, réduction de balsamique. Gâteau au fromage feta et trilogie de figues.
PRIX Midi: F. 14$ à 20$
Soir: C. 27$ à 49$
OUVERTURE: 1er oct. au 1er juin, ouvert soir seul. Sam., dim. et mar. 17h à 22h. Mer. à ven. 11h à 22h. Fermé lun., 24, 25, 31 déc., 1er janv et 3 prem. sem. de janv.
NOTE: Repas à emporter. Arrivage régulier de poissons frais. Fromages importés de Grèce. Carte des vins 100% d'importation privée. Alcools exclusivement grecs.
COMMENTAIRE: Le Mezzé sert de l'authentique cuisine grecque familiale avec plusieurs produits

(côtelettes d'agneau, pieuvre, crevettes, etc.) vendus au poids. Tout est préparé à la minute comme dans les restaurants de bord de mer. Les calmars farcis sont extrêmement bien faits. En salle, les propriétaires sont très avenants et savent bien conseiller les clients. Jolie terrasse.

INTERNATIONAL ET MÉTISSÉ

AVIATIC - Resto Bar à vin ★★★★

450, rue de la Gare du Palais, QUÉBEC
Tél.: 418-522-3555
SPÉCIALITÉS: Pieuvre grillée, steak de porcelet, tomate de serre et espuma de bocconcini. Tataki de bœuf au beurre de cajou parfumé à l'huile de truffe. Noisette de cerf rôti à la mélasse et bourbon, duxelles de champignons nobles, épinards, polenta frite.
PRIX Midi: F. 17$ à 24$
Soir: C. 40$ à 62$ T.H. 42$
OUVERTURE: Lun. à jeu. 11h30 à 22h. Ven. 11h30 à 23h. Sam. 17h à 23h. Dim. 17h à 22h. Fermé Noël, midi jours fériés, lundi de Pâques et Action de grâces.
NOTE: Situé dans le Vieux-Port de Québec. Menu pour deux, le soir avec le vin, 120$ (prix varie selon menu).
COMMENTAIRE: Maintenant divisée en cinq sections (embarquement, décollage, en altitude, options à bord, dessert), la carte de l'Aviatic ne tourne pas pour autant le dos à l'Asie d'où proviennent les crevettes coco et l'émincé du marché de Bangkok. Sa ligne de parti internationale se fait moins tranchante, le terroir québécois plus présent et les garnitures végétales sont d'une élégante simplicité. Un autre très beau restaurant qui ne porte pas le poids des ans. Resto apprécié par une clientèle BCBG. Très bel endroit pour l'apéritif. Bar à vins et cocktails.

LE 47e PARALLÈLE ★★★

333, rue Saint-Amable, QUÉBEC
Tél.: 418-692-4747
SPÉCIALITÉS: Terrine de foie gras truffé, ganache de chocolat et panais, poire en deux temps, crumble aux noisettes. Croustillant de ris de veau et crevettes sauvages, mousseline de carottes caramélisées, émulsion aux agrumes. Red velvet, mousse fromage à la crème, parfait glacé, framboises au poivre des dunes, meringue, gelée à la betterave.
PRIX Midi: F. 17$ à 22$
Soir: C. 44$ à 75$ T.H. 48 $

OUVERTURE: Mar. à ven. 11h30 à 14h et 17h à 21h30. Sam. et dim 17h à 22h. Fermé lundi, 24 et 25 déc.
NOTE: Menu gastronomique 70$, accord mets et vins en surplus. Service de traiteur.
COMMENTAIRE: Le 47e Parallèle fait face au Grand Théâtre, sa salle est design et moderne, sa terrasse très belle. Maintenant plus éclectique que mondialiste, il tire davantage son épingle du jeu. Moins éparpillée, plus cohérente, la carte s'articule autour de produits nobles tels que le flétan et la pintade. Ce sont les garnitures, par exemple les dattes et les épices avec la volaille, qui soulignent les influences des cuisines d'ailleurs. Très bons tartares.

LE CERCLE ★★★[ER]
226 1/2 et 228, rue Saint-Joseph E., QUÉBEC
Tél.: 418-948-8648
SPÉCIALITÉS: Salade de betteraves jaunes, fromage de chèvre. Gnocchis aux chanterelles. Flanc de porc braisé, pétoncles confits à l'huile de homard, salade d'endives grillées, vinaigrette à la courge musquée. Boudin maison, carottes nantaises et panais au jus de viande.
PRIX Midi: T.H. 12$ à 20$, sauf l'été
Soir: C. 34$ à 63$ T.H. 15$ et 40$
OUVERTURE: Été, lun. à ven. 10h à 14h, 7 jours 17h à 22h. Hiver, lun. à ven. 11h30 à 14h, 7 jours 17h à 22h. Menu réduit l'après-midi et après 22h. Établissement ouvert jusqu'à 1h30 et 3h du mat. selon les jours. Fermé 25 déc., 1er janv. et 24 juin.
NOTE: Vins 95% d'importation privée, 250 étiquettes, 20 à 25 choix de vins au verre. Cocktails maison. Salle de spectacle, galerie d'art, galerie d'art numérique. En été, on ouvre les portes vitrées. Produits frais et locaux.
COMMENTAIRE: Du cinq à sept au brunch du dimanche, Le Cercle se veut une plaque tournante autant en matière de programmation artistique que de restauration. Sa carte de grignotines couvre un large spectre, des huîtres aux plateaux de charcuteries et de fromages d'ici. Une cuisine bistronomique à la fois réconfortante et relativement élaborée où l'œuf cuit sous vide, les champignons et le flanc de porc ont la part belle. Le chef Olivier Godbout prend, au moment de mettre sous presse, les commandes de La Planque.

LE COSMOS CAFÉ ★★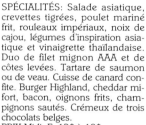
575, Grande-Allée E., QUÉBEC
Tél.: 418-640-0606

SPÉCIALITÉS: Salade asiatique, crevettes tigrées, poulet mariné frit, rouleaux impériaux, noix de cajou, légumes d'inspiration asiatique et vinaigrette thaïlandaise. Duo de filet mignon AAA et de côtes levées. Tartare de saumon ou de veau. Cuisse de canard confite. Burger Highland, cheddar mifort, bacon, oignons frits, champignons sautés. Crémeux de trois chocolats belges.
PRIX Midi: F. 12$ à 18$
Soir: C. 27$ à 63$
OUVERTURE: Dim. à jeu. 11h à 22h. Ven. et sam. 11h à minuit. Petit déjeuner 7 jours, 7h à 14h la sem. et 8h à 15h la fin de sem.
NOTE: Jeu. à sam. DJ 19h.
COMMENTAIRE: Le Cosmos accueille une clientèle qui aime les atmosphères branchées. La carte est diversifiée (grillades d'inspiration asiatique, pâtes, burgers, pizzas, sandwichs, etc.) et les petits déjeuners sont l'une des forces de ce resto-bar tendance. Au Cosmos de Québec, Sainte-Foy et Lévis s'est joint récemment un Cosmos dans le secteur Lebourgneuf. Avec son décor ludique, ce dernier obtient la faveur des enfants.

MONTE CRISTO LOUNGE ★★★★
Château Bonne Entente
3400, ch. Sainte-Foy, QUÉBEC
Tél.: 418-650-4550
SPÉCIALITÉS: Côtelettes d'agneau, ragoût de haricots rouges, gnocchi, pancetta. Duo de bœuf wagyu braisé et petit filet mignon, purée de pommes de terre au crabe, foie gras. Gâteau redvelvet, petit gâteau au babeurre, crème fromage et gingembre, gelée de vin rouge, tire-éponge, sorbet à la griotte.
PRIX Midi: T.H. 32$
Soir: Menu 89$ T.H. 62$
OUVERTURE: Lun. à ven. 11h30 à 14h, sam. et dim. 18h à 22h. Dim. 18h à 21h.
NOTE: Menu dégustation 89$/pers (au Monte Cristo L'Original) sur réservation. Coupole sur glace (fruits de mer) 100$/2 pers. Carte des vins 400 produits. Choix de vins au verre. Service de stationnement midi et soir. Service de garderie gratuit pour le repas du soir.
COMMENTAIRE: Jean-François Bélair travaille son menu gastronomique avec le souci de mettre en valeur des matières premières d'exception comme le bœuf de race wagyu. Néanmoins, le chef impose sa marque dans sa relecture du concept de grilladerie qu'il amène résolument plus loin, multipliant les garnitures végétales

raffinées. Sa carte d'entrées est particulièrement soignée, citons la pieuvre braisée avec pommes de terre rattes, paprika et salsa verde et son tartare de bœuf serti de tomatillos, avocat et œuf de caille.

MONTEGO RESTO CLUB ★★★
1460, rue Maguire, SILLERY
Tél.: 418-688-7991
SPÉCIALITÉS: Tataki de thon, vinaigrette aux 5 épices, mangue fraîche, wasabi et mayonnaise japonaise. Côte de veau de lait Charlevoix, tapenade d'olives noires calamata et romarin, risotto forestier. Dôme fondant de profiteroles, pâte à choux, glace à la vanille et coulis de chocolat chaud.
PRIX Midi: T.H. 15$ à 29$
Soir: C. 28$ à 68$ T.H. 35$ à 44$
OUVERTURE: Lun. à ven. 11h30 à 14h30. Lun. et mar. 17h à 22h. Mer. à sam. 17h à 23h. Dim. 9h30 à 14h30 et 17h à 22h. Fermé sam. midi.
NOTE: Musiciens mer. à sam. soir dès 19h. DJ, jeu. à sam. 21h à 1h du mat. Cave à vin 2 000 bouteilles. On peut réserver le chef pour un menu sur mesure, à partir de 47$, 25 à 80 pers. au loft urbain du 2e étage.
COMMENTAIRE: Un restaurant qui obtient toujours la cote parmi ceux qui recherchent une atmosphère festive et un menu varié. Plusieurs dégustations sous forme de déclinaisons (saumon, bœuf, etc.), les assiettes sont copieuses et colorées. Les pâtes sont préparées en demi-portions et le veau y est très bien apprêté.

VERSA RESTAURANT ★★★ (bistro)
432, rue du Parvis, QUÉBEC
Tél.: 418-523-9995
SPÉCIALITÉS: Tartare de saumon, avocat crémeux, sésame, orange, lime. Magret de canard, dumpling de canard confit et gingembre, poêlée de shiitakes, bouillon de canard aigre-doux. Tartelette érable et pacanes: beurre d'érable, pacanes caramélisées au miel, glace vanille maison.
PRIX Midi: F. 14$ à 22$
Soir: C. 26$ à 60$ T.H. 31$ à 42$
OUVERTURE: Lun. à ven. 11h30 à 22h. Sam. et dim. 17h à 22h. Fermé 24, 25 déc., 1er janv. et midi jours fériés. Du 15 oct. au 15 avril, fermé dim., lun. midi.
NOTE: Bar à huîtres toute l'année. Huîtres à 1,50$ au «4 à huître». Plateau de fruits de mer (homard, huîtres, palourdes, crevettes et moules). Virée de filles jeu. soir, 50% de remise. Wine Spectator 2009 à 2015. Plus de 200 références.

COMMENTAIRE: La destination huîtres à Québec. Le chef propriétaire Benoît Poliquin les sert nature sur glace ainsi que frites et au gratin. Combinant plusieurs influences (terroir québécois, cuisine française, Asie), il présente des plats à la fois généreux et dressés avec un certain minimalisme. Atmosphère branchée, particulièrement les jeudis.

ITALIEN

BELLO RISTORANTE ★★★
73, rue Saint-Louis, QUÉBEC
Tél.: 418-694-0030
SPÉCIALITÉS: Antipasto. Tagliatelles à l'encre de sèche et aux fruits de mer, bisque au pastis. Risotto à la bajoue de veau braisée. Pizza dessert à la pomme caramélisée au calvados.
PRIX Midi: F. 16$ à 20$
Soir: C. 30$ à 91$
OUVERTURE: 7 jours 11h30 à 23h30.
NOTE: Ardoise du chef le soir. Pizza au four à bois. Carte des vins, 70% d'importation privée. Magnifique verrière, très belle vue sur l'église.
COMMENTAIRE: Il Bello rajeunit le secteur de la rue Saint-Louis avec une restauration italienne à la mode sans que ce ne le soit au détriment de la qualité. Les pâtes très variées et gourmandes comme le spaghetti au canard et foie gras au torchon sont servies en deux formats. La carte de risottos est l'un des éléments forts du menu en raison de l'originalité des combinaisons d'ingrédients, dont le trio morue poêlée, pois verts et mascarpone. Belle terrasse à l'arrière. Personnel courtois.

CICCIO CAFÉ ★★★
875, rue Claire-Fontaine, QUÉBEC
Tél.: 418-525-6161
SPÉCIALITÉS: Tartares de truite fumée, de bœuf, de saumon. Filet de saumon mariné au saké, grillé à la japonaise. Escalope de veau, champignons, pancetta. Tortellini gorgonzola et pesto de tomates séchées. Osso buco. Tiramisu au café. Crème brûlée à l'orange.
PRIX Midi: T.H. 14$ à 23$
Soir: C. 26$ à 48$ T.H. 27$ à 39$
OUVERTURE: Mar. à ven. 11h30 à 14h. Mar. à dim. 17h à 22h. Fermé lun., 24 et 25 déc.
NOTE: Musique d'ambiance et téléviseurs.
COMMENTAIRE: Excellentes pâtes et veau de lait. Très populaire pour dîner avant ou après le spectacle. Service attentionné. Dé-

cor moderne agréable, murs de pierres, miroirs, grandes baies vitrées. Un restaurant qui pratique toujours une politique de prix abordables au grand plaisir d'une clientèle fidèle.

LE MANOIR ★★
3077, ch. Saint-Louis, QUÉBEC
Tél.: 418-659-5628
SPÉCIALITÉS: Étagé de tartare de saumon. Gambellara (fruits de mer, fines herbes, crème au vin). Pavé de saumon en croûte d'épices. Osso buco de veau. Pizza au canard ou au saumon fumé.
PRIX Midi: F. 10$ à 24$
Soir: C. 24$ à 42$ T.H. 27$ à 38$
OUVERTURE: Dim. à jeu. 11h à 22h. Ven. et sam. 11h à 23h. Fermé 24, 25 déc. et 1er janv.
NOTE: Choix d'escalopes de veau, 24 variétés de pâtes. Produits locaux. Bar à crèmes glacées molles. Bières de microbrasseries. Cave à vin, plus de 175 sortes. Une des plus belles terrasses de Québec.
COMMENTAIRE: Pour la conciliation parents-enfants, Le Manoir se positionne en restaurant intergénérationnel par excellence. Les parents y trouvent leur compte ainsi que les petits, particulièrement à l'étape du dessert avec le bar à crèmes glacées.

RESTAURANT PARMESAN ★★★
38, rue Saint-Louis, VIEUX-QUÉBEC
Tél.: 418-692-0341
SPÉCIALITÉS: Saumon fumé de notre fumoir. Jambon prosciutto maison vieilli 3 ans. Casserole de poissons livournaise. Ris de veau aux cèpes, linguines au beurre. Osso buco. Côte de veau parfumée à la sauge. Sabayon au vinaigre balsamique maison.
PRIX Midi: F. 12$ à 18$
Soir: C. 28$ à 73$ T.H. 20$ à 32$
OUVERTURE: 7 jours midi à minuit. Fermé 24 et 25 déc.
NOTE: Dîner de Parme 60$. 20 choix de pâtes et de desserts. Vinaigre balsamique maison 12 ou 25 ans d'âge. Accordéoniste ou chanteur en soirée. Collection unique et privée de 4000 bouteilles décoratives. Deux foyers en hiver. Voiturier gratuit.
COMMENTAIRE: Atmosphère festive, service prompt quoiqu'expéditif, plusieurs menus pour deux, dont le risotto. Saumon fumé et jambon de Parme maison vieux de trois ans, faits par Luigi, le copropriétaire, à la hauteur de sa réputation.

RISTORANTE IL MATTO ★★★
850, av. Myrand, SAINTE-FOY
Tél.: 418-527-9444

SPÉCIALITÉS: Agnelotti farcis avec veau et épinards, sauce à la crème, prosciutto, champignons, pesto. Salade Rucola, prosciutto et copeaux de parmesan. Papardelles aux champignons sauvages à l'huile de truffe. Cannoli à la sicilienne. Bomba (beignet frit au chocolat). Tiramisu.
PRIX Midi: F. 14$ à 19$
Soir: C. 36$ à 51$
OUVERTURE: Lun. à ven. 11h30 à 15h. Lun. à mer. et dim. 17h30 à 22h30. Jeu. à sam. 17h30 à minuit. Fermé 24 déc. et 1er janv.
COMMENTAIRE: Une adresse à la mode très conviviale. La carte est courte, mais recèle des recettes familiales réconfortantes, dont les aubergines parmigiana et d'excellentes pâtes aux champignons. Un très bon rapport qualité-prix. Il Matto dans le Vieux-Port propose un cadre BCBG et design au cœur de l'Hôtel 71.

RISTORANTE IL TEATRO ★★★
(Le resto du Capitole)
972, rue Saint-Jean, QUÉBEC
Tél.: 418-694-9996
SPÉCIALITÉS: Pétoncles rôtis tièdes, sauce miel et moutarde, tomates, basilic. Raviolis farci de canard, sauce beurre et parmesan. Côte de veau grillée, sauce à la crème de cèpes, gratinée de fromage brie. Tendre de veau aux poires, gorgonzola, noix de pin, gratin dauphinois, légumes, ail confit. Tarte aux fruits des bois, crème pâtissière.
PRIX Midi: T.H. 15$ à 18$
Soir: C. 36$ à 77$ T.H. 34$ à 44$
OUVERTURE: 7 jours 11h à minuit. Petit déjeuner lun. à ven. 7h à 11h, sam. et dim. 7h à 13h.
NOTE: Assiette de fromages 15$. Assiette 7$ à 16$ au déjeuner. 24 choix de pâtes. Pâtes sans gluten. Menu santé, midi 14$. Salle de spectacle. Service de voiturier gratuit en tout temps.
COMMENTAIRE: Une belle table pour déguster les pâtes et les risottos. Grande sélection d'entrées authentiques italiennes, ainsi qu'un très beau carpaccio. Superbe terrasse avec vue sur la place d'Youville, où il faut réserver. En plus de la grande sélection de pâtes et de veau (dont l'escalope alla milanese), on y trouve des tartares sans fioritures inutiles et des planches à partager à l'apéro.

RISTORANTE MICHELANGELO ★★★★
3111, ch. Saint-Louis, SAINTE-FOY
Tél.: 418-651-6262
SPÉCIALITÉS: Carpaccio de bœuf. Bisque de crabe de Havre-Saint-Pierre. Foie gras poêlé, crème de

ITALIEN

GUIDE DEBEUR 2016

Restaurants de Québec

figues, pain brioché. Saisie de ris de veau au porto, risotto florentine. Glaces maison. Mi-cuit au chocolat.
PRIX Midi: T.H. 19$ à 30$
Soir: C. 35$ à 80$ T.H. 32$ à 45$
OUVERTURE: Lun. à ven. midi à 14h30. Lun. à sam. 17h30 à 21h30. Fermé dim.
NOTE: Pâtes maison. Beau choix de vins italiens. Visite de la cave à vin et de ses grands crus, 30 000 bouteilles. Terrasse pour l'apéritif.
COMMENTAIRE: Une belle cuisine italienne très classique, notamment de succulentes pâtes fraîches. Décor design et service stylé, salons luxueux, très beaux celliers dans plusieurs salons. Nombreux espaces pour les réceptions intimes.

SAVINI ★★★
680, Grande-Allée E., QUÉBEC
Tél.: 418-647-4747
SPÉCIALITÉS: Antipasto. Tartare de saumon. Risotto aux fruits de mer. Fettucine au canard confit. Carré d'agneau, risotto aux champignons. Cannoli sicilien. Tiramisu.
PRIX Midi: T.H. 16$ à 20$
Soir: C. 35$ à 86$
OUVERTURE: 7 jours 11h30 à 23h30. Fermé 24 et 25 déc.
NOTE: Pâtes fraîches maison. Table du chef dans le cellier. Petit menu jeu. à sam. 23h30 à 1h du mat. Service de valet. DJ 7 jours à partir de 21h. Acrobate ven. et sam. 22h à 23h. 5 à 7 animés. Plus de 50 vins au verre, 600 vins différents. Prix d'excellence Wine Spectator.
COMMENTAIRE: Une adresse à la mode qui ne néglige pas sa carte composée de classiques de la cuisine italienne (pizzas, veau, pâtes) correctement exécutés et arrosés d'une sélection appréciable de vins au verre. Atmosphère très festive.

JAPONAIS

ENZO SUSHI ★★★
150, bd René-Lévesque E., QUÉBEC
Tél.: 418-649-1688
SPÉCIALITÉS: Mignon Bifu (6 oz AAA, réduction sauce porto). Bar noir chilien poêlé en cuisson lente. Oyshi (galette de riz frit tempura). Ryu (thon grillé, saumon tempura, patates douces). Geisha (sushis makis). Bouquet Enzo (sashimis). Dessert Enzo (crème glacée frite tempura).
PRIX Midi: F. 13$ à 20$
Soir: C. 27$ à 61$ F. 30$ à 40$
OUVERTURE: Lun. à ven. 11h à 14h. Lun. à jeu. 17h à 22h. Ven.

et sam. 17h à 23h. Dim. 17h à 22h. Fermé jours fériés.
NOTE: Menu dégustation 2 pers. 4 serv. 65$, 5 serv. 80$. Grande sélection de vins, plus de 50% d'importation privée.
COMMENTAIRE: Un restaurant au décor zen et épuré. Nous vous conseillons d'opter pour les spécialités du chef qui n'apparaissent pas à la carte, parmi lesquelles plusieurs makis ici nappés de sauce ou en chaud-froid. À noter que les présentations sont visuellement très soignées et appétissantes. Les plats chauds sont à la hauteur des sushis. Une adresse idéale pour s'initier aux bouchées nipponnes. Les puristes préféreront le minimalisme des sashimis.

LE MÉTROPOLITAIN ★★★★
1188, av. Cartier, QUÉBEC
Tél.: 418-649-1096
SPÉCIALITÉS: Tartares de thon, de pétoncles et de saumon. Sauté de fruits de mer Teppanyaki. Dumplings au porc, crevettes et légumes tempura. Saumon à la moutarde. Filet mignon Angus AAA sur plat chaud. Gâteau royal (frit dans tempura, farci de sorbet aux fruits des champs).
PRIX Midi: F. 15$ à 25$
Soir: C. 26$ à 58$ T.H. 30$ à 39$
OUVERTURE: Dim. à mer. 11h30 à 14h30 et 16h30 à 22h. Jeu. à sam. 11h30 à 14h30 et 16h30 à 22h30. Fermé 25 déc. et 1er janv.
NOTE: Décor suivant les règles du feng-shui. Love boat à partager, spécialités du chef. Cartes de vins et sakés 80% d'importation privée.
COMMENTAIRE: Une référence en matière de sushis pour la grande fraîcheur des poissons, l'inventivité et la présentation soignée. Atmosphère zen. Plusieurs plats chauds à la carte. On peut aussi passer une commande à emporter chez soi.

NIHON SUSHI ★★★
1971, rue de Bergeville, QUÉBEC
Tél.: 418-687-2229
SPÉCIALITÉS: Sushi pizza, homard, sauce miel épicé, poire japonaise. Jay Peak maki, tartare de saumon, légumes, couvert de sashimi de saumon flambé. Maki dragon (tartare de saumon, patate douce tempura, mangue, salade, croustillant). Fuji, glace au thé vert, tempura panko, coulis de fruits rouges.
PRIX Midi: F. 15$
Soir: C. 13$ à 25$ T.H. 26$
OUVERTURE: Lun. 14h à 21h. Mar. à ven. 10h à 21h. Sam. et dim. midi à 21h. Fermé 24 déc. soir, 25 et 31 déc. et 1er janv.

NOTE: À l'angle de l'avenue Maguire. Assiette gastronomique 2 pers. 30 mcx, 48$. Service traiteur à domicile, 10 pers. min. Carte des vins.
COMMENTAIRE: Bien que la salle à manger soit d'une sobriété anonyme, la créativité de la carte compense. Outre l'utilisation de différents types de feuilles d'algue et de soya, ce sont les combinaisons d'ingrédients qui surprennent. À signaler, les rouleaux de printemps au tartare de saumon et aux crevettes panées.

RESTAURANT HOSAKA-YA ★★★
491, 3e Avenue (Limoilou), QUÉBEC
Tél.: 418-529-9993
SPÉCIALITÉS: Tsumami à la japonaise. Ailes de caille marinées. Kareage (poulet frit à la japonaise). Œufs de caille à la sauce soya (uzura tamago). Végé-dong: légumes de saison variés, tofu mariné. Crème glacée maison (sauce soya, wasabi, etc.).
PRIX Midi: T.H. 15$ à 18$
Soir: C. 16$ à 36$
OUVERTURE: Mar. à ven. 11h30 à 14h. Mar. à dim. 16h30 à 21h. Fermé lun., 24, 25, 31 déc. et 1er janv.
NOTE: Boîtes à bento le midi. Tsumami: petites bouchées japonaises, style tapas. Menu à l'ardoise change chaque mois. Cuisine familiale japonaise. Sushi bar.
COMMENTAIRE: Voilà l'unique taverne japonaise à Québec. À l'adresse de Limoilou sont servis des tsumamis, ces «tapas» nippons, ainsi que d'excellents tartares, dont celui au thon blanc, et une variété enviable de sushis. Un autre restaurant, le Hosaka-Ya Ramen a ouvert au 75, rue Saint-Joseph. Dans Saint-Roch, les nouilles-repas remplacent les sushis. C'est copieux et authentique. Dans les deux cas, l'accueil est charmant et le service efficace.

MEXICAIN

SEÑOR SOMBRERO ★★★
732, av. Royale, BEAUPORT
Tél.: 418-666-5555
SPÉCIALITÉS MEXICAINES: Tacos pastor (porc mariné avec ananas). Tacos de Cochinita (Maya). Mini taquitos (rouleaux). Enchiladas (tortillas de maïs roulées avec poitrine de poulet, sauce fromage, coriandre, oignon, crème sure, fromage gratiné). Bunuelo (crêpe croustillante, caramel, cannelle, vanille).
PRIX Midi: T.H. 10$ à 15$
Soir: C. 24$ à 42$ T.H. 32$

ITALIEN - JAPONAIS - MEXICAIN

GUIDE DEBEUR 2016

Restaurants de Québec et région

OUVERTURE: Mar. à ven. 11h à 14h. Dim., mar. à jeu. 17h à 21h. Ven. et sam. 17h à 22h. Fermé lun., 24, 25, 31 déc. et 1er janv. NOTE: Assiette dégustation Señor Sombrero 18$. Assiette Taco loco 17$ à 20$. Plats inspirés d'une région mexicaine différente chaque fois. Service traiteur et épicerie avec produits mexicains. Service au comptoir et livraison. Bière mexicaine ou vin avec T.H. du soir. Mezcal. Carte de tequila. Internet sans fil. Musiciens fin de semaine 18h à 21h.
COMMENTAIRE: Typiquement mexicain dans une maison ancestrale rénovée que pilote un nouveau chef propriétaire. Plat en vedette chaque jour. Le ceviche de crevettes vif et frais est à retenir particulièrement. Copieux, pas cher et savoureux.

QUÉBÉCOIS

AVIS
Une cuisine ne se définit pas seulement par l'utilisation des produits régionaux ni par la nationalité des gens qui la font. C'est avant tout la façon dont on travaille les produits (recettes) et la manière dont on les mange. Et ce sont uniquement ces deux points qui sont culturellement défendables. Selon nous, la cuisine québécoise doit tirer ses sources dans les recettes de nos grands-mères, des recettes que l'on ne trouve plus aujourd'hui que dans les familles et les cabanes à sucre. Il n'y a que les grands chefs qui sont capables d'élever cette tradition culinaire actuellement encore rustique, voire folklorique selon certains, au niveau de la grande et fine cuisine.

AUX ANCIENS CANADIENS ★★★★
34, rue Saint-Louis, QUÉBEC
Tél.: 418-692-1627
SPÉCIALITÉS: Rillettes de caribou et bison, confit de carottes. Coureur des bois, tourtière du Lac-Saint-Jean au gibier, mijoté de bison et faisan. Assiette québécoise (tourtière, ragoût de boulettes, grillades de lard salé, fèves au lard). Aiguillettes de canard grillées, réduction à l'érable. Trois mignons (filet de cerf, wapiti, bison), sauce poivre rose. Tarte au sirop d'érable. Gâteau fromage et pommes caramélisées.
PRIX Midi: T.H. 20$ à 28$

Soir: C. 57$ à 94$ T.H. 49$
OUVERTURE: 7 jours midi à 21h30. Fermé le midi 25 déc. et 1er janv.
NOTE: Verre de vin ou bière compris dans T.H. du midi. Dégustation de desserts 18,95$/2 pers. À l'entrée, il y a 6 tabourets pour manger ou prendre un verre. Terrasse pour cocktails et bouchées. Prix d'excellence Wine Spectator 2011, 2012 et 2014.
COMMENTAIRE: La plus vieille maison d'époque de la province, la Maison Jacquet 1675. Décor d'autrefois assuré: murs épais, beaux lambrissages, placards encastrés dans les murs. Un des derniers restaurants où l'on peut savourer une cuisine québécoise traditionnelle. Offre également sur sa carte une fine cuisine française. Un peu cher mais portions généreuses.

LA BÛCHE ★★
49, rue Saint-Louis, QUÉBEC
Tél.: 418-694-7272
SPÉCIALITÉS: Jambon à la bière. Pâté chinois. Tourtière. Ailes de lapin. Pouding chômeur.
PRIX Midi: T.H. 16$ à 25$
Soir: C.33$ à 64$ T.H. 38$
OUVERTURE: 7 jours 8h à 23h.
NOTE: Réservation préférable.
COMMENTAIRE: La Bûche, véritable cabane à sucre urbaine, met au menu (toute l'année) les classiques d'une cuisine familiale du temps des sucres, apprêtée avec authenticité et une touche d'originalité. Exquise tarte au sucre et des marinades maison façon «grand-maman». Une adresse tout indiquée pour célébrer notre patrimoine culinaire en groupe.

SUISSE

LA GROLLA ★★★
815, Côte d'Abraham, QUÉBEC
Tél.: 418-529-8107
SPÉCIALITÉS: Tartiflette, pommes de terre avec fromage et bacon. Fondue fromage suisse. Fondue la Charlevoisienne. Fondue chinoise et fruits de mer. Raclette valaisanne. Pierrade de fruits de mer ou de filet mignon AAA flambé au cognac. Café flambé La Grolla. Fondue dessert (chocolat et érable).
PRIX Midi: (fermé)
Soir: C. 35$ à 73$ T.H. 33$ à 42$
OUVERTURE: 7 jours 16h30 à 21h30.
NOTE: Grand choix de fondues au fromage et pains de boulangerie artisanale. Ambiance suisse. Réserv. recommandée.
COMMENTAIRE: De très bonnes fondues au fromage. L'ambiance

et le décor rustique font penser à un petit chalet des Alpes suisses. Petit et intime avec foyer pour se chauffer en hiver.

RESTAURANTS DE LA RÉGION DE QUÉBEC

ARCHIBALD ★★ cont
Microbrasserie et restaurant
1021, bd du Lac, LAC BEAUPORT
Tél.: 418-841-2224
et 1-877-841-2224
SPÉCIALITÉS CONTINENTALES: Saumon fumé de notre fumoir. Trio de bruschettas gratinées. Tartare aux deux saumons. Burger Archibald, bœuf Highland, bacon, cheddar, laitue, tomates, sauce Archibald. Steak frites. Crème glacée frite.
PRIX Midi: T.H. 12$ à 17$
Soir: C. 37$ à 79$
OUVERTURE: Lun. à ven. 11h30 à 23h. Sam. et dim. 11h à minuit. Fermé 24, 25 déc. et 1er janv.
NOTE: 11 bières brassées sur place. Bières saisonnières. Ouverture prolongée selon l'achalandage (sans cuisine).
COMMENTAIRE: Située dans un très beau chalet en bois rond, la microbrasserie de Lac-Beauport brasse sur place une variété de bières. Son menu se compose de grillades et de plats revisités à la mode asiatique. Bel endroit pour l'après-ski ou l'heure du digestif. L'une des belles terrasses de Québec. Second restaurant au 1240, autoroute Duplessis, à Sainte-Foy. À ceux-ci se joignent les Archibald à Trois-Rivières et Montréal.

AUBERGE BAKER ★★★ int
8790, av. Royal, CHÂTEAU-RICHER
Tél.: 418-824-4478
et 1-866-824-4478
SPÉCIALITÉS INTERNATIONALES ET QUÉBÉCOISES: Trio québécois (boudin noir, pâté à la viande, ragoût de pattes de porc). Éclair au ris de veau et pleurotes de Château-Richer à la moutarde de Meaux. Cuisse d'oie confite, prosciutto, canneberges séchées en culotte, sauce au porto, confit de canneberges.
PRIX Midi: F. 13$ T.H. 20$ à 24$
Soir: C. 36$ à 62$ T.H. 38$ à 63$
OUVERTURE: 7 jours 11h à 14h et 17h à 20h. Dim. brunch 10h30 à 14h. Nov., ouvert jeu. à dim. seulement.
NOTE: Fumoir maison. Menu dégustation 9 serv. 145$/2 pers. incluant un verre de porto/pers.
COMMENTAIRE: Bien située sur la côte de Beaupré, cette auberge

Restaurants de Québec et région

est établie depuis 1930 dans une belle maison de ferme datant de 1840. Elle abrite sept chambres, dont cinq d'époque bien restaurées, meublées d'antiquités, et deux modernes (studio et chalet). Le chef fait une cuisine québécoise traditionnelle et une cuisine plus créative.

AUBERGE DES GLACIS
★★★★ fra
46, route de la Tortue,
SAINT-EUGÈNE-DE-L'ISLET
Tél.: 418-247-7486
et 1-877-245-2247
SPÉCIALITÉS FRANÇAISES: Matelote à l'esturgeon de la Côte-du-Sud. Agneau braisé de Saint-Jean-Port-Joli. Escalope de foie gras poêlée, sauce au Chocolats Favoris. Quenelles lyonnaises (volaille, veau ou brochet). Crème brûlée au thé Kusmi.
PRIX Midi: (fermé)
Soir: T.H. 54$ à 89$
OUVERTURE: 7 soirs 18h à 23h sur réserv.
NOTE: Il est fortement conseillé de réserver. On doit passer sa commande avant 20h. Auberge de 16 chambres, dont 2 suites, dans un ancien moulin à farine. Bâtisse ancestrale. À 50 minutes de la ville de Québec. Accessible aux personnes à mobilité réduite. Réserv. brunch tous les jours 23$. Fait affaire avec 55 à 70 producteurs locaux pour concocter sa table gourmande. Gagnant de plusieurs prix touristiques, dont le chapeau Restaurateur 2014.
COMMENTAIRE: Une table sise dans le décor enchanteur de Saint-Eugène-de-L'Islet où coule la rivière Tortue. Le chef Olivier Raffestin s'illustre encore et toujours avec ces quenelles confectionnées selon la tradition lyonnaise. Inspiré par l'environnement agroalimentaire de la région de Chaudière-Appalaches, il apporte un soin jaloux à des produits locaux au meilleur de leur saison pour les mettre en valeur. La provenance de chaque produit et le nom du fournisseur sont indiqués sur la carte. Bel assortiment de thés Kusmi.

AUBERGE LE CANARD HUPPÉ
★★★ qué
2198, ch. Royal,
SAINT-LAURENT, ÎLE D'ORLÉANS
Tél.: 418-828-2292
et 1-800-838-2292
SPÉCIALITÉS QUÉBÉCOISES: Mousse de foie gras, miroir de cidre à la canneberge, réduction de porto. Pavé de morue, riz au basilic et citron, sauce vierge, saumon fumé et mangue. Poêlée de ris de veau, pommes, prosciutto, moutarde à l'estragon. Magret de

canard, poêlée de champignons au cassis, sauce au foie gras.
PRIX Midi: (fermé)
Soir: C. 43$ à 59$ T.H. 35$ à 40$
OUVERTURE: 7 jours 17h à 20h30. Réserv. obligatoire. Petit déjeuner 8h à 10h (en chambre).
NOTE: Un endroit où l'on se sent chez soi. Ambiance sympathique et décontractée. Un petit hôtel de 8 chambres.
COMMENTAIRE: L'endroit idéal pour bien manger en se régalant de produits du terroir, dormir et partir à la découverte des plaisirs de l'Île-d'Orléans. Le chef offre une cuisine influencée par les produits de proximité. Les présentations des plats sont sophistiquées et rehaussées de fleurs fraîches.

LA GOÉLICHE ★★★★[ER] int
Auberge La Goéliche
22, rue du Quai,
SAINTE-PÉTRONILLE,
ÎLE D'ORLÉANS
Tél.: 418-828-2248
et 1-888-511-2248
SPÉCIALITÉS INTERNATIONALES: Gravlax de saumon de l'Atlantique à l'aneth parfumé à la vodka Kamouraska. «Lobster roll» à l'avocat et coriandre. Cuisse d'oie confite, duxelles de champignons et foie gras en croûte. Crème brûlée à la véritable vanille.
PRIX Midi: F. 15$ à 26$
Soir: C. 37$ à 59$ T.H. 45$ à 55$
OUVERTURE: 7 jours 11h30 à 15h et 17h30 à 20h30. Petit déjeuner lun. à sam. 8h à 10h30, dim. 8h à 11h.
NOTE: Menu-terrasse carte du midi 10$ à 16$. Menu collation, tapas froids 6,25$ à 15$. Verrière ouverte sur l'extérieur.
COMMENTAIRE: L'arrivée du chef Sébastien Laframboise donne une nouvelle impulsion et un souffle moderne à La Goéliche. Le jeune chef a complètement changé la carte pour y introduire une cuisine plus orientée vers les saisons et la fraîcheur, non sans gourmandise. Ses assiettes sont élaborées et généreuses en garnitures. À noter que le chef travaille les pâtes fraîches avec doigté. Superbe vue sur Québec. Plusieurs petites salles donnent sur le fleuve et offrent une belle vue maritime. L'établissement est doté d'une terrasse au bord de l'eau.

LA TABLE DU CHEF
ROBERT BOLDUC ★★★ fra
615, rue Jacques-Bédard,
NOTRE-DAME-DES-LAURENTIDES
Tél.: 418-841-3232
SPÉCIALITÉS FRANÇAISES: Terrine de gibiers régionaux. Pavé de saumon fumé au bouleau blanc.

Aiguillettes de magret de canard fumées et laquées, glace de canneberges et physalis. Ris de veau poêlés, demi-glace aux champignons sauvages. Gâteau trois chocolats et petits fruits de saison.
PRIX Midi: (fermé)
Soir: T.H 35$ à 60$
OUVERTURE: Jeu. à sam. 18h à 23h. Fermé 24 et 25 déc. et mi-juillet à mi-août.
NOTE: Fumoir sur place. Menu «page blanche»: composition au goût du chef, 7 serv. 60$. Réserv. appréciée. Certifié Terroir et saveurs du Québec.
COMMENTAIRE: Dans un décor chaleureux, le chef Robert Bolduc accueille ses convives et les régale d'une cuisine composée de mijotés, de plats braisés réconfortants et de viandes de gibier grillées bonifiées par des sauces dignes de mention. Belle sélection de vins au verre à prix abordable.

LE MOULIN DE ST-LAURENT
★★★[ER] qué
754, ch. Royal, SAINT-LAURENT, ÎLE D'ORLÉANS
Tél.: 418-829-3888
et 1-888-629-3888
SPÉCIALITÉS RÉGIONALES QUÉBÉCOISES: Salade estivale aux fraises de la Ferme Léonce Plante. Cuisse de canard confit sur salade verte, vinaigrette aux petits fruits. Filet de porc DuBreton au fondant de fromage québécois, sauce à la gelée de cidre de glace du Verger Bilodeau. Crème brûlée au cassis.
PRIX Midi: T.H. 15$ à 22$
Soir: C. 32$ à 63$ T.H. 34$ à 55$
OUVERTURE: 1er mai au 15 oct.: 7 jours 11h30 à 14h30 et 17h30 à 20h30. Du 1er mai au 1er juin et du 2 sept. au 14 oct.: appelez pour vérifier les heures d'ouverture.
NOTE: Réserv. nécessaire. Dim. musiciens 18h30 à 21h30. Service de traiteur. 10 chalets disponibles pour hébergement. Menu change au mois. Mets à emporter.
COMMENTAIRE: Table saisonnière qui met l'accent sur les produits locaux, dans l'une des plus belles paroisses de l'Île-d'Orléans. Ambiance romantique et feutrée. Ancien moulin appuyé contre la colline, vue sur le fleuve à partir de la terrasse.

GUIDE DEBEUR 2016

RÉGION DE QUÉBEC

Restaurants ailleurs dans la province

Longe de porc et chou-fleur, du restaurant Mercuri *(Photo Debeur)*

CHICOUTIMI

LE LÉGENDAIRE ★★★★ cont
Hôtel Le Montagnais
1080, bd Talbot, CHICOUTIMI
Tél.: 418-543-6120
et 1-800-463-9160
SPÉCIALITÉS CONTINENTALES:
Fondue de brie, parmesan, salade printanière. Saumon fumé façon carpaccio. Assiette du matelot (pétoncles, moules, filet de truite, crevettes). Brochette de filet mignon sur riz Nouveau Monde. Millefeuille caramel suprême.
PRIX Midi: T.H. 10$ à 23$
Soir: C. 31$ à 65$ T.H. 13$ à 50$
OUVERTURE: Lun. à ven. 11h à 14h. Sam. et dim. 11h30 à 14h. Lun. à sam. 17h à 22h. Dim. 17h à 21h. Petit déjeuner lun. à ven. 6h à 11h. Sam. et dim. 7h à 14h.
NOTE: Cave à vin, grande sélection d'importations privées italiennes. Verrière avec une très belle vue sur les Monts-Valin. Bar ferme à minuit. Hôtel et centre de congrès. Différents festivals durant l'année.
COMMENTAIRE: Établissement spécialisé dans la cuisson au gril, les fruits de mer et les pâtes. Belles assiettes servies de façon professionnelle dans un décor classique et confortable. Service courtois et convivial.

RÉGION DE CHICOUTIMI
(Saguenay - Lac-Saint-Jean)

AUBERGE VILLA PACHON RESTAURANT ★★★★ fra
1904, rue Perron, JONQUIÈRE
Tél.: 418-542-3568
et 1-888-922-3568

SPÉCIALITÉS FRANÇAISES: Thon grillé, légumes sautés au wok, vinaigrette aux échalotes confites aux graines de sésame. Saumon fumé à l'auberge, servi chaud, beurre blanc au vinaigre d'érable. Magret de canard au vinaigre de framboise et moutarde de Meaux. Médaillon de veau aux champignons sauvages. Cassoulet.
PRIX Midi: (fermé)
Soir: T.H. 52$ à 85$
OUVERTURE: Mar. à sam. 18h à 21h. Ouvert dim. et lun. sur réserv. de groupes.
NOTE: Menu saisonnier. Ouvert midi sur réserv. pour clients en réunion à l'auberge. Auberge de 5 chambres et 1 suite. Terrasse couverte et fleurie, au bord de la Rivière-aux-Sables, pour l'apéritif et le digestif.
COMMENTAIRE: Une auberge de charme qui vaut le détour, ne serait-ce que pour le superbe cassoulet confectionné avec passion par le chef proprio, Daniel Pachon, maître cassoulet. Tout est fait maison, même les charcuteries. Le cassoulet est une spécialité culinaire du sud-ouest de la France (haricots lingots, porc ou agneau, saucisse de Toulouse, confit de canard, oignon, ail, tomate, bouquet garni) qu'il faut

manger au moins une fois dans sa vie.

RESTAURANT TENDANCE
★★★ cont
Delta Saguenay
2675, bd du Royaume,
JONQUIÈRE
Tél.: 418-548-3124
SPÉCIALITÉS CONTINENTALES:
Trottoir aux escargots. Filet de truite rôtie façon boréale et amalgame de la Sagamie. Steak frites sauce aux bleuets. L'amour du chocolat et son fondant. Plaisir des champs, mousse fromage cheddar Perron et framboises.
PRIX Midi: T.H. 14$ à 19$
Soir: C. 29$ à 60$ T.H. 22$ à 33$
OUVERTURE: 7 jours 11h à 14h et 17h à 22h. Petit déjeuner 6h30 à 10h30.
NOTE: T.H. lun. à sam. midi. Buffets thématiques le soir. Brunch dim. Mezzanine. Centre de congrès.
COMMENTAIRE: Dans un décor moderne, on y fait une cuisine régionale et internationale qui respecte le côté santé. Une cuisine de fraîcheur avec quelques plats santé intéressants.

GRANBY

ATTELIER ARCHIBALD
★★★ cont
Restaurant de cuisine ouvrière
150, rue Saint-Jacques, GRANBY
Tél.: 450-991-3336
SPÉCIALITÉS CONTINENTALES et FRANÇAISES: Tartares de bœuf et de saumon. Calmars frits, sauce aigre-douce au chili, poivrons, échalotes, arachides, mayo au wasabi, graines de sésame. Jarret d'agneau braisé 12 heures, ragoût d'orzo à la provençale. Crème brûlée à la lavande.
PRIX Midi: F. 14$ à 24$
Soir: C. 21$ à 69$ T.H. 25$ à 35$
OUVERTURE: Lun. 11h à 15h. Mar. à jeu. 11h à 21h. Ven. 11h à 22h. Sam. 17h à 22h. Dim. 17h à 21h. Fermé lun. fériés.
NOTE: Forfait jeu. à sam. soir. Carte des vins d'environ 60 étiquettes, 90% d'importation privée. Section lounge pour les 4 à 7.
COMMENTAIRE: Un décor simple et convivial composé d'une grande salle commune, d'un coin bar, d'une grande terrasse couverte et de coins sympas très cosy, comme un espace relax avec pouf pour prendre un verre ou un recoin plus haut de gamme très design. La cuisine est ouverte sur la salle à manger. On propose une assiette généreuse, simple, savoureuse et gentiment présentée,

Restaurants ailleurs dans la province

souvent de façon originale. Service agréable et convivial.

LA CLOSERIE DES LILAS
★★★ cont
21, rue Court, GRANBY
Tél.: 450-375-3597
SPÉCIALITÉS CONTINENTALES: Cœurs de Saint-Jacques: assiette de pétoncles. Saucisses de gibier. Filet mignon, fromage bleu, sauce forestière. Bavette aux échalotes au porto. Fondues (chinoise, suisse, italienne, fruits de mer, fromage, viande sauvage). Fondue au chocolat noir et à l'érable.
PRIX Midi: (fermé)
Soir: C. 32$ à 67$ T.H. 32$ à 44$
OUVERTURE: Été: jeu. 17h à 22h30. Toute l'année: ven. et sam. 17h à 23h. Fermé dim. à mer. Fermé 1 sem. en mars, prem. sem. de juil., temps des fêtes et jours fériés.
NOTE: Apportez votre vin. Viandes sauvages à l'automne. Terrasse l'été. Air conditionné. Réserv. préférable en tout temps. 2 résidences de tourisme.
COMMENTAIRE: Établi depuis 1981 dans une maison centenaire, ce restaurant-bistro «apportez votre vin» offre en spécialités des fondues excellentes et des brochettes avec quelques mets français. Côté bistro, ce sont les moules et les saucisses qui tiennent la vedette. Décor plaisant dans l'ensemble, ambiance familiale, service compétent, très gentil et souriant.

LA MAISON CHEZ NOUS
★★★★ cont
847, rue Mountain, GRANBY
Tél.: 450-372-2991
SPÉCIALITÉS CONTINENTALES AVEC LES PRODUITS DU QUÉBEC: Chaudrée de palourdes aux lardons. Canard fumé, gelée d'érable au brandy. Cuisses de grenouille. Lapin de Stanstead aux épinards et tomates confites sur feuilleté.
PRIX Midi: (fermé)
Soir: T.H. 44$ à 55$
OUVERTURE: Mer. à dim. 17h à 22h. Fermé lun., mar. et 24 au 26 déc. Ouvert midi sur réserv.
NOTE: Apportez votre vin. Nouveau menu 5 services aux quatre mois. Réserv. sur internet. Décor champêtre. Réservation préférable.
COMMENTAIRE: Petite maison à l'extérieur de la ville, sur une légère hauteur, en pleine campagne. Décor champêtre, douillet et romantique de maison familiale, avec boiseries et papier peint. Cuisine régionale estrienne évolutive. Assiette excellente et joli-

ment présentée. Service aimable et courtois. Ambiance très agréable. Une des bonnes adresses de la région. Vaut le détour.

LA PETITE MARMITE ★★★ sui
77, rue Drummond, GRANBY
Tél.: 450-378-9617
SPÉCIALITÉS SUISSES ET FRANÇAISES: Escargots à l'italienne, beurre et champignons. Scampi à la marmite. Bavette de veau sauce poivre noir et sirop d'érable. Éminé de veau zurichoise. Soufflé glacé au Grand Marnier. Crème brûlée.
PRIX Midi: T.H. 28,50$
Soir: C. 36$ à 74$ T.H. 38$ à 43$
OUVERTURE: Mer. à ven. 11h30 à 14h. Mer. à sam. 17h à 22h. Dim. 17h à 21h. Fermé lun. et mar. Fermé 24, 25 déc., 1er janv. et 24 juin.
NOTE: Le soir, menu 4 services 42,50$. Cave à vin d'environ 800 bouteilles. Bœuf vieilli 52 jours: entrecôte, T-bone. Différentes fondues.
COMMENTAIRE: Une institution à Granby. Le chef propriétaire, Erwin Boegli, a ouvert ce restaurant de cuisine suisse en 1976. Ses plats vedettes sont, sans conteste, l'entrecôte Café de Paris servie sur réchaud, l'éminé de veau zurichoise et, en dessert, le soufflé glacé au Grand Marnier ou les gratins de petits fruits frais.

LA ROTONDE ★★★ fra
Hôtel Castel et spa confort
901, rue Principale, GRANBY
Tél.: 450-378-9071
SPÉCIALITÉS FRANÇAISES: Fromage El Niño de la Fromagerie des Cantons, chemisé de canard fumé du lac Brome, concassé de tomates. Poitrine de canard du Lac Brome, aromatisée au Ras el-hanout et à l'orange. Mignon de veau du Québec mariné à la bière 35 Farnham Ale. Cake aux figues et à l'anis étoilé, foie gras parfumé à la truffe, coulis de camerise.
PRIX Midi: (fermé)
Soir: C. 32$ à 57$ T.H. 30$ à 45$
OUVERTURE: 7 jours 17h30 à 22h. Ouvert midi sur réserv., 15 pers. min.
NOTE: Chefs créateurs. Menu du terroir régional. Varie selon les saisons avec plus de 30 produits de la région. Vins d'importation privée.
COMMENTAIRE: Fine cuisine française classique avec une grande utilisation des produits du terroir avoisinant. Pertinent: la carte fait mention du nom des fournisseurs: ferme, fromagerie, érablière, hydromellerie, vignoble, etc.

LES QUATRE CANARDS
★★★ fra
Château Bromont
90, rue Stanstead, BROMONT
Tél.: 450-534-3433
et 1-800-304-3433
SPÉCIALITÉS FRANÇAISES: Cuisse de canard confite, sauce au vin de Dunham. Croustillant de Mamirolle et prosciutto. Foie gras au torchon, chutney caramélisé. Crevettes géantes croustillantes, mayonnaise pimentée. Mousse au chocolat praliné croustillante.
PRIX Midi: T.H. 25$
Soir: C. 51$ à 80$ T.H. 49$
OUVERTURE: 7 jours 11h30 à 14h30 et 17h30 à 22h. Petit déjeuner, lun. à sam. 6h30 à 11h. Dim. 7h à 10h.
NOTE: Établissement membre de la Route de l'érable. Terrasse panoramique ouverte 11h30 à 23h en été (heures des cuisines prolongées si nécessaire.). Pianiste sam. soir.
COMMENTAIRE: Salle de restaurant assez sympathique pour un hôtel, située non loin des pistes de ski. Très belle terrasse avec une magnifique vue sur la vallée et les montagnes. La cuisine semble se stabiliser. Assiette généreuse et savoureuse.

AVIS
Pour les clients des restaurants d'Ottawa: Une loi provinciale de l'Ontario autorise les consommateurs à apporter leur bouteille de vin dans tous les restaurants, même ceux qui ont leur propre carte des vins. Les restaurants peuvent cependant exiger un droit de bouchon, sans limite de prix. Les frais de débouchonnage sont élevés et, à vrai dire, notre évaluateur n'a jamais vu quelqu'un le faire à Ottawa. La fourchette des prix: 5$ à 12$ en général, quelquefois jusqu'à 25$.

ABSINTHE ★★★ fra
1208, rue Wellington O., OTTAWA
Tél.: 613-761-1138
SPÉCIALITÉS FRANÇAISES: Caille au BBQ coréen, poitrine saisie, coulis de clémentine, salade pomme bacon kimtchi. Trio de saumon en tartare, rillettes, gravlax. Flétan rôti au romarin, velouté aux fines herbes, ragoût de tomates séchées et artichauts, poivrons rôtis.

Restaurants ailleurs dans la province

Croustade de pêches au miel, glace à la cerise rôtie et kirsch.
PRIX Midi: T.H. 20$
Soir: C. 38$ à 54$ F. 42$ à 54$
OUVERTURE: Lun. à ven. 11h à 14h. Dim. à jeu. 17h30 à 22h. Ven et sam. 17h30 à 23h. Fermé jours fériés, du 24 au 26 déc.
NOTE: Menu change plusieurs fois par sem. Lun. soir, de sept. à mars, fondues traditionnelles. Droit de bouchon 25$/bout.
COMMENTAIRE: Le plus français des chefs anglophones d'Ottawa, Patrick Garland s'illustre de plus en plus parmi ses pairs. Il a remporté la finale Ottawa-Gatineau du concours Des chefs en or! (Gold Medal Plates) en 2015, un joli fleuron à sa toque. Sa cuisine reflète son intérêt pour la France: steak-frites et canard sont de ses plats fétiches. Une belle grande salle à manger sur une rue Wellington à la mode. Une valeur sûre, à prix d'ami.

ARC LOUNGE ★★★★ fra
ARC The Hotel
140, rue Slater, OTTAWA
Tél.: 613-238-2888
et 613-238-9998
SPÉCIALITÉS FRANÇAISES: Poulpe grillé, pommes de terre bleues, chorizo, crème sure au cumin, coriandre, noix de cajou. Brochet d'Ontario, crème anglaise aux canneberges fumées, céleri-rave, confit d'orange, pollen de fenouil, rattes, romarin fumé. Magret de canard, gastrique citron-cerises de Virginie, navet grillé, noix de macadamia, fromage à la crème de gougère, persil.
PRIX Midi: C. 34$ à 47$
Soir: C. 41$ à 53$
OUVERTURE: Lun. à ven. 11h30 à 14h. 7 jours 17h30 à 22h30.
NOTE: Menu change aux saisons. Droit de bouchon 25$/bout. Vins 90% d'importation privée.
COMMENTAIRE: Peu importe le chef, on a toujours bien mangé dans cet hôtel-boutique du centre-ville d'Ottawa. Cette tradition d'excellence et d'originalité se poursuit avec Jason Duffy. La salle à manger, très moderne, très rouge, est doublée d'un lounge, d'où le nom. De la rue, l'établissement passe inaperçu, et le restaurant aussi (au fond, à gauche, près des ascenseurs). Un bon endroit pour un repas discret.

ARÔME Grillades et fruits de mer ★★★ cont
Casino du Lac-Leamy
3, bd du Casino, GATINEAU
Tél.: 819-790-6410
SPÉCIALITÉS CONTINENTALES: Tartare de bœuf aux oignons con-fits, œuf au plat parfumé à la truffe, croustilles de pommes de terre. Pavé de saumon grillé, pattes de crabe en tempura, queue de homard rôtie, moules, pétoncles et crevettes vapeur, parfumés à l'ail au gingembre, légumes, riz, mayonnaise épicée. Filet de bœuf de Kobe grillé, purée de Yukon gold à l'ail rôti. Trio de crème brûlée.
PRIX Midi: T.H. 20$ à 22$
Soir: C. 41$ à 97$ T.H. 39$ à 59$
OUVERTURE: 7 jours, 11h à 17h et 17h à 22h. Petit déjeuner 6h30 à 11h.
NOTE: L'expérience Kobe: filet 115g 50$ et 230g 85$. Petit déjeuner 21$. Buffet dessert en soirée 13$. Sélection de vins au verre.
COMMENTAIRE: La salle à manger du restaurant de l'hôtel Hilton Lac-Leamy (voisin du casino du même nom) s'est refait une beauté à l'hiver 2015. L'endroit était déjà l'un des plus douillets de la région de la capitale, il a été actualisé au goût du jour. Invitante terrasse avec vue sur la piscine et le bassin d'eau. Un restaurant d'hôtel qui se métamorphose en grilladerie le soir, avec de régulières promotions qui permettent d'économiser un peu plus. Service supérieur.

 ATELIER ★★★★★ fra
540, rue Rochester, OTTAWA
Tél.: 613-321-3537
SPÉCIALITÉS FRANÇAISES: Soupe aux amandes, salade de crabe, raisins congelés, piments coréens. Entrecôte de bœuf Rochester, pouding au pain et crème sure à la truffe, oignons rouges marinés, navet, purée et chips de patates douces. Ladybug: purée de fraises gelée à l'azote liquide, meringue au basilic, baies assorties, crumble de Corn Pop.
PRIX Midi: (fermé)
Soir: Menu 110$
OUVERTURE: Mar. à sam. 17h30 à 22h (2 serv.). Fermé dim., lun., à Pâques, 1 sem. en déc. et jours fériés.
NOTE: Menu dégustation 12 serv. 110$, avec accord des vins 150$ ou 185$. Cuisine moléculaire. 22 pers. maximum, sur réserv. seulement. Les plats changent régulièrement.
COMMENTAIRE: Quiconque s'intéresse à la gastronomie doit inclure un arrêt chez Atelier. La cuisine d'inspiration moléculaire n'a plus la cote des belles années du restaurant catalan El Bulli, mais il reste quelques fidèles admirateurs comme l'imaginatif chef Marc Lépine – l'un des rares au Canada, sinon le seul de sa lignée. Une expérience gustative hors du commun, offerte pour une fraction du prix des restaurants du genre dans le monde. Un menu d'une douzaine de services pour environ 100$ par personne.

BECKTA ★★★★★ int
150, rue Elgin, OTTAWA
Tél.: 613-238-7063
SPÉCIALITÉS INTERNATIONALES: Fraises fraîches, oseille, rhubarbe, fromage feta de lait de brebis saumuré à la mélisse, graines de sésame grillées, bourgeons de marguerite saumurés, concombre frais. Purée de pommes de terre fumées, champignons eryngii, laitue fanée, huile de truffe, sablé amandes et cacao, sauce soubise à l'ail sauvage. Biscuit graham, caramel de pin blanc, ganache au chocolat noir, meringue italienne fumée, gelato au chocolat.
PRIX Midi: F. 9$ à 22$
Soir: T.H. 68$
OUVERTURE: Lun. à ven. 11h30 à 14h. 7 jours 17h30 à 22h. Fermé temps des Fêtes et jours fériés.
NOTE: Menu change aux saisons. Menu 5 serv. 95$, palette de vins 50$. Assiette de fromages 13$. On peut apporter son vin dim. et lun., droit de bouchon 20$/bout.
COMMENTAIRE: L'année 2015 en a été une de changements pour le restaurant Beckta, qui a déménagé dans une majestueuse maison patrimoniale de la rue Elgin. Après 12 ans dans ses locaux exigus de la rue Nepean, le sommelier propriétaire Stephen Beckta a fait le grand saut. Mais ce fut le seul changement: le chef Michael Moffatt est toujours aux commandes et tout le reste de l'équipe a suivi. Avec le Baccara, Beckta est nettement sur le podium des meilleures tables de la région.

BISTRO L'ALAMBIC ★★★ (bistro) fra
307, bd Saint-Joseph, GATINEAU
Tél.: 819-205-5755
SPÉCIALITÉS FRANÇAISES: Tartare de saumon. Salade romaine grillée. Arancini farci de fromage en grains, sauce tomate fumée. Onglet de bœuf grillé. Crème brûlée maison.
PRIX Midi: C. 10$ à 20$
Soir: C. 11$ à 42$
OUVERTURE: Mar. à ven. 11h30 à 14h. Mar à sam. 17h à 22h. Fermé dim. et lun.
NOTE: Décor chaleureux. Spécialités portugaises. Vins 100% d'importation privée.

Restaurants ailleurs dans la province

COMMENTAIRE: Fier participant de la relance de la scène culinaire à Gatineau, sur un bout du boulevard Saint-Joseph qui avait bien besoin d'un coup de pouce. Des plats modernes, des cuissons rigoureusement exactes et délicieuses, une belle combinaison d'ingrédients anciens et populaires. Une salle à manger de brique et de bois qui aurait besoin d'un peu de chaleur, mais tout ensemble, ça donne confiance en l'avenir.

BLACK CAT BISTRO ★★★★ int
428, rue Preston, OTTAWA
Tél.: 613-569-9998
SPÉCIALITÉS INTERNATIONALES: Gnocchi au citron, chou-fleur en purée, carottes locales, brocoli, champignons sauvages au pesto. Thon de la Nouvelle-Écosse, salade tiède pommes de terre et concombres, radis et relish maison. Foies de poulet, salade et sauce Eugene. Gâteau Boston.
PRIX Midi: (fermé)
Soir: C. 42$ à 59$
OUVERTURE: Mar. à sam. 17h30 à 22h. Fermé dim. et lun. Fermé pour Noël, 1er janv. et jours fériés.
NOTE: Menu suit les arrivages. Droit de bouchon 25$/bout. Carte des vins, majoritairement vins français. Mar. à jeu. soir: menu choix du chef 25$. Stationnement gratuit à l'arrière. Accessible aux pers. à mobilité réduite.
COMMENTAIRE: Une autre réincarnation pour le Black Cat, qui les a à peu près toutes réussies dans le passé. Cette fois Patricia Larkin a cédé sa place, après six années aux fourneaux, au chef Michael Farber (ex-Farb's Kitchen). Il poursuit dans la lignée d'une cuisine bistro de belle qualité. Il faut dire que le propriétaire Richard Uhrquart veille au grain. Une belle salle à manger avec de larges fenêtres qui ouvrent sur la rue.

BROTHERS BEER BISTRO ★★★ int
366, rue Dalhousie, OTTAWA
Tél.: 613-695-6300
SPÉCIALITÉS INTERNATIONALES: Tartare de thon, avocat, concassé de tomates, comprimé de concombre à la vodka, agrumes et crostini. Saumon de l'Atlantique poêlé, mousse de bacon, purée de persil, falafel aux lentilles rouges, morille, légumes de saison. Profiteroles aux fraises, crème pâtissière, chantilly, garniture au chocolat.
PRIX Midi: F. 14$
Soir: C. 37$ à 54$

OUVERTURE: Lun. à ven. midi à 15h. Sam. et dim. 11h30 à 15h. Dim. à jeu. 17h30 à 22h. Ven. et sam. 17h30 à 23h. Fermé jours fériés sauf 1er juil.
NOTE: Midi, assiette charcuteries et fromages 17$. Carte de vins ontariens et européens.
COMMENTAIRE: Ottawa compte aujourd'hui une douzaine de brasseries artisanales et Brothers Beer Bistro joue avec cette tendance. Non pas en brassant, mais en cuisinant. Menu charcuteries pour accompagner son houblon, et menu fin de soirée. À peu près tous les plats sont réalisés à partir d'une bière ou d'une autre. Amusant. Ambiance jeune et décontractée à deux pas du marché By.

♥ COCONUT LAGOON ★★★ ind
853, bd Saint-Laurent, OTTAWA
Tél.: 613-742-4444
SPÉCIALITÉS INDIENNES: Assortiment de légumes samosa, chutney à la menthe. Homard au marsala. Curry au poulet, au saumon ou aux crevettes. Agneau au curcuma. Poulet au beurre. Bœuf à la sauce crémeuse, noix de coco et curry.
PRIX Midi: Buffet 15$
Soir: C. 27$ à 42$
OUVERTURE: 7 jours 11h30 à 14h. Dim à jeu. 17h à 21h. Ven. et sam. 17h à 21h30. Fermé jours fériés.
NOTE: Midi, buffet lun. à ven. 15$, sam. et dim. 17$. Carte des vins.
COMMENTAIRE: À Ottawa, les cuisines ethniques commencent à sortir de leur cocon. Avec Coconut Lagoon, le chef propriétaire Joe Thottungal montre la voie. Une cuisine indienne différente, typique du sud (province de Kerala), autour des poissons, des légumes et de l'omniprésente noix de coco. Das lieues du poulet au beurre et du pain naan, introuvables ici. À déguster avec les doigts, de préférence.

DAS LOKAL ★★★ can
190, rue Dalhousie, OTTAWA
Tél.: 613-695-1688
SPÉCIALITÉS CANADIENNES: Soupe du marché, ingrédients de saison. Tartare de thon. Omble de l'Atlantique poêlé, gaufres, crème fraîche à l'aneth, pomme, salade de fenouil. Jarret d'agneau braisé, champignons, feta.
PRIX Midi: F. 9$ à 16$
Soir: C. 39$ à 55$
OUVERTURE: Mar. à ven. 11h30 à 14h. Mar. à sam. 17h à 22h. Dim. 11h à 14h. Fermé lun.
NOTE: Stationnement gratuit. Mar. vins 50% de réduction.

COMMENTAIRE: La propriétaire Frédérique Tsai-Klassen a créé dans un ancien Poulet frit Kentucky un petit restaurant qui redonne un élan au secteur de la Basse-Ville d'Ottawa. Une décoration faite maison, vaguement scandinave, chaleureuse, qui fait une large place au bois... et un piano. Le genre de place qu'on adopte pour une bouchée tardive après le travail, ou simplement un bon verre de vin.

EIGHTEEN ★★★★[ER] fra
18, rue York, OTTAWA
Tél.: 613-244-1188
SPÉCIALITÉS FRANÇAISES: Foie gras du Québec, garnitures saisonnières. Morue noire, brodo dashi, sake, truffes. Carré d'agneau, galette de polenta, purée à l'ail printanier, cippolini rôti. Mousse aux framboises et chocolat blanc, concassé de cacao, consommé de framboise.
PRIX Midi: (fermé)
Soir: C. 61$ à 80$
OUVERTURE: Lun. à mer. 17h à 22h30. Jeu. à sam. 17h à 23h. Fermé 1er juil., 25 déc. et 1er janv.
NOTE: Carte des vins 225 étiquettes.
COMMENTAIRE: Une nouvelle équipe a pris le relais chez Eighteen: le chef Kirk Morrison, récemment de Vancouver. La propriétaire Caroline Gosselin veille au grain. Les plats, tous repensés, demeurent modernes, colorés, goûteux. Large carte de cocktails qui en fait un endroit couru par une clientèle jeune et branchée. Toujours l'une des plus belles salles à manger de la capitale, alliant histoire et modernité.

EL CAMINO ★★★★ int
Tacos, Tequilas, Rawbar
380, rue Elgin, OTTAWA
Tél.: 613-422-2800
SPÉCIALITÉS INTERNATIONALES: Tacos au poisson croustillant. Roulé de poitrine de porc braisée, caramel chili-lime, salade de mangue verte, jeune noix de coco, arachides rôties.
PRIX Midi: C. 14$ à 21$
Soir: Idem
OUVERTURE: Mar. à ven. midi à 14h30. Mar. à dim. 17h30 à 2h du mat. Fermé lun.
NOTE: Plats à emporter. Cocktails maison.
COMMENTAIRE: Un autre coup de maître du chef Matthew Carmichael. Après avoir mené Eighteen au sommet, il a eu envie d'un menu simplifié, autour de tacos goûteux (aussi peu que 5$) et de cocktails déments. Ses plats dégustation sont encore meilleurs.

114

Restaurants ailleurs dans la province

Dans un demi-sous-sol bétonné et sans intérêt, il a insufflé de la vie sur une rue Elgin qui n'en manque pas, en soirée. Parfois frustrant de ne pouvoir réserver. Jeune et bruyant.

FAUNA ★★★ can
425, rue Bank, OTTAWA
Tél.: 613-563-2862
SPÉCIALITÉS CANADIENNES: Canard, pain de maïs, champignons, tomates, jalapeno, prune, gingembre. Tartare de thon, échalote, gingembre, sésame, œuf de caille, chili. Clafoutis aux cerises, florentins, crème brûlée au miel, cerises pochées au campari, glace vanille, pétale de rose.
PRIX Midi: F. 10$ à 16$
Soir: C. 41$ à 56$
OUVERTURE: Lun. à ven. 11h30 à 14h. Dim. à mer. 17h30 à 22h. Jeu. à sam. 17h30 à minuit.
NOTE: Menu 5 serv. 75$, accord mets et vins 30$. Favorise les produits locaux. Menus de saison.
COMMENTAIRE: Fauna est un bel exemple de la vivacité culinaire qui existe à Ottawa. Un local reconverti en restaurant, une cuisine influencée par des accents internationaux (féta, tapenade, kimchi, quinoa, etc.) qu'on marie avec des ingrédients locaux. Priorité aux petites assiettes de dégustation à 15$ ou moins. Service décontracté dans un espace bruyant, avec une cuisine ouverte. Ouvert tard certains soirs.

FRASER CAFÉ ★★★★ int
7, rue Springfield, OTTAWA
Tél.: 613-749-1444
SPÉCIALITÉS INTERNATIONALES: Thon, jalapeño farci et frit, pomme, salsa, lime, coriandre. Homard poché, légumes tempura, pesto de carotte et noix, mayonnaise au citron. Tarte fraises et rhubarbe, crème glacée vanille, sucre d'érable.
PRIX Midi: C. 17$ à 27$
Soir: C. 39$ à 58$
OUVERTURE: Lun. à ven. 11h30 à 14h. Lun. à dim. 17h30 à 22h. Sam. et dim. brunch 10h à 14h. Fermé 24, 25 déc. et jours fériés.
NOTE: Menu saisonnier. Carte des vins. Droit de bouchon 25$/bout.
COMMENTAIRE: Élèves du chef John Taylor, les frères Ross et Simon Fraser sont de bons cuisiniers, axés sur les produits en saison. On les admire aux fourneaux de cette cuisine ouverte dans le quartier huppé de New Edinburgh où diplomates et millionnaires jouent du coude. Souvent très occupé. Une plus

grande salle à manger voisine, Table 40, sert les groupes. Les proprios viennent d'ouvrir un tout nouvel établissement, dans le quartier Glebe: The Rowan.

GEZELLIG ★★★ int
337, rue Richmond, OTTAWA
Tél.: 613-680-9086
SPÉCIALITÉS INTERNATIONALES: Tartare de bœuf, pâte aïoli au chili, moutarde soufflée, crostini. Gâteau de poisson frit au panko, herbes fraîches, sauce tartare, salade verte. Butter finger: beurre d'arachides, chocolat blanc, noir et au lait, gâteau graham, crème anglaise au chocolat, pâte de fruits.
PRIX Midi: F. 20$
Soir: C. 42$ à 63$
OUVERTURE: Lun. à sam. 11h30 à 14h. Dim. 10h à 14h. 7 jours 17h30 à 22h. Fermé 24 au 26 déc., 1er janv. et jours fériés.
NOTE: Droit de bouchon 15$/bout.
COMMENTAIRE: Ce mot bizarre, Gezellig, signifie à peu près «convivial» en néerlandais. Dans une ancienne banque aux plafonds très élevés, Stephen Beckta a ouvert son troisième restaurant, cette fois au cœur du secteur Westboro. C'est très blanc, très bruyant, mais accueillant, comme son nom l'indique. Et comme dans toutes les cuisines dirigées par le chef Mike Moffatt, on y mange bien.

GIOVANNI'S ★★★ ita
362, rue Preston, OTTAWA
Tél.: 613-234-3156
SPÉCIALITÉS ITALIENNES: Linguine aux fruits de mer. Paupiettes de veau, farcies au prosciutto et fromage bocconcini, sauce au poivre. Raviolis au homard, sauce rosée. Profiteroles au chocolat.
PRIX Midi: F. 18$ à 22$
Soir: C. 44$ à 110$
OUVERTURE: Lun. à jeu. 11h à 22h. Ven. 11h à 23h. Sam. 17h à 23h. Dim. 17h à 22h. Fermé 25 déc. et 1er janv.
NOTE: Soir: spécialité du chef à l'ardoise. 2 poissons frais tous les jours. Table de 6 dans le cellier. Carte des vins, bouteilles de 35$ à 4 000$.
COMMENTAIRE: Giovanni's, ce n'est pas la trattoria de quartier mais le prototype du restaurant italien chic, avec service de voiturier en prime. Les prix sont à l'avenant. On a récemment redécoré sans rien perdre de l'attrait passé. Un service attentionné comme si vous étiez de vieux abonnés de la maison, même si c'est votre première visite.

GY RESTO-TRAITEUR ★★★ fra
51, rue Saint-Jacques, GATINEAU
Tél.: 819-776-0867
SPÉCIALITÉS FRANÇAISES: Pétoncles au curry, fondue de poireaux au miso. Trio de tartares, bœuf, saumon, pétoncles. Thon blanc, marmelade de tomate, sauce crème au gingembre. Bavette de gibier à l'échalote, pommes de terre rattes. Gâteau à la banane, sucre à la crème, mousse au chocolat.
PRIX Midi: F. 15$ à 16$
Soir: C. 34$ à 58$
OUVERTURE: Jeu. à ven. 11h30 à 14h. Mar. à sam. 17h à 22h. Fermé dim., lun. et sam. midi.
NOTE: Desserts et pain faits maison. 50 vins d'importation privée. Ouvert dim. 20 à 30 pers. max., sur réserv.
COMMENTAIRE: Lancé sur la rue Laval, Gy s'est récemment réinstallé sur la rue Saint-Jacques: le chef propriétaire Gyno Lefrançois y a plus d'espace. Est-ce ses origines gaspésiennes, mais le patron porte un souci constant au rapport qualité-prix, doux pour le portefeuille. Pas de grandes ambitions, un accueil chaleureux et une cuisine honnête.

HY'S ★★★ cont
170, rue Queen, OTTAWA
Tél.: 613-234-4545
SPÉCIALITÉS CONTINENTALES: Homard en duo avec steak. Grandes crevettes, sauce cocktail. Bar, haricots blancs. Carré d'agneau en croûte de fines herbes, sauce demi-glace. Chateaubriand, bouquetière de légumes, pommes de terre rôties. Banane flambée.
PRIX Midi: C. 20$ à 37$
Soir: C. 44$ à 102$
OUVERTURE: Lun. à ven. 11h30 à 14h30 et 17h30 à 22h30. Sam. 17h30 à 23h. Fermé dim., 25 déc., 1er janv. et jours fériés.
NOTE: Restaurant ouvert depuis 1985. Service au comptoir. Prix réduits lun. à ven. 15h à 18h, «Happy hour». On peut apporter son vin à partir de 2 pers./1 bouteille.
COMMENTAIRE: Le repaire de la classe politique masculine à Ottawa, qui célèbre ses 60 ans. À deux petits coins de rue du Parlement, l'un des maîtres de la grilladerie au pays. Chic, évidemment, même un peu vieillot. On y va pour le steak... et pour y subtiliser une bribe de rumeur politique qui fait vibrer la capitale.

KASBAH VILLAGE ★★★ mar
261, rue Laurier O., OTTAWA
Tél.: 613-232-3737

Restaurants ailleurs dans la province

SPÉCIALITÉS MAROCAINES: Brochettes de saumon au beurre à l'ail. Couscous kasbah (agneau et merguez) ou royal. Brochettes mixtes (agneau, poulet et crevettes). Tajine exotique au poulet, safran et fruits de saison. Tajine d'agneau aux prunes et amandes. Agneau shank.
PRIX Midi: F. 13$ à 16$
Soir: C. 33$ à 49$ T.H. 30$ à 36$
OUVERTURE: Lun. à ven. 11h à 14h30. Mar. à sam. 17h à 22h. Fermé lun., jours fériés et fête du Travail, 25 déc. et 1er juil.
NOTE: Musique traditionnelle marocaine. Service de traiteur. Service au comptoir. Carte de vins marocains. Kiosque gourmet offrant des produits d'artisans marocains.
COMMENTAIRE: La cuisine marocaine semble en perte de vitesse, autour d'Ottawa du moins, et Kasbah était et demeure l'une des meilleures adresses pour le couscous et les autres spécialités du Maghreb. Modeste en taille, la salle à manger n'en est pas moins décorée aux accents du pays du patron, Khalid Bouazza.

LE BACCARA ★★★★★ fra
Restaurant de l'année Debeur 2009
Casino du Lac-Leamy
1, bd du Casino, GATINEAU
Tél.: 819-772-6210
SPÉCIALITÉS FRANÇAISES: Tartare de bison de la Petite-Nation au fromage de brebis et truffes, œufs de caille tempura, vinaigrette à la framboise. Longe d'agneau du Québec, cromesqui au chorizo et au fromage manchebello, dariole à la courgette et poivrons grillés, figues confites, caramel de vin rouge aux épices, jus d'agneau. Millefeuille contemporain à la vanille de Tahiti, chantilly au caramel.
PRIX Midi: (fermé)
Soir: C. 73$ à 101$
OUVERTURE: Mer. à dim. 17h30 à 23h.
NOTE: Menu dégustation 4 serv. 65$ à 75$. Menu dégustation du chef 5 serv. 95$, menu gastronomique 8 serv. 120$. Dans le cellier, choix de 700 références de vin parmi 13 000 bouteilles. Lun. et mar. soir ouvert pour 25 pers. et plus, sur réserv.
COMMENTAIRE: Peu d'établissements au Québec peuvent se vanter d'avoir une table aussi chic et aussi bien garnie que celle du Casino du Lac-Leamy. Le chef Serge Rourre a passé le relais à Pierre Lortie, mais la qualité de cette table n'en a souffert en rien. Le menu et les ingrédients sont plus locaux mais pas moins no-

bles. On ne peut que vanter aussi la qualité du service attentionné par une équipe expérimentée comme nulle part ailleurs.

LE CAFÉ CNA ★★★ cont
Centre national des Arts
53, rue Elgin, OTTAWA
Tél.: 613-594-5127
SPÉCIALITÉS CONTINENTALES: Tataki de germon de la Colombie-Britannique d'Organic Ocean. Bifteck de contrefilet de l'Alberta, pommes de terre frites dans le gras de canard, glace au brandy et poivre vert. Fables de la Forêt-Noire: gâteau au chocolat imbibé de kirsch, chantilly fraîche de la ferme, sorbet aux cerises noires.
PRIX Midi: F. 24$ T.H. 34$
Soir: C. 57$ à 71$ F. 44$ T.H. 50$
OUVERTURE: Mar. à ven. 11h30 à 14h. Mar. à sam. 17h à 21h. Fermé dim., lun., 24 déc., ven. et lun. de Pâques.
NOTE: Superbe terrasse sur le canal Rideau. Viande vieillie 30 jours. Petit menu après 21h, soir de spectacle. Droit de bouchon 25$/bout. Brunch fête des Mères, fête des Pères, Pâques, jour de l'An.
COMMENTAIRE: À l'aube de ses 50 ans, le Centre national des arts fera peau neuve pour 2017 et l'on a déjà commencé par la salle à manger, le Café. Rénovations majeures pour diminuer l'effet caverneux tout en conservant la jolie terrasse sur le canal Rideau. Côté cuisine, le chef John Morris n'a ni le talent ni le bagout de son prédécesseur Michael Blackie, mais il sait livrer la qualité attendue d'un endroit comme le CNA.

LE CELLIER ★★★ fra
49, rue Saint-Jacques, GATINEAU
Tél.: 819-205-4200
SPÉCIALITÉS FRANÇAISES: Pétoncles, croustillant de chorizo, purée de maïs. Gravlax de saumon, feta, melon d'eau gelée de vin blanc. Carpaccio de wapiti. Cuisse de canard confite, poêlé de champignons, bette à carde, canard fumé et gastrique aux canneberges. Terrine de chocolat et pistaches.
PRIX Midi: C. 27$ à 60$
Soir: Idem
OUVERTURE: Lun. 10h à 15h. Mar. et mer. 10h à 21h. Jeu. à ven. 10h à 23h. Sam. 17h à 22h. Fermé dim.
NOTE: 5 à 7, F. 20$/pers. avec un verre de vin ou de bière. Plateaux à partager.
COMMENTAIRE: Le défunt Jean-Sébastien Bar a mis des années

avant de trouver une formule gagnante, mais cela semble aujourd'hui le cas avec Le Cellier, relancé par Isabelle Lacroix et Joe Rego. Le chef Martin Parker présente une cuisine française assez traditionnelle, avec une touche de modernisme dans l'assiette. Jolie terrasse et promotions régulières, comme les mercredis «5 à huîtres».

LE PIED DE COCHON
★★★ (bistro) fra
242, rue Montcalm, GATINEAU
Tél.: 819-777-5808
SPÉCIALITÉS FRANÇAISES: Tartare de bœuf. Flétan saisi à l'huile d'olive, beurre blanc safrané. Carré d'agneau grillé aux fines herbes. Croustade de rognons sauce moutarde. Magret de canard au miel framboisé. Vacherin glacé au kirsch. Crème brûlée à l'érable.
PRIX Midi: T.H. 20$ à 28$
Soir: C. 41$ à 58$ T.H. 40$ à 55$
OUVERTURE: Mar. à ven. 11h30 à 14h30. Mar. à sam. 17h30 à 22h. Fermé dim. et lun. Fermé 2 sem. de la construction, du 23 au 30 déc., 1er et 2 janv.
NOTE: Ouvert depuis 1976. Charcuterie, pâtisseries et desserts maison. Soir menu 4 serv. à partir de 45$. Sélection de vins d'importation privée bio-dynamique.
COMMENTAIRE: Ce Pied de cochon n'a rien à voir avec celui de Montréal. Au lieu de la démesure du chef Martin Picard, c'est plutôt la France traditionnelle qui y est servie. Classiques éternels et service attentif irréprochable. Clientèle d'affaires le midi, presque une ambiance de club privé. Couples et amis en soirée.

LES VILAINS GARÇONS
★★★ (bistro) fra
39A, rue Laval, GATINEAU
Tél.: 819-205-5855
SPÉCIALITÉS FRANÇAISES: Foie gras et pieuvre. Acras à la crème épicée. Tartare de bœuf, sashimi, pétoncles, oursins, huîtres, wakamé, betteraves, mangue. Canard laqué, poires asiatiques, mangue. Poires pochées, fromage de chèvre.
PRIX Midi: F. 11$ à 17$
Soir: C. 31$ à 44$
OUVERTURE: Mar. à ven. 11h30 à 22h. Sam. 17h à 22h. Fermé dim., lun. et 2 sem. en janv.
NOTE: Menu à l'ardoise. Pintxo et plats du jour. Plateau de fruits de mer 30$. Carte des vins varie chaque semaine.
COMMENTAIRE: Dans l'ancien restaurant de Gy, rue Laval, le chef Romain Riva et son pote

Restaurants ailleurs dans la province

Cyril Lauer ont fait équipe pour créer un bistro sympathique offrant quelques plats originaux et beaucoup de pintxos (bouchées) goûteuses. Parfois inégal mais toujours sympathique. Pas de menu, tout est sur l'ardoise. Dans le secteur Aylmer, le duo a lancé récemment Les Vilains Pêcheurs, voués au poisson, bien entendu.

LE TARTUFFE ★★★ fra
133, rue Notre-Dame-de-l'Île, GATINEAU
Tél.: 819-776-6424
SPÉCIALITÉS FRANÇAISES: Tartare de truite arc-en-ciel de la ferme Cedar Creek. Pétoncles poêlés des grands bancs, sauce au cari et champagne, salade de pousses. Filet de sanglier gratiné au fromage le Douanier, réduction de bière brune, gratin savoyard aux panais.
PRIX Midi: T.H. 18$ à 26$
Soir: C. 36$ à 64$ F. 40$ à 60$
OUVERTURE: Lun. à ven. 11h30 à 14h. Lun. à sam. 17h30 à 22h. Fermé dim. et jours fériés. Fermé lun. de janv. à avr.
NOTE: Bonne sélection de vins. Stationnement à l'arrière gratuit le soir.
COMMENTAIRE: Depuis quelques années, deux jeunes restaurateurs, Nicolas Bourgeois et Marie-Ève Guilbeault, ont donné un nouveau souffle au Tartuffe, fondé il y a 25 ans par Gérard Fischer. À un coin de rue du Musée de l'histoire, le Tartuffe mise sur une cuisine d'inspiration française, à partir de produits du terroir québécois. Sauf pour les champagnes, une fascination pour Bourgeois.

MURRAY STREET KITCHEN ★★★ can

110, rue Murray, OTTAWA
Tél.: 613-562-7244
SPÉCIALITÉS CANADIENNES: Éperlans croustillants frits, morue salée mayonnaise. Épaule de porc fumée, glacée à la sauce barbecue, salade de pommes de terre, salade de chou maison. S'more en pot Mason au chocolat noir, biscuit graham, guimauve.
PRIX Midi: C. 25$
Soir: C. 40$ à 50$
OUVERTURE: 7 jours 11h30 à 14h30 et 17h30 à 22h. Bar à charcuterie 11h30 à minuit. Fermé 24, 25 déc. et 1er janv.
NOTE: Tête de cochon rôtie et fumée, 8 à 10 pers. 80$. On peut apporter son vin le dimanche. Entre les services, prix réduit sur la charcuterie, les huîtres et l'alcool.

COMMENTAIRE: Steve Mitton est la version ottavienne de David McMillan, le patron de Joe Beef, à Montréal. Autant amateur d'excès et de gras, qu'il affectionne dans des charcuteries et de riches plats goûteux comme sa poutine faite à base de spätzles alsaciens. C'était auparavant le Bistro 115. La terrasse d'antan, attirante alors, l'est tout autant aujourd'hui. L'une des bonnes adresses de la rue Murray, surnommée «Gastro Alley».

NAVARRA ★★★★ mex
93, rue Murray, OTTAWA
Tél.: 613-241-5500
SPÉCIALITÉS MEXICAINES ET ESPAGNOLES: Salade de crabe, avocat, mangue séchée, pamplemousse, sésame, vanille. Chimichurri aux champignons biologiques, oignons frits, fromage pecorino, coriandre et herbes fraîches. Tartare de bœuf, jambon serrano, sauce gribiche, crostinis. Cuisse d'agneau braisée, sauce aux hibiscus. Gâteau au coeur fondant.
PRIX Midi: F. 17$ à 22$
Soir: C. 33$ à 66$ T.H. 79$ 5 serv.
OUVERTURE: Mar. à ven. midi à 13h30. 7 jours 17h30 à 22h.
NOTE: Concept de plats à partager. Menu tapas 9$ à 42$/2 pers.
COMMENTAIRE: Juste en face du Murray Street Bistro, Navarra propose une petite salle à manger devant une cuisine ouverte minuscule. Le chef propriétaire René Rodriguez ne manque pas de talent et d'imagination. Sa cuisine moderne s'inspire du Pays basque et du Mexique. Parfois inégal, sauf pour les prix, toujours élevés. Doit quand même faire partie d'une tournée gastronomique de la capitale.

NORTH & NAVY ★★★ ita
226, rue Nepean, OTTAWA
Tél.: 613-232-6289
SPÉCIALITÉS ITALIENNES: Pieuvre et pommes de terre. Saumon du Pacifique avec salade de grains anciens. Caille glacée au miel, artichaut et polenta. Foie à la vénitienne aux oignons. Bifsteak à la florentine. Tortelleti et lapin du Québec. Tiramisu. Tarte à la rhubarbe et petits fruits.
PRIX Midi: F. 14$ à 36$
Soir: C. 37 à 52$
OUVERTURE: Lun. à ven. 11h à 14h. Lun. à sam. 17h à 22h. Fermé dim.
COMMENTAIRE: Le tandem de Chris Schlesak et du chef Adam Vettorel a eu la main heureuse avec ce nouveau restaurant vite devenu la coqueluche des foodies d'Ottawa. Une cuisine du nord de

l'Italie qui tourne le dos aux pâtes. Ils ont introduit les cicchettis, bouchées de pain garni qui varient des omniprésents bruschettas. Service enthousiaste, belle gamme de vins.

PERSPECTIVES RESTAURANT ★★★★ int
Hôtel Brookstreet
525, ch. Legget, OTTAWA
Tél.: 613-271-3555
et 1-888-826-2220
SPÉCIALITÉS INTERNATIONALES: Pétoncles poêlés, courges rôties, champignons, purée de céleri-rave très fine, racine de taro, bacon. Côtelette de porc Nagano, choux de Bruxelles, bacon, purée de panais et pommes, réduction érable et malt. Gâteau chocolat au cœur fondant.
PRIX Midi: C. 31$ à 49$
Soir: C. 34$ à 68$ T.H. 39$
OUVERTURE: Lun. à ven. 11h30 à 14h. Lun. à sam. 17h30 à 21h. Dim. 9h30 à 14h. Fermé dim. soir. 7 jours petit déjeuner 6h30 à 11h.
NOTE: Apportez votre vin lun. à mer., droit de bouchon 10$/bout. Musique live, 7 jours en soirée. Menu change aux mois. Liste de vin interactive iPad. Accès pour handicapés.
COMMENTAIRE: L'hôtel Brookstreet appartient au milliardaire Terry Matthews et il a confié les pleins pouvoirs à un Français, Patrice Basille. Un fana de bouffe qui a toujours eu de hautes attentes pour Perspectives. Érigée dans le secteur de la haute technologie, cette table vaut le détour. Dans le top 3 des meilleurs restaurants d'hôtel à Ottawa.

PLAY FOOD & WINE ★★★ fra
1, rue York, OTTAWA
Tél.: 613-667-9207
SPÉCIALITÉS FRANÇAISES: Asperges grillées, parmesan, légumes verts de la région, prosciutto, citron. Steak d'onglet, champignons, frites. Pâté au chocolat, pistaches et orange.
PRIX Midi: F. 22$
Soir: C. 23$ à 40$
OUVERTURE: Lun. à ven. midi à 14h. Lun. 17h30 à 22h. Mar. et mer. 17h30 à 23h. Jeu. et ven. 17h30 à minuit. Sam. midi à minuit. Dim. midi à 22h. Fermé 24, 25 déc. et jours fériés.
NOTE: Midi, spécial 2 plats 22$/pers. Droit de bouchon 15$/bout. Événements privés et cocktails.
COMMENTAIRE: Par les larges fenêtres de cet édifice patrimonial, dîneurs et passants peuvent se voir réciproquement. Les deux sont légion dans ce coin très tou-

GUIDE DEBEUR 2016

Restaurants ailleurs dans la province

ristique, près de l'ambassade des États-Unis. On peut y manger au bar, au cœur de l'action, ou dans la salle à manger, très bruyante. Menu axé sur les plats de dégustation, et deux ou trois font l'affaire.

RESTAURANT SIGNATURES
★★★★ (bistro) fra
453, av. Laurier E., OTTAWA
Tél.: 613-236-2499
SPÉCIALITÉS FRANÇAISES: Poêlée d'escargots, crème de céleri, pain grillé, persil, sauce provençale au pastis. Longe de cerf, compote de figues au porto et fraises, cavatelli à la crème d'olive, chanterelles, mini betteraves Chioggia. Canard, carottes glacées au miel et romarin, compote aux deux abricots, gâteau de semoule de blé, sauce à la noisette.
PRIX Midi: T.H. 29$
Soir: C. 50$ à 72$
OUVERTURE: Mar. à ven. 11h30 à 13h30. Mar. à sam. 17h30 à 21h30. Fermé dim., lun. et sam. midi. Réserv. recommandée.
NOTE: Menu mer. soir, 4 serv. et 1 bout. de vin, 109$/2 pers. Menu dégustation 6 serv. 88$. Création du chef, menu végétarien sur demande, le prix dépend de ce qu'il a en cuisine.
COMMENTAIRE: Signatures est le restaurant d'application de l'école de cuisine Cordon Bleu. Il a longtemps été une table de tout premier plan, mais le propriétaire André Cointreau (de l'alcool du même nom) s'est lassé d'y engouffrer des sous et a cessé la course aux étoiles et aux honneurs. Le chef Yannick Anton est toujours aux fourneaux, mais les attentes sont plus modestes.

SIDEDOOR ★★★ int
Marché By
20, rue York, OTTAWA
Tél.: 613-562-9331
SPÉCIALITÉS INTERNATIONALES: Salade de papaye verte, cajous, menthe, basilic thaï. Tacos, poisson croustillant à la barbadienne. Fesse d'agneau grillée, salade de rhubarbe, pois, sauce thaï. Beignets chocolat blanc et canneberges.
PRIX Midi: F. 15$
Soir: C. 34$ à 53$
OUVERTURE: Lun. à ven. 11h30 à 14h30. Dim. à jeu. 16h30 à 22h30. Ven. et sam. 16h30 à 23h.
NOTE: «Happy hour» dim. à ven. 16h30 à 18h30. Assiette de 2 tacos 9$.
COMMENTAIRE: Sur la rue York, il faut prendre le petit chemin voisin du restaurant Eighteen pour

découvrir Sidedoor, qui occupe un demi-sous-sol. Ce local longtemps négligé a pris vie lorsque l'équipe du Eighteen y a proposé une gamme de tacos goûteux, une des folies à la mode qu'on a appris à décliner de multiples façons. Une salle à manger sombre, égayée par la cuisine du chef Jonathan Korecki.

SOIF ★★★ (bistro) fra
Bar à vin de Véronique Rivest
88, rue Montcalm, GATINEAU
Tél.: 819-600-7643
SPÉCIALITÉS FRANÇAISES: Truite de notre fumoir, crème fraîche, boutons de marguerite marinés. Tartare de bison. Boudin noir maison, pomme, purée de topinambour. Onglet de bœuf grillé, jus de viande à l'anis, frites. Crème prise à la camomille, pistache et petit sablé.
PRIX Midi: C. 17$ à 30$
Soir: C. 18$ à 40$
OUVERTURE: Lun. à jeu. 11h30 à 22h. Ven. 11h30 à 23h. Sam. 16h à 23h. Dim. 16h à 22h.
NOTE: Équipe de sommeliers sur le plancher. Une trentaine de vins au verre.
COMMENTAIRE: La sommelière Véronique Rivest n'a plus besoin de présentation. Après sa 2e place au Concours du meilleur sommelier du monde en 2013, meilleur sommelier des Amériques en 2012, meilleur sommelier du Canada en 2006 et 2012, elle a réalisé son rêve d'ouvrir un bar à vins dans le secteur Hull. Les attentes étaient énormes. En cuisine, le chef Jamie Stunt doit corriger les écarts des débuts difficiles. Et les vins? De belles découvertes, bien sûr. On voudrait que la patronne soit toujours là pour les présenter comme elle seule peut le faire.

STERLING ★★★ cont
835, rue Jacques-Cartier, GATINEAU
Tél.: 819-568-8788
SPÉCIALITÉS CONTINENTALES: Foie gras poêlé pomme caramélisée, chutney de bleuets, crumble à l'amande. Filet mignon grillé au bois d'érable, sauce deux poivres. Filet de saumon poêlé, béarnaise, risotto de champignons, asperges. Marquise au chocolat grand cru, crème anglaise à la pistache.
PRIX Midi: F. 25$
Soir: C. 42$ à 90$ T.H. 65$
OUVERTURE: Lun. à ven. 11h30 à 23h. Sam. 17h à 23h. Dim. 17h à 21h. Fermé 24, 25 déc. et 1er janv.
NOTE: Maison fin du XIXe siècle. Boucherie. Viande qualité Sterling

Silver, vieillie sur place, 21 à 40 jours. 2 celliers à vins de 10 000 bouteilles, 250 étiquettes de vins et d'importation privée. Menu saisonnier. Ven. et sam. musiciens 19h.
COMMENTAIRE: Les clients du Sterling sont dirigés à l'étage, mais c'est au rez-de-chaussée que tout se passe. Une salle de vieillissement, la plaque de cuisson et le grillardin qui maîtrise l'art de préparer des viandes à la cuisson exacte. Les «steakhouses» sont nombreux à Ottawa, mais Sterling est seul de son calibre à Gatineau. La terrasse donne sur la rivière des Outaouais; quand les travaux de réfection de la rue Jacques-Cartier seront terminés, ce sera unique!

SUPPLY & DEMAND ★★★★ int
1335, rue Wellington O., OTTAWA
Tél.: 613-680-2949
SPÉCIALITÉS INTERNATIONALES: Épaule d'agneau cuite lentement avec farro et échalotes grillées. Thon albacore cru, citron, huile de truffe, riz soufflé. Salade de kale, fromage manchego, bacon. Filet de maquereau poché au beurre. Eton mess: meringue à la crème fouettée, rhubarbe et baies.
PRIX Midi: (fermé)
Soir: C. 28$ à 52$
OUVERTURE: Dim. 17h à 21h30. Mar. à sam. 17h à 22h. Fermé lun. et jours fériés.
NOTE: Réserv. recommandée. Saucisses confectionnées sur place. Pâtes fraîches du jour.
COMMENTAIRE: Avant que les foodies d'Ottawa ne craquent pour North & Navy, Supply & Demand était la coqueluche du coin. C'en est pas moins appétissant aujourd'hui: le jeune chef propriétaire Steve Wall n'a rien perdu de son talent pour offrir une cuisine italienne moderne dans un lieu bruyant, avec une cuisine ouverte. Le pain maison: on en redemande.

TAYLORS GENUINE FOOD AND WINE BAR ★★★ fra
1091, rue Bank, OTTAWA
Tél.: 613-730-5672
SPÉCIALITÉS FRANÇAISES: Salade de tomates de serre biologiques ferme Terre à Terre, fromage de chèvre, tapenade, balsamique au citron. Ballotine de selle de lapin québécois, enveloppé de prosciutto, farce au fromage de chèvre, champignons et romarin, polenta de parmesan, ketchup de sauge relevé, jus de veau. Gâteau au fromage façon pannacotta.

Restaurants ailleurs dans la province

PRIX Midi: C. 32$ à 53$
Soir: C. 38$ à 59$
OUVERTURE: Mer. à ven. 11h30 à 14h. Lun. à sam. 17h30 à 22h. Fermé dim., 24, 25 déc., 1er janv. et 1er juil.
NOTE: Menu change suivant les saisons et les arrivages. Carte des vins, nombreux vins canadiens.
COMMENTAIRE: Les chefs ambitieux ont plusieurs restaurants. Taylor Genuïne, c'était justement le «petit» frère de Domus by John Taylor, dans le marché By. Depuis, c'est le grand frère qui a fermé et le chef Taylor, toujours aussi talentueux, s'exprime dans cet espace chaleureux du quartier Ottawa-Sud.

THE SHORE CLUB ★★★ cont
Hôtel Westin Ottawa
11, prom. Colonel, OTTAWA
Tél.: 613-569-5050
SPÉCIALITÉS CONTINENTALES: Gâteau de crabe, raifort, mayonnaise. Steak et homard. Bar cuit avec des haricots, aïoli d'anchochili. Filet mignon. Tarte à la crème et noix de coco.
PRIX Midi: T.H. 25$
Soir: C. 54$ à 87$ F. 35$ à 45$
OUVERTURE: Lun. à ven. 11h30 à 14h et 17h à 23h. Sam. et dim. 17h à 23h.
NOTE: Salades en tout temps l'après-midi. Droit de bouchon 25$/bout. Menu cocktail 14h30 à 17h et 23h à minuit.
COMMENTAIRE: Pendant des années, l'hôtel Westin a hésité quant à son offre gastronomique. Ça frôlait la pingrerie: un hôtel si chic, et rien de bon à manger. Il y a trois ans, The Shore Club (une chaîne de l'Ouest canadien) a finalement convaincu le Westin de réaménager ce qui avait été une discothèque courue dans les années 1980. Le Shore Club, c'est la mode américaine: grande salle, grand bar, gros steak, grosse facture.

THE WELLINGTON GASTROPUB ★★★★ int
1325, rue Wellington O., OTTAWA
Tél.: 613-729-1315
SPÉCIALITÉS INTERNATIONALES: Tartare de bœuf, crostini, huile de truffe. Magret de canard mulard rôti, bacon, poireaux et carottes, vinaigrette au kimchi. Pierogies cheddar et pommes de terre, salade pommes-fenouil, crème d'oignons verts.
PRIX Midi: C. 28$ à 35$
Soir: C. 34$ à 60$
OUVERTURE: Lun. à ven. 11h30 à 14h. Lun. à mer. 17h30 à 21h30. Jeu. à sam. 17h30 à 22h.

Fermé dim., jours fériés, du 24 au 30 déc. et 31 déc. au soir.
NOTE: Demi-litre de crème glacée à emporter 9$. On peut apporter son vin le lun., droit de bouchon 25$/bout. Menu terrasse 14h à 16h30 la semaine. Premier mardi de chaque mois, «record club», écoute de disques vinyle.
COMMENTAIRE: Lancée en Angleterre, la formule «gastropub» (bistronomie, disent certains) marie un assortiment de bières d'exception et une cuisine recherchée. Cela va bien au-delà des fish & chips des pubs traditionnels. Le Wellington fut le premier du genre à Ottawa il y a 10 ans et la formule fonctionne toujours. Des plats goûteux, une ambiance décontractée qui vire presque au lounge en fin de soirée.

THE WHALESBONE OYSTER HOUSE ★★★ cont
430, rue Bank, OTTAWA
Tél.: 613-231-8569
SPÉCIALITÉS CONTINENTALES: Fish and chips de morue du Pacifique. Roulé de homard sur brioche, beurre, frites, aïoli. Tarte à la crème vanillée. Churros au chocolat.
PRIX Midi: C. 36$ à 61$
Soir: C. 49$ à 71$
OUVERTURE: Lun. à ven. 11h30 à 14h30. Dim. à mer. 17h à 22h. Jeu. à sam. 17h à 23h. Fermé jours fériés.
NOTE: Réserv. recommandée. Bar à huîtres (5 à 7 sortes).
COMMENTAIRE: Whalesbone a été conçu d'abord et avant tout comme un bar à huîtres. L'expertise de la maison est devenue telle que le Whalesbone est aussi devenu le principal grossiste d'huîtres de la région. L'intérieur est funky à souhait, avec des décorations glanées çà et là. La cuisine, axée sur les poissons, y a déjà été excellente, cela dépend des chefs. Il y a encore des découvertes à y faire.

TOWN ★★★[ER] int
296, rue Elgin, OTTAWA
Tél.: 613-695-8696
SPÉCIALITÉS INTERNATIONALES: Prosciutto fumé, melon et pesto. Terrine de pieuvre grillée. Boulettes de viande farcies à la ricotta et au parmesan, polenta et sauce tomate. Panna cotta au babeurre, pomme pochée au caramel, crumble de cheddar et pacanes.
PRIX Midi: C. 30$ à 34$
Soir: C. 32$ à 56$
OUVERTURE: Mer. à ven. 11h30 à 14h. Lun. à jeu. 17h à 22h.

Ven. et sam. 17h à 23h. Dim. 17h à 22h. Fermé 1re sem. de janv.
NOTE: Ricotta faite maison.
COMMENTAIRE: Coincé près de bars à la mode de la rue Elgin, Town peut facilement passer inaperçu. La façade n'est pas large du tout: ici, tout est sur la longueur. Le chef propriétaire Marc Doiron propose un petit menu dont on a vite fait le tour, mais la saveur des plats et l'air branché de la salle à manger a su fidéliser une clientèle nombreuse.

VITTORIA TRATTORIA ★★★ ita
35, rue William, OTTAWA
Tél.: 613-789-8959
SPÉCIALITÉS ITALIENNES: Pizza quatre saisons (artichauts, olives noires, tomates séchées et prosciutto). Pâtes pescatore. Poulet parmigiana. Carré d'agneau en croûte au sumac. Veau au marsala. Crème brûlée au chocolat blanc.
PRIX Midi: C. 28$ à 51$
Soir: C. 28$ à 57$
OUVERTURE: Lun. à ven. 11h à 22h. Sam. et dim. 10h à 23h. Brunch sam. et dim. Fermé 24 et 25 déc.
NOTE: Antipasti et desserts maison. Très grande variété de vins des quatre coins du monde. Droit de bouchon 25$/bout.
COMMENTAIRE: Des deux adresses du Vittoria Trattoria, celle de la promenade Riverside, semblable à un restaurant de banlieue, est à oublier. Non, c'est assurément celle du marché By qui séduit par ses vieilles pierres. Les plats sont les mêmes, l'offre en vins est merveilleuse – sinon la plus impressionnante d'Ottawa. Le plus exotique: manger dans la cave à vins (à l'étage), un endroit qui donne soif.

WILFRID'S RESTAURANT ★★★★ can
Fairmont
1, rue Rideau, OTTAWA
Tél.: 613-241-1414
SPÉCIALITÉS CANADIENNES: Carpacio de bison, pecorino, roquette. Flétan cuit au four, bettes à carde, confiture de tomates, pesto aux pistaches. Crème brûlée au chocolat blanc et framboises.
PRIX Midi: C. 32$ à 46$
Soir: C. 50$ à 71$ T.H. 49$ à 70$
OUVERTURE: Lun. à sam. 11h30 à 14h et 17h30 à 22h. Petit déjeuner lun. à ven. 6h30 à 11h, sam. 7h à 11h, dim. 7h à 10h30.
NOTE: Menu différent sur la terrasse et menu saisonnier. Terrasse ouverte en été.

Restaurants ailleurs dans la province

COMMENTAIRE: La grande dame d'Ottawa, dans le centenaire Château Laurier, demeure un temple du classicisme et cela vaut aussi pour sa table. Le restaurant Wilfrid's, baptisé en l'honneur du premier ministre Laurier, tente d'être de tout pour tous. Un restaurant d'hôtel pour les touristes pressés ou curieux, une chic salle à manger et une terrasse voisine des écluses du canal Rideau. Toute une commande pour le jeune chef Louis Simard.

BANLIEUE DE GATINEAU - OTTAWA

LES FOUGÈRES ★★★ fra
783, route 105, CHELSEA
Tél.: 819-827-8942
SPÉCIALITÉS FRANÇAISES: Confit de canard mulard, pommes de terre rôties, fromage de chèvre, poire pochée, épinards, compote de Lingonne. Filet mignon de bœuf, tomates cerises, œuf de caille, jus de bœuf, légumes d'été, pommes de terre. Cari au poulet, porc ou légumes. Trio à l'érable, tarte au sirop d'érable, son profiteroles à l'érable et glace à l'érable.
PRIX Midi: C. 37$ à 59$
Soir: C. 54$ à 67$ T.H. 54$
OUVERTURE: Lun. à ven. 11h à 21h30. Sam. et dim. 10h à 21h30. Fermé 1er janv., 1er juil., fête du Travail, Action de grâces, 24 au 26 déc.
NOTE: Menu soir 4 serv. Menu végétarien midi et soir. Menu dégustation 8 serv. 89$ accord vins 50$. Assiette de fromages québécois. Plats cuisinés prêts à emporter, produits en vente dans plusieurs épiceries au Québec. De nombreux prix pour leur cave à vin. Attaché à la galerie d'art Old Chelsea.
COMMENTAIRE: Depuis plus de 20 ans, le chef Charles Part et sa complice Jennifer Warren besognent fort pour faire des Fougères une référence pour la cuisine régionale. La clientèle, très anglophone, adore le caractère champêtre de la salle à manger, flanquée d'une boutique consacrée à leurs plats cuisinés à emporter et aux produits locaux, dont ils sont de fiers ambassadeurs.

L'ORÉE DU BOIS ★★★★ fra
15, ch. Kingsmere, CHELSEA
Tél.: 819-827-0332
SPÉCIALITÉS FRANÇAISES AVEC PRODUITS DE LA RÉGION: Canard dans tous ses états (rillettes, fondant au foie gras, terrine, gésier). Pétoncles sauce à la coriandre. Filet d'agneau au romarin. Médaillon de cerf mariné à la lie de vin. Terrine aux trois chocolats, sauce à l'orange et gingembre. Nougat glacé au pralin d'érable.
PRIX Midi: (fermé)
Soir: C. 35$ à 74$ T.H. 45$
OUVERTURE: Mar. à dim. 17h30 à 22h. Ouvert midi sur réserv. de groupes, conférences et réunions d'affaires. Fermé lun., 23 au 26 déc. et 10 jours à partir du 2 janv.
NOTE: Réserv. nécessaire. Table d'hôte régionale 45$. Menu pour végétariens et personnes allergiques. Menu enfant. Brunch à thème mensuel. Produits maison et chocolat. Fumoir à poisson. Très belle carte de vins, 80% de leur propre agence d'importation. Vente de vinaigrettes et confitures maison.
COMMENTAIRE: Plusieurs croient que c'est le plus beau restaurant de la région. Dans un cadre champêtre, certainement. Guy Blain l'a créé, son sous-chef Jean-Claude Chartrand a pris la relève et insufflé un esprit nouveau tout en maintenant le menu traditionnel de la maison, et la constante obsession d'une facture raisonnable. Les nombreux clients ne sont jamais surpris, mais jamais déçus.

SHERBROOKE

DA LEONARDO ★★★ ita
4664, bd Bourque, SHERBROOKE
Tél.: 819-564-0666
SPÉCIALITÉS ITALIENNES: Escalope de veau, prosciutto, champignons, vermouth, vin blanc et artichauts. Calmars frits. Linguini aux crevettes, sauce tomate, crème, cognac, bisque de homard. Suprême de poulet aux crevettes, sauce Rosario. Tartufo à l'italienne. Tiramisu maison.
PRIX Midi: F. 11$ à 19$
Soir: C. 25$ à 55$ F. 28$ à 38$
OUVERTURE: Lun. à ven. 11h à 14h. Lun. à mer. 17h à 21h. Jeu. à sam. 17h à 22h. Fermé dim., 24, 25 déc. et 1er janv.
NOTE: Grande variété de risotto. Pâtes fraîches maison, 20 sauces différentes. Huîtres et fettucini au homard en saison. Très bon choix de vins italiens. Menu enfant 9,50$. Cafés flambés.
COMMENTAIRE: Restaurant typiquement italien, d'ambiance familiale, ouvert depuis 1984, par le chef Giampietro et Christiane, son épouse. La famille prend la suite avec Bruno et Marcello Mecatti. La cuisine est toujours aussi bonne. Un des rares restaurants à servir la tarte tropézienne que l'on appelle aussi tarte nid d'abeille, mais il faut la commander à l'avance.

LA TABLE DU CHEF ★★★★ fra
11, rue Victoria, SHERBROOKE
Tél.: 819-562-2258
SPÉCIALITÉS FRANÇAISES: Foie gras de canard poêlé, compote de pêches à l'anis, gâteau au miel de Waterloo. Cuisse de lapin de Stanstead farcie, ragoût de chanterelles, jus de cuisson aux champignons des Champs-Mignons. Filet de bœuf Angus poêlé, épinards au parmesan, jus de veau aux échalotes. Fondant de chocolat Guanaja, glace aux framboises.
PRIX Midi: F. 15$ à 22$
Soir: F. 34$ à 47$
OUVERTURE: Lun. à ven. 11h30 à 14h. Mar. à sam. 17h30 à 21h. Fermé sam. midi, dim., 25 déc. et 1er janv.
NOTE: Menu dégustation 5 serv. 63$. Menu aux saisons. Desserts 8$ à 11$. Service de traiteur.
COMMENTAIRE: Le chef propriétaire a été le dernier chef de l'Auberge Hatley, avant l'incendie. Alain Labrie et son épouse ont installé leur restaurant dans un ancien presbytère, sur une petite colline dominant la vallée de Sherbrooke. Ils y servent une très belle cuisine française, revisitée à leur façon. Les mets sont fins, élégants et inventifs.

LE BACCHUS ★★★ fra
2765, rue King O., SHERBROOKE
Tél.: 819-823-3338
SPÉCIALITÉS FRANÇAISES: Mariage de pétoncles et crevettes, coulis de crustacés. Magret de canard en aiguillettes aux baies rouges. Ris de veau, sauce à la crème sure. Médaillon de jeune cerf au porto et romarin. Camembert au four, amandes et péché mignon. Crème brûlée à la vanille fraîche.
PRIX Midi: T.H. 15$ à 26$
Soir: C. 34$ à 49$ T.H. 33$ à 39$
OUVERTURE: Mar. à ven. 11h à 14h. Mar. à dim. 17h à 22h. Fermé lun., de juil. à mi-août et le 25 déc.
NOTE: Menu découverte 7 serv. 45$. On peut créer sa table d'hôte en ajoutant 12$ à un plat principal offert sur la carte. Ouvert lun. 25 pers. et plus.
COMMENTAIRE: Un restaurant où l'on se sent bien. On y apporte son vin ou sa bière et sa bonne

GUIDE DEBEUR 2016

Restaurants ailleurs dans la province

humeur pour y déguster une cuisine très agréable et gentiment servie. Quelques recettes italiennes se glissent dans les menus. Décor chaleureux et sans prétention, tout comme l'assiette d'ailleurs.

LE BOUCHON ★★★★[ER]
(bistro) fra
107, rue Frontenac,
SHERBROOKE
Tél.: 819-566-0876
SPÉCIALITÉS FRANÇAISES: Ceviche de pétoncles au caviar de melon, purée d'avocat et basilic. Tartare de bœuf du Bouchon et frites maison. Bavette de bœuf grillée, sauce au bleu et échalotes, frites maison. Cuisse de canard confite, légumes. Fondant au chocolat noir, sorbet aux fruits de la passion.
PRIX Midi: F. 14$ à 22$
Soir: C. 34$ à 66$ T.H. 38$ à 42$
OUVERTURE: Lun. à ven. 11h30 à 14h30. Lun. à sam. 17h30 à 22h. Fermé dim., jours fériés et du 21 déc. au 7 janv.
NOTE: Cave à vin 100 références. Belle sélection de vins au verre.
COMMENTAIRE: Une cuisine bistro française de qualité dans un décor évolutif, servie avec professionnalisme. L'un des copropriétaires, Stéphane Fournier, le nouveau chef Martin Fortier et la sommelière copropriétaire Maude Lambert s'entendent pour faire de cet excellent bistro l'une des bonnes tables de Sherbrooke. Un incontournable où la passion et la rigueur nous assurent une belle aventure gastronomique.

LE CHOU DE BRUXELLES
★★★★ bel
1461, rue Galt O., SHERBROOKE
Tél.: 819-564-1848
SPÉCIALITÉS BELGES: Carpaccio de saumon. Moules (au bleu de l'Abbaye, zeebruggeoise, crabe, pesto, etc.). Waterzoï. Rognons de veau «Sambre et Meuse». Filet mignon de bœuf brabançon, sauce échalote française déglacée au porto. Ris de veau archiduc. Gaufre de Belgique.
PRIX Midi: (fermé)
Soir: C. 21$ à 44$ T.H. 29$
OUVERTURE: Dim., mar. et mer. 17h à 21h. Jeu. à sam. 17h à 22h. Fermé lun., 24, 25 déc. et 20 jours en juil. Réserv. préférable.
NOTE: Apportez votre vin et votre bière. Saumon fumé maison. Menu gastronomique 7 serv. soir 36,50$. Menu à emporter sur Internet.
COMMENTAIRE: Une adresse stable, toujours égale à elle-même.

Une des rares adresses servant des mets typiquement belges. En cuisine, un duo qui fonctionne toujours. Le chef Frank Baron y prépare toujours des plats savoureux, sous la supervision de la chef propriétaire Dominique Homans.

RESTAURANT AUGUSTE ★★★
(bistro) fra
82, Wellington N., SHERBROOKE
Tél.: 819-565-9559
SPÉCIALITÉS FRANÇAISES ET QUÉBÉCOISES: Foie de veau de lait poêlé, grelots fondants au bacon et fèves vertes. Risotto aux champignons, épinards, parmesan, huile de truffe blanche. Boudin noir croustillant, pommes purée, chou rouge aigre-doux. Pouding chômeur à l'érable, glace Coaticook. Torta choco noisette, caramel au beurre salé.
PRIX Midi: T.H. 18$ à 30$
Soir: T.H. 25$ à 45$
OUVERTURE: Lun. à ven. 11h30 à 14h30. Sam. et dim. 10h30 à 14h30. Dim. à mer. 17h à 22h. Jeu. à sam. 17h à 23h. Fermé 24, 25 déc., 1er et 2 janv.
NOTE: Pêche responsable. Service de traiteur.
COMMENTAIRE: Le chef Danny Saint-Pierre qui a fait la renommée québécoise de l'établissement n'est plus là. Décor bistro, un peu en longueur, murs jaunes ornés de grands tableaux noirs, grosse armoire avec les vins. Grand comptoir avec cuisine ouverte. À la fois très moderne et très chaleureux avec beaucoup de bois. Nappe de papier sur les tables. On propose ici une cuisine française avec quelques accents québécois. Service aimable.

RESTAURANT DA TONI
★★★★ ita
15, rue Belvédère N.,
SHERBROOKE
Tél.: 819-346-8441
SPÉCIALITÉS ITALIENNES ET FRANÇAISES: Bisque de homard. Thon poêlé à l'extra vierge, citron et fleur de sel. Escalope de veau de grain à la parmigiana. Escalope de veau lombarde, citron et champignons, linguine aux fines herbes. Filet mignon de bœuf AAA de l'Alberta. Crème brûlée. Torta de la nona.
PRIX Midi: F. 9$ à 25$
Soir: C. 25$ à 64$ T.H. 25$ à 50$
OUVERTURE: Lun. à ven. 11h30 à 14h. Dim. à mer. 17h à 21h. Jeu. à sam. 17h à 22h. Fermé midi lun. fériés.
NOTE: Ouvert depuis 1969. Mise en valeur des produits du terroir. Desserts maison. 100 sortes de

vin, beaucoup d'importation privée, carte d'or 2009. Stationnement gratuit.
COMMENTAIRE: C'est l'un des plus anciens restaurants de Sherbrooke. Fondé par Toni Danella en 1969, déménagé sur Belvédère dans l'édifice d'une fabrique de laine et de flanelle en 1987. Repris par un nouveau propriétaire en 2007, Da Toni a conservé la même philosophie. Le service attentionné fait qu'on s'y sent bien. L'excellent sommelier Patrice Tinguy connaît son travail et apporte un plus à l'établissement. Superbe filet mignon. Un endroit où l'on va aussi pour se montrer.

RESTAURANT LE SULTAN
★★★ lib
205, rue Dufferin, SHERBROOKE
Tél.: 819-821-9156
SPÉCIALITÉS LIBANAISES: Falafel. Hommos (pois chiche et beurre de sésame). Moutabel (purée d'aubergines). Kibbe (bœuf avec blé concassé). Merguez (saucisses marocaines épicées). Chiche taouk. Brochettes (filet mignon, agneau, crevettes ou kafta). Baklava.
PRIX Midi: F. 10$ à 12$
Soir: C. 21$ à 44$ T.H. 22$ à 26$
OUVERTURE: Lun. à ven. 11h à 14h. Lun. à sam. 17h à 21h. Fermé dim. et 25, 26, 31 déc., 1er janv., 24 juin et 1er juil.
NOTE: Apportez votre vin ou votre bière. Le prix du midi inclut la soupe, le plat principal et le café. Toutes les grillades sont faites au feu de bois.
COMMENTAIRE: Toujours une valeur sûre à Sherbrooke. Le chef est accueillant, passionné de cuisine libanaise, et ses plats font le bonheur des clients. L'ambiance détendue est rehaussée par de la musique orientale et du baladi, la salle à manger est agréable, l'assiette est très bonne, voire excellente, et le service est sympathique. Toutes les odeurs, les couleurs et la musique du Moyen-Orient sont à leur maximum vendredi et samedi soir. En cas d'hésitation, choisissez les tables d'hôte déjà composées.

RÉGION DE SHERBROOKE
(Cantons-de-l'Est)

LE HATLEY ★★★★★ qué
Manoir Hovey
575, rue Hovey, NORTH HATLEY
Tél.: 819-842-2421
et 1-800-661-2421
SPÉCIALITÉS QUÉBÉCOISES REVISITÉES: Foie gras au torchon à

Restaurants ailleurs dans la province

la rose sauvage, renouée, pain au méliot, églantier et fleurs du printemps. Flétan rôti sur l'hysope, fumet crémeux à la ciboulette à l'ail, pois sucré, mélisse, riz sauvage, mertensie maritime. Strudel au chocolat noir Nyangpo, cerises, yaourt glacé au sorbier.
PRIX Midi: C. 31$ à 52$
Soir: T.H. 75$
OUVERTURE: Hiver: 7 jours midi à 14h et 18h à 21h. Été: 7 jours midi à 15h et 18h à 21h30.
NOTE: Menu découverte 7 serv. 100$, 170$ avec les vins. Carte de thés et tisanes. Environ 900 étiquettes de vin. Brunch 45$ à l'Action de grâce, Noël, nouvel An, Pâques, fête des Mères. Terrasse avec piscine, tennis, vélo, deux plages pour pédalo, kayak, surf à pagaie. Auberge de 37 chambres sur le lac.
COMMENTAIRE: Une très belle cuisine contemporaine québécoise revisitée mettant en valeur les produits régionaux. Un excellent chef soutenu par de bons sommeliers. Un très bel établissement au bord de l'eau. Manoir ancestral construit sur le modèle de Mount Vernon, résidence de George Washington, niché dans un nid de verdure, offrant une vue magnifique sur le lac Massawippi.

LE RIVERAIN ★★★★★ int
Hôtel Ripplecove sur le lac
700, Ripplecove, AYER'S CLIFF
Tél.: 819-838-4296
et 1-800-668-4296
SPÉCIALITÉS INTERNATIONALES: Saumon fumé Ripplecove, roulade de chèvre aux poivrons doux et câpres, mi-cuit à l'orange, caramel d'agrumes au piment d'Espelette. Ris de veau capucine, purée de patates douces, muscade, lie de vin à l'émulsion de beurre, citron aux câpres. Décadence bavaroise au chocolat blanc, crème prise, framboises balsamiques, glace au basilic.
PRIX Midi: C. 37$ à 50$
Soir: C. 66$ à 83$ T.H. 65$
OUVERTURE: Mi-mai à mi-oct.: 7 jours midi à 14h et 18h à 21h30. Petit déjeuner 7h30 à 10h. Fermé lun. à ven. midi de la mi-oct. à la mi-mai.
NOTE: Saumon fumé maison. Variété de fromages des Cantons-de-l'Est. Menu saisonnier. Menu dégustation 7 serv. 88$, avec vins 65$ de plus. Réserv. préférable. Carte des vins 500 étiquettes, 5000 bouteilles. Prix du Wine Spectator 2001 à 2014. Carte d'or 2007 à 2011. Pianiste classique sam. soir.
COMMENTAIRE: Construite en 1945, l'auberge est située dans

un décor enchanteur au bord du lac Massawippi. Un très bel endroit qui ne cesse de s'améliorer. La salle à manger est de toute beauté. L'assiette est savoureuse et très bien présentée, souvent originale. Un vrai plaisir pour les yeux tout autant que pour le palais. Service stylé et professionnel. Une adresse qui vaut largement le détour.

LES JARDINS ★★★ cont
Manoir des Sables
90, av. des Jardins, ORFORD
Tél.: 819-847-4747
SPÉCIALITÉS CONTINENTALES: Truite des Bobines confite, rémoulade de fenouil aux agrumes, pleurotes bio des Champs Mignons. Lapin de Stanstead, fondue de radis japonais, citron, miel et lavande. Canard du lac Brome, version cassoulet.
PRIX Midi: Buffet 21$ C. 18$ à 29$
Soir: C. 29$ à 57$ T.H. 31$ et 42$
OUVERTURE: 7 jours midi à 14h et 17h30 à 21h30. Petit déjeuner lun. à sam. 7h à 10h30 et dim. 7h à 11h.
NOTE: Brunch à Pâques et à la fête des Mères. 140 chambres, 27 suites haut de gamme. Centre de santé. Golf, spa nordique.
COMMENTAIRE: Salle à manger du Manoir des Sables avec vue panoramique sur le Mont-Orford. Deux bars: Grilladerie L'Albatros (grillades et repas légers) avec vue sur le golf et le Mont-Orford et le Pub pour un apéro à la fin de la journée. Tout près du lac Memphrémagog.

LES SOMMETS ★★★ cont
Hôtel Chéribourg
2603, ch. du Parc, ORFORD
Tél.: 819-843-3308
et 1-800-567-6132
SPÉCIALITÉS CONTINENTALES: Pavé de saumon rôti à l'érable et épices tandoori. Côtes levées de porc, sauce BBQ au bourbon. Steak de bavette à l'échalote. Magret de canard rôti, légumes de saison poêlés, sauce au Sortilège. Pouding chômeur à l'érable.
PRIX Midi: C. 20$ à 27$
Soir: C. 28$ à 52$ T.H. 31$
OUVERTURE: 7 jours 11h30 à 17h et 17h30 à 21h30. Petit déjeuner 7h à 11h.
NOTE: Menu bistro sur la terrasse, 6$ à 14$, 11h30 à 17h. Carte des vins 60 étiquettes. Aire de jeux pour enfants (cinéma maison, jeux vidéo, jeux gonflables), spa extérieur, terrains de tennis. Petite ferme à l'extérieur, l'été.
COMMENTAIRE: Situé près du parc du Mont-Orford et de la Rivière-aux-Cerises. Diplômé de

l'ITHQ, Jérôme Turgeon joint l'équipe en 2010 et prend les commandes de la cuisine en 2012. Il propose une assiette continentale élaborée avec les produits de sa région.

LE TEMPS DES CERISES ★★★ int
79, rue du Carmel, DANVILLE
Tél.: 819-839-2818
et 1-800-839-2818
SPÉCIALITÉS INTERNATIONALES: Foie gras au Coureur des bois. Moules en casserole à la belge. Mousse d'esturgeon fumé au chèvre de La Maison Grise. Saumon sauvage mariné. Téton d'enfer: cône crémeux aux chocolats noir et blanc. Crème brûlée au miel.
PRIX Midi: T.H. 13$ à 22$
Soir: C. 20$ à 64$ T.H. 24$ à 40$
OUVERTURE: Mar. à ven. 11h30 à 13h30. Mar. à sam. 17h30 à 21h. Ouvert dim. 17h30 à 20h en juil. et août. Fermé lun. Fermé dim. de sept. à juin., mar. et mer. de fév. à mai. Fermé 24, 25 déc. et du 1er au 15 janv.
NOTE: Menu dégustation 7 serv. 50$. Brunch à Pâques et à la fête des Mères. Situé dans une ancienne église protestante avec de nombreux vitraux. Acessible aux handicapés.
COMMENTAIRE: Manger dans ce restaurant est vraiment unique, car il est installé dans une ancienne église presbytérienne depuis 1987. Les propriétaires ont su garder la magie des lieux. Le plancher de bois, la simplicité du mobilier, la sculpture aérienne de métal, la charpente du toit et les vitraux en font un endroit très spécial. De toute beauté le soir. Cuisine avec les produits de la région. On y donne des cours de cuisine et leurs produits maison, confitures et marinades Les délices de Martine, sont vendus dans les épiceries.

PLAISIR GOURMAND ★★★ fra
2225, route 143, HATLEY
Tél.: 819-838-1061
SPÉCIALITÉS FRANÇAISES: Gravlax de saumon mi-fumé, caviar de hareng fumé, pousses de M. Beaulieu. Carré de marcassin, purée de pommes de terre aux lardons fumés. Mi-cuit au chocolat Barry, crème brûlée au thé de Bleu lavande, glace maison aux épices.
PRIX Midi: (fermé)
Soir: Menu 52$ à 65$
OUVERTURE: 15 oct. au 15 juin: jeu. à sam. 18h à 23h. 15 juin au 15 oct.: mer. à sam. 18h à 23h.

Restaurants ailleurs dans la province

NOTE: Menu terroir québécois 4 serv. 52$. Menu dégustation table du chef 6 serv. 65$. Menu thématique selon les produits de saison. 50% des légumes, fines herbes et pousses sont produits sur place. Carte des vins d'importation privée à partir de 30$. Service de traiteur, produits faits maison à emporter sur commande. Gagnant du Grand Prix du Tourisme 2012.
COMMENTAIRE: Mérite le détour pour la qualité d'une cuisine qui surprend agréablement. Restaurant installé dans une maison privée, il s'en dégage un charme champêtre datant des années 1860. On se croirait chez un particulier à la campagne. La cuisine pourrait se résumer à trois mots: beauté, saveur, simplicité. Un chef qui aime les plats bien assaisonnés et une épouse, chef pâtissière, qui travaille avec délice!

RESTAURANT L'ANCRAGE ★★ fra
Hôtel et spa Étoile-sur-le-Lac
1150, rue Principale O., MAGOG
Tél.: 819-843-6521
et 1-800-567-2727
SPÉCIALITÉS FRANÇAISES: Risotto aux crevettes et queue de homard. Cœur de ris de veau poêlé, déglacé au porto, sauce aux morilles, huile de truffe. Lapin de Stanstead, polenta croustillante, compotée de tomates et échalotes. Crêpes Suzette.
PRIX Midi: F. 14$ à 16$
Soir: C. 35$ à 59$ F. 22$ à 33$
OUVERTURE: 7 jours 11h30 à 14h et 17h à 21h. Petit déjeuner 7h à 11h.
NOTE: Menu terrasse l'été. Cellier 1 000 bouteilles.
COMMENTAIRE: Le chef utilise les produits du terroir québécois (canard confit et son foie gras du lac Brome, porc et veau biologiques, agneau). Des larges baies vitrées de la salle à manger, on profite de la magnifique vue du lac Memphrémagog et de la terrasse qui donne sur l'eau.

TROIS-RIVIÈRES

AU FOUR À BOIS ★★[ER] ita
329, rue Laviolette,
TROIS-RIVIÈRES
Tél.: 819-373-3686
SPÉCIALITÉS ITALIENNES: Risotto aux fruits de mer. Pâtes fraîches à la carbonara. Carré de porc sur la braise. Blanquette de veau. Brochettes et filet mignon cuits à la braise de bois. Tiramisu maison.
PRIX Midi: T.H. 13$ à 20$

Soir: C. 21$ à 45$ T.H. 25$ à 40$
OUVERTURE: Lun. à ven. 11h30 à 14h. Lun. à jeu. 17h à 21h. Ven. à dim. 17h à 22h. Fermé sam. et dim. midi.
NOTE: Ouvert depuis 1982. Pizza minceur (pizza cuite au feu de bois). Mets mijotés au menu. Verrière. Véranda 4 saisons.
COMMENTAIRE: Une belle ambiance de four à bois, dans une maison ancestrale de 1877. Le four à bois est l'élément principal de ce restaurant, il captive l'attention, répand la bonne odeur des mets qui cuisent et celle du bois qui se consume. On y cuit pratiquement tous les plats. Les pizzas sont excellentes. Belle terrasse couverte l'été.

LE CASTEL DES PRÉS ★★★★★ (bistro) cont
5800, bd Gene H. Kruger,
TROIS-RIVIÈRES
Tél.: 819-375-4921
SPÉCIALITÉS CONTINENTALES: Tartare de saumon frais. Trilogie de saumon. Feuilleté de rognons de veau et boudin noir. Pavé de veau Manhattan. Ris de veau façon Claude. Bavette de bœuf à l'échalote. Moelleux au chocolat noir.
PRIX Midi: F. 16$ à 19$
Soir: C. 32$ à 61$ F. 19$ à 36$
OUVERTURE: Lun. 11h à 21h. Mar. à ven. 11h à 22h. Sam. 16h30 à 22h. Fermé dim. et jours fériés. Fermé 24 et 25 déc.
NOTE: Saumon fumé du fumoir maison. Traiteur À La Fine Pointe. Établi depuis 1954.
COMMENTAIRE: Un établissement vraiment décontracté, à l'ambiance animée et chaleureuse, différente selon les petites salles. Le menu affiche toujours les plats les plus populaires, ceux qui ont fait leur succès. Dominic Lapointe, chef propriétaire du service traiteur À la fine pointe, s'est associé à l'entreprise. Le cellier à vin comprend plus de 250 produits, ainsi qu'un choix de vins et de portos servis au verre.

LE ROUGE VIN ★★★ cont
Hôtel des Gouverneurs
975, rue Hart, TROIS-RIVIÈRES
Tél.: 819-376-7774
SPÉCIALITÉS CONTINENTALES: Magret de canard poêlé au caramel d'agrumes, sauce porto vieilli et figues noires. Carré d'agneau rôti au four en croûte de moutarde et pesto de tomates séchées. Mi-cuit de thon Saku poêlé, mayonnaise épicée. Ribsteak de bœuf 14 oz grillé, sauce Rouge Vin. Wellington de porc,

sauce au vin blanc aux poires caramélisées. Explosion chococaramel.
PRIX Midi: Buffet 16,95$
Soir: C. 38$ à 79$ T.H. 33$ à 62$
OUVERTURE: 7 jours 11h30 à 14h et 17h30 à 22h. Petit déjeuner 7 jours 7h à 10h30.
NOTE: Buffet midi, lun. à ven. Buffet fruits de mer ven. et sam. 17h30 à 22h. Dim. brunch. Ven. et sam. soir pianiste.
COMMENTAIRE: La salle à manger est belle. La cuisine est très bonne et copieuse. Excellent choix de vins au verre. Service très gentil, qui veut bien faire.

RÉGION DE TROIS-RIVIÈRES
(Centre-du-Québec - Mauricie)

AUBERGE GODEFROY ★★★ fra
17575, bd Bécancour,
BÉCANCOUR
Tél.: 819-233-2200
et 1-800-361-1620
SPÉCIALITÉS FRANÇAISES: Feuilleté de noix de ris de veau. Magret de canard poêlé, croustillant à la fleur de sel, canneberges caramélisées, sauce porto et érable. Coupe de porc rôti, pommes du Québec, sauce au cidre de glace. Entremets au lait d'amande, compotée de fraises à l'amaretto.
PRIX Midi: T.H. 26$
Soir: C. 32$ à 76$ T.H. 39$
OUVERTURE: 7 jours 11h à 14h30. Dim. à jeu. 17h30 à 21h. Ven. et sam. 18h à 22h. Petit déjeuner 7h à 10h.
NOTE: Menu dégustation 7 serv. 69$, avec vins 101$. Buffet lun. à ven. midi, 22$. Cave à vin, plus de 420 étiquettes étrangères et québécoises. Espace aqua-détente adjacent à la terrasse. Soirée dansante à la St-Sylvestre. Tapas à saveurs du terroir québécois. Brunch thématique temps des sucres dim. 11h30 à 14h (l'unique cabane au cap Diamant).
COMMENTAIRE: Le chef cuisine avec les produits de la région. Sa carte cuisine française a une connotation québécoise teintée de cuisine internationale. L'auberge est située en plein centre du Québec, et les régions avoisinantes regorgent d'activités de toutes sortes.

L'AUBERGE DU LAC ST-PIERRE ★★★★ fra
10 911, rue Notre-Dame O.,
Secteur POINTE-DU-LAC,
TROIS-RIVIÈRES
Tél.: 819-377-5971
et 1-888-377-5971

Restaurants ailleurs dans la province

SPÉCIALITÉS FRANÇAISES: Poêlée de foie gras de canard à la pistache, fraise et poivre rare. Porc Nagano de Yamachiche, réduction de vin rouge, fromage de la Montérégie. Crème brûlée à la cerise noire, au basilic, coulis à la passion, crumble.
PRIX Midi: T.H. 24$ à 28$
Soir: C. 55$ à 82$ T.H. 43$ à 67$
OUVERTURE: 7 jours 11h30 à 14h et 18h à 20h30. L'été, petit menu-terrasse 11h30 à 21h. Petit déjeuner 7h30 à 10h30. Fermé 2 sem. début janv.
NOTE: Menu-terrasse 11$ à 17$. Les plats de la T.H. du soir peuvent être choisis séparément. Réserv. préférable. Brunch du jour de l'An. Hôtel de 30 chambres.
COMMENTAIRE: Pour profiter de la vue panoramique sur le lac Saint-Pierre, la salle à manger rénovée en 2015 est nichée dans un grand espace vitré. Une belle assiette, travaillée avec les produits de la région, bien servie. Auberge construite en 1988 au bord du fleuve Saint-Laurent.

LE BALUCHON Éco-villégiature ★★★[ER] fra
3550, ch. des Trembles,
SAINT-PAULIN
Tél.: 819-268-2555
SPÉCIALITÉS FRANÇAISES: Tataki de bœuf, purée de roquette, matignon de pommes de terre, shiitakes, pavot et citron. Cerf rouge, betteraves, poivre long, topinambours rôtis, échalotes confites, rösti et sauce corsée au poivre des dunes. Sanglier braisé, carottes rôties, beurre noisette, gnocchis, Gré des Champs et jus de cuisson à la sarriette.
PRIX Midi: (fermé)

Soir: C. 46$ à 65$
OUVERTURE: 7 jours 17h30 à 21h. Petit déjeuner 7h à 10h45.
NOTE: Plus de 10 choix de menus 4 serv. 59$. Menu gastronomique 7 serv. 85$. Soirées avec animation les 24 et 31 déc. Piscines intérieure et extérieure. Cabane à sucre. Spas nordiques.
COMMENTAIRE: Dirigé par toute une famille, le site comporte également une auberge. Certains plats sont préparés en salle. La cuisine est de facture française avec des plats de cuisine continentale aussi. Un écocafé Au bout du monde avec cuisine du terroir québécois, épicerie avec dégustations est annexé à l'auberge.

LE FLORÈS ★★★[ER] cont
Auberge Le Florès
4291, 50e Avenue,
SAINTE-FLORE-DE-GRAND-MÈRE
Tél.: 819-538-9340
et 1-800-538-9340
SPÉCIALITÉS CONTINENTALES: Trilogie de crabe à la thaï. Saumon mi-cuit en roulade de fines herbes, légumes confits croquants, caramel de soya, marmelade de citron, mayo au wasabi. Carré d'agneau en croûte d'Alsace, purée de butternut, ratatouille à l'ancienne et sauce à la moutarde de Meaux.
PRIX Midi: T.H. 17$ à 23$
Soir: C. 31$ à 57$ T.H. 25$ à 41$
OUVERTURE: 7 jours 11h à 21h. Petit déjeuner 7h à 10h30.
NOTE: Menu gastronomique soir 7 serv 65$. 34 chambres. Centre de massothérapie. Grande fête le 31 déc.
COMMENTAIRE: Une cuisine honnête bien présentée dans l'assiette. Tout le charme d'autrefois,

environné d'un jardin bien paysagé. Situé à l'entrée du parc de la Mauricie, près de terrains de golf et de centres de ski. Attention, nouveau propriétaire, vérifier si ouvert.

MANOIR BÉCANCOURT ★★★ cont
3255, av. Nicolas-Perrot,
BÉCANCOUR
Tél.: 819-294-9068
et 1-877-994-9068
SPÉCIALITÉS CONTINENTALES ET ITALIENNES: Assiette de fruits de mer. Carpaccio de filet mignon. Pétoncles poêlés avec bacon et fraises. Filet mignon AAA vieilli. Effiloché de lapin, sauce parmesan, citron et basilic. Chateaubriand flambé. Fondant au chocolat maison.
PRIX Midi: (fermé)
Soir: C. 35$ à 71$ T.H. 22$ à 75$
OUVERTURE: Mer. à sam. 17h30 à 21h. Fermé dim. à mar. et 2 sem. au temps des fêtes.
NOTE: Jardin. Lounge. Menu gastronomique 6 serv. 85$. Brunch fête des Mères, Pâques et sur réserv. 35 pers. minimum 28$, dim. 10h30 à 14h. 9 chambres avec Internet haute vitesse sans fil. Spa sur place.
COMMENTAIRE: Une cuisine méditerranéenne avec une influence française, italienne par moments, préparée avec des produits frais du Québec. Le chef propriétaire encourage la cuisine faite maison comme en Italie. Le pain est fait maison, les pâtes, les raviolis aussi. Sa spécialité: le chateaubriand de 16 onces pour deux, flambé à table, sauce béarnaise, frites et légumes.

Restaurants des autres régions

Bas-Saint-Laurent, Charlevoix, Gaspésie

BAS-SAINT-LAURENT

AUBERGE DU MANGE GRENOUILLE ★★★[ER] fra
148, rue de Sainte-Cécile-du-Bic, RIMOUSKI
Tél.: 418-736-5656
SPÉCIALITÉS FRANÇAISES: Carpaccio de thon Albacore et croquettes de crabe de la Rivière-à-Claude, glace aux pois verts. Pétoncles des Îles à la brisure de toque, sumac, herbes marines et pied de mouton. Sabayon froid de fraises et whisky, gâteau de persil et de menthe, glace au babeurre et à la vanille.
PRIX Midi: C. 23$ à 34$
Soir: T.H. 42$ à 55$
OUVERTURE: Mai (ven. et sam.) 17h30 à 21h. 24 juin à la fête du Travail 11h30 à 13h15. Juin à l'Action de grâce, 17h30 à 21h. Ouvert sur réserv. 12 pers. et plus.
NOTE: Menus saisonniers. Chef pâtissier sur place. Menu dégustation 5 serv. 65$, accord mets et vins 110$. Cave à vin. Terrasse pour l'apéro et tapas. Bar à vin. Auberge 22 chambres. Connexion haute vitesse sans fil. Jacuzzi au jardin. Parc du Bic et golf à proximité. Accordéoniste ven. soir l'été.
COMMENTAIRE: Après Richard Duchesneau et Jean-Philippe Saint-Denis, le chef Cédric Nolet prend la direction des fourneaux. Souhaitons que la cuisine se stabilise et continue à mettre en valeur les produits du terroir du Bic. Maison de charme, au décor théâtral, nichée dans un vieux magasin général réhabilité, avec une vue magnifique sur les îles du Bic.

LE FAUBOURG ★★★ cont
280, de Gaspé O., rte 132, SAINT-JEAN-PORT-JOLI
Tél.: 418-598-6455
et 1-800-463-7045
SPÉCIALITÉS CONTINENTALES: Terrine maison et sa confiture de carottes. Gravlax au citron maison. Chaudrée de palourdes à l'émincé de poireaux. Caille royale de mon ami Gilbert Bernier au soupçon d'orange. Filet mignon grillé ou en tartare fait à la table.
PRIX Midi: (fermé)

Soir: C. 40$ à 66$ T.H. 34$ à 51$
OUVERTURE: Dim. à jeu. 17h à 21h. Ven. et sam. 17h à 22h. Petit déjeuner 7h à 10h. Fermé du 12 oct. au 1er mai.
NOTE: Réserv. souhaitable. Petit déjeuner buffet 24 juin à fin août tous les matins. Piscine extérieure. Centre de santé «Parfum de mer» sur le même site. Vue sur le fleuve.
COMMENTAIRE: La cuisine est dirigée par le chef Réginal Gaudrault. La table est bonne, les assiettes finement présentées. Sur le menu et sur la carte des vins, on accorde une large place aux produits du Québec. Dans le restaurant sont exposées les sculptures sur bois des artistes de la région. Ce complexe hôtelier est situé sur la route panoramique au bord du fleuve. Il offre une vue magnifique sur le Saint-Laurent.

CHARLEVOIX

AUBERGE DES 3 CANARDS ★★★★ fra
115, Côte Bellevue, LA MALBAIE (POINTE-AU-PIC)
Tél.: 418-665-3761
et 1-800-461-3761
SPÉCIALITÉS FRANÇAISES: Médaillon de veau aux brisures de noisettes, vin muscat. Poêlée de foie gras de la ferme Basque, compote de pomme et rhubarbe, croquant de pistache. Noix de ris de veau croustillantes flambées au calvados, gnocchi au parmesan, prosciutto et huile de truffe. Baluchon de Fleurmier de Charlevoix flambé au Sortilège.

PRIX Midi: (fermé)
Soir: C. 48$ à 82$ T.H. 54$ (5 serv.)
OUVERTURE: 7 jours 17h30 à 21h30. Ouvert midi sur réserv. 10 pers. et plus. Petit déjeuner 7h à 11h. Fermé 24 et 25 déc.
NOTE: Grandes terrasses pour l'apéritif. Menu végétarien. Petit déjeuner buffet 17$, 7 jours, mai à nov. Auberge de 48 chambres, dont 8 de luxe. Un chalet 6 pers.
COMMENTAIRE: On sert ici une belle cuisine maison qui met en valeur les produits frais régionaux. Renommée pour sa table depuis plus de 50 ans, l'auberge domine le fleuve qui offre des paysages grandioses. Par beau temps, on peut prendre l'apéritif et le digestif sur les terrasses et profiter de la vue sur les jardins immenses. Massothérapie et piscine extérieure chauffée.

AUBERGE DES FALAISES ★★★★ cont
250, ch. des Falaises, LA MALBAIE (POINTE-AU-PIC)
Tél.: 418-665-3731
et 1-800-386-3731
SPÉCIALITÉS CONTINENTALES: Duo de foie gras en terrine et au torchon, gelée Dame Prune. Veau saveur Orloff, champignons, prosciutto, parmesan. Goujonnette d'omble de fontaine de M. Benoît sur lit d'épinards. Filet mignon de bœuf Angus, réduction à la Vache folle, pommes de terre persillées. Tartelette au fromage de chèvre et banane.
PRIX Midi: (fermé)
Soir: C. 48$ à 68$ T.H. 55$
OUVERTURE: 7 jours 18h à 21h. Fermé de nov. à avril.
NOTE: Menu 5 serv. Petite terrasse boisée, vue sur le fleuve, couverte de toile de tente, pour prendre une boisson. Forfaits sur demande pour tout événement. Petit déjeuner 8h à 10h30.
COMMENTAIRE: Cuisine excellente, assiette bien garnie, utilise les produits du terroir dans chaque plat. Spécialité de la maison, la Farandole de produits boucanés. Depuis la salle à manger, on a une vue spectaculaire sur le fleuve.

Restaurants des autres régions

AUBERGE DES PEUPLIERS
★★★★ fra
381, rue Saint-Raphaël,
LA MALBAIE (CAP-À-L'AIGLE)
Tél.: 418-665-4423
et 1-888-282-3743
SPÉCIALITÉS FRANÇAISES: Carpaccio de betteraves, raisins et bleu de brebis de Charlevoix. Suprême de pintade poêlé, sauce au miel et petits fruits. Côtelettes d'agneau marinées et grillées, citron et origan. Décadent au chocolat 72%, glace maison, sauce caramel à la fleur de sel.
PRIX Midi: (fermé)
Soir: C. 45$ à 69$ T.H. 52$
OUVERTURE: 7 jours 18h à 21h. 7 jours petit déjeuner 7h30 à 10h. Fermé nov. et 24 déc.
NOTE: À la carte, on compose son menu soi-même. Menu saisonnier 4 et 5 serv. Terrasse avec vue sur les jardins de l'auberge. Forfaits sur demande. Activités hivernales. Spa, sauna, table de ping-pong et billard. Brunch 21$ fête des Mères, Pâques, sur réserv. Membre Terroir et saveurs du Québec.
COMMENTAIRE: Une véranda de style terrasse accueille les clients pour l'apéritif. Les chambres de l'auberge, dont certaines sont situées dans les combles, sont confortables et très bien décorées. Terrasse avec vue sur le fleuve. L'une des plus anciennes auberge de la région. Cuisine soignée et service attentionné.

LE SAINT-PUB, MicroBrasserie
★★ (bistro) cont
2, rue Racine, BAIE-SAINT-PAUL
Tél.: 418-240-2332
SPÉCIALITÉS CONTINENTALES: Salade 7e ciel au fromage charlevoisien. Crème d'oignons gratinée à la bière. Moules à la bière Dominus Vobiscum. Côtes levées cuites dans la bière maison, sauce barbecue fumée. Pouding chômeur à la bière Dominus Vobiscum double.
PRIX Midi: F. 14$ à 16$
Soir: C. 24$ à 47$ T.H. 25$ à 38$
OUVERTURE: Hiver: 7 jours 11h30 à 21h. Été: 7 jours 11h30 à 22h. Fermé 24, 25 déc. et 1er janv.
NOTE: Fumoir maison. Bières brassées sur place.
COMMENTAIRE: L'endroit est très sympathique. Une cuisine bistro, un accueil enjoué, une bonne ambiance, une couleur spéciale. Menu utilisant les produits de la région charlevoisienne. Un excellent choix de plus de 15 bonnes bières brassées sur place, utilisées aussi dans les recettes des plats.

LES LABOURS ★★★ fra
Le Germain Charlevoix
50, rue de la Ferme,
BAIE-SAINT-PAUL
Tél.: 418-240-4123
SPÉCIALITÉS FRANÇAISES: Omble entier rôti. Macreuse de bœuf. Magret de canard au goût du jour. Pièce d'agneau et légumes de saison. Foie de veau poêlé.
PRIX Midi: F. 16$ à 21$ (aut. et hiv.)
Soir: C. 36$ à 68$
OUVERTURE: Aut. et hiver. lun. à ven. 11h30 à 14h. À l'année 7 jours 18h à 21h. Petit déj. 7h à 10h30 lun. à ven.
NOTE: Cuisine ouverte, table du chef. Restaurant Le Bercail ouvert l'été pour le lunch.
COMMENTAIRE: Avec un menu appelé à évoluer au rythme des saisons, celui du restaurant Les Labours met en vitrine les producteurs de Charlevoix. Plusieurs plats partagés y figurent et les légumes occupent une part non négligeable de l'assiette. Atmosphère urbaine et détendue. Brunch gourmand avec pains et charcuteries de la région.

RESTAURANT LE CHARLEVOIX
★★★★★ fra
Fairmont Le Manoir Richelieu
181, rue Richelieu, LA MALBAIE
Tél.: 418-665-3703
SPÉCIALITÉS FRANÇAISES: Foie gras poêlé, croquants de pommes et calvados. Trilogie de l'agneau-lait de Baie Saint-Paul: côtelette grillée, tournedos poêlé, saucisson. Morue charbonnière cuite à l'étuvée, velouté d'artichaut et cappuccino de persil. Brownie au cacao, biscuit au chocolat déshydraté, glace au chocolat blanc.
PRIX Midi: (fermé)
Soir: C. 52$ à 105$
OUVERTURE: Eté, 7 jours 18h à 21h. Hors saison oct. à avr. ouvert sam. seulement, 7 jours en période de fort achalandage (temps des fêtes, relâche, etc.).
NOTE: Menu découverte 4 serv. 87$, 5 serv. 112$, avec accord des vins 139$ à 187$. Carte des vins primée de plus de 350 sélections. Plats végétariens haut de gamme. Service du café au guéridon. Réserv. suggérée.
COMMENTAIRE: Habituellement, une belle cuisine française traditionnelle, présentée avec une touche moderne, mettant en valeur les produits frais de la région. Bon service de salle et de sommellerie. La salle à manger, aux larges baies vitrées, qui marie l'ancien et le moderne, a une vue exceptionnelle sur le majestueux fleuve Saint-Laurent. Situé à côté du Ca-

sino de Charlevoix. Centre d'affaires, spa et plusieurs piscines.

GASPÉSIE

AUBERGE LA COULÉE DOUCE
★ cont
21, rue Boudreau, CAUSAPSCAL
Tél.: 418-756-5270
et 1-888-756-5270
SPÉCIALITÉS CONTINENTALES: Soupe de poisson et fruits de mer tomatée, pernod. Assiette fiesta (crevettes grises, langoustine à l'ail, pétoncles citronnés). Têtes de violon à l'ail. Mignon de bœuf aux pleurotes, sauce au vin rouge. Gâteau au fromage, coulis de fraises maison.
PRIX Midi: T.H. 15$
Soir: C. 29$ à 61$ T.H. 25$ à 30$
OUVERTURE: 7 jours 11h30 à 14h et 17h30 à 21h30. Petit déjeuner 6h à 10h.
NOTE: 4 tables bistro à la terrasse. Brunch et menu végétarien sur demande. 8 chambres et 5 chalets. Air conditionné. Internet sans fil.
COMMENTAIRE: Une table sans prétention, plutôt familiale, avec des mets à base de poissons et de fruits de mer. Le saumon est la vedette de la région. Une charmante petite auberge juchée sur la colline de Causapscal, à la jonction des rivières Matapédia et Causapscal. Tout y est vieux, délicat et chaleureux, comme autrefois.

AUBERGE LE COIN DU BANC
★★ qué
315, route 132,
COIN DU BANC, PERCÉ
Tél.: 418-645-2907
SPÉCIALITÉS GASPÉSIENNES: Morue à la gaspésienne ou meunière. Rillettes de truite et de crevettes. Langues de morue intrigue. Omelette aux crevettes. Truite au pesto. Fruits de mer gratinés. Saumon poché, sauce hollandaise. Gâteau au fromage et petits fruits.
PRIX Midi: T.H. 19$ à 42$
Soir: C. 26$ à 56$ T.H. 19$ à 42$
OUVERTURE: 7 jours midi à 22h en été. Hiver sur réserv. de nov. à mai inclus. Petit déjeuner à 8h à midi.
NOTE: Homard de Gaspésie, crevettes de Matane. Auberge, 6 chalets, 11 chambres.
COMMENTAIRE: Charmante petite maison de pêcheur centenaire, plantée dans le sable, au bord de la mer. Cuisine familiale. Décor hétéroclite (une multitude d'objets partout), on s'y sent bien. Une halte à ne pas manquer, en toute simplicité.

Restaurants des autres régions

FORT-PRÉVEL ★★★ cont
2053, bd Douglas, rte 132,
SAINT-GEORGES-DE-MALBAIE
Tél.: 418-368-2281
et 1-888-377-3835
SPÉCIALITÉS CONTINENTALES:
Bouillabaisse safranée gaspésienne. Saumon fumé à l'érable et au rhum de notre fumoir. Cuisse de canard confite et magret, demi-glace aux canneberges.
PRIX Midi: (fermé)
Soir: C. 32$ à 48$ T.H. 30$ à 42$
OUVERTURE: 20 juin au 20 sept.: 7 jours 18h à 21h.
NOTE: Grande variété de poissons. Produits locaux en vedette.
COMMENTAIRE: Décor immense et robuste, service aimable, cuisine de bonne qualité. Le chef Dominic Béland privilégie les produits de la mer et ceux de la région, comme le faisait son père avant lui, durant plus de 30 ans. Les spécialités: le saumon fumé et la bouillabaisse gaspésienne. Par les grandes baies vitrées de la salle à manger, on a une très belle vue sur la baie de Gaspé et le golfe du Saint-Laurent.

LA MAISON DU PÊCHEUR ★★★ cont
155, route 132, PERCÉ
Tél.: 418-782-5331
SPÉCIALITÉS CONTINENTALES:
Soupe aux algues. Crème d'oursin. Pizza aux fruits de mer cuite au four à bois. Pizza à la morue séchée. Tartare de saumon frais aux algues de mer. Escalopes de homard au parfum d'érable et d'océan. Langues de morue au beurre d'oursin.
PRIX Midi: T.H. 38$ à 50$
Soir: C. 26$ à 76$ T.H. 38$ à 50$
OUVERTURE: Été 7 jours 11h30 à 14h30. Juil. et août 17h30 à 21h30. Fermé fin oct. à fin mai.
NOTE: Menu 5 serv. Produits du terroir. Période estivale, menu bistro à l'étage, au Café de l'Atlantique de 7h30 à 23h. Carte des vins, 80 étiquettes, 40% d'importation privée.
COMMENTAIRE: Le restaurant est situé directement sur un quai. On mange dans un décor intérieur de pêche, en écoutant le ressac des vagues. Une des places pour déguster des fruits de mer, des crustacés et du homard frais conservés en vivier sous-marin près du rocher Percé. Un bon choix de pizzas cuites au four à bois d'érable, avec des garnitures de produits de la mer de toutes sortes. Très belle vue sur le rocher Percé, la jetée et la plage.

LA MARÉE CHANTE ★★★ cont
Hôtel-Motel Le Gaspésiana
460, route de la Mer,
SAINTE-FLAVIE
Tél.: 418-775-7233
et 1-800-404-8233
SPÉCIALITÉS CONTINENTALES ET GASPÉSIENNES: Linguini des grandes marées. Filet de morue rôti meunière. Homard thermidor. Darne de flétan meunière. Tartine de crème avec sucre d'érable.
PRIX Midi: T.H. 13$ à 19$
Soir: C. 24$ à 63$
OUVERTURE: 7 jours 11h30 à 22h. Petit déjeuner 6h à 11h30.
NOTE: Brunch dim. Forfait pour la Saint-Valentin. Centre de santé. Gagnant du Grand prix du tourisme régional 2013.
COMMENTAIRE: Cuisine faite avec les produits de la région, avec une large part pour les poissons et les fruits de mer. Situé en bordure du Saint-Laurent depuis plus de 50 ans. Motel confortable, très belle vue panoramique sur l'océan.

LA NORMANDIE ★★★★ fra
Hôtel La Normandie
221, Route 132 O., PERCÉ
Tél.: 418-782-2112
et 1-800-463-0820
SPÉCIALITÉS FRANÇAISES: Feuilleté de homard au champagne. Chausson de ris de veau au Madère. Wellington de pétoncles au fromage de chèvre, beurre blanc au basilic. Aiguillettes de canard, velouté de pêche et poivre vert. Manchon de porc grillé, sauce au cidre. Gâteau Gadix (chocolat et noisettes).
PRIX Midi: (fermé)
Soir: C. 30$ à 66$ F. 25$ à 52$
OUVERTURE: Début juin au 3 oct.: 7 jours 18h à 21h. Petit déjeuner 7 jours 7h30 à 10h.
NOTE: Déjeuner buffet 15,50$. Bar ouvert 17h à 23h. 45 chambres.
COMMENTAIRE: Une vue imprenable sur le rocher Percé, l'île Bonaventure et le golfe du Saint-Laurent. La salle à manger surplombe la mer. Décor élégant et sans surcharge, sièges confortables, ambiance feutrée, belles présentations dans les assiettes, cuisine à la hauteur de l'ensemble. Service attentionné. Un bel endroit pour la détente au bord de l'eau.

LA SEIGNEURIE ★★★★ cont
Hostellerie Baie Bleue
482, bd Perron,
CARLETON-SUR-MER

Tél.: 418-364-3355
et 1-800-463-9099
SPÉCIALITÉS CONTINENTALES:
Foie gras poêlé, déglacé au Sortilège, sur pain d'épices et pommes sautées à l'érable. Bavette de bœuf au vin rouge, gratin dauphinois et légumes du soir. Profiteroles sauce au beurre d'érable de l'Érablière Escuminac.
PRIX Midi: (fermé)
Soir: C. 37$ à 76$ T.H. 34$ à 52$
OUVERTURE: 7 jours 18h à 21h. Ouvert midi seulement sur réserv. de groupe plus de 30 pers. et du 14 oct. au 24 juin. Petit déjeuner lun. à sam. 7h à 11h, dim. 7h à midi.
NOTE: Homard l'été. Carte des vins avec 470 étiquettes, environ 2 000 bouteilles. Dim. brunch et menu à la carte au petit déjeuner. Soirées thématiques ponctuelles, artistes locaux.
COMMENTAIRE: On cuisine ici tous les produits frais de la Gaspésie. Un des rares établissements ouverts à l'année. Situé au bord de la Baie des Chaleurs, le restaurant offre une vue magnifique sur la baie, une des plus belles au monde. Souper spectacle fréquent, centre des congrès de la Gaspésie, club de golf. Au Pub Saint-Joseph, écrans géants, chansonniers et spectacles.

LE GÎTE DU MONT-ALBERT ★★★★[ER] cont
2001, route du Parc,
SAINTE-ANNE-DES-MONTS
Tél.: 418-763-2288
et 1-866-727-2427
SPÉCIALITÉS CONTINENTALES:
Ceviche de pétoncles et crevettes nordiques à la mangue, menthe et pamplemousse vanillé. Flétan de nos côtes en croûte de fines herbes rôti au vin blanc, vinaigrette tiède à l'orange, fenouil, croustillant de bedaine de porc. Sensation fruitée et épicée: panna cotta au thé chaï, petits fruits exotiques et de saison.
PRIX Midi: C. 19$ à 38$
Soir: C. 41$ à 55$ T.H. 36$ et 46$
OUVERTURE: 7 jours 11h à 21h30. Petit déjeuner 7h à 9h30. Fermé du 28 oct. au 26 déc. et du 1er avr. au 7 juin.
NOTE: Menu saisonnier 3 et 4 serv. En été, menu BBQ 16h à 20h, sur la terrasse. Terrasse avec vue sur les jardins de l'auberge. Activités hivernales.
COMMENTAIRE: Service familial dans un décor enchanteur. Le saumon est fumé sur place. Établissement perdu dans la montagne, au milieu du parc de la

Restaurants des autres régions

Gaspésie, vue sur le Mont-Albert. Un site incroyablement beau!

LE MARIN D'EAU DOUCE
★★★ fra
215, route du Quai, CARLETON
Tél.: 418-364-7602
SPÉCIALITÉS FRANÇAISES: Morue locale sauce au curry. Saumon de l'Atlantique à l'amérindienne. Pétoncles sur lit de lentilles safranées. Magret de canard aux pommes. Ris de veau braisés aux champignons sauvages. Tarte Tatin. Fondant au chocolat.
PRIX Midi: (fermé)
Soir: C. 36$ à 52$ T.H. 30$ à 40$
OUVERTURE: Ouvert à l'année, 7 jours 17h à 22h.

NOTE: Menu soir 4 serv. Nouvelle T.H. chaque jour. Cave à vin (200 étiquettes). Soirées thématiques marocaines de l'automne au printemps. Menu gibier à l'automne.
COMMENTAIRE: Une table sympathique, tenue par un chef d'origine maghrébine et son fils. Le père fait une cuisine française méditerranéenne avec les produits de la Gaspésie, tandis que le fils s'occupe de la salle et du service du vin.
Ils sont installés dans une vieille maison construite en 1820, située sur le bord de la Baie des Chaleurs. Une adresse qui mérite le détour.

debeur
2016
Établissement
RECOMMANDÉ

Événement, préparations et photos: Agnus Dei

INDEX DES RESTAURANTS

INDEX des restaurants par ordre ALPHABÉTIQUE des noms **129**

INDEX des restaurants qui offrent des BRUNCHS **132**

INDEX des restaurants qui offrent une TERRASSE **134**

INDEX des restaurants où l'on peut APPORTER SON VIN **139**

INDEX ALPHABÉTIQUE

5000 ANS 46
ABSINTHE 112
ACCORDS 62
ALEXANDRE ET FILS 47
À L'OS 49
ANDIAMO 76
ARCHIBALD 109
ARC LOUNGE 113
ARIEL 49
ARÔME Grillades et
fruits de mer 113
ATELIER 113
ATTELIER ARCHIBALD 111
AUBERGE BAKER 109
AUBERGE DES 3 CANARDS 125
AUBERGE DES FALAISES 125
AUBERGE DES GALLANT 92
AUBERGE DES GLACIS 110
AUBERGE DES PEUPLIERS 126
AUBERGE DU MANGE
GRENOUILLE 125
AUBERGE DU VIEUX FOYER 91
AUBERGE ET RESTAURANT CHEZ
GIRARD 91
AUBERGE GODEFROY 123
AUBERGE HANDFIELD 92
AUBERGE LA COULÉE DOUCE 126

AUBERGE LE CANARD HUPPÉ 110
AUBERGE LE COIN DU BANC 126
AUBERGE LOUIS-HÉBERT 100
AUBERGE VILLA PACHON,
RESTAURANT 111
AU FOUR À BOIS 123
AU PETIT EXTRA 49
AU PIED DE COCHON 49
AU TAROT 41
AUX ANCIENS CANADIENS 109
AUX GARÇONS 91
AVIATIC - Resto Bar à vin 105
AZUMA 74
BÉATRICE 70
BEAVER HALL 49
BECKTA 113
BELLO RISTORANTE 107
BIRKS CAFÉ PAR EUROPEA 50
BIS 70
BISTRO B par François Blais 100
BISTRO CACTUS 77
BISTRO CHEZ ROGER 50
BISTRO CULINAIRE
 - LE COUREUR des BOIS 93
BISTRO DES BIÈRES BELGES 82
BISTRO LA COHUE 100
BISTRO L'ALAMBIC 113

BISTRO L'AROMATE 50
BISTRO LES TROIS GARÇONS 98
BISTROT LA FABRIQUE 62
BISTRO V 82
BLACK CAT BISTRO 114
BLEU CARAMEL 42
BLEU MOUTARDE 93
BONAPARTE 50
BORIS BISTRO 50
BOUILLON BILK 44
BRASSERIE LES ENFANTS
TERRIBLES 63
BRAVI 83
BROTHERS BEER BISTRO 114
BYLA.BYLA. 76
CAFÉ DU MONDE 101
CALLAO 78
CASA CACCIATORE 70
CASA DE MATÉO 77
CASA VINHO 79
CASSEROLE KRÉOLE
Traiteur, plats à emporter, lunch
sur place 62
CERVÉJARIA 83
CHAO PHRAYA 80
CHEZ BOULAY BISTRO BORÉAL 97
CHEZ CHINE 42

RESTAURANTS - INDEX ALPHABÉTIQUE

CHEZ CHOSE 50
CHEZ DELMO 44
CHEZ DOVAL 79
CHEZ LA MÈRE MICHEL 51
CHEZ L'ÉPICIER bar à vin 63
CHEZ LE PORTUGAIS 79
CHEZ LÉVÊQUE 51
CHEZ LIONEL 83
CHEZ MA GROSSE TRUIE
   CHÉRIE 44
CHEZ QUEUX 51
CHEZ SOI LA CHINE 98
CHEZ SOPHIE 51
CHEZ VICTOIRE 63
CHIC ALORS! PIZZA ET PÂTES 98
CHIPOTLE ET JALAPENO 77
CHU CHAI 81
CICCIO CAFÉ 107
CIEL! Bistro-bar tournant 98
CÔ BA 42
COCONUT LAGOON 114
CODE AMBIANCE 51
COMMUNION 63
COPAINS GOURMANDS 83
CRÊPERIE LE BILLIG 100
CUISINE SZECHUAN 43
DA EMMA 70
DA LEONARDO 120
DAOU 76
DAS LOKAL 114
DA VINCI 71
DECCA77 63
DOCA RESTAURANT 71
DUR À CUIRE 83
EIGHTEEN 114
EL CAMINO 114
ENZO SUSHI 108
ET CAETERA 93
EUROPEA 53
FAROS 61
FAUNA 115
FERRARI 71
FERREIRA CAFE 79
FORT-PRÉVEL 127
FOURQUET FOURCHETTE 94
FRASER CAFÉ 115
GARDE-MANGER 63
GEZELLIG 115
GIBBY'S 44
GIOVANNI'S 115
GRAZIELLA 71
GUS 65
GY RESTO-TRAITEUR 115
H4C PLACE ST-HENRI 53
HAMBAR 53
HOÀI HU'O'NG 81
HOSTELLERIE LES
   TROIS TILLEULS 94
HÔTEL-RESTAURANT
   CHEZ NOESER 94
HY'S 115
IKANOS 61
IL BOCCALINI 71
IL CORTILE 71
ISAKAYA 74
JARDIN DE JADE-POON KAI 43

JUN I 74
KASBAH VILLAGE 115
KITCHEN GALERIE 53
KYO Bar japonais 74
LABARAKE Caserne à manger 54
LA BÊTE BAR-STEAKHOUSE 99
LA BÛCHE 109
LA CARRETA 80
LA CHAMPAGNERIE 44
LA CHAUMIÈRE DU VILLAGE 91
LA CLOSERIE DES LILAS 112
LA COUPOLE 54
LA CRÉMAILLÈRE 99
LA CRÊPERIE
   DU VIEUX-BELOEIL 94
LA DIVA 72
LA FENOUILLIÈRE 99
L'AFFAIRE EST KETCHUP 101
LA FONDERIE (Montréal) 44
LA FONDERIE (Laval) 89
LA FONTANA
   Gelati, bar & lounge 83
LA GARGOTE 54
LA GIROLLE 101
LA GOÉLICHE 110
LA GROLLA 109
LA LOUISIANE 42
LALOUX 54
LA MAISON CHEZ NOUS 112
LA MAISON DE SÉOUL 47
LA MAISON DU MAGRET 54
LA MAISON DU PÊCHEUR 127
LA MAISON KAM FUNG 84
LA MARÉE CHANTE 127
LA MENARA 76
LA MOLISANA 72
L'ANGÉLUC 94
LA NORMANDIE 127
LA PETITE MARMITE 112
LA PLANQUE 101
L'APPARTEMENT 44
L'APSARA 97
LA RABASTALIÈRE 95
L'AROMATE RESTO-BAR 89
LA ROTONDE 112
LA SALLE À MANGER 54
LA SEIGNEURIE 127
LA SIRÈNE DE LA MER 76
LA SOCIÉTÉ 55
LA TABLE DU CHEF 120
LA TABLE DU CHEF
   ROBERT BOLDUC 110
L'ATELIER D'ARGENTINE 41
LA TOMATE BLANCHE 84
L'AUBERGE DU LAC ST-PIERRE 123
L'AUBERGE SAINT-GABRIEL 55
LAURIE-RAPHAËL 65
LAURIE-RAPHAËL 101
L'AUROCHS 84
L'AUTRE SAISON 55
LA VIEILLE HISTOIRE 89
LE 47e PARALLÈLE 105
LEA 65
LE BACCARA 116
LE BACCHUS 120
LE BALUCHON Éco-villégiature 124

LE BISTANGO 101
LE BISTRO À CHAMPLAIN 91
LE BISTROT CLOCHER PENCHÉ 102
LE BOUCHON 121
LE BOUCHON DU PIED BLEU 102
LE CAFÉ CNA 116
LE CAFÉ DES BEAUX-ARTS 55
LE CASTEL DES PRÉS 123
LE CELLIER 116
LE CERCLE 106
LE CHARBON 99
L'ÉCHAUDÉ 102
LE CHEVAL DE JADE 92
LE CHIEN FUMANT 65
LE CHOU DE BRUXELLES 121
LE CLAN CAMPBELL 95
LE CLUB CHASSE ET PÊCHE 55
LE COMPTOIR CHARCUTERIES
   ET VINS 66
LE CONTINENTAL 99
LE COSMOS CAFÉ 106
LE FAUBOURG 125
LE FILET 66
LE FLORÈS 124
LE FOLICHON 89
LE GALOPIN 102
LÉGENDE par La Tanière 98
LE GÎTE DU MONT-ALBERT 127
LE HACHOIR 45
LE HATLEY 121
LE JOZÉPHIL 95
LE LAPIN QUI TOUSSE 90
LE LÉGENDAIRE 111
LE LOCAL 66
LE MANOIR 107
LE MARGAUX 55
LE MARIN D'EAU DOUCE 128
LE MAS DES OLIVIERS 56
LEMÉAC 55
LE MÉCHANT LOUP 84
LE MÉRIDIONAL 85
LE MÉTROPOLITAIN 108
LE MEZZÉ 105
LE MITOYEN 89
LE MOINE ÉCHANSON 102
LE MONTRÉAL
   Resto à la carte 66
LE MONTRÉALAIS 56
LE MOULIN DE ST-LAURENT 110
L'ENTRECÔTE ST-JEAN 56
LE PAIN BÉNI 103
LE PATRIARCHE 103
LE PETIT COIN DU MEXIQUE 78
LE PETIT ITALIEN 72
LE PIED DE COCHON 116
LE POIS PENCHÉ 56
LE PRIEURÉ 90
LE P'TIT PLATEAU 57
LE QUAI 19 103
LE QUARTIER GÉNÉRAL 57
LE RAPHAËL 57
LE RENDEZ-VOUS DU THÉ 57
LE RICHMOND 72
LE RIVERAIN 122
LE ROUGE 85
LE ROUGE VIN 123

GUIDE DEBEUR 2016

RESTAURANTS - INDEX ALPHABÉTIQUE

LES 3 PETITS BOUCHONS 57
LES 400 COUPS 66
LE SAINT-AMOUR 103
LE SAINT-PUB, MicroBrasserie 126
LE SAMUEL 95
LES CHANTERELLES
    DU RICHELIEU 95
LES CONS SERVENT 57
LES ESPACES GOURMANDS 95
LES FILLES DU ROY 80
LES FOUGÈRES 120
LES FRÈRES DE LA CÔTE 103
LES JARDINS 122
LES LABOURS 126
LES QUATRE CANARDS 112
LES RITES BERBÈRES 41
LES SALES GOSSES 104
LES SOMMETS 122
LE ST-URBAIN 66
LE SURCOUF 82
LES VILAINS GARÇONS 116
LE TARTUFFE 117
LE TEMPS DES CERISES 122
LE TIRE-BOUCHON 85
L'ÉTOILE DE L'OCÉAN 79
LE VALOIS 58
L'EXPRESS 58
L'IMPRESSIONNISTE 90
L'INCRÉDULE 85
L'Ô 45
L'OLIVETO 86
L'ORCHIDÉE DE CHINE 43
L'ORÉE DU BOIS 120
LOU NISSART 86
MADRE 78
MADRE SUR FLEURY 78
MAESTRO S.V.P. 45
MAÏKO SUSHI 74
MAISON BOULUD 58
MAISON DE KEBAB 70
MANOIR BÉCANCOURT 124
MARCHÉ DE LA VILLETTE 58
M:BRGR 67
MÉCHANT BŒUF 45
MERCURI 73
MESSINA 86
MIGA 47
MIKADO 74
MILOS 61
MISO 42
MISTA 96
MNBAQ RESTAURANT
    signé Marie-Chantal Lepage 99
MOCHICA 78
MOISHE'S 45
MONSIEUR B 58
MONTE CRISTO LOUNGE 106
MONTEGO RESTO CLUB 106
MONTRÉAL PLAZA 67
MR. MA 43
M SUR MASSON 58
MURRAY STREET KITCHEN 117
NAVARRA 117
NEWTOWN 46
NIHON SUSHI 108
NIJI 86

NONYA 62
NORTH & NAVY 117
NOVELLO 86
ODAKI 42
OLIVIER LE RESTAURANT 86
ONG CA CAN 82
O.NOIR 77
OSCO! 77
PANACHE 104
PARIS GRILL 104
PARK RESTAURANT 75
PARRA ET CAETERA 87
PASTA E VINO 87
PASTAGA 67
PÉGASE 59
PERSPECTIVES RESTAURANT 117
PETITS CREUX &
    GRANDS CRUS 100
PHAYATHAÏ 81
PHO BANG NEW YORK 82
PHO TAY HO 82
PINTXO 47
PIZZERIA SOFIA
    L'amore della pizza 87
PLAISIR GOURMAND 122
PLAY FOOD & WINE 117
PORTUS CALLE 80
PRIMI PIATTI 87
PUB ST-ALEXANDRE 100
PUCAPUCA 79
PULLMAN 67
QUEUE DE CHEVAL
    et HOMARD FURIEUX 46
RENOIR 59
RESTAURANT 5000 ANS 47
RESTAURANT AMATO 90
RESTAURANT AUGUSTE 121
RESTAURANT BAZZ 87
RESTAURANT CHAMPLAIN 104
RESTAURANT CHEZ JULIEN 88
RESTAURANT CHEZ MILOT 92
RESTAURANT CHRISTOPHE 59
RESTAURANT DA TONI 121
RESTAURANT DE L'INSTITUT 67
RESTAURANT GANDHI 62
RESTAURANT GRINDER 69
RESTAURANT HELENA 80
RESTAURANT HOSAKA-YA 108
RESTAURANT INITIALE 104
RESTAURANT LA CHRONIQUE 69
RESTAURANT L'ANCRAGE 123
RESTAURANT LA TRAITE 97
RESTAURANT
    L'AUTRE VERSION 77
RESTAURANT LE CHARLEVOIX 126
RESTAURANT LE CÔTE À CÔTE 96
RESTAURANT LE GRAFFITI 105
RESTAURANT LE SULTAN 121
RESTAURANT
    LE VIEUX SAINT-MATHIAS 96
RESTAURANT LYVANO 96
RESTAURANT O'THYM 59
RESTAURANT PARMESAN 107
RESTAURANT PER TE 98
RESTAURANT PHO LIEN 82
RESTAURANT PLEIN SUD 59

RESTAURANT RUBY ROUGE 43
RESTAURANT SIGNATURES 118
RESTAURANT SIMPLE SNACK
    SYMPATHIQUE 105
RESTAURANT SOLEMER 76
RESTAURANT SU 81
RESTAURANT TENDANCE 111
RESTAURANT TOAST! 105
RESTAURANT VALLIER 59
RIB'N REEF 46
RISTORANTE DIVINO 73
RISTORANTE IL MATTO 107
RISTORANTE IL TEATRO 107
RISTORANTE MICHELANGELO 107
ROBIN DES BOIS 70
RODOS 61
SAKURA 75
SAVINI 108
SEÑOR SOMBRERO 108
SHAMBALA 81
SHO-DAN 75
SHOJI 88
SIDEDOOR 118
SINCLAIR 59
SOFIA TRATTORIA VINERA 73
SOIF Bar à vin
    de Véronique Rivest 118
SOLMAR 80
SOY 42
STERLING 118
SUCRERIE DE LA MONTAGNE 96
SUPPLY & DEMAND 118
SUSHI YASU 88
SZÉCHUAN 43
TALAY THAÏ 81
TAPEO 47
TAQUERIA MEX 78
TATAMI 75
TAYLORS GENUINE FOOD
    AND WINE BAR 118
TENUTA Restaurant-Bar 90
THAÏLANDE 81
THE SHORE CLUB 119
THE WELLINGTON
    GASTROPUB 119
THE WHALESBONE
    OYSTER HOUSE 119
TOMATE BASILIC 73
TOMO 90
TONG POR 43
TOQUÉ ! 60
TOWN 119
TRATTORIA LA TERRAZZA 88
TRATTORIA GUSTO 91
TRI EXPRESS 75
VARGAS 46
VERSA RESTAURANT 106
VERSES 70
VERTIGE 60
VESTIBULE signé L'Aurochs 88
VILLA MASSIMO 89
VITTORIA TRATTORIA 119
WILFRID'S RESTAURANT 119
XO LE RESTAURANT 60
YUAN 43
ZEN YA 75

GUIDE DEBEUR 2016

RESTAURANTS QUI OFFRENT DES BRUNCHS - INDEX

MONTRÉAL

ARGENTIN

L'ATELIER D'ARGENTINE ★★★ 41
9$ à 20$, sam. et dim. 10h30 à 16h.

CHINOIS

RESTAURANT RUBY ROUGE ★★★ 43
12$ à 13$, dim. 8h30 à 14h.
TONG POR ★★★ 43
Dimsum 15$, 7 jours 11h à 15h.

CONTINENTAL

LE HACHOIR ★★★ 45
À l'assiette 14$ à 19$, sam. et dim.
11h à 15h.

FRANÇAIS

ALEXANDRE ET FILS
★★★ (bistro) 47
22$, sam. et dim. 11h30 à 15h30.
BIRKS CAFÉ PAR EUROPEA
★★★ (bistro) 50
39,50$ adulte, 19,50$ 12 ans et moins,
sam. 11h à 14h, dim. midi à 14h.
BISTRO CHEZ ROGER
★★★[ER] (bistro) 50
9$ à 16$, sam. et dim. 10h à 14h.
BISTRO L'AROMATE
★★★[ER] (bistro) 50
F. 20$ à 30$, sam. et dim. 11h30 à 15h.
CHEZ CHOSE ★★★ 50
Brunch à l'assiette 15$ à 19$, dim.
10h30 à 14h30.
CHEZ LÉVÊQUE ★★★★ (bistro) 51
À la carte 15$ à 30$, sam. et dim. 10h
à 16h.
H4C PLACE ST-HENRI
★★★★ (bistro) 53
7$ à 23$, sam. 10h à 14h et dim. 10h
à 15h.
HAMBAR ★★★★[ER] (bistro) 53
À l'assiette 12$ à 24$, sam. et dim.
11h à 15h.
LABARAKE
Caserne à manger ★★★ (bistro) 54
À l'assiette 9$ à 16$, dim. 10h à 14h.
LA COUPOLE
★★★★[ER] (bistro) 54
À l'assiette 15$ à 23$, sam. et dim.
10h à 15h.
LA SALLE À MANGER
★★★ (bistro) 54
12$ à 16$, sam. 10h à 15h, dim. 10h
à 17h.
LA SOCIÉTÉ ★★★[ER] (bistro) 55
23$, sam. et dim. 11h à 15h.
LEMÉAC ★★★[ER] (bistro) 56
12$ à 18$, sam. et dim. 10h à 15h et
lun. fériés.
LE MONTRÉALAIS ★★★ 56
39$, dim. 11h30 à 15h.
LE POIS PENCHÉ ★★★ (bistro) 56
À la carte 25$, sam. dim. 10h à 16h.
LE VALOIS ★★ 58
10$ à 19$, sam. et dim. 9h à 15h.
MAISON BOULUD ★★★★★ 58
39$ à 49$, dim. 12h et 14h30.
MARCHÉ DE LA VILLETTE
★★★ (bistro) 58
13$ à 19$, sam. et dim. à partir de
8h30.
M SUR MASSON
★★★[ER] (bistro) 58
10$ à 18$, dim. 10h à 15h.
RENOIR ★★★★★[ER] 59
Buffet 54$, dim. 11h à 15h.

RESTAURANT O'THYM
★★ (bistro) 59
À l'assiette 14$ à 20$, sam. et dim. 10h
à 14h.
RESTAURANT PLEIN SUD ★★ 59
À l'assiette 12$ à 17$, sam. 10h à
14h30, dim. 10h à 15h.
RESTAURANT VALLIER ★★[ER] 59
À l'assiette 10$ à 20$, sam. 11h à 15h,
dim. 10h à 15h.
SINCLAIR ★★★[ER] 59
25$, sam. et dim. 12h à 15h.
XO LE RESTAURANT ★★★★★ 60
45$, dim. 11h à 15h.

INTERNATIONAL ET MÉTISSÉ

BISTROT LA FABRIQUE
★★★ (bistro) 62
À la carte 7$ à 18$, sam. et dim. 10h30
à 14h30.
BRASSERIE LES ENFANTS
TERRIBLES ★★★ (bistro) 63
À la carte 11$ à 21$, sam. et dim.
9h30 à 15h.
BRASSERIE LES ENFANTS
TERRIBLES ★★★ (bistro) 63
11$ à 21$, sam. et dim. 9h30 à 15h.
COMMUNION ★★★[ER] (bistro) 63
14$ à 24$, enfants 8$, sam. et dim.
10h à 14h30.
LE CHIEN FUMANT
★★★ (bistro) 65
T.H. 30$, dim. 10h à 15h.
LE COMPTOIR CHARCUTERIES
ET VINS ★★★ 66
À l'assiette 12$ à 15$, dim. 10h30 à 15h.
LE MONTRÉAL
Resto à la carte ★★★ 66
24,95$, dim. 10h à 14h.
PASTAGA ★★★ 67
8$ à 17$, sam. et dim. 10h à 14h.
VERSES ★★★ (bistro) 70
À la carte 8$ à 28$, sam. et dim. 11h30
à 15h.

ITALIEN

LA MOLISANA ★★★ 72
À l'assiette 10$ à 23$, dim. 10h à 15h.
LE RICHMOND ★★★★ 72
À l'assiette 11$ à 24$, dim. 11h à 16h.

JAPONAIS

PARK RESTAURANT ★★★ 75
À la carte 8$ à 45$, sam. 10h à 14h30.

MÉDITERRANÉEN

BYLA.BYLA. ★★★ 76
À l'assiette 8$ à 15$, sam. et dim. 10h30
à 14h30.
RESTAURANT L'AUTRE VERSION
★★★★[ER] 77
À la carte 13$ à 22$, dim. 10h à 14h.

MEXICAIN

CHIPOTLE ET JALAPENO ★★ 77
À l'assiette 14$ à 15$, sam. et dim.
10h à 15h.
LE PETIT COIN DU MEXIQUE ★★ 78
8$ à 12$, sam. et dim. 11h à 15h.

TURC

RESTAURANT SU ★★★ 81
14,50$, sam. et dim. 10h à 15h.

BANLIEUE DE MONTRÉAL

RIVE-SUD

CHEZ LIONEL
★★★[ER] (bistro) fra 83
À l'assiette 11$ à 16$, sam. et dim.
10h à 14h.
L'INCRÉDULE ★★ fra 85
À l'assiette 9$ à 14$, sam. et dim. 9h à
15h.
MESSINA ★★★ ita 86
À l'assiette 13$ à 16$, sam. et dim.
10h à 15h.

RÉGION DE MONTRÉAL

LAURENTIDES

AUBERGE DU VIEUX FOYER
★★★ cont 91
Adultes 20$, enfants 10 ans et moins
10$, dim. à 10h30 et 12h30.
LE BISTRO À CHAMPLAIN
★★★★[ER] fra 91
Buffet 34$, dim. 10h30 à 14h.

MONTÉRÉGIE

AUBERGE DES GALLANT
★★★★★ qué 92
Buffet 27,95$, dim. 9h et 14h.
AUBERGE HANDFIELD
★★★[ER] qué 92
Buffet 34$, 5 ans à 12 ans 17$, dim.
10h à 14h.
BISTRO CULINAIRE - LE COUREUR
des BOIS ★★★ (bistro) fra 93
À l'assiette 26$ et 36$, dim. 10h30 à
14h.
FOURQUET FOURCHETTE
★★[ER] qué 94
24$, dim. 10h à 14h.
HOSTELLERIE LES TROIS TILLEULS
★★★★[ER] fra 94
40$, dim. 11h30 à 14h30.
LE SAMUEL ★★★★★[ER] fra 95
12$ à 20$, à l'assiette, dim. 10h à 14h.
LES CHANTERELLES DU RICHELIEU
★★★★ fra 95
32$, dim. 11h à 13h.
LES ESPACES GOURMANDS
★★★ fra 95
À la carte 9$ à 39$, dim. 11h à 13h sur
réservation.
RESTAURANT LE VIEUX
SAINT-MATHIAS ★★★ fra 96
Buffet 20$, dim. 10h30 à 13h30.
SUCRERIE DE LA MONTAGNE
★★★★ suc 96
35$, dim. 11h à 15h.

GUIDE DEBEUR 2016

RESTAURANTS QUI OFFRENT DES BRUNCHS - INDEX

QUÉBEC

AMÉRINDIEN

RESTAURANT LA TRAITE
★★★★ 97
Buffet 27$, dim. 8h30 à 12h30 (dernière réserv. 14h buffet fermé).

BORÉAL

CHEZ BOULAY BISTRO BORÉAL
★★★★ 97
À la carte 14$ à 20$, sam. et dim. 10h à 15h.

CONTINENTAL

CIEL! Bistro-bar tournant ★★★ 98
3 serv. 20$ à 30$, sam. dim. et jours fériés 9h à 14h.
MNBAQ RESTAURANT signé Marie-Chantal Lepage ★★★★ 99
À l'assiette 5 serv. 25$, dim. 10h à 14h.
PUB ST-ALEXANDRE ★★[ER] 100
À l'assiette 15$ à 17$, sam. et dim. 10h à 14h.

FRANÇAIS

BISTRO B par François Blais
★★★★ 100
À l'assiette 15$ à 20$, dim. 10h à 14h.
BISTRO LA COHUE ★★★ 100
À la carte 12$ à 18$, sam. et dim. 9h30 à 14h.
CAFÉ DU MONDE ★★★ 101
À l'assiette 9$ à 22$, sam., dim. et jours fériés 9h à 14h.
LE BISTANGO ★★★★ (bistro) 101
À l'assiette 9$ à 14$, dim. 8h à 14h.
LE BISTROT CLOCHER PENCHÉ
★★★★ (bistro) 102
À l'assiette 17$ à 20$, sam. et dim. 9h à 14h.
LE BOUCHON DU PIED BLEU
★★★ (bistro) 102
12$ à 20$, sam. et dim., 10h à 14h.
L'ÉCHAUDÉ ★★★★ 102
À la carte 12$ à 18$, sam. et dim. 10h à 14h.
LE GALOPIN ★★★★ 102
Buffet 17$, dim. 9h30 à 15h.
LE PAIN BÉNI ★★★★ 103
À l'assiette 4$ à 23$, sam. et dim. 11h à 15h.
LE QUAI 19 ★★★★ 103
À l'assiette 15$ à 18$, sam. et dim. 10h à 14h.
LES FRÈRES DE LA CÔTE
★★★ (bistro) 103
À l'assiette 8$ à 14$, sam. et dim. 10h30 à 14h.
PANACHE ★★★★★ 104
À l'assiette 25$, sam. et dim. 11h30 à 14h.
PARIS GRILL ★★★ (bistro) 104
À l'assiette 8$ à 18$, enfants 5$, sam. et dim. 8h à 14h.
RESTAURANT CHAMPLAIN
★★★★★ 104
59$, dim. 10h et 13h (2 serv.).
RESTAURANT LE GRAFFITI
★★★★ 105
À l'assiette 13$ à 17$, enfant 9$, dim. 9h30 à 15h.

INTERNATIONAL ET MÉTISSÉ

LE CERCLE ★★★[ER] 106
À l'assiette 12$ à 20$, enfants 6$, sam. et dim. en été, dim. le reste du temps, 10h à 14h.
MONTEGO RESTO CLUB ★★★ 106
À la carte 10$ à 29$, dim. 9h30 à 14h30.

ITALIEN

RISTORANTE IL TEATRO ★★★ 107
18$ adultes, 12$ enfants, sam. et dim. 7h à 13h. Été, mer. à dim. 7h à 11h.
RISTORANTE MICHELANGELO
★★★★ 107
Brunch gastronomique pour Pâques 60$, fête des Mères 64$, 11h à 15h.

QUÉBECOIS

LA BÛCHE ★★ 109
À la carte 8$ à 21$, sam. et dim. 8h à 14h.

RÉGION DE QUÉBEC

AUBERGE BAKER ★★★ int 109
Buffet 22$, dim. 10h30 à 14h.
AUBERGE DES GLACIS ★★★★ fra 110
18$, sam. et dim. 7h30 à 14h.
LA GOÉLICHE ★★★★[ER] int 110
À l'assiette 12$ à 22$, dim., mai à oct. 8h à 11h, nov. à avr. 8h à 14h.

AILLEURS DANS LA PROVINCE

RÉGION DE CHICOUTIMI

RESTAURANT TENDANCE
★★★ cont 111
Adultes 17,95$, enfants 0 à 5 ans gratuit, 6 à 12 ans 50%, dim. 11h à 14h.

RÉGION DE GRANBY

LES QUATRE CANARDS ★★★ fra 112
Adultes 30$, enfants 6 ans à 12 ans 50% et 0 à 5 ans gratuit, dim. 11h30 à 14h30.

GATINEAU - OTTAWA

ARÔME Grillades et fruits de mer
★★★ cont 113
Buffet 32$, dim. 11h30 à 14h.
BROTHERS BEER BISTRO ★★★ int 114
14$ à 17$, sam. et dim. 11h30 à 15h.
COCONUT LAGOON ★★★ ind 114
Buffet 17$, sam. et dim. 11h30 à 14h.
DAS LOKAL ★★★ can 114
À la carte 8$ à 17$, sam. et dim. 11h à 14h.

FRASER CAFÉ ★★★★ int 115
À la carte 6$ à 17$, sam. et dim. 10h à 14h.
GEZELLIG ★★★ int 115
20$, dim. 10h à 14h.
MURRAY STREET KITCHEN
★★★ can 117
À la carte 12$ à 16$, sam. et dim. 11h à 14h30.
PERSPECTIVES RESTAURANT
★★★★ int 117
33$, dim. 9h30 à 14h.
VITTORIA TRATTORIA ★★★ ita 119
À l'assiette 8$ à 20$, sam. et dim. 10h à 14h.
WILFRID'S RESTAURANT
★★★★ can 119
44$, dim. 11h à 12h30.

RÉGION DE GATINEAU - OTTAWA

LES FOUGÈRES ★★★ fra 120
À l'assiette 9$ à 24$, sam. et dim. 10h à 15h.
L'ORÉE DU BOIS ★★★★ fra 120
32$, dim. 10h à 14h.

SHERBROOKE

RESTAURANT AUGUSTE
★★★ (bistro) fra 121
18$ à 20$, sam. et dim. 10h30 à 14h30.

RÉGION DE SHERBROOKE

LE HATLEY ★★★★★ qué 121
35$, dim. 10h à 14h (petit déjeuner gourmand).
LE RIVERAIN ★★★★★ int 122
Buffet 18$, à l'assiette 32$, dim. 11h30 à 14h.
LES JARDINS ★★★ cont 122
Buffet 16,50$, dim. 7h à 11h.
RESTAURANT L'ANCRAGE
★★ fra 123
Buffet 23,95$, dim. 11h à 14h, 15 oct. au 15 juin.

TROIS-RIVIÈRES

LE ROUGE VIN ★★★ cont 123
18,95$, dim. 11h à 13h30.

RÉGION DE TROIS-RIVIÈRES

AUBERGE GODEFROY ★★★ fra 123
Adultes 28$, enfants 0 à 2 ans gratuit, 3 à 5 ans 7$, 6 à 11 ans 17$, dim. 11h30 à 14h.
LE BALUCHON Éco-villégiature
★★★[ER] fra 124
Adultes 24,95$, enfants 5 à 12 ans 14,95$, 4 ans et moins gratuit, dim. 8h à 12h30.
LE FLORÈS ★★★[ER] cont 124
Buffet 25$, dim. 11h à 15h.

GUIDE DEBEUR 2016

RESTAURANTS QUI OFFRENT UNE TERRASSE - INDEX

Ces établissements ont une terrasse où l'on peut manger l'été, du mois de mai ou juin au mois de septembre parfois octobre

MONTRÉAL

ALGÉRIEN

LES RITES BERBÈRES ★★ 41
2 terrasses à l'arrière, dans un jardin, couvertes de végétation, 65 pers.

ASIATIQUE

MISO ★★★ 42
Sur les rues Sainte-Catherine et Atwater, semi-privée, avec arbres, 40 pers.

CAJUN

LA LOUISIANE ★★[ER] 42
Ouverte sur la rue, fleurie, 30 pers.

CHINOIS

L'ORCHIDÉE DE CHINE ★★★★★ 43
Privée, au 2e étage, 9 tables, vue sur la rue Peel, 26 pers.
MR. MA ★★★★ 43
Vue sur la rue Mansfield, parasols, arbustes, fleurie, 30 pers.

CONTINENTAL

CHEZ MA GROSSE TRUIE CHÉRIE ★★★[ER] 44
Une terrasse privée sous chapiteau, 45 pers. Une terrasse arrière, intime, design, 100 pers.
LA CHAMPAGNERIE ★★★ 44
Pignon sur rue, en face du marché Bonsecours, 20 pers.
L'APPARTEMENT ★★★ 44
Sur le coin, moitié ouverte avec chauffage, 30 pers.
L'Ô ★★★ 45
Sur le devant, sur la rue, fleurie, plantes grimpantes, avec parasols, bar complet, sofas, 60 pers.
MAESTRO S.V.P. ★★★ 45
Sur le bd Saint-Laurent, 3 tables, 6 pers.
NEWTOWN ★★★[ER] 46
Sur le toit, fleurie, avec chute d'eau, 100 pers., 200 pers. en banquet. 2e terrasse sur la rue Crescent, 20 pers.
RIB'N REEF ★★★ 46
Sur le toit, couverte aux 3/4, bar, nappes blanches. Ouverte midi et soir. Jusqu'à 50 pers.
VARGAS ★★★★ 46
Le long du bd Robert-Bourassa (University), couverte d'un toit, fumeurs, 60 pers.

CORÉEN

5000 ANS ★★ 46
Sur la rue, 12 pers.
LA MAISON DE SÉOUL ★★★ 47
Sur le trottoir, 4 tables, 8 pers.
RESTAURANT 5000 ANS ★★★ 47
À l'avant, sur le trottoir, 15 pers.

FRANÇAIS

ALEXANDRE ET FILS ★★★★ (bistro) 47
Sur le trottoir de la rue Peel, style brasserie parisienne, 30 pers.
ARIEL ★★[ER] 49
Fleurie, 8 pers.
BISTRO CHEZ ROGER ★★★[ER] (bistro) 50
Sur la rue Beaubien, 26 pers.
BISTRO L'AROMATE ★★★[ER] (bistro) 50
Urbaine, élégante et confortable sur le bd de Maisonneuve, parasols, 2 sections lounge avec divans, 70 pers.
BORIS BISTRO ★★★ (bistro) 50
Dans une cour intérieure à mur historique, urbaine, latérale, sur deux niveaux, ombragée par des arbres, plus de 125 pers.
CHEZ LÉVÊQUE ★★★★ (bistro) 51
Plateforme clôturée, aménagée sur Laurier avec auvent et parasols, sections couverte et non couverte, 60 pers.
CHEZ QUEUX ★★★ 51
En face du Vieux-Port, sur la place Jacques-Cartier, avec auvent, menu bistro, 80 pers.
CHEZ SOPHIE ★★★★ (bistro) 51
Petite terrasse ombragée à l'arrière du restaurant, 16 pers.
EUROPEA ★★★★★ 53
Petite terrasse sur la rue, à l'entrée du restaurant, 24 pers.
H4C PLACE ST-HENRI ★★★★ (bistro) 53
En avant du restaurant, sur la place publique, fleurie, 40 pers.
HAMBAR ★★★★[ER] (bistro) 53
Terrasse modulaire angle d'Youville et McGill, bar extérieur, tables avec parasols, jardin d'herbes, jusqu'à 40 pers.
LABARAKE Caserne à manger ★★★ (bistro) 54
Belle grande terrasse côté stationnement, sur un plancher de cèdre surélevé, paysagée, fleurie, clôturée, 70 pers.
LA COUPOLE ★★★★[ER] (bistro) 54
2 terrasses fleuries, sur deux étages, mur végétalisé, 20 et 90 pers.
LA GARGOTE ★★★ 54
Une sur la place d'Youville, terrasse en bois, à l'ombre des arbres, 30 pers. Une autre en façade, 12 pers.
LALOUX ★★★ (bistro) 54
Couverte, sur la rue des Pins, avec treillis, fleurie, avec nappes, 16 pers.
LA MAISON DU MAGRET ★★ (bistro) 54
Sur la rue, 10 pers.
LA SOCIÉTÉ ★★★[ER] (bistro) 55
Sur la rue, fleurie, clôturée, parasols, 30 pers.
L'AUBERGE SAINT-GABRIEL ★★★★[ER] 55
Sur la rue Saint-Gabriel, mi-couverte par un auvent, fleurie, protégée par des murs en pierre, avec des meubles en teck, 60 pers.
L'AUTRE SAISON ★★ 55
Sur la rue, parasols, 26 pers.

LE MARGAUX ★★★★ (bistro) 55
Sur le trottoir, terrasse en bois sous un auvent, intime, éclairée, fleurie, 12 pers.
LE MAS DES OLIVIERS ★★★ 56
Couverte, avec une section non-fumeurs, 40 pers.
LEMÉAC ★★★[ER] (bistro) 56
Sur la rue Durocher, avec beaucoup d'arbres, intime, recouverte d'un auvent, chauffée à l'année, 50 pers.
LE POIS PENCHÉ ★★★ (bistro) 56
Sur le bd de Maisonneuve, de style parisien, tables en bois, abritée par des arbres et auvents, 70 pers.
LE RENDEZ-VOUS DU THÉ ★★ 57
Sur la rue, avec un auvent, tapis, tables nappées, 7 pers.
LES CONS SERVENT ★★★ (bistro) 57
Sur la rue, avec parasols, 12 pers.
LE VALOIS ★★ 58
Sur la place Valois, couverte, 120 pers.
MAISON BOULUD ★★★★★ 58
Dans le jardin intérieur du Ritz, à l'arrière, mare à canards, 40 pers.
M SUR MASSON ★★★[ER] (bistro) 58
Sur la rue, ensoleillée, face à l'église, 40 pers.
PÉGASE ★★ 59
À l'arrière du restaurant, 10 pers.
RENOIR ★★★★★[ER] 59
Très belle terrasse ouverte, sur le côté, avec parasols, éloignée de la rue, 20 pers., aussi une partie couverte, 30 pers.
RESTAURANT CHRISTOPHE ★★★ 59
Sur la rue, clôturée, baie vitrée, 15 pers.
RESTAURANT VALLIER ★★[ER] 59
Sur le trottoir, haies, 12 pers.
SINCLAIR ★★★[ER] 59
Atrium en verre, salon jardin, fleuri, 60 pers.
TOQUÉ ! ★★★★★ 60
Sur la rue, ombragée, vue sur le parc, devant le restaurant, 20 pers.

GREC

FAROS ★★★ 61
Surélevée, sur la rue, pergola fleurie, verdure abondante, 12 pers.
RODOS ★★ 61
Sur un balcon, abondamment fleurie, genre méditerranéen, jusqu'à 15 pers.

HAÏTIEN

CASSEROLE KRÉOLE ★★★ 62
Petite, fleurie, sur le trottoir, 6 pers.

INDONÉSIEN

NONYA ★★★★ 62
Sur la rue Waverly, en bois, banquettes rembourrées, avec auvent, 25 à 30 pers.

INTERNATIONAL ET MÉTISSÉ

ACCORDS ★★★★[ER] 62
Sous le porche d'entrée, végétation, murs de pierres et de briques, 80 pers.

GUIDE DEBEUR 2016

RESTAURANTS QUI OFFRENT UNE TERRASSE - INDEX

BISTROT LA FABRIQUE
★★★ **(bistro)** 62
Auvent, fleurie, 24 pers.
**BRASSERIE LES ENFANTS
TERRIBLES** ★★★ **(bistro)** 63
Sur le bord de l'eau, adossée à un parc,
en partie couverte, 140 pers.
**BRASSERIE LES ENFANTS
TERRIBLES** ★★★ **(bistro)** 63
Sur le coin, fleurie, avec auvent et ban-
quettes, 120 pers.
CHEZ VICTOIRE
★★★[ER] **(bistro)** 63
À l'avant, sur le trottoir, fleurie, vue sur
le Mont-Royal, 30 pers.
COMMUNION ★★★[ER] **(bistro)** 63
À l'avant, sur le trottoir, fleurie, para-
sols, vue sur la place Royale, le port de
Montréal et la rue de la commune, 72
pers.
LEA ★★★ **(bistro)** 65
Sur la rue, entourée de belles plantes,
16 pers.
LE FILET ★★★ 66
À l'avant, en face du parc Jeanne-Man-
ce, toujours à l'ombre, plancher chauf-
fant, marquise en verre, 25 pers.
LE LOCAL ★★★ **(bistro)** 66
Couverte, chauffée, paysagée, 50 pers.
LE ST-URBAIN ★★★ **(bistro)** 66
En avant du restaurant, en bois, fleurie,
auvent, 16 pers.
M:BRGR ★★★ **(bistro)** 67
Sur la rue, en bois, parasols, 42 pers.
PASTAGA ★★★ 67
Parasols, paysagée, donne sur le bd
Saint-Laurent, 20 pers.
RESTAURANT GRINDER ★★★★ 69
Sur le trottoir et sur la rue, plateforme
de bois, 35 pers.
VERSES ★★★ **(bistro)** 70
Sur le toit de l'hôtel, vue sur le fleuve,
vue sur le bar et la cuisine, 5e ét., au-
vents, 120 pers.

ITALIEN

BÉATRICE ★★★[ER] 70
Sur le côté, ouverte, fleurie, bar, cou-
verte, avec des arbres, 180 pers.
BIS ★★ 70
Sur le trottoir, couverte, 20 pers.
CASA CACCIATORE ★★★ 70
Sur le marché Jean-Talon, couverte
avec auvent, 25 pers.
DA EMMA ★★★ 70
Sur une cour entourée d'arbres, cou-
verte d'une toile, jusqu'à 60 pers.
DA VINCI ★★★★ 71
Niveau marchepied, vis-à-vis la bâtis-
se, couverte, 16 pers.
FERRARI ★★★ **(bistro)** 71
À l'avant, fleurie, 20 pers. À l'arrière du
restaurant, dans une ruelle fermée, fleu-
rie, 30 pers.
IL BOCCALINI ★★★ 71
Coin rue Saint-Germain, en face du
parc, fermée avec auvent, 40 pers.
IL CORTILE ★★★ 71
Superbe terrasse dans une cour inté-
rieure, décorée de plantes fleuries et
d'arbustes, ambiance à l'italienne, 100
pers.
LA DIVA ★★★ 72
Belle terrasse, sur le côté et sur la rue,
avec auvent et potager, 45 pers.

LA MOLISANA ★★★ 72
Sur la rue, fleurie, avec parasols et ca-
napés, 25 pers.
LE PETIT ITALIEN ★★[ER] 72
9 tables, sur la rue, avec auvent, 22
pers.
LE RICHMOND ★★★★ 72
Aire de jardin extérieur, toît rétractable,
80 pers.
RISTORANTE DIVINO ★★ 73
2 terrasses avec musique, parasols,
fleurs et cyprès, ombragées l'après-
midi, 40 pers chacune.
SOFIA TRATTORIA VINERA
★★★[ER] 73
Sur la rue, avec auvent, 20 pers.
TOMATE BASILIC ★★★★ 73
Grande terrasse couverte, parasols, 60
pers. 15 places au soleil.

JAPONAIS

MAÏKO SUSHI ★★★★ 74
Sur la rue Hutchison, couverte et protégée, chauffée, fleurie, 40 pers.

LIBANAIS

DAOU ★★★ 76
Sur la rue, parasols, jusqu'à 20 pers.
LA SIRÈNE DE LA MER ★★★★ 76
Sur le côté, paysagée, couverte, chauf-
fée, 30 pers.
RESTAURANT SOLEMER ★★★ 76
Sur la rue avec auvent, fleurie, entou-
rée d'arbres, 50 pers.

MAROCAIN

LA MENARA ★★★ 76
Sur la rue, couverte, 60 pers.

MÉDITERRANÉEN

BYLA.BYLA. ★★★ 76
Sur le stationnement, clôturée, fu-
meurs, parasols et plantes, 20 pers.
O.NOIR ★★[ER] 77
Sur la rue Prince-Arthur, mobilier de-
sign, 62 pers.
RESTAURANT L'AUTRE VERSION
★★★★[ER] 77
Dans la cour intérieure, un beau mur
de vieilles pierres avec vignes et des
armatures modernes, de style lounge,
sofas, 100 pers.

MEXICAIN

BISTRO CACTUS ★★[ER] **(bistro)** 77
Rue Saint-Denis, sur le trottoir, fleurie,
auvent, 20 pers.
CHIPOTLE ET JALAPENO ★★ 77
Sur la rue, fleurie, avec parasols, 20
pers.

PÉRUVIEN

CALLAO ★★★ 78
Sur la rue Laurier, 8 pers.
MOCHICA ★★★★ 78
Parasols, ombre et soleil, sur la rue
Saint-Denis, 15 pers.

PORTUGAIS

CASA VINHO ★★★ 79
Petite terrasse en bois, auvent, 12 pers.

FERREIRA CAFE ★★★★ 79
Sur la rue Peel, auvent, 20 pers.
PORTUS CALLE ★★★★ 80
Sur la rue, fleurie, avec parasols, 24
pers.
SOLMAR ★★ 80
Sur rues Saint-Vincent et Saint-Paul,
avec fleurs et arbustes, 100 pers.

QUÉBÉCOIS

LES FILLES DU ROY ★★★ 80
Au-dessus de la serre, de nombreuses
plantes, une chute d'eau, entourée de
murs de pierre recouverts de vigne, 30
pers.

THAÏLANDAIS

CHU CHAI ★★★ 81
Sur la rue Saint-Denis, auvent, fermée,
32 pers.
TALAY THAÏ ★★★ 81
Vue sur chemin de la Côte-des-Neiges,
balcon-terrasse avec parasols, 8 pers.

VIETNAMIEN

HOÀI HU'O'NG ★★ 81
Sur la rue Victoria, fermée, fleurie, avec
parasols, 20 pers.
PHO TAY HO ★★★ 82
Sur la rue, devant le restaurant, couverte, 15 pers. Derrière le restaurant, cour
intérieure, 13 pers.
RESTAURANT PHO LIEN ★★ 82
Sur le chemin de la Côte-des-Neiges,
couverte à moitié par des parasols et
l'autre moitié par un auvent, 20 pers.

BANLIEUE DE MONTRÉAL

RIVE-SUD

BISTRO DES BIÈRES BELGES
★★ **bel** 82
Vue sur la rue, galerie très fleurie avec
vignes, arbres centenaires, en 2 sec-
tions dont une est abritée, 50 pers.
BISTRO V ★★★★ **fra** 82
Une sur le côté, couverte, 35 pers. Une
autre à l'avant, en commun avec la
Méchante virée, 95 pers.
BRAVI ★★★ **ita** 83
Moitié sous un chapiteau, entourée
d'arbres, 50 pers.
CHEZ LIONEL
★★★[ER] **(bistro) fra** 83
Moderne, clôturée, béton, verre, au-
vent, jardin naturel, chauffée au gaz,
fontaine, 60 pers.
COPAINS GOURMANDS
★★★ **(bistro) fra** 83
Dans la cour intérieure, confortable,
pavé uni, grille en fer forgé et vignes,
jardin, fleurie, 35 pers.
DUR À CUIRE ★★★ **(bistro) fra** 83
Sur la rue, grand parasol, 20 pers.
LA FONTANA
Gelati, bar & lounge ★★ **ita** 83
À l'avant, au 2e étage, sofas lounge,
parasols, 60 pers.

GUIDE DEBEUR 2016

135

LA TOMATE BLANCHE
★★★★[ER] ita 84
Grande terrasse sur le toit au 2e étage, agrémentée de jardinières, jusqu'à 120 pers.
L'AUROCHS ★★★★ cont 84
Grande terrasse fleurie sur le toit, 2e ét., banquettes, parasols, 120 pers.
LE MÉCHANT LOUP ★★★ fra 84
À l'arrière de la maison, avec des arbres immenses, meubles en teck, 70 pers.
LE ROUGE ★★★ asi 85
Couverte, paysagée, décor zen, 100 pers.
LE TIRE-BOUCHON
★★★[ER] (bistro) méd 85
Fleurie, auvent rétractable, jusqu'à 40 pers.
L'INCRÉDULE ★★ fra 85
2 terrasses fleuries, à l'ombre des arbres, à l'avant sur la rue, 20 pers., à l'arrière 30 pers.
L'OLIVETO ★★★★ méd 86
Terrasse-jardin, fleurie, 45 pers.
LOU NISSART ★★★ fra 86
Terrasse-jardin dans la cour arrière, avec arbres et parasols, 80 pers.
MESSINA ★★★ ita 86
À l'avant du restaurant, côté rue, avec auvent, parasols, arbustes, 120 pers. Balcon 8 tables pour 2 pers.
NIJI ★★★★★ jap 86
Intime, belle, couverte, sur la rue, pots de fleurs, 40 pers.
NOVELLO ★★★ (bistro) ita 86
Protégée par un auvent, fleurie, vue sur une grande pièce d'eau, musique d'ambiance, 80 pers.
OLIVIER LE RESTAURANT
★★★[ER] fra 86
Terrasse paysagée à l'arrière, au milieu du jardin, entourée d'une haie, 40 pers.
PARRA ET CAETERA
★★★ (bistro) fra 87
2 terrasses, à l'avant sur la rue Saint-Charles, 30 pers., à l'arrière, chauffée, fleurie, couverte d'une verrière, 25 pers.
PASTA E VINO ★★ ita 87
En façade, fleurs, arbres, grand gazebo, musique d'ambiance, non-fumeurs, 32 pers.
PIZZERIA SOFIA
L'amore della pizza ★★★[ER] ita 87
Terrasse en toiture, au 2e étage, 125 pers.
PRIMI PIATTI ★★★★ ita 87
Sur le côté du restaurant, avec parasols, 22 pers.
RESTAURANT BAZZ ★★★★ int 87
À l'arrière du restaurant, cour intérieure, dans le jardin, grand parasol, 40 pers.
RESTAURANT CHEZ JULIEN
★★★ (bistro) fra 88
Vue sur la rue, en face de l'église du Vieux La Prairie, protégée avec auvent, 32 pers.
TRATTORIA LA TERRAZZA
★★★ ita 88
Chauffée, couverte avec auvent, 60 pers.
VESTIBULE signé L'Aurochs
★★★★[ER] (bistro) int 88
Couverte, section lounge avec sofas, 90 pers.

RIVE-NORD

L'AROMATE RESTO-BAR
★★★★ (bistro) int 89
Style lounge du sud avec canapés, isolée par des jardinières, abritée par des

toiles triangulaires et des parasols, 6 bananiers, bar extérieur, 75 pers.
LA VIEILLE HISTOIRE ★★★ fra 89
Sur le côté, dans la cour arrière, fleurie, 22 pers. Ouverte à l'année.
LE FOLICHON ★★[ER] fra 89
Aménagée sur le côté, vue sur ruelle du Vieux-Terrebonne, couverte et chauffée, 55 pers.
LE MITOYEN ★★★★ fra 89
Vue sur une place publique, fleurie, avec fontaine, dans un petit jardin, 16 pers.
L'IMPRESSIONNISTE ★★★ fra 90
À l'avant du restaurant, sur le trottoir, ombragée, nappes en tissu, couverte, 30 pers.
RESTAURANT AMATO ★★★ ita 90
Terrasse jardin couverte, fleurie, gazebo, fontaine, section fumeurs séparée, 25 pers.
TOMO ★★★ jap 90
À l'avant du restaurant, semi-couverte, avec jardin de fleurs, atmosphère zen, 50 pers.

RÉGION DE MONTRÉAL

LANAUDIÈRE

LE LAPIN QUI TOUSSE
★★★ (bistro) fra 90
Sous un auvent, éclairée par des lampions le soir, 16 pers.
TENUTA Restaurant-Bar
★★★★[ER] ita 90
Fleurie avec parasols, côté lounge avec divans, 20 pers.
TRATTORIA GUSTO ★★★ ita 91
Sur la rue, 62 pers.

LAURENTIDES

AUBERGE DU VIEUX FOYER
★★★ cont 91
Terrasse champêtre avec jeu d'échecs géant, 20 pers.
AUBERGE ET RESTAURANT
CHEZ GIRARD ★★★ fra 91
2 terrasses dont l'une semi-chauffée, couverte d'une pergola, belle vue sur lac des Sables, 60 pers. et l'autre non couverte, fumeurs, 20 pers.
AUX GARÇONS ★★★★ (bistro) fra 91
À l'avant et sur le côté, lounge, petit jardin d'eau, 30 pers.
LA CHAUMIÈRE DU VILLAGE
★★★★ fra 91
Sur côté du restaurant, solarium, corps de hibou sculpté dans un arbre, 16 pers. Terrasse à l'avant, sur le trottoir, fleurie, 20 pers.
LE BISTRO À CHAMPLAIN
★★★★[ER] fra 91
Sur le bord du lac, parasols, 35 pers.
LE CHEVAL DE JADE ★★★★ fra 92
Sur la rue Saint-Jovite, couverte, fleurie, 45 pers.
LE RAPHAËL ★★★ fra 92
Sur la rue, 20 pers.
RESTAURANT CHEZ MILOT
★★★ cont 92
Grande terrasse non-fumeurs, à l'avant, couverte et chauffée, 60 pers.

MONTÉRÉGIE

AUBERGE DES GALLANT
★★★★★ qué 92
À l'orée des bois, adjacente à la salle à manger, vue sur le lac et la piscine, avec parasols, 30 pers.
AUBERGE HANDFIELD
★★★[ER] qué 92
Ombragée par des arbres, sur la rivière Richelieu et la piscine, 70 pers.
BISTRO CULINAIRE - LE COUREUR
des BOIS ★★★ (bistro) fra 93
Semi-couverte, ambiance bistro, vue sur la rivière Richelieu, 30 pers.
BLEU MOUTARDE ★★★[ER] fra 93
À l'arrière, sur le bord de l'eau, quai aménagé, jardin, sofas, 80 pers.
ET CAETERA ★★★ cont 93
Sur le côté du restaurant, terrasse urbaine avec arbres et parasols, vue sur le Mont Saint-Hilaire, 50 pers.
FOURQUET FOURCHETTE
★★[ER] qué 94
Terrasse spacieuse aménagée sur le jardin, vue sur le bassin de Chambly, 150 pers. 2e terrasse surplombant l'eau, 50 pers.
HOSTELLERIE LES TROIS TILLEULS
★★★★[ER] fra 94
Adjacente au restaurant, style bistro, parasols géants, surplombant la rivière, 60 pers.
HÔTEL-RESTAURANT
CHEZ NOESER ★★★★ fra 94
2 terrasses romantiques, à la chandelle, dont une est couverte par une tonnelle, climatisée, et l'autre dans le jardin, 14 pers.
LA CRÊPERIE DU VIEUX-BELOEIL
★★★★★ crê 94
Avec vue sur la rivière Richelieu, belle galerie à balustres en bois peint, abondamment fleurie, 40 pers.
LA RABASTALIÈRE ★★★★ fra 95
Fleurie, chauffée avec chapiteau, donnant sur le jardin, 80 pers.
LE CLAN CAMPBELL ★★ fra 95
À l'ombre des arbres, vue sur les jardins, belle terrasse non couverte, non-fumeurs, jusqu'à 40 pers.
LE JOZÉPHIL ★★★★ fra 95
3 terrasses en paliers, vue sur la rivière Richelieu et le Mont Saint-Hilaire, 70 pers.
LE SAMUEL ★★★★★[ER] fra 95
Vue sur la rivière Richelieu, couverte en partie, très élégante, sofas, petit foyer central, 25 pers.
LES CHANTERELLES DU RICHELIEU
★★★★ fra 95
Belle vue panoramique sur la rivière Richelieu, au calme, gloriette dans le jardin, ombragée par des arbres centenaires, 40 pers.
LES ESPACES GOURMANDS
★★★ fra 95
Sur le côté, vue sur la rivière Richelieu, avec auvent et moustiquaires, 26 pers.
MISTA ★★★ ita 96
Très grande terrasse en pavé uni, paysagée, parasols, entourée d'arbres, avec estrade pour musiciens, 150 pers.
RESTAURANT LE CÔTE À CÔTE
★★★[ER] cont 96
Très belle, grande, paysagée, parasols, pavé uni, entourée d'arbres, avec estrade pour musiciens, 100 pers.

RESTAURANTS QUI OFFRENT UNE TERRASSE - INDEX

RESTAURANT LE VIEUX SAINT-MATHIAS ★★★ fra 96
Terrasse en bois, fleurie, ombragée par des arbres et parasols, 22 pers.
RESTAURANT LYVANO ★★★ cont 96
Sur le bord de la rivière Brochet. Une en bois, fleurie, 35 pers. L'autre en pavé uni, fleurie, 30 pers.
SUCRERIE DE LA MONTAGNE ★★★★ suc 96
En plein bois, fleurie, ombragée de grands érables, 25 pers.

QUÉBEC

AMÉRINDIEN

RESTAURANT LA TRAITE ★★★★ 97
Entourée d'arbres, au bord de la rivière Saint-Charles, foyer extérieur, 60 pers.

BORÉAL

CHEZ BOULAY BISTRO BORÉAL ★★★★ 97
En été, 17h30 à 23h, sur le trottoir de la rue Saint-Jean qui est piétonne le soir, ombragée, 24 pers.
LÉGENDE par La Tanière ★★★★ (bistro) 98
Sur la rue, fleurie, 60 pers.

CONTINENTAL

BISTRO LES TROIS GARÇONS ★★ 98
À l'avant, sur la rue piétonne, soirs et fin de sem. seulement, 24 pers.
CHIC ALORS! PIZZA ET PÂTES ★★ 98
Deux terrasses, une à l'avant au rez-de-chaussée, paysagée, avec parasols, 54 pers. et l'autre au 2e étage, couverte, 24 pers.
LA BÊTE BAR-STEAKHOUSE ★★★★ 99
Fleurie, avec jardin de ville, 75 pers.
LE CHARBON ★★★★ 99
Délimitée par des arbustes et une clôture, sofas, ambiance urbaine, 40 pers. Cour intérieure, fleurie, cèdre rouge, gazebo, 90 pers.
MNBAQ RESTAURANT signé Marie-Chantal Lepage ★★★★ 99
Vue sur les plaines d'Abraham et le fleuve, au calme, grande terrasse derrière le musée, 80 pers.
PUB ST-ALEXANDRE ★★[ER] 100
Début juin au 3 sept. Sur le trottoir, clôture en fer forgé, fleurie, parasols, 25 pers.
PETITS CREUX & GRANDS CRUS ★★★ 100
Sur le trottoir, côté façade, 50 pers.

FRANÇAIS

AUBERGE LOUIS-HÉBERT ★★★★ 100
Autour d'un arbre, chauffée, fleurie, sur la rue, abritée d'un auvent, 85 pers.
BISTRO B par François Blais ★★★★ 100
Sur la rue, 13 pers.
BISTRO LA COHUE ★★★ 100
Terrasse en brique avec parasols et fleurs, à l'avant du restaurant, 41 pers.

CAFÉ DU MONDE ★★★ 101
Vue sur le fleuve, 2e étage, non-fumeurs. Véranda avec fenêtres coulissantes, 50 pers.
LA PLANQUE ★★★★[ER] 101
Face à la rue, devant le restaurant, structure en bois et métal, 14 pers.
LAURIE-RAPHAËL ★★★★★ 101
Sur la rue, semi-couverte, fleurie et bien aménagée, éclairée de bleu le soir, 50 pers.
LE BISTANGO ★★★★ (bistro) 101
À l'avant, couverte, terrasse-jardin paysagée, bien aménagée, parasols, décor européen, 40 pers.
L'ÉCHAUDÉ ★★★★ 102
Sur rue piétonnière, fleurie, avec tables et auvent, chauffée au besoin, 44 pers.
LE MOINE ÉCHANSON ★★★[ER] (bistro) 102
Plateaux de table posés sur des barriques, sur le trottoir, vue sur la rue Saint-Jean, fleurie, 10 pers.
LE PAIN BÉNI ★★★★ 103
Auvent, parasols, sur rue piétonnière, face aux artistes, 24 pers.
LE QUAI 19 ★★★ 103
Sur la rue, vue sur fontaine, en partie chauffée, bar, 48 pers.
LE SAINT-AMOUR ★★★★★ 103
Terrasse intérieure, jardin quatre saisons, protégée par une verrière climatisée, 84 pers.
LES FRÈRES DE LA CÔTE ★★★ (bistro) 103
Sur la rue, fleurie, auvent, soir et fin de semaine seulement, 18 pers.
LES SALES GOSSES ★★★★ (bistro) 104
Sur la rue, 8 pers.
PANACHE ★★★★★ 104
Vue sur le fleuve, à l'étage, décorée de fleurs en pot, 20 pers.
PARIS GRILL ★★★ (bistro) 104
Sur le trottoir du bd Laurier, fleurie, presque fermée, ombragée, chauffée, 80 pers.
RESTAURANT LE GRAFFITI ★★★★ 105
Sur le trottoir de la rue Cartier, 2 terrasses fleuries, 28 pers.
RESTAURANT SIMPLE SNACK SYMPATHIQUE ★★★ bistro 105
Dans un vieux quartier, semi-couverte avec auvent et parasols, sur le trottoir, 26 pers.
RESTAURANT TOAST! ★★★★★ 105
Couverte et chauffée si nécessaire, cour intérieure de l'hôtel, très belle, à ciel ouvert, 75 pers.

GREC

LE MEZZÉ ★★★ 105
Face à la gare du Palais, fleurie, 25 pers.

INTERNATIONAL ET MÉTISSÉ

AVIATIC - Resto Bar à vin ★★★★ 105
Dans la gare, en face du parc, semi-couverte et fleurie, 100 pers.
LE 47e PARALLÈLE ★★★ 105
À l'avant, très espacée, sur la rue Saint-Amable, 80 pers.
LE COSMOS CAFÉ ★★ 106
Sur le trottoir, chauffée, parasols, jardinières, banquettes, 120 pers.

MONTE CRISTO LOUNGE ★★★★ 106
Restaurant terrasse «Napa grill» à l'arrière, cuisine extérieure, parasols, vue sur la piscine, 60 pers.
MONTEGO RESTO CLUB ★★★ 106
2 terrasses sur la rue, couvertes, fleuries et chauffées au besoin, 90 pers.
VERSA RESTAURANT ★★★ (bistro) 106
Avr. à oct., sur la rue piétonnière, en partie couverte, urbaine, fleurie, banquettes, 70 pers.

ITALIEN

BELLO RISTORANTE ★★★ 107
Verrière ouverte, semi-couverte, fleurie, 60 pers.
LE MANOIR ★★ 107
Semi-couverte, chauffée, vue sur un boisé, pergola en bois, fleurie, bien aménagée avec fontaine, 150 pers.
RISTORANTE IL MATTO ★★★ 107
Dans un jardin, avec auvent, chauffée, très chic, 70 pers.
RISTORANTE IL TEATRO ★★★ 107
Sur le trottoir, vue sur la place d'Youville, superbe terrasse de style européen, très fleurie, parasols, 110 pers.
RISTORANTE MICHELANGELO ★★★★ 107
Vue sur le pont Pierre-Laporte, avec jardin fleuri à l'arrière, 36 pers. Balcon, 22 pers.
SAVINI ★★★ 108
Chauffée ou climatisée (brume), banquettes et meubles confortables, éclairage coloré Del, auvent, 80 à 160 pers.

JAPONAIS

ENZO SUSHI ★★★ 108
Fleurie, parasols, sur le trottoir, 30 pers.
NIHON SUSHI ★★★ 108
À l'avant, avec auvent, fleurie, en retrait de la rue, 44 pers.

MEXICAIN

SEÑOR SOMBRERO ★★★ 108
Cloturée avec des arbustes, fleurie, non fumeur, parasols, 30 pers.

QUÉBECOIS

LA BÛCHE ★★ 109
Dans la cour arrière, côté jardin, 50 pers.

RÉGION DE QUÉBEC

ARCHIBALD ★★ cont 109
Sur le coin devant le resto, avec auvent, paysagée, chauffée, 160 pers.
AUBERGE BAKER ★★★ int 109
À l'avant, vue sur l'av. Royal, avec parasols, 20 pers. À l'arrière, terrasse-bar surélevée, couverte, vue sur le fleuve, 50 pers.
AUBERGE DES GLACIS ★★★★ fra 110
Tout près de la rivière Tortue, vue sur le jardin, 25 pers.

GUIDE DEBEUR 2016

RESTAURANTS QUI OFFRENT UNE TERRASSE - INDEX

AUBERGE LE CANARD HUPPÉ
★★★ qué 110
Très fleurie, ombragée, intime, 12 pers.
LA GOÉLICHE ★★★★[ER] int 110
Parasols, au bord du fleuve, 24 pers.
Verrière, vue sur le fleuve, 35 pers.
Terrasse entre deux ponts, durant les
beaux jours d'été, 56 pers.
LA TABLE DU CHEF
ROBERT BOLDUC ★★★ fra 110
Fleurie, intime, 12 pers.
LE MOULIN DE ST-LAURENT
★★★[ER] qué 110
Sur le côté est, parasols, vue sur la
chute, 35 pers.

AILLEURS DANS LA PROVINCE

CHICOUTIMI

LE LÉGENDAIRE ★★★★ cont 111
Verrière, côté nord, vue panoramique
sur les monts Valin, 40 pers.

GRANBY

ATTELIER ARCHIBALD ★★★ cont 111
À l'avant, semi-couverte, 4 foyers, chutes d'eau, arbres, 120 pers.
LA CLOSERIE DES LILAS
★★★ cont 112
Sur le côté du restaurant, fleurie, fontaine, dans un jardin, à l'ombre des arbres, 25 pers.

RÉGION DE GRANBY

LES QUATRE CANARDS ★★★ fra 112
Fleurie, vue sur le golf, semi-couverte,
4 spas, 150 pers.

GATINEAU - OTTAWA

ARÔME Grillades et fruits de mer
★★★ cont 113
Vue sur lac de la Carrière et centre-ville
d'Ottawa, semi-couverte, chauffée, 80
pers.
BISTRO L'ALAMBIC
★★★ (bistro) fra 113
Balcon vue sur la rue, couvert, 8 pers.
BROTHERS BEER BISTRO
★★★ int 114
Parallèle à la rue Georges, 28 pers.
EIGHTEEN ★★★★[ER] fra 114
Sur la rue, en face du marché By, para-
sols, chandelles, fleurie, 28 pers.
GY RESTO-TRAITEUR ★★★ fra 115
Surélevée, parasols, privée, 24 pers.
HY'S ★★★ cont 115
Sur le côté, couverte, fleurie, 40 pers.
LE CAFÉ CNA ★★★ cont 116
Superbe terrasse sur le canal Rideau,
fleurie, 100 pers.

LE CELLIER ★★★ fra 116
L'une au 1er étage, 28 pers. L'autre sur
le toit, 30 pers.
LE PIED DE COCHON
★★★ (bistro) fra 116
Sur la rue, avec auvent rétractable, jar-
dinières de fleurs, nappes, 18 pers.
LES VILAINS GARÇONS
★★★ (bistro) fra 116
Sur la rue, parasols, 16 pers.
LE TARTUFFE ★★★ fra 117
À côté du restaurant, entourée d'un jar-
din, couverte par de grands arbres, a-
vec parasols, 40 pers.
MURRAY STREET KITCHEN
★★★ can 117
À l'arrière du restaurant, couverte de
vignes, banquettes, 60 pers.
NAVARRA ★★★★ mex 117
À l'arrière, fontaine, lanternes, fleurie,
18 pers.
PERSPECTIVES RESTAURANT
★★★★ int 117
Vue sur le terrain de golf et la piscine,
couverte, 40 pers.
RESTAURANT SIGNATURES
★★★★ (bistro) fra 118
Terrasse en bois, à côté du parc Strath-
cona, vue sur une fontaine, 30 pers.
SIDEDOOR ★★★ int 118
Dans une cour, à l'arrière du restau-
rant, 60 pers.
SOIF Bar à vin de Véronique Rivest
★★★ (bistro) fra 118
Privée, couleurs apaisantes, parasols,
plantes, 50 pers.
STERLING ★★★ cont 118
Face à la rivière, fleurie, 75 pers.
TAYLORS GENUINE FOOD
AND WINE BAR ★★★ fra 118
Sur le coin de la rue, fleurie, parasols,
12 pers.
THE WELLINGTON GASTROPUB
★★★★ int 119
À l'avant du restaurant, 20 pers.
TOWN ★★★[ER] int 119
Sur le trottoir, 6 pers.
WILFRID'S RESTAURANT
★★★★ can 119
Vue sur le parlement et le canal Ri-
deau, 16h30 à 22h, 70 pers.

RÉGION DE GATINEAU - OTTAWA

LES FOUGÈRES ★★★ fra 120
Vue sur la forêt et les jardins, véranda
couverte de moustiquaires, 40 pers.

SHERBROOKE

DA LEONARDO ★★★ ita 120
Sur la rue à l'avant, une partie semi-
couverte et une autre abritée de parasols, 45 pers.

LA TABLE DU CHEF ★★★★ fra 120
Sur la rue King Ouest, vue sur la montagne, fleurie, parasols, 30 pers.
LE BOUCHON
★★★★[ER] (bistro) fra 121
Sur une place publique, place des Mou-
lins, en retrait de la rue, bien ombragée, parasols, 32 pers. On entend la rivière.
RESTAURANT AUGUSTE
★★★ (bistro) fra 121
Sur la rue du centre-ville, en bois, semi-couverte, fleurie, 25 pers.
RESTAURANT DA TONI
★★★★ ita 121
Chauffée, ventilée, fleurs en pots, auvent et grandes tables en bois, 70 pers.

RÉGION DE SHERBROOKE

LE HATLEY ★★★★★ qué 121
Dans le jardin au bord de l'eau, magni-
fique vue sur le lac Massawippi, midi à
16h, 50 pers.
LE RIVERAIN ★★★★ int 122
Sur la rive du lac Massawippi, ambiance champêtre, couverte, 25 pers.
LES JARDINS ★★★ cont 122
2 terrasses, vue sur la piscine et le
mont Orford, 100 pers.
LES SOMMETS ★★★ cont 122
À l'avant, ouverte, plate-bande de fleurs
et parasols, midi seulement, 100 pers.
LE TEMPS DES CERISES
★★★ int 122
Sur le côté, couverte, fleurie, 30 pers.
RESTAURANT L'ANCRAGE
★★ fra 123
Vue panoramique sur le lac Memphrémagog, parasols, chauffée, non-fumeurs, 100 pers.

TROIS-RIVIÈRES

AU FOUR À BOIS ★★[ER] ita 123
En bois, fermée, dans un jardin, fleurie,
parasols, 36 pers.
LE CASTEL DES PRÉS
★★★★★ (bistro) cont 123
2 terrasses entièrement couvertes et
protégées par une moustiquaire, chauffées, vue sur jardin paysagé, 100 pers.
LE ROUGE VIN ★★★ cont 123
À l'arrière, terrasse surélevée, à côté de
la piscine et du spa, 60 pers.

RÉGION DE TROIS-RIVIÈRES

AUBERGE GODEFROY ★★★ fra 123
Grande terrasse fleurie avec bar, para-
sols et vue sur espace vert, 80 pers.
L'AUBERGE DU LAC ST-PIERRE
★★★★ fra 123
Vue sur le lac Saint-Pierre, 32 pers.
LE BALUCHON Éco-villégiature
★★★[ER] fra 124
Galerie sur la rivière du Loup, terrasse
potagère, 20 pers.

Suivez-nous sur
www.debeur.com

GUIDE DEBEUR 2016

RESTAURANTS QUI OFFRENT UNE TERRASSE - INDEX

LE FLORÈS ★★★[ER] cont 124
Quatre terrasses: avec vue sur la montagne, 30 pers.; sur la rue avec parasols, 50 pers.; dans un jardin intérieur, 36 pers.; sur la pelouse, 24 pers.
MANOIR BÉCANCOURT
★★★ cont 124
Vue sur les jardins, avec parasols, fleurie, 20 pers.

AUTRES RÉGIONS

BAS-SAINT-LAURENT

AUBERGE DU MANGE GRENOUILLE
★★★[ER] fra 125
Vue en surplomb sur les Îles du Bic et sur le jardin, 35 pers.

CHARLEVOIX

AUBERGE DES FALAISES
★★★★ cont 125
Couverte, fleurie, chauffée, 15 pers.
LE SAINT-PUB, MicroBrasserie
★★ (bistro) cont 126
Sur la rue, une partie pergola, une partie couverte et chauffée, 140 pers.

GASPÉSIE

AUBERGE LA COULÉE DOUCE
★ cont 126
Galerie de bois, vue sur la rivière Matapédia, 15 pers.
AUBERGE LE COIN DU BANC
★★ qué 126
Vue sur la mer, ouverte, 30 pers.

LA MAISON DU PÊCHEUR
★★★ cont 127
Vue sur le rocher Percé, 25 pers. Galerie en bois, sur la mer, 12 pers.
LA MARÉE CHANTE ★★★ cont 127
Vue sur le fleuve, vitrée, fleurs en pot et parasols, 20 pers.
LE GÎTE DU MONT-ALBERT
★★★★[ER] cont 127
À l'avant, parasols, vue sur le mont Albert, 40 pers.
LE MARIN D'EAU DOUCE
★★★ fra 128
Au bord de la Baie des Chaleurs, accès direct à la mer, 35 pers.

Suivez-nous sur
www.debeur.com

RESTAURANTS OÙ L'ON PEUT APPORTER SON VIN - INDEX

MONTRÉAL

ALGÉRIEN

AU TAROT ★★★ 41
LES RITES BERBÈRES ★★ 41

ASIATIQUE

CÔ BA ★★★★ 42

CORÉEN

LA MAISON DE SÉOUL ★★★ 47
MIGA ★★★ 47

FRANÇAIS

À L'OS ★★★[ER] 49
LE MARGAUX ★★★★ (bistro) 55
LE P'TIT PLATEAU ★★★ (bistro) 57
LE QUARTIER GÉNÉRAL
★★★★ (bistro) 57
MONSIEUR B ★★★ 58
PÉGASE ★★ 59
RESTAURANT CHRISTOPHE
★★★ 59
RESTAURANT O'THYM
★★ (bistro) 59

HAÏTIEN

CASSEROLE KRÉOLE ★★★ 62

ITALIEN

IL BOCCALINI ★★★ 71

MEXICAIN

CASA DE MATÉO ★★★ 77

PÉRUVIEN

MADRE ★★★ (bistro) 78
MADRE SUR FLEURY ★★★ 78

BANLIEUE DE MONTRÉAL

RIVE SUD

DUR À CUIRE ★★★ (bistro) fra 83
PASTA E VINO ★★ ita 87
RESTAURANT BAZZ ★★★★ int 87
SHOJI ★★★ jap 88

RIVE NORD

LA VIEILLE HISTOIRE ★★★ fra 89

RÉGION DE MONTRÉAL

LANAUDIÈRE

TRATTORIA GUSTO ★★★ ita 91

MONTÉRÉGIE

ET CAETERA ★★★ cont 93
HÔTEL-RESTAURANT
CHEZ NOESER ★★★★ fra 94
L'ANGÉLUC ★★★ fra 94

QUÉBEC

CHINOIS

CHEZ SOI LA CHINE ★★ 98

FRANÇAIS

LA GIROLLE ★★★ 101

AVIS
Vous trouverez les informations complémentaires concernant chaque établissement en consultant la liste des restaurants qui débute à la page 37.

AILLEURS DANS LA PROVINCE

GRANBY

LA CLOSERIE DES LILAS
★★★ cont 112
LA MAISON CHEZ NOUS
★★★★ cont 112

GATINEAU - OTTAWA

ABSINTHE ★★★ fra 112
ATELIER ★★★★★ fra 113
BECKTA ★★★★ int 113
BLACK CAT BISTRO ★★★★ int 114
FAUNA ★★★ can 115
FRASER CAFÉ ★★★★ int 115
GEZELLIG ★★★ int 115
HY'S ★★★ cont 115
LE CAFÉ CNA ★★★ cont 116
MURRAY STREET KITCHEN
★★★ can 117
SIDEDOOR ★★★ int 118
THE SHORE CLUB ★★★ cont 119
VITTORIA TRATTORIA ★★★ ita 119

SHERBROOKE

LE BACCHUS ★★★ fra 120
LE CHOU
DE BRUXELLES ★★★★ bel 121
RESTAURANT LE SULTAN ★★★ lib 121

GUIDE DEBEUR 2016

La SAQ au coeur de la découverte

Les Québécois, c'est connu, sont curieux et apprécient la découverte de nouveaux produits. C'est pourquoi la **SAQ** offre 12 500 vins, bières et spiritueux en provenance de 71 pays. Elle les commercialise dans son réseau de 400 succursales et 440 agences et aussi sur le site SAQ.com. Chaque année, elle renouvelle 10 % de ses produits pour satisfaire les clients. Ce renouveau constant de la gamme d'alcools est le fruit d'une collaboration entre la SAQ et ses 3 100 fournisseurs.

DU NOUVEAU CETTE ANNÉE

SAQ Inspire : une expérience à mon goût

Parce que chaque client est unique, la SAQ propose une nouvelle expérience encore plus branchée sur ses goûts. Le client est invité à se procurer **sa carte SAQ** Inspire en succursale ou sur SAQ.com et à créer son profil en ligne. Il recevra ainsi des informations liées à ses goûts et à ses intérêts, comme des idées de recettes, des nouveaux arrivages, des concours, des invitations à des dégustations, des promotions, etc. Le client pourra ainsi accumuler des points sur tous ses achats de produits effectués en succursale, sur SAQ.com, par le Courrier vinicole, et sur certains services dont des ateliers de formation. Ce sera une autre façon, pour le client, de se faire plaisir. Le client pourra aussi consulter **son espace personnel en ligne**, dans lequel il retrouvera des informations, comme son solde de points, son profil de goût et les promotions liées à ses préférences. Au fil du temps, le client profitera d'autres avantages, toujours axés sur le plaisir et la découverte.

Accompagner dans la découverte

Qui de mieux que les experts en succursale pour guider les clients dans leurs choix? Passé maître dans l'art de prodiguer des conseils en matière d'accords vins et mets, mais surtout de comprendre les goûts et besoins, le personnel de la SAQ se distingue par sa passion, son professionnalisme et ses connaissances.

Pour tout renseignement, communiquez avec le Centre de relation clientèle de la SAQ au **514-254-2020**, au **1-866-873-2020** ou consultez la page «Pour nous joindre» de **SAQ.com**.

Le petit
debeur
des vins, cidres et spiritueux

Une passion, un plaisir

De plus en plus de Québécois se passionnent pour le vin, la bière et le cidre. Certains sont déjà d'excellents dégustateurs, d'autres aimeraient bien le devenir. Notre propos, dans cet ouvrage, n'est pas de faire de vous des sommeliers professionnels ni des experts en oenologie, mais plutôt de vous aider à faire de meilleurs choix lors de vos achats, tout en vous renseignant sur le service et la méthode de dégustation des vins.

Sélection de vins, cidres et spiritueux

La deuxième partie de ce guide vous propose une Sélection de vins, cidres et spiritueux qui est modifiée chaque année. Elle regroupe des produits vendus au Québec qui ont été choisis par quatre dégustateurs d'expérience. **Tous les produits sont classés par catégorie (blanc, rosé, rouge, etc.) et par prix (du moins cher au plus cher).** Cela permet au consommateur d'orienter ses choix non seulement en fonction de ses goûts, mais aussi de son budget. Ce système original, créé par les Éditions Debeur en 1990, est largement imité aujourd'hui par d'autres guides connus. Ce qui est bien. Cela prouve que c'est une bonne idée.

Guide pratique du petit sommelier

La dernière partie de cet ouvrage comprend un **"guide pratique"** sur le service du vin, la cave, le vocabulaire pour en parler, la fiche de dégustation, les accords avec les mets, etc.

Note sur les millésimes

Les millésimes (années des récoltes) des vins indiqués dans notre **Sélection** sont ceux des produits qui étaient en vente au moment de la dégustation. **Il se peut que ces derniers soient épuisés et qu'une année plus récente les ait remplacés ou que le prix ait changé.** Néanmoins, les descriptions et les commentaires qui sont donnés devraient déjà permettre de vous faire une bonne opinion au moment de vos achats.

Nous espérons que cet ouvrage, qui est à la fois un **guide d'achat** et un **guide pra-** tique, vous fera faire de belles découvertes et que, compagnon de vos recherches, il vous procurera beaucoup de plaisir.

Les notes

Nous avons longtemps hésité à mettre des notes dans le présent ouvrage. Nous considérons que le vin peut évoluer, en bien ou en mal, et ne plus correspondre à l'aspect rigoureux d'une notation quelconque, entre le moment de notre dégustation et celui de la lecture du guide par le consommateur.

Après de longues et mûres réflexions, nous avons décidé de mettre des évaluations notées pour chacun des produits présentés. Nous n'avons pas changé d'avis pour autant. Mais nous nous sommes dit que le consommateur avait besoin d'une conclusion et de connaître nos impressions en un seul coup d'œil, rapide et précis, comme le sont les étoiles pour les restaurants. Les mots sont souvent interprétés de façon différente selon la perception des gens, leur culture et leur sensibilité. On dit parfois qu'il faut dix mots positifs pour contrebalancer un mot négatif. La notation peut donc aider le lecteur à mieux comprendre nos critiques et à en tirer une conclusion supplémentaire.

Cependant, nous mettons quand même le lecteur en garde contre le fait qu'il peut y avoir une petite différence entre notre notation faite à un moment donné et celle faite par le lecteur. De plus, comme ce guide est un ouvrage collectif, l'interprétation de cette notation peut changer d'un dégustateur à l'autre. Un dégustateur peut noter plus sévèrement ou plus généreusement qu'un autre.

Encore une fois, toute évaluation, qu'elle soit écrite ou notée, n'est donnée qu'à titre indicatif et il appartient au lecteur de faire sa propre expérience. C'est lui, en fin de compte, qui sera le seul juge.

Thierry Debeur
Éditeur

GUIDE DEBEUR 2016

SYMBOLES UTILISÉS

Le nom de chaque produit est toujours suivi du prix suggéré au moment de la mise sous presse. Il est possible que ce dernier soit modifié au moment de l'achat. Il en est de même pour le millésime qui peut aussi avoir changé.

Code SAQ

Les produits vendus par la SAQ comportent toujours un code CCNP (**+00000000**) qui, dans ce guide, se trouve inséré dans le nom du produit, juste avant le prix. Cela suppose qu'un produit sans code ne sera vendu que sur les lieux de production (certains produits de vignoble québécois, de cidrerie, etc.) ou encore dans certains points de ventes exclusifs.

(**D**): Produit vendu au domaine.
(**E**): Produit vendu en épicerie

 Indique un **coup de coeur** des dégustateurs.

Signatures des dégustateurs

DJL : Don Jean Léandri
GR : Guénaël Revel
PT : Patrice Tinguy
TD : Thierry Debeur

Cotation

L'évaluation correspond à ce que l'on a apprécié au moment de la dégustation. Il est fort possible que le produit ait évolué, en bien ou en mal, depuis cet instant-là.

Légende

★ : Correct
★★ : Bon
★★★ : Très bon
★★★★ : Excellent
★★★★★ : Exceptionnel
(★) vaut une demi-étoile

GUIDE DEBEUR 2016

ASSOCIATION CANADIENNE DES
SOMMELIERS PROFESSIONNELS

Sommeliers accrédités

L'**Association canadienne des sommeliers professionnels (ACSP/CAPS)** a pour mission de défendre et promouvoir le métier de sommelier professionnel. Concrètement, l'ACSP accrédite annuellement les sommeliers professionnels après étude de leur niveau de formation et de leur expérience en restauration, participe aux manifestations relatives aux vins et spiritueux, communique les actualités du vin, encourage ses membres à se perfectionner et, bien sûr, organise des concours et soutient les candidats à chaque étape des compétitions.

Fondée en 1989, l'ACSP jouit aujourd'hui d'un rayonnement international, notamment par ses participations remarquées au Concours du Meilleur sommelier du monde.

L'ACSP-Québec représente le Québec dans l'ACSP, la seule association réellement pancanadienne, de Vancouver à Halifax, regroupant plus de 1000 professionnels du vin et quelques connaisseurs passionnés. L'ACSP est aussi la seule association accréditée par l'Association de la sommellerie internationale (ASI), dont le siège est à Paris et qui compte 54 pays membres. L'ACSP-Québec offre de nombreux avantages à ses membres, dont des rabais dans des magasins spécialisés ou l'accès gratuit (ou à rabais) à des événements prestigieux.

www.sommelierscanada.com/divisions/quebec

L'équipe

Photo: charleshenridebeur.com

Don-Jean LÉANDRI

Sommelier-conseil
Professeur de sommellerie à l'École hôtelière de Laval
Maître sommelier à l'Association canadienne des sommeliers professionnels

membre actif

Don-Jean Léandri œuvre dans le domaine de l'hôtellerie-restauration depuis son adolescence. Après avoir travaillé en France puis aux Bermudes, il est entré comme sommelier au service de plusieurs établissements montréalais de renom, dont le restaurant Les Halles (★★★★★ Debeur), le Club Castel et Chez Jongleux Café (★★★★ Debeur), avant de joindre, en 1981, l'équipe de l'hôtel Le Quatre Saisons (aujourd'hui Hôtel Omni) où il cumulait les fonctions de sommelier et de gérant de la salle à manger principale. Aujourd'hui Don-Jean Léandri est professeur de sommellerie à l'École hôtelière de Laval, sommelier-conseil, animateur de dégustations, juge expert dans de grands jurys de concours internationaux comme les Sélections mondiales des vins de la SAQ (1988 à 2002) et membre de nombreuses confréries gastronomiques et vineuses.

Il s'est aussi impliqué dans plusieurs activités vinicoles. Ainsi il a été vice-président de l'Association canadienne des sommeliers professionnels (1992-2002), directeur technique du Concours du meilleur sommelier du monde (Rio de Janeiro en 1992, Tokyo en 1995, Vienne en 1998, Montréal en 2000), membre du comité Montréal Passion Vin depuis 2004. Par ailleurs, il est également conférencier et animateur de soirées vinicoles entre autres pour l'Université de Montréal (depuis 2006), Desjardins Valeurs mobilières (depuis 2006), l'Orchestre symphonique de Laval (2014) et la ville d'Anjou (2013, 2014).

Il a également collaboré à des émissions de télévision et de radio comme *Vins et fromages* (1992 à 1997) et *Cuisinez avec Jean Soulard* (2001, 2002), et il a tenu une chronique dans plusieurs magazines dont *Flaveurs* (2001 à 2006). Don-Jean Léandri a aussi collaboré au *Debeur* de 1990 à 1993.

Humble et généreux par nature, il n'a pas hésité à se remettre en question en participant au concours Sopexa du meilleur sommelier canadien en vins et spiritueux de France, dont il a été le lauréat en 1988.

Enfin et ce n'est que juste récompense, Don-Jean Léandri a obtenu des honneurs prestigieux comme celui de l'Association internationale des maîtres-conseils en gastronomie française, le prix Jules-Roiseux, le prix Claude-Hardy de la Fondation des amis de l'art culinaire, le Mérite et reconnaissance Debeur 2008 pour son implication et dévouement à la gastronomie québécoise.

Guénaël Revel

Auteur, conférencier,
chroniqueur et sommelier

membre
actif

Historien et sommelier de formation, **Guénaël Revel** a suivi des
études en histoire de l'art à l'École du Louvre à Paris, avant d'en
poursuivre en œnologie à l'Université de Bordeaux.

Il s'installe au Québec en 1995 et
travaille à titre de sommelier
dans plusieurs établissements
montréalais (Winnie's, Churchill,
Hôtel Germain). En 1997, il fon-
de l'entreprise Le petit canon, spécialisée en évaluation de caves
auprès des assureurs et en création d'événements culinaires et
bachiques.

Il a été chroniqueur pour plusieurs magazines culinaires (*Flaveurs,
Vins & Vignobles, Effervescence*), membre de jurys internationaux
de concours de dégustation de vin ou de sommellerie, dont le Concours du meilleur sommelier du monde, et président de l'Association canadienne des sommeliers professionnels de 2002 à 2006.
Il siège aujourd'hui à la commission de l'éducation de l'Association
de la sommellerie internationale.

Guénaël Revel est l'auteur des livres *L'essentiel des caves et des
celliers*, aux éditions Les 400 coups, *La bible du porto*, publié par
Modus Vivendi, *Couleur champagne* coécrit avec la romancière
québécoise **Chrystine Brouillet**, publié par Flammarion et choisi
comme meilleur livre sur les vins au Canada en 2007 par le concours Cuisine Canada, et enfin *Vins mousseux et champagnes: les
500 meilleurs effervescents du monde entier.*

Ses collègues journalistes et sommeliers le surnomment Monsieur
Bulles depuis qu'il écrit des ouvrages sur les vins effervescents du
monde et qu'il a été l'auteur et animateur de l'émission *Champagne* pour la chaîne télé Canal Évasion. L'idée de créer un site et
un blogue sous ce surnom en 2010 était donc naturelle. Consacré au champagne et aux appellations de vins effervescents,
MonsieurBulles.com présente les actualités vinicoles ainsi que des
anecdotes historiques et des vidéos tournées dans les régions du
monde que Guénaël Revel parcourt pour la rédaction de son guide
annuel, le *Guide des champagnes et des autres bulles.* On peut
l'écouter dans l'émission *Plaisirs gourmands* sur les ondes de la
radio CIBL 101,5 FM, le mercredi matin de 9h à 10h.

L'équipe

Patrice TINGUY

Professeur en sommellerie, sommelier-conseil, sommelier-consultant du restaurant Da Toni et meilleur sommelier du Québec en 1997

membre actif

Diplômé en administration hôtelière en 1986 (BTH, BTS) de l'école de Saint-Nazaire en France, **Patrice Tinguy** arrive en 1991 à Sainte-Agathe-des-Monts où il travaille comme maître d'hôtel au restaurant Chez Girard (★★ Debeur). En 1993, il suit le cours de sommellerie de **Jacques Orhon** à l'École hôtelière des Laurentides, et en 1994 il travaille comme sommelier au Manoir Hovey (★★★★ Debeur), à North Hatley.

En 1997, on lui propose d'enseigner en service de la restauration au Pavillon du Vieux-Sherbrooke du Centre 24-juin, où il est responsable du cours de sommellerie qui s'y donne depuis janvier 2001.

Parallèlement, il termine deuxième meilleur sommelier au Québec en 1995 et deuxième meilleur sommelier Sopexa pour le Canada en 1996. En 1997, il obtient le titre de meilleur sommelier du Québec ainsi que la place de candidat canadien suppléant au Concours mondial de la sommellerie de 1998, qui s'est déroulé à Vienne, en Autriche.

Entre 2002 et 2013, Patrice Tinguy a été directeur technique de l'Association canadienne des sommeliers professionnels, période durant laquelle il a été responsable des concours de sommellerie provinciaux et nationaux.

Depuis 2009, il s'occupe de la carte des vins du restaurant Da Toni à Sherbrooke, et depuis 2012 il est aussi sommelier expert pour les épiceries Metro et leur marque privée de vins, *Hémisphère*.

Enfin, il communique sa passion du vin en tant que sommelier-conseil dans différentes activités telles que des cours privés, des chroniques, des dégustations et des voyages de formation viti-vinicoles.

Il collabore aussi depuis 2006 à la sélection des vins du *Petit Debeur*.

GUIDE DEBEUR 2016

L'équipe

Thierry DEBEUR

Journaliste gastronomique
et vinicole

Chevalier de l'ordre
du Mérite agricole

membre
honoraire

Personnalité de l'année 2006
de la Société des chefs du Québec (SCCPQ)

Éditeur du présent guide, Thierry Debeur s'est fait connaître en tenant des chroniques régulières et en écrivant des articles dans plusieurs revues dont *La Barrique* (magazine spécialisé en vins), *Magazine M*, *Vivre*, *Montréal ce mois-ci*, *L'Hospitalité*, *L'Actualité*, et en coanimant l'émission radiophonique *Plein Soleil* avec André Marcoux, à CKMF 94,3. Il a également animé, avec Bruno Lacombe, l'émission *Gourmet gourmand* à CFLX FM Sherbrooke. Enfin, il a été animateur à l'émission télévisée *Guide Debeur* à Canal Évasion. Thierry Debeur a été chroniqueur à la radio au 98,5FM, chaque samedi à 9h30, à l'émission *Dutrizac le Week-End* animée par Benoît Dutrizac. Il est actuellement chroniqueur au 103,3FM, à l'émission animée et produite par Diane Trudel.

Membre de nombreux jurys nationaux et internationaux dont juge pour le Mérite de la restauration 1986 et 1987, membre du Jury international des Sélections mondiales, dégustateur officiel au Concours des grands vins de France à Mâcon, il est également l'auteur du livre *Les Arts de la table* aux éditions La Presse. Président ex-officio de l'Association canadienne pour la presse gastronomique et hôtelière, Thierry Debeur a remporté le deuxième Prix des critiques canadiens francophones des restaurants de l'année en 1987, pour son excellence professionnelle. En 2003, il est nommé Personnalité journalistique canadienne de l'année par la Fédération culinaire canadienne, qui lui remet également le trophée Signature pour l'est du Canada et le trophée Sandy Sanderson pour le Canada.

Thierry Debeur est membre de la Fédération internationale de la presse gastronomique vinicole et touristique, de la Fédération professionnelle des journalistes du Québec, de la Fédération internationale des journalistes et des écrivains du vin, de l'Association canadienne des sommeliers professionnels et membre honoraire permanent de la Société des chefs, cuisiniers et pâtissiers du Québec (SCCPQ).

Il est aussi Membre de l'Ordre Mondial des Gourmets Dégustateurs, Commandeur de l'Ordre du bon temps de Médoc et des Graves, Prudhomme de la Jurade de Saint-Émilion, Hospitalier de Pomerol, Compagnon du Beaujolais et membre de l'Ordre des Disciples d'Auguste Escoffier, Vigneron d'honneur des Vignerons de Saint-Vincent.

Petit Debeur Vins, Cidres et Spiritueux

VINS BLANCS

VINS BLANCS À MOINS DE 12$

Vin de France
Vive la vie, Colombar/Gros menseng, J.P. Chenet +12525251 - 10,95$
Aucune précision quant au lieu géographique de la production de ce vin blanc. Néanmoins il offre des odeurs de mandarine, de coing et d'agrumes (citron) avec des notes florales, minérales et végétales. Fruité, long et frais avec un léger perlant qui lui confère beaucoup de fraîcheur en bouche où l'on trouve des notes de fleurs, de pêche et de fruits exotiques. Un gentil vin, aromatique, équilibré et frais qu'on servira à 8°C à l'apéro ou avec une salade de crevettes. Super rapport qualité-prix. ★★(★) **TD**

États-Unis, Californie, Napa Vallée
White Revolution, Rev Winery +12166809 - 11$
Incroyable d'avoir tant de plaisir à ce prix-là! Une déflagration, pourrait-on dire, d'odeurs intenses d'agrumes (citron, pamplemousse), de pêche, de fruits tropicaux et de raisin muscat avec une tou-che végétale. On croque littéralement dans le fruit, étincelant, avec une grande fraîcheur. Un vin très sympathique à boire frais (6 à 8°C) en mangeant un carré de porc aux pommes caramélisées, des brochettes de poulet tandouri ou des crevettes sautées à l'ail. ★★ **TD**

Australie, South Eastern, McLaren Vale
Cliff 79 Chardonnay, Berri Estates Winery +11529591 - 11,20$
Cliff signifie «falaise» en anglais. S'agirait-il des falaises qu'on voit dans les vignes sur l'étiquette? Peut-être. Mais voici un vin fait du cépage chardonnay aux caractéristiques régionales, renforcé par des techniques de vinification modernes. Un très joli vin blanc au nez intense de fleurs, de fruits mûrs et exotiques, de vanille et de beurre frais avec des notes de boisé et de miel. Bien fruité, frais et gras en bouche. Un vin rafraîchissant à boire (8°C) à l'apéro ou en même temps qu'une croûte aux champignons des bois et escargots. ★★ **TD**

Australie, méridionale, Barossa Valley
Chardonnay, Wallaroo Trail +12498441 - 11,25$
Un vin populaire et aromatique aux parfums de pomme, de fleurs, de brioche et de vanille qu'on retrouve en bouche avec beaucoup de fraîcheur et de l'équilibre. Un vin croquant à boire frais (8°C) lorsqu'on sert un poulet à la crème et aux morilles, un saumon grillé ou un curry d'agneau. ★(★) **TD**

France
S de la Sablette, Marcel Martin +12525234 - 11,55$
Il s'agit d'un assemblage fait à 100% de sauvignon blanc provenant de la vallée de la Loire, de la Gascogne et du Languedoc. On va donc chercher les caractéristiques propres à chacune de ces régions pour produire ce vin blanc sec, élevé sur lie, qui s'ouvre sur des odeurs de fleurs, de fruits exotiques, d'agrumes et de litchi avec une pointe de fumée. Vif et bien fruité en bouche, il continue sur des notes minérales et d'agrumes. C'est long, généreux et doté d'une belle acidité qui lui confère beaucoup de fraîcheur. Le servir frais (8 à 10°C) en même temps qu'un saumon mariné ou fumé, ou encore avec des fruits de mer. Très bon rapport qualité-prix. ★★ **TD**

VINS BLANCS DE 12$ À 20$

Espagne, Catalogne do Catalunya
Vina sol, Miguel Torres +00028035 - 12,65$
Ce vin fait d'un assemblage de parellada et de grenache blanc s'ouvre sur des odeurs de fleurs, de pomme verte et d'agrumes avec une note minérale. Fruité et frais en bouche, il bénéficie d'une assez bonne acidité. Un vin agréable à servir frais (6°C) lors

d'un apéritif ou en même temps qu'une blanquette de veau aux champignons. ★(★) **TD**

France, Languedoc-Roussillon
aop Vin de pays d'Oc
Chardonnay La Belle Terrasse, Maurel Vedeau
+11315008 - 13,35$
Voici un vin blanc sec moderne, fait à 100% de cépage chardonnay, au nez puissant de fruits exotiques, d'agrumes, de salade de fruits, de melon, de vanille et d'épices. Coulant, long, gras, frais et fruité en bouche, il est presque, pourrait-on dire, croquant! Le servir frais à 8°C et lui choisir un mets asiatique comme des sushis ou une salade de homard.
★★(★) **TD**

France, Sud-Ouest
ac Vin de pays
Côtes-de-Gascogne
Carrelot des Amants, Les Vignerons de Brulhois
+11675871 - 13,55$
Très proches de Bordeaux, les vins blancs de l'appellation Côtes-de-Gascogne sont parmi les plus exportés au monde. Celui-ci est constitué de deux cépages: le sauvignon à 80% et le gros manseng à 20%. Ce dernier cépage, typique de la région, lui apporte une grande puissance ainsi qu'un côté fruité exotique très séduisant. Voici un très bon vin blanc aux odeurs de pamplemousse, de fruits confits et de fleur. Fruité, vif et frais en bouche, il bénéficie d'une belle structu-

re qui lui permet de se joindre à une salade de crabe et crevettes ou un poulpe grillé. ★★ **TD**

Argentine, San Juan
Centenario Pinot Grigio Reserve, Graffigna
+11557445 - 13,95$
Un vin blanc généreux aux odeurs d'agrumes, de fruits à chair blanche et de jasmin avec des notes de miel, de fumée et de calcaire. Ample, charpenté et fruité en bouche, il offre une belle fraîcheur et une finale légèrement herbacée. Le boire frais (8°C) avec des beignets de fleurs de courgette, des huîtres crues ou un risotto aux fruits de mer. ★★ **TD**

Portugal,
Péninsule de Sétubal
do Terras Do Sado
Terras do Sado Catarina, Bacalhoa Vinhos do Portugal
+11518761 - 14,30$
À base de fernao pires (un cépage qui s'apparente un peu au muscat), d'arinto et de chardonnay, c'est un vin de couleur pâle au fruité croquant rappelant les fruits tropicaux comme l'ananas et la papaye mais aussi la pêche, les fleurs blanches et un semblant de notes d'élevage en barrique. Sec, frais et de bel-

le rondeur, la finale nous ramène aux fruits acidulés à chair blanche. Servir pas trop frais autour de 12°C avec des sushis ou un mijoté de homard et sa sauce veloutée au vin blanc et aux pleurotes. ★★ **PT**

Espagne, Castille Leon
do Rueda
Val de Vid Rueda, Bodegas Val de Vid
+12260281 - 14,35
C'est dans la région espagnole de Rueda que le cépage indigène verdejo s'exprime le mieux. S'il rappelle un peu le sauvignon blanc, son intensité et sa texture sont plus prononcées. Au nez, ce sont des parfums de poire, de banane, d'agrumes, de mandarine, de fruits mûrs et de miel. Largement fruité, ample, nerveux, long et frais, il finit gentiment sur quelques épices. Très belle personnalité! Le servir frais (8°C) avec des calmars à la plancha ou des crevettes à l'ail.
★★(★) **TD**

France Vallée de la Loire
aop Touraine Sauvignon Blanc
Château de Pocé, Pierre Chainier
+10689606 - 14,90$
«Situé sur la rive nord de la Loire, sur la commune de Pocé-sur-Cisse [en France], le Château de Pocé, superbe

Petit Debeur Vins, Cidres et Spiritueux

bâtisse du XVe siècle, siège au milieu d'un parc magnifique», lit-on sur le site pierrechainier.com. Le vin blanc sec de ce domaine, fait à 100% de sauvignon blanc, offre un nez très agrumes (pamplemousse) avec des notes de fleurs (églantine, genêt) et une touche minérale. C'est vif, frais, fringant et fruité en bouche. Voici un vin très agréable à servir frais (8 à 10°C) à l'apéro ou en même temps que de la truite fumée, des acras de morue ou des beignets d'aubergine. ★★(★) **TD**

États-Unis, Californie
Big House White,
Ca' del Solo Vineyard
+10354005 - 14,95$
Big House est le surnom d'une prison aux États-Unis qu'on retrouve sous forme d'un dessin sur l'étiquette. Voici un vin blanc au nez intense de fruits exotiques (litchi, rose et mangue) et de fleurs avec des notes de raisin muscat. Moelleux, bien fruité, long et gras en bouche, il possède une belle acidité qui lui donne un petit croquant. Le boire frais (8°C) lorsqu'on sert un riz de veau aux morilles, une salade de homard ou une fricassée de veau. ★★(★) **TD**

Nouvelle Zélande,
Marlborough
Sauvignon blanc, Monkey
Bay Wine Company
+10529936 - 14,95$
Là, on ne se trompe pas. Égal d'une année à l'autre, ce fougueux vin blanc offre des parfums intenses de fruits exotiques, d'agrumes (citron, pamplemousse) et de fleurs avec des notes herbacées et minérales. En bouche, on croque littéralement sur le fruit. De plus, il bénéficie d'une exceptionnelle fraîcheur. Un vin nerveux et plaisant à boire frais (8°C) avec des beignets de fruits de mer ou des cuisses de grenouilles sautées à l'ail. ★★(★) **TD**

États-Unis, Californie
Sauvignon blanc
Woodbridge,
par Robert Mondavi
+00040501 - 14,95$
Woodbridge veut littéralement dire «pont de bois», comme celui qui figure sur l'étiquette de ce vin blanc fait à majorité de sauvignon blanc. Il s'ouvre sur des odeurs d'agrumes, de groseille blanche, de fruits exotiques, de beurre frais et de fleurs avec une touche végétale. Intense, fruité, frais et croquant en bouche. Un vin savoureux et gourmand à servir frais (8°C), en même temps qu'une marmite de fruits de mer ou une salade de homard. ★★(★) **TD**

Italie, Vénétie
igt Delle Venezzie
Lady Lola, Pinot Grigio -
Moscato, Platinum Brands
+12386334 - 15,05$
La jolie bouteille avec sa forme particulière fera, une fois vidée, un pot à eau ou un contenant pour l'huile d'olive, par exemple. Fait d'un assemblage du cépage pinot grigio pour la fraîcheur croquante et du cépage mosacato pour les arômes d'orange et de rose, ce vin blanc sec est nerveux et séduisant tout à la fois. Outre l'orange et la rose, le nez offre des odeurs d'abricot et de fruits exotiques. Léger perlant en bouche où le fruit revient en douceur avec beaucoup de fraîcheur. Le servir frais (8°C) à l'apéro ou en même temps qu'un risotto. ★★ **TD**

Canada, Ontario
vqa Niagara
Sauvignon blanc,
Black Reserve,
Jackson-Triggs Estate Wines
+11677421 - 15,25$
Ce sauvignon blanc s'ouvre sur des parfums d'agrumes, de fruits tropicaux et de fleurs qu'on retrouve en bouche avec beaucoup de fraîcheur. Un vin d'un grand équilibre et d'une belle minéralité. Très agréable servi frais (8°C) à l'apéritif ou en mangeant des acras de morue, une darne de saumon sauce hollandaise ou une fricassée de noix de pétoncle. ★★(★) **TD**

Espagne, Catalogne
do Catalunya
Vina Esmeralda, Miguel
Torres +10357329 - 15,85$
Voici un joyeux vin blanc, très agréable, aux odeurs intenses de fruits exotiques, de rose, de litchi, de raisin muscat et d'épices. Gouleyant, fruité, long et gras en bou-

VINS BLANCS

GUIDE DEBEUR 2016

che, il jouit d'une belle fraîcheur. Beaucoup de plaisir à boire ce vin rafraîchi (10°C) en même temps que des huîtres crues, du boudin blanc aux morilles ou des coquilles Saint-Jacques. ★★(★) **TD**

États-Unis, Californie, Alameda
Chardonnay, Cupcake Vineyards +11372791 - 15,95$
Ce vin offre des odeurs intenses de citron, de fruits exotiques, de beurre et de vanille avec des notes boisées et épicées. Ample, fruité, long, gras et frais en bouche, d'une texture élégante avec quelques épices. Servi frais (8°C), il sera un bon choix pour un blanc de poulet à la crème et aux morilles, une pizza aux fruits de mer ou un mijoté de porc au cari. ★★(★) **TD**

France, Vallée de la Loire
Vin de pays Loire-atlantique
Marquis de Goulaine Réserve +11905737 - 15,95$
Voici un vin blanc sec qui s'ouvre franchement sur des odeurs intenses d'agrumes, du zeste de pamplemousse et des fruits exotiques avec des notes florales. Beaucoup de fraîcheur et une certaine nervosité en bouche grâce à une bonne acidité, on y retrouve beaucoup d'agrumes, du gras, de la longueur et quelques épices. Un vin plaisant, généreux, fruité et frais qu'on servira à 8°C et pour lequel on choisira un poisson grillé ou un bouquet de crevettes. ★★(★) **TD**

Grèce
Vin de pays Thessalia
Agioritikos, E. Tsantali +00861856 - 16,70$
La bouteille a maintenant changé de forme et se rapproche plus de l'ancienne bourguignonne que de la flasque. Le contenu en est toujours sympa avec des odeurs de fleurs, de fruits, de résine et de fumé avec des notes empyreumatiques et minérales. Floral, sec, vif et frais en bouche, il se révèlera un compagnon agréable servi frais (6°C) à l'apéro, en même temps que des tapas faites de poisson et de fruits de mer. ★★ **TD**

Italie, Toscane
Igt Toscana
Fumaio, Sauvignon blanc Chardonnay, Castello, Banfi +00854562 - 16,75$
J'ai longtemps cherché sur le web la signification du nom Fumaio. Il y avait bien fumai qui signifie «fumé» en italien, mais un «o» de trop empê-

chait toute traduction satisfaisante. À force d'une recherche qui se révélait plutôt stérile, on a conclu qu'il s'agissait peut-être d'un nom propre. Mais, bon! Et puis j'ai contacté Luc Provencher, directeur de la division Vins fins, chez Charton-Hobbs section Québec (l'importateur), qui m'explique que «Fumaio fait référence au mot fumo pour fumée. Il s'agit aussi d'un clin d'œil à Robert Mondavi qui a nommé Fumé blanc son vin à base de sauvignon blanc, en référence au pouilly-fumé de la Loire. Voici donc un vin blanc de la Toscane aux arômes de fleurs, de pamplemousse, de citron et de beurre frais avec des traces herbacées et une touche minérale. Vif, fruité, croquant et frais en bouche, il évolue sur des notes à la fois florales et fruitées, voire exotiques. Servi frais (8°C), il fera merveille en compagnie d'un riz blanc aux crevettes sautées à l'huile d'olive et à l'ail ou avec une sole meunière. ★★(★) **TD**

France, Alsace
aop Alsace
Pinot gris réserve, Alsace Willm +00370676 - 17,25$
Un agréable vin blanc d'Alsace aux parfums de fruits (poire, pêche blanche) et de fleurs. Ample, élégant, fruité, long et gras en bouche avec des notes de miel et une finale délicatement épicée. Le servir frais (10°C), en même temps qu'un homard grilé ou des mets asiatiques (sushis, sashimis, etc.). Un très beau vin! ★★(★) **TD**

France, Bordeaux, Barsac
aoc Bordeaux
Château Suau +11015793 - 17,35$
Originaire de l'Aveyron en France, Monique Bonnet a-

Petit Debeur Vins, Cidres et Spiritueux

chète en 1986 ce domaine viticole planté dans les côtes de Bordeaux. Il s'agissait d'un ancien relais de chasse appartenant au duc d'Épernon. Monique Bonnet a eu la piqûre du vin lorsqu'elle faisait ses études à Bordeaux, berceau de grandes appellations vinicoles. Passionnée et sincère, elle produit des vins à son image, dont cet excellent vin blanc aux arômes de chèvrefeuille, d'agrumes et de fruits exotiques avec une touche minérale. Croquant, fruité et long en bouche, il bénéficie d'une belle acidité qui lui confère beaucoup de fraîcheur. Un super vin blanc d'un très bon rapport qualité-prix. On pourra le servir frais (8°C), en même temps que des huîtres crues, des coquillages ou du homard grillé. Ce vin est l'un de nos coups de cœur pour les fêtes.
Ce vin blanc a reçu le Sceau distinction de la Coupe des nations 2014, la médaille d'or au Concours des vins d'Aquitaine, Bordeaux 2010 et 95/100 avec 5 étoiles du Wine Spectator, Beverage Dynamics 2011. C'est très mérité! ★★(★) **TD**

France, Bourgogne
aop Bourgogne aligoté
Bourgogne Aligoté, Bouchard Père & Fils
+00464594 - 17,40$
Cet agréable vin blanc bourguignon est fait d'aligoté, un cépage blanc issu d'un croisement entre l'antique gouais blanc et le pinot noir. Mais c'est surtout le pinot qui donnera à ce cépage ses qualités organoleptiques. Nous avons ici un vin blanc aux odeurs florales avec des notes fruitées de pomme et d'agrumes et une touche minérale. Vif, fruité et frais en bouche avec une petite note végétale. Un bon vin à servir frais (8°C)

pour accompagner des escargots à l'ail ou des andouillettes au vin blanc. ★★(★) **TD**

France, Alsace
aop Alsace
W3 2013, Wolfberger
+12284792 - 17,40$
Ce vin blanc tient son nom du fait qu'il est composé de trois cépages, le riesling, le muscat et le pinot gris. J'ai adoré cet excellent vin blanc qui offre des arômes d'agrumes, de pomme, de fruits tropicaux et de fleurs. Largement fruité en bouche avec de l'équilibre, de la longueur, de la fraîcheur et une finale épicée. Un vin à boire frais (8°C) à l'apéro ou en même temps qu'une choucroute garnie ou un homard froid mayonnaise. ★★(★) **TD**

France, Val de Loire
aop Touraine
Domaine de la Charmoise, Sauvignon blanc, Henry Marionnet
+12562529 - 17,50$
Un vin de plaisir, bien typé sauvignon, qui s'ouvre sur des notes intenses d'agru-

mes, de fleur d'acacia, d'abricot et d'ananas. Non seulement il est élégant, mais en plus il fait ce qu'on appelle la «queue de paon», c'est-à-dire qu'il tapisse la bouche avec son large fruité et sa belle acidité qui lui confère beaucoup de fraîcheur. Un grand touraine blanc à servir frais (8°C) en même temps que des escargots bourguignons, une galette de crabe ou un feuilleté au fromage de chèvre. ★★(★) **TD**

Espagne, Catalogne
do Penedès
Chardonnay Gran Viña Sol 2013, Miguel Torres
+00064774 - 17,75$
«Gran Viña Sol» se traduirait littéralement par «grand vin de soleil». Voici donc un bon vin aux odeurs puissantes et ensoleillées de fruits exotiques, de fleurs et d'agrumes avec des notes vanillées, herbacées et boisées. Gentiment fruité, long, gras et très frais en bouche, il finit délicatement sur des notes épicées. Le boire frais (8°C) lorsqu'on sert une blanquette de veau, un saumon mariné et fumé ou une cassolette de fruits de mer. ★★★ **TD**

France, Alsace
aoc Alsace
Gentil Hugel, Hugel & Fils
+00367284 - 17,95$
En Alsace, on appelle «gentil» un assemblage de cépages nobles. Et ce vin ne dément pas son appellation. Il s'ouvre sur des parfums d'agrumes, de zeste de pample-

Petit Debeur Vins, Cidres et Spiritueux

VINS BLANCS

mousse, de rose et de raisin muscat avec une note minérale. Gentiment fruité, long, frais et épicé en bouche. Un vin gouleyant à boire frais (8°C) lorsqu'on sert des mets asiatiques, des coquillages ou une friture d'éperlans. ★★(★) **TD**

États-Unis, Californie, Alameda, Central Coast
Everyday, The Dreaming Tree +12270913 - 18$
Ce vin blanc est un assemblage de gewurztraminer, de riesling, d'albarino (cépage du nord de l'Espagne) et de viognier. Il offre des odeurs intenses de fruits tropicaux, de litchi, de rose, de raisin muscat et d'épices. Largement fruité en bouche, il présente une très belle fraîcheur. Servi frais (10°C), il accompagne des mets asiatiques, des crevettes au gingembre ou une darne de saumon sauce béarnaise. ★★★ **TD**

Italie, Trentin Haut-Adige doci Trentino
Gewurztraminer, Bottego Vinai, Cavit +11766351 - 18,05$
Intéressant de déguster un gewurztraminer très bien réussi mais provenant d'une région autre que l'Alsace. Le vin rappelle ici toutes les caractéristiques du cépage: très aromatique et axé sur les fruits exotiques et les épices. Sec, frais et assez

généreux. La fin de bouche est gourmande avec un rappel frais et délicat qui donne envie d'en reprendre. Servir entre 8 et 10°C avec des sushis ou un céviche de crevettes et pétoncles. ★★ **PT**

Afrique du Sud, Western Cape, Swartland
Secateurs, Adi Badenhorst +12135092 - 18,05$
Le charismatique vigneron Adi Badenhorst fait ses premières armes au Château Angélus (saint-émilion; premier grand cru classé A) et chez Alain Graillot à Crozes-Hermitage avant de cogérer ce domaine de 28 hectares dans le Swartland, une région sud-africaine en plein essor. Cette cuvée 100% vieilles vignes de chenin blanc revêt une belle robe jaune pâle et libère des arômes de fruits blancs agrémentés de notes florales miellées. L'équilibre en bouche se fait parfaitement alors que le fruité est rehaussé par une plaisante fraîcheur. À déguster sur un céviche péruvien de poisson. ★★★★ **DJL**

Nouvelle-Zélande, Île du sud, Marlborough
Stoneleigh Sauvignon blanc, Corbans Wines +10276342 - 18,30$
Il est important de rappeler que ce vin est issu de vignes plantées dans un terroir jonché de pierres blanches qui reflètent le soleil sur la vigne. On les appelle «pierres de soleil» et elles apportent au raisin une chaleur plus concentrée. Ce vin blanc sec s'ouvre sur des odeurs intenses de pamplemousse avec une touche minérale et végétale. Fruité, long, gras et frais en bouche avec une petite touche perlante qui ajoute à sa fraîcheur. Le servir à 8 ou 10°C en même temps que

des fruits de mer en cassolette ou un homard grillé. ★★★ **TD**

France, Alsace aop Alsace
Pinot Blanc, F.E. Trimbach +00089292 - 18,45$
Ce vin est fait d'un assemblage de pinot auxerrois (70%) et de pinot blanc (30%). Il présente un nez léger de fleurs et de fruits avec des notes minérales et quelques épices. Intense, fruité, nerveux et frais en bouche avec une touche perlante qui ajoute à sa fraîcheur. Un joli vin, élégant, à servir frais (8°C) à l'apéritif, ou avec un bar sauce hollandaise ou une choucroute garnie. ★★(★) **TD**

France, Alsace aop Alsace
Riesling Réserve, Willm +00011452 - 18,65$
Un bon riesling alsacien, bien typé, qui s'ouvre sur des parfums de fleurs et d'agrumes avec une touche de pétrole. En bouche, c'est droit, net et franc. Un vin élégant, racé et fin. Servi frais (8 à 10°C), il se révèlera le bon compagnon d'une choucroute garnie, d'une escalope de veau sauce citronnée ou d'un fromage de chèvre type crottin de Chavignol. ★★(★) **TD**

GUIDE DEBEUR 2016

Petit Debeur Vins, Cidres et Spiritueux

France, Alsace
aoc Alsace
Riesling, Hugel & Fils
+00042101 - 18,75$
Le riesling est un des grands cépages nobles d'Alsace. On le considère d'ailleurs comme le roi des cépages d'Alsace. Il offre ici des odeurs typiques de pétrole avec des notes d'agrumes et de cassis. Bien fruité en bouche, un bel équilibre, de l'élégance et de la finesse, beaucoup de fraîcheur finissant sur quelques épices. Un vin gourmand qu'on boit frais (10°C) en servant des huîtres crues, une fricassée de homard ou une choucroute de la mer.
★★★ TD

États-Unis, Californie,
Sonoma County
American Viticultural Areas
(ava)
St-Francis Chardonnay,
St-Francis Winery
& Vineyard
+11053909 - 19,85$
Fait de 97% de chardonnay et de 3% de marsanne, ce vin blanc sec allie équilibre, complexité et amplitude avec puissance et vivacité. Un heureux mariage qui s'épanouit sous le climat californien en offrant des odeurs intenses et complexes de fleurs, d'agrumes, de pomme verte, de vanille et de fruits tropicaux avec un léger boisé. Amplement fruité, crémeux, long, équilibré et frais en bouche où il s'exprime avec beaucoup de générosité et quelques épices. Un vrai vin de plaisir à servir frais (10°C)

avec des acras de morue, des beignets d'aubergine ou un émincé de veau sauce au cari. **★★★ TD**

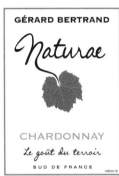

France, Languedoc-Roussillon
aop Vin de Pays d'Oc ♥
Naturae Chardonnay,
Gérard Bertrand
+12178869 - 19,95$
Gérard Bertrand, propriétaire de nombreux domaines qu'il dirige vers la culture naturelle, le bio, le raisonné, propose ici un vin sans soufre ajouté ni additif. Il veut révéler non seulement les qualités authentiques du cépage, mais aussi l'expression du terroir. Une démarche sincère qui débouche ici sur un vin blanc au nez d'agrumes, de fruits blancs et de fleurs avec une touche de miel et de beurre. Perlant, fruité, presque rond, mais frais et long en bouche, il découvre une belle matière qui finit sur une petite touche citronnée. Le servir frais (8°C) en même temps qu'un feuilleté de poulet et morilles ou un poulet à l'estragon. **★★(★) TD**

Australie, Mc Laren Vale
The Hermit crab,
D'Arenberg +10829269 -
19,95$
Ce produit est issu d'un assemblage de viognier et de marsanne très bien balancé.

Arômes fins et subtils de nectarine, d'abricot et d'ananas bien mûrs. Sec et très tendre, de belle générosité. Servir entre 8 et 10°C avec un sauté de lapin sauce crème et shiitakés ou encore une poêlée de pétoncles avec la même sauce. **★★ PT**

VINS BLANCS À PLUS DE 20$

Espagne, Galice
do Rias Baixas
Legado del Conde,
Adegas Morgadío
+11155403 - 20,25$
Ce vin du nord-ouest de l'Espagne possède une superbe couleur dorée très invitante. Aromatique et complexe avec des accents beurrés, de miel et de pain grillé. Un Rias Baixas de grande tenue, sec et frais assis sur une texture moelleuse. Servir autour de 10°C avec un poisson à la chair tendre comme le doré ou le saint-pierre, poêlé avec un beurre aux noisettes ou le classique amandine. **★★ PT**

France,
Languedoc-Roussillon
aoc Vin de Pays d'Oc
Bergerie de l'Hortus,
Domaine de l'Hortus
+10506937 - 20,45$
Le rouge du domaine est une figure bien connue des amateurs de vins du Languedoc. Le blanc est tout aussi bien travaillé! Beau jaune paille brillant. Agréablement citronné avec des notes subtiles d'abricot et de vanille. Vin sec et assez vif en attaque, il se révèle généreux et plutôt ferme avec une fin de bouche sur le tilleul et les fruits exotiques. Servir à 10°C avec un poulet à la citronnelle ou des crevettes flambées au cognac à l'orange. **★★ PT**

VINS BLANCS

GUIDE DEBEUR 2016

Petit Debeur Vins, Cidres et Spiritueux

VINS BLANCS

France, Provence, Pierrefeux aoc Côtes-de-Provence
Château La Tour de L'Évêque, Régine Sumeire
+00972604 - 20,45$
Fille de vignerons et femme de tête, Régine Sumeire nous entraîne dans ses vignes en nous faisant partager sa passion pour les bons vins, ceux qui plaisent et qui ont une personnalité. Un vin comme celui-ci qui s'ouvre sur des arômes d'agrumes, de fleurs blanches, de poire, de miel et d'anis avec une note minérale et végétale. Ample, fruité, frais, long et gras en bouche, il finit sur quelques épices délicates. Un vin plein d'élégance, à servir frais (8°C) lorsqu'on déguste une fondue suisse ou une terrine de volaille aux morilles.
★★★ **TD**

Pinot Gris
Marlborough

Nouvelle-Zélande, South Island, Marlborough
Pinot Gris Marlborough, Kim Crawford
+12270964 - 20,95$
Un nez intense d'agrumes (zeste de pamplemousse, de citron), de poire, de miel et d'épices avec une touche minérale. Très belle expression fruitée en bouche, de la longueur et beaucoup de fraîcheur. Un bon vin à servir frais (8°C) en lui préférant des acras de morue ou un bar sauce hollandaise.
★★★(★) **TD**

Canada, Colombie Britanique, Okanagan Valley
Riesling Reserve, Mission Hill +11092086 - 20,95$
La vallée de l'Okanagan est un lieu de villégiature d'une beauté indicible où vignobles et vergers se retrouvent enchâssés au milieu des Rocheuses, un véritable jardin d'Éden! Parmi les nombreux vignobles implantés dans cette vallée pour profiter d'un écosystème viticole remarquable, le spectaculaire domaine de Mission Hill à Kelowna vaut tous les détours. Et si vous avez la chance de rencontrer Ingo Grady, le directeur du Wine Education Centre, et de faire avec lui le tour du propriétaire pour ensuite déguster quelques-unes de ses 30 cuvées, le bonheur est assuré! Que dire de ce Riesling «Reserve» vendu au Québec? Au nez, il libère d'aériens effluves où les fleurs côtoient les agrumes, nuancés d'une touche minérale. Franc à l'attaque, aromatique, il évolue avec fraîcheur sur des notes de zeste de citron et se montre bien structuré et persistant. Il a l'étoffe nécessaire pour donner la réplique à un poisson poché nappé d'un beurre citronné.
★★(★) **DJL**

Sauvignon Blanc
Marlborough

Nouvelle-Zélande, Marlborough
Sauvignon blanc, Kim Crawford
+10327701 - 20,95$
Lorsque vous mettez cette bouteille à table, vous ne vous trompez pas. Elle fait immédiatement l'unanimité parmi vos convives. Il séduit d'emblée en s'ouvrant sur des parfums intenses de fleurs, d'agrumes et de fruits tropicaux qu'on retrouve en bouche avec un bel équilibre, de la fraîcheur, une touche minérale et surtout une bonne présence. Le servir frais (8°C) en mangeant une salade de riz aux crevettes ou un poulet mariné et grillé. Ce vin s'est vu attribuer plusieurs fois la note de 90/100 par le Wine Spectator.
★★★★ **TD**

France, Bourgogne, Côte de Beaune aox Bourgogne aligoté
Aligoté Bio Ecocert, Jean Claude Boisset
+12479080 - 21,60$
L'aligoté est un ancien cépage bourguignon, connu depuis le 17e siècle. Il produit des vins légers, frais et acides. Il fut glorifié par le chanoine Félix Kir (1876-1968), député-maire de Dijon, qui donna son nom au vin blanc-cassis qu'on servait lors de réceptions officielles en coupant cette acidité par l'ajout de crème de cassis. Devenu célèbre, le kir est un apéritif qui se décline aussi avec du vin mousseux sous le nom de kir royal. Celui-ci offre des parfums d'agrumes (zeste de citron), de pomme verte et de fleurs. Vif, nerveux et fruité en bouche, il présente une belle acidité. Le servir frais (8°C) en présence d'un jambon persillé, de beignets de crevettes. ★★(★) **TD**

GUIDE DEBEUR 2016

Petit Debeur Vins, Cidres et Spiritueux

France, Loire
aop Jasnières
Jasnières Cuvée des Silex,
Pascal Janvier
+11763610 - 22,25$

L'habit ne fait pas le moine pour ce vin de couleur pâle mais étonnamment aromatique, très gourmand même. Tout en fruit: coing, poire, pomme cuite. Suivent le miel, le jasmin et le foin coupé. L'attaque est assez vive, sans excès et caractéristique des vins de cette région. Souple et assez généreux avec une fin de bouche acidulée soutenue par une très légère impression de sucre résiduel. Servir entre 8 et 10°C avec un fromage de chèvre affiné et légèrement crémeux ou un céviche de pétoncles à l'eau de canneberges et au vinaigre de chardonnay, avec son émulsion de jus de pomme en écume. ★★(★) **PT**

France, Alsace
aop Alsace
Riesling, F.E. Trimbach
+11305547 - 22,50$

Un riesling élégant au parfum caractéristique de pétrole avec des notes d'agrumes, de miel et de fleurs (genêt). Droit comme doit l'être un riesling alsacien, fruité, long, ample et croquant en bouche, il s'ouvre sur beaucoup de fraîcheur et continue sur quelques épices douces. Un très beau riesling qui ne manque pas de finesse!
À servir frais (10°C) et à marier avec des mets asiatiques, une choucroute garnie ou encore des huîtres crues. ★★★ **TD**

Portugal, Beiras
doc Dao
Daò branco,
Quinta da Pellada
+11895364 - 22,75$

Situé dans la région de la Serra da Estrela (montagne de l'étoile), le domaine fut abandonné pendant deux générations avant qu'Alvaro et sa fille Maria le reprennent pour l'amener à un excellent niveau qualité. Parmi les différentes cuvées qui y sont élaborées, le Daò blanc, issu majoritairement de l'encruzado, s'exprime par des parfums d'agrumes et de fruits à chair blanche et jaune. Une attaque franche introduit une bouche d'une rondeur avenante et équilibrée. La finale très longue est marquée par une note d'amertume savoureuse. À découvrir avec un bar en croûte de sel.
★★★ **DJL**

France, Bourgogne,
Chablisien
aoc Chablis
Chablis La Sereine,
La Chablisienne
+00565598 - 22,95$

Voici un très beau chablis aux parfums d'agrumes et de pomme avec une touche minérale. Joli fruité en bouche, vif et frais avec un bel équilibre. J'aime le boire frais (8°C) en mangeant un chapon farci aux morilles, un sauté de porc au cari ou un saumon mariné et fumé. Excellent rapport qualité-prix.
★★★(★) **TD**

France, Languedoc-
Roussillon
aoc Limoux
Domaine de Mouscaillo,
Marie-Claire Fort
+10897851 - 23,05$

Sur les contreforts des Pyrénées, la famille Fort produit des vins exceptionnels, hormis ses vins à bulles. Issu du chardonnay, ce Limoux tranquille libère des parfums de noisette et de fruits frais que vient ponctuer une touche minérale; la bouche affiche une grande pureté et une fermeté calcaire qui nous berneraient aisément dans une dégustation à l'aveugle: on donnerait à ce vin limouxin «le chablis sans confession». Tous les ingrédients sont réunis pour un mariage réussi avec une andouillette grillée ou encore avec des huîtres sur écailles.
★★★★(★) **DJL**

Italie, Ombrie
igt Umbria
Bramìto del Cervo,
Castello della Sala,
Marchesi Antinori
+10781971 - 23,25$

Issu exclusivement du chardonnay, le Bramìto del Cervo (le brame du cerf) est le second vin du Cervaro della Sala, porte-étendard du Castello della Sala appartenant au Marchesi Antinori. Ce vin s'illustre par un registre aromatique floral agrémenté de tonalités exotiques (ananas, melon) et vanillées. Le palais conjugue fraîcheur et souplesse, une fine trame minérale lui apportant le juste é-

Petit Debeur Vins, Cidres et Spiritueux

VINS BLANCS

quilibre. Un chardonnay vibrant et typé qui ne fait pas dans l'ostentatoire mais plutôt la finesse. Située au cœur de la botte, l'Ombrie est la seule région d'Italie à ne pas avoir de débouchés sur la mer; le vin ne sera pourtant aucunement dépaysé de passer à table en compagnie d'un homard au court-bouillon, même qu'il viendra lui serrer la pince! ★★★(★) **DJL**

Espagne, Galice
do Rías Baixas
Nora Albarino, Bodega Viña Nora +11639580 - 23,25$
Si un certain mystère plane encore sur l'origine de l'albarino, dénommé alvarhino au Portugal, ce cépage blanc de la péninsule ibérique a réellement trouvé sa niche en Galice et connaît un succès international. Bénéficiant d'un climat océanique idéal pour sa croissance, il confère aux vins de l'appellation Rias Baixas toute sa noblesse et son originalité. La Bodega Viña Nora met tout en œuvre pour préserver le caractère aromatique de l'albarino. Ce 2013 se pare d'une robe jaune or brillant aux reflets d'argent. Le nez mêle l'abricot confit et la pêche; l'aération libère des notes florales et iodées faisant écho à un palais élégant et long, qui marie puissance et finesse, rondeur et fraîcheur. Un vin équilibré et prêt à boire qui viendra sublimer des poulpes à la galicienne. ★★★ **DJL**

France, Bourgogne
aoc Chablis
Chablis Les Champs Royaux, William Fèvre +00276436 - 23,95$
Situé à l'extrême nord de la Bourgogne, le Chablisien produit des vins fins et élégants comme celui-ci, qui s'ouvre sur des parfums de fleur d'a-

cacia, de pomme verte, de craie, de vanille et de biscuit. Fruité, long, vif et frais en bouche, il présente un bel équilibre et une finale doucement épicée. Un beau chablis qu'on boira frais (10°C), si l'on sert un feuilleté aux crevettes, des escargots de Bourgogne ou un plateau de fruits de mer. ★★★ **TD**

France, Sud-Ouest
aop Pacherence du Vic Bihl
Château Montus +11017625 - 24,80$
Splendide vin de couleur or soutenue. Nez fin et intense d'ananas bien mûr et de miel. La noisette et le caramel rappellent l'élevage magnifiquement dosé de ce grand vin. Belle texture en bouche, presque soyeuse, frais et généreux avec une finale briochée et de pain grillé. Difficile selon moi de faire mieux dans le style... Et pour le prix c'est plus qu'excellent! Servir entre 10 et 12°C avec un filet de veau en croûte de pâte feuilletée, farci aux pleurotes. ★★★★ **PT**

France, Bordeaux
aop Graves
Château Villa Bel-Air +11341679 - 25$
Grand vin blanc aux reflets or-vert brillants. Le nez finement boisé rappelle le caramel, la vanille, le miel mais aussi la pêche et les agrumes. L'attaque est fraîche pour ce vin sec, assez généreux et souple. La finale est

persistante avec un rappel acidulé des agrumes qui ravive la bouche. Il faudra le servir pas trop froid, autour de 12°C, pour profiter pleinement de toutes ses subtilités. Une volaille pochée accompagnée d'une sauce veloutée à l'estragon lui ira à merveille ou encore, dans un style plus simple, un panini grillé garni de brie, jambon, pomme et miel. ★★★ **PT**

France, Bourgogne,
Mâconnais
aoc Pouilly-Fuissé
Pouilly-Fuissé, Jean-Claude Boisset +11675708 - 25,45$
Le pouilly-fuissé tient son nom de deux des quatre communes de cette appellation, soit Solutré-Pouilly et Fuissé. Il s'agit d'un vin blanc racé et élégant aux parfums d'agrumes et de fleurs avec des notes de beurre frais et de miel et une touche minérale et végétale. Fin, vif, fruité et frais en bouche avec des notes de poire blanche, il bénéficie en outre d'un très bel équilibre. Le servir frais (10°C) en l'associant à une mousse de homard ou du saumon mariné et fumé. ★★★(★) **TD**

Québec, Montérégie,
Dunham
Cuvée Natashquan, Vignoble de l'Orpailleur (D) - 26$
Que de chemin parcouru depuis que les premières vignes furent implantées au vignoble de l'Orpailleur en 1982, dans la vallée de Dunham en Estrie... Une aventure de vignerons visionnaires qui perdure depuis tout ce temps et qui a fait de nombreux émules; les nouveaux viticulteurs du Québec profitent de l'expérience de ce vignoble pionnier et de la générosité de son copropriétai-

Petit Debeur Vins, Cidres et Spiritueux

re, Charles-Henri de Coussergues, qui diffuse les conseils avec plaisir. La cuvée Natashquan est née en 2007 et porte le nom du village natal du poète Gilles Vigneault, celui-là même qui baptisa le vignoble «Orpailleur», qui signifie «chercheur d'or». À l'instar du «Laboureur et ses enfants» de Jean de La Fontaine, Charles-Henri, après bientôt 35 ans de labeur dans la vigne, a compris que seul le travail est un trésor, puisque je doute qu'il n'ait jamais trouvé la moindre paillette d'or. Un vin qui assemble seyval (52%) et vidal (48%) s'annonce par d'élégants parfums de poire et des notes vanillées; l'équilibre de l'assemblage se retrouve en bouche, qui allie la fraîcheur citronnée de l'un à la rondeur de l'autre. Un élevage soigné en fût de chêne américain participe à l'harmonie d'ensemble. Un homard poêlé à la vanille serait prêt à se damner pour lui. ★★★★ DJL

France, Vallée de la Loire
aop Pouilly Fumé
Pouilly Fumé,
Henri Bourgeois
+00412312 - 26,80$
Très joli sauvignon blanc de la Loire. De couleur jaune-vert pâle mais cristalline, le nez est tout en finesse et des plus agréable. On retrouve les fleurs printanières, le pamplemousse mais aussi une note lactée faisant penser à la crème fouettée. La perception d'attaque en bouche est acidulée mais sans excès, le vin est sec et assez souple avec une superbe finale sur les fruits tropicaux comme l'ananas et le litchi mais sans exubérance. De belle tenue et de bonne longueur, il faudra le proposer autour de 10°C avec un plat délicat comme une terrine d'écrevisses et sa crème fraîche à l'aneth ou un gâteau de crabe avec une mayonnaise citronnée. ★★★ PT

France, Val de Loire
aoc Sancerre
Sancerre, Pascal Jolivet
+00528687 - 27,15$
Les vins de Sancerre sont racés, fins et élégants. Celui-ci en est un bon exemple. Fait à 100% de sauvignon blanc, il s'ouvre sur des parfums de fruits exotiques, d'agrumes, de cassis et de fleur avec des notes minérales. Droit, vif, net et franc en bouche, il présente un bel équilibre, beaucoup de fraîcheur, et il finit sur des épices douces. Un beau Sancerre à boire frais (10°C) avec des huîtres, des asperges au beurre, un feuilleté au fromage de chèvre du type crottin de Chavignol. ★★★★ TD

France, Alsace
aoc Alsace Grand Cru
Riesling Grand Cru Rosacker

Cave Vinicole de Hunawihr
+00642553 - 27,25$
Ce vin est produit sur le lieu-dit le Rosacker en Alsace, dont il tiendrait le nom qui voudrait dire «églantier». Ce grand vin de garde s'ouvre sur de beaux arômes d'agrumes (zeste d'orange et de citron vert) et de fleurs blanches avec des notes épicées. Vif, minéral, intense, riche et fruité en bouche, il évolue sur une belle acidité et de la longueur sur le fruit. Un vin blanc sec d'une très grande finesse qu'on dégustera frais (10°C) en mangeant une fricassée de homard, un bar grillé ou des huîtres crues. ★★★(★) TD

Basse-Autriche
(Niederösterreich)
Qualitätswein Kamptal
Hirsch Heiligenstein,
Weingut Hirsch
+11695055 - 28,65$
Situé au nord-ouest de Vienne, le Kamptal est une région montagneuse qui produit quelques-uns des plus beaux grüner veltliner. Cépage emblématique de l'Autriche, il possède un large spectre qualitatif qui va du vin nouveau (heurigen) au grand vin liquoreux (TBA) de garde en passant par le blanc sec et vif à plus ample et généreux. Johannes Hirsch est un vigneron innovateur, précurseur de la capsule à vis en Autriche et bien évidemment adepte de la biodynamie stei-

nérienne. Son grüner veltliner provient d'Heiligenstein, l'un des plus célèbres crus autrichiens. Son nez est frais, tonique, mêlant le citron frais au citron confit avec une petite touche d'herbes fraîchement coupées pour finement couronner le tout. La bouche est tout aussi vive, limite tranchante, compensée par une belle souplesse en son milieu, et la finale exprime tout l'éclat de la jeunesse, laissant entrevoir des arômes épicés et une pointe d'amertume qui s'estompera avec le temps. Son harmonie et son équilibre en feront un compagnon très agréable pour les fruits de mer.
★★★★ DJL

France, Bourgogne
aoc Mercurey
Château de Chamirey Blanc,
Roger de Jouenne d'Herville
+00179556 - 29,05$
Un nez élégant et fin de zeste de citron vert, de fruits exotiques, de fleurs, d'amande et de beurre frais avec une touche minérale et miellée. Vif, fruité, long et gras en bouche, il jouit d'une bonne acidité qui lui procure une grande fraîcheur. Beaucoup de finesse pour ce vin blanc à boire frais (10°C) en compagnie de rillettes de canard, un poulet aux cèpes ou une terrine de foies de volaille.
★★★★ TD

France, Bourgogne, Yonne
aoc Chablis Premier Cru
Château de Maligny,
Homme Mort
+00872986 - 36$
«L'Homme mort est l'un des huit lieux-dits qui composent le 1er cru Fourchaume, et le meilleur d'entre eux» (saq. com). Ce vin de Chablis charmeur s'ouvre sur des parfums d'agrumes, de fruits exotiques et de fleur d'aca-

cia, le tout bien marqué par une belle minéralité. À la fois floral et fruité, long, vif et frais en bouche, il évolue sur de légers tanins élégants et fins avec une pointe d'amertume en finale. Un beau vin blanc qui possède beaucoup de présence et de finesse et qu'on servira frais (10°C) à la même table qu'un homard grillé ou un gravlax de saumon. ★★★★ TD

France, Bourgogne
aoc Chablis Fourchaume
Premier Cru
Château de Maligny,
Fourchaume,
Jean Durup Père & Fils
+00480145 - 36,50$
«Chablis» est une appellation qui se situe au nord de la Bourgogne, on y cultive exclusivement le cépage chardonnay. Ce chablis-ci offre des parfums délicats de calcaire (minéralité), de fleurs et de poire bien mûre. Vif, fruité et frais en bouche, il bénéficie d'un très bel équilibre. Un vin élégant et bien fait à boire frais (10°C) lorsqu'on sert des huîtres crues, des escargots à l'ail ou un homard grillé. ★★★★(★) TD

France, Bourgogne,
Côte de Beaune
aop Saint Romain
Le Jarron,
Deux Montille Sœur Frère
+11855821 - 38$
Très grand vin de la Côte de Beaune issu d'une appellation moins connue. De couleur or brillante aux reflets verdâtres. Tout en subtilité,

avec une matière soutenue, il est aromatique et puissant. Miel, abricot et brioche au nez. C'est un vin sec, frais et souple. Généreux et très bien équilibré. Pour profiter au mieux de son caractère, il sera important de ne pas le servir trop frais, pas en dessous de 12°C, avec un plat raffiné. Pourquoi pas une poêlée de langoustines flambées au cognac sur un risotto de chanterelles? ★★★★ PT

France, Vallée de la Loire
aoc Sancerre
Le MD, Henri Bourgeois
+00967778 - 39,50$
Impossible de dissocier la famille Bourgeois du célèbre village de Chavignol, elle y est enracinée depuis 10 générations. Jean-Marie Bourgeois, homme passionné à l'humour contagieux, préside ce domaine prestigieux. Parmi la mosaïque de parcelles cultivées, une des plus célèbres se situe au pied de la côte des Monts Damnés. Né de marnes kimméridgiennes (argile et coquillages), le Monts Damnés 2013 dévoile progressivement son bouquet: des notes fruitées s'ajoutent aux premières nuances de fleur (sureau) et de buis sur un fond minéral typique du terroir. La bouche réunit fraîcheur, densité, élégance et complexité aromatique dans un équilibre sans faille qui confirme la dominante minérale. Un sancerre prometteur, qui pourra affronter une garde de plusieurs années. On l'appréciera aussi bien avec un plateau de fruits de mer qu'un pois-

son en sauce (doré au beurre blanc). Le village a donné son nom à un célèbre fromage de chèvre qui fait référence aux selles des équidés, le crottin de Chavignol: un accord régional tout indiqué. ★★★★ DJL

France, Vallée du Rhône
aop Condrieu
Condrieu 2014,
Pierre Gaillard
+12423932 - 59,50$
Parfaitement équilibré, distingué et complexe, c'est un vin de pur plaisir. Pour ceux qui ne le sauraient pas, il est élaboré à base d'un cépage très à la mode: le viognier. Un bonheur de sentir ses arômes délicats de violette et de fruits exotiques. Acidité et souplesse sont bien balancées dans ce vin sec et généreux. La fin de bouche rappelle les notes perçues au nez. Je n'ai pas peur de servir cet excellent vin à 14°C pour profiter de sa souplesse et de ses arômes. Il sera parfait avec des langoustines vapeur, sauce vin blanc et crème à l'estragon. ★★★★★ PT

France, Bourgogne,
Côte de Beaune
aop Meursault
Meursault 2012, François
Mikulski +11436070 - 68$
La couleur est or-vert et d'une belle limpidité quasi cristalline. Expressif, tout en finesse et en subtilité autour des notes de pain grillé, de confit d'agrumes mais aussi de nougat. L'attaque est ronde et tout aussi délicate, dans la lignée des arômes perçus au nez. Frais et assez généreux,

la fin de bouche est nette et me rappelle la baguette viennoise sortie du four. Je le servirais à 12°C avec un filet de veau et homard sauce à la crème aux pleurotes.
★★★★★ PT

France, Jura
aop Château Chalon Réserve
Catherine de Rye 1998,
Henri Maire
+00734830 - 75$
Vin majestueux de couleur ambrée. Très aromatique, tout en complexité et en finesse, multidimensionnel, on y retrouve des notes de noix, de nougat, de craie. Attaque fraîche et souple, c'est un produit pour amateur averti. Finale interminable sur les agrumes et le caramel, mais aussi avec une impression de salinité. À savourer à 15°C pour lui-même, mais aussi avec le traditionnel comté régional ou encore un saumon fumé à froid et mariné à la bière noire, accompagné de citron confit et de fromage à la crème.
★★★★★ PT

VINS BLANCS DOUX

France, Sud-Ouest
aop Pacherence du Vic Bihl
Rêve d'automne,
Laffitte Teston
+10779855 - 20,25$
Une appellation un peu difficile à prononcer, mais que le vin est délicieux! Jolie robe

or ambré. Les arômes sont francs et invitants: la pomme cuite au caramel, la prune jaune et le boisé délicat. Moelleux, tendre et très onctueux avec une acidité qui vient balancer la sucrosité. Finale savoureuse et persistante. Excellent vin qui pourrait se garder quelques années encore. À déguster entre 8 et 10°C avec une tarte tatin au beurre salé ou, pourquoi pas, un cheddar vieilli au moins un an. ★★ PT

France, Bordeaux
aop Loupiac
Château Grand Peyruchet
+00857748 - 24,70$
Ce beau château produit un vin liquoreux dans une région moins réputée mais voisine de Sauternes. Elle apporte tout autant de plaisir à des prix souvent plus accessibles. Le nez distingué rappelle la pourriture noble mais aussi les agrumes comme le pamplemousse confit. L'attaque est fraîche, agréablement liquoreuse et soyeuse. Finale longue et persistante. Servir à 8°C avec une tarte aux abricots et crème glacée vanille ou bien sûr un fromage à pâte ferme et à croûte lavée, comme l'excellent Gré des champs.
★★★ PT

France, Dordogne
aop Monbazillac
Monbazillac, Château Septy
+10268545 -25,15$
C'est dans cette magnifique Dordogne qu'on produit ce non moins excellent vin liquoreux à la couleur dorée aux reflets vieil or. Très agréable et fin, le nez rappelle la confiture d'abricot, le miel et les zestes de pamplemousse confits. L'attaque est souple, douce et moelleuse. Le vin est frais malgré sa richesse en sucre lui donnant

une belle onctuosité. Servir autour de 10°C avec un soufflé au Grand Marnier ou un vieux cheddar et sa confiture de figues. ★★★ **PT**

VINS MOUSSEUX ET CHAMPAGNES

VINS MOUSSEUX ET CHAMPAGNES À MOINS DE 50$

Hongrie
Hungaria Grande Cuvée, Hungarovín
+00106492 - 13,95$
Toujours égal à lui-même, ce vin mousseux hongrois est élaboré selon la méthode traditionnelle avec 60% de chardonnay et, pour le reste, du pinot noir et du riesling. Il présente une très belle effervescence avec des bulles fines, nombreuses et persistantes, qui présage déjà un produit de qualité. Il s'ouvre sur un nez de fleurs blanches, de pomme verte, de noisette, de brioche et de beurre frais avec une note bien marquée par la minéralité. Frais, élégant, racé et fin en bouche, il poursuit longuement le plaisir, surtout servi frais (8°C) à l'apéro ou en même temps qu'un bar au fenouil ou une salade de crevettes. ★★★ **TD**

France, Languedoc-Roussillon aoc Blanquette de Limoux
Domaine de Fourn Brut
+00220400 - 19,95 $

Le nez est charmeur, d'abord orienté sur des arômes de poire, puis sur ceux plus classiques de pomme et d'anis. Ce sont ces derniers que l'on retrouve dès l'attaque en bouche au sein d'une effervescence particulièrement fine et élégante, voire caressante. Les arômes sont peu complexes (fruits blancs), le vin apparaît jeune, mais le comportement de sa texture est d'une impeccable suavité grâce à des perles qui s'étirent tendrement jusqu'en finale. Je prendrai bien un deuxième verre! ★★★★ **GR**

France, Alsace aoc Crémant d'Alsace
Wolfberger Brut, Cave Vinicole Eguisheim
+00732099 - 20,25$
C'est un vin mousseux aux bulles fines et aux parfums délicats de fleurs blanches, de pomme et d'agrumes avec des nuances de brioche au beurre. Vif, frais et bien équilibré en bouche, voici un crémant élégant qu'on servira frais (8°C) à l'apéritif ou avec une sole aux amandes, même avec un dessert aux fruits rouges, une tarte aux fraises par exemple. Ce vin mousseux a déjà obtenu une médaille d'or au Concours général agricole de Paris. ★★(★) **TD**

France, Vallée de la Loire aoc Crémant de Loire rosé
Langlois-Château Brut
+11140631 - 22,05$

Un bon mousseux rosé qui, grâce au cabernet franc, présente une certaine mâche en bouche que viennent caresser des bulles menues et persistantes. La texture est crémeuse, le fruité rouge s'impose, le dosage sensible le soutient dans la longueur où l'on décèle une fine amertume permettant une application facile à table: une entrée chaude, par exemple, de calmars farcis à la Portugaise. ★★★ **GR**

France, Bourgogne aoc Crémant de Bourgogne
Brut Rosé, Veuve Ambal
+12131147 - 22,15$
Nez expressif (fleurs et cerise), épicé à l'attaque (poivre), effervescence au volume léger, toutefois abondant et crémeux. Finale courte. Simple, efficace et abordable. ★★ **GR**

Luxembourg ac Crémant du Luxembourg
Crémant du Luxembourg Brut, Poll Fabaire
+12239457 - 22,45$
Nez discret de poire, puis de pomme verte à l'aération avec une petite touche oxydative. Bouche plus axée sur quelques notes de levures et un côté animal qui désorientent un peu, je laisse le vin s'aérer quelques minutes... La reprise est plus heureuse, plus fruitée, pommes et poires initialement décelées étant davantage présentes sur le plan aromatique. Les bulles sont de calibre moyen, plus aériennes que nouées, en lien avec la fraîcheur dé-

sirée de l'ensemble. C'est un crémant facile dans son comportement et finalement abordable que je privilégierai à l'apéritif. **★★ GR**

France, Alsace
aoc Crémant d'Alsace
Calixte Brut Rosé, Cave Vinicole de Hunawihr +00871921 - 22,75$
Les flaveurs de fruits rouges et jaunes (griotte, noyau de fruits, pêche) sont bien présentes au nez comme en bouche. L'attaque est peu nerveuse, le charme opère en bouche par son caractère vineux que des bulles délicates et fugaces viennent tempérer. Un crémant qui a évolué vers plus de matière et d'arômes au fil des années, lui permettant de passer de l'apéritif à une entrée consistante. **★★★ GR**

France, Bourgogne
aoc Crémant de Bourgogne
Blanc de Blancs Brut, Vitteaut-Alberti +12100308 - 23,10$
Intense, charnelle et complexe, cette cuvée a tout de la typicité des excellents crémants avec ce petit plus qui fait les grands vins. Le crescendo des flaveurs est classique (pamplemousse et pomme à la fraîcheur du service; fruits confits, fruits secs, pain d'épices après quelques minutes dans le verre), mais il déroute par sa densité conjuguée à une minéralité et à une effervescence d'une finesse rare qui rappelle certains flacons de la Marne. Pur et profond à la fois, bref remarquable, c'est le meil-

leur crémant vendu au Québec. Homard ou fruits de mer sont les bienvenus en accompagnement... **★★★★★ GR**

Espagne, Catalogne
do Cava
De Nit Brut Rosé, Josep María Raventos I Blanc +11457196 - 23,95$
Comme sur le millésime 2010 qui n'était déjà plus un cava, mais un Conca del Riu Anoïa (vive l'administration européenne!), la robe est très pâle et le premier nez lui ressemble, il est très délicat, plus floral que fruité. C'est en bouche que le fruité rouge se montre également moins intense que l'année dernière, on déguste un vin délicat dans les arômes en parfait équilibre avec la texture effervescente aérienne. Des bulles catalanes subtiles et élégantes qui pourront accompagner un carpaccio de pétoncles. **★★★★ GR**

France, Bourgogne
aoc Crémant de Bourgogne
Perle d'aurore, Louis Bouillot +11232149 - 23,95$
Un vin qui présente un fruité rouge élégant (groseille, framboise, et même fraise), davantage perçu en bouche qu'au nez et une effervescence maîtrisée grâce à des bulles fines et liées quoiqu'évanescentes en finale. Une belle acidité réveille l'ensemble, tout apparaît frais. C'est un beau crémant au dosage quelque peu appuyé, mais qui n'entache pas le fruité général. Un crémant aux accents populaires, très bien élaboré. **★★★★(★) GR**

France, Bourgogne
aoc Crémant de Bourgogne
Bailly-Lapierre Brut, Caves Bailly-Lapierre +11565015 - 24,95$

Fait de pinot noir, ce séduisant crémant de Bourgogne s'ouvre gentiment sur une belle expression de cerise et de violette. Soyeux et intense en bouche, il a une grande finesse et donne surtout beaucoup de plaisir. Très agréable à boire frais (8°C) à l'apéritif ou lorsqu'on sert une fricassée de homard ou encore une tarte aux fraises. **★★★ TD**

Italie, Lombardie
docg Franciacorta rosé
Fratus Brut Rosé, Azienda Agricola Riccafina di R. Fratus +11140711 - 29,30$
Sans doute l'un des meilleurs rapports qualité-prix au Québec pour un mousseux rosé de belle appellation. Plus subtil qu'expressif, les notes de fruits rouges couronnent celles de fleurs blanches au sein d'une effervescence maîtrisée, fine et perdurante qui offre une texture veloutée. L'apéritif italien de luxe ou des bulles de grand caractère pour une entrée de crustacés, à vous de choisir! **★★★(★) GR**

Espagne, Catalogne
vcprd
De la Finca Brut, Josep María Raventos I Blanc +12178834 - 31,25$

Nez expressif et blond (pain au lait légèrement grillé, baguette) avec un soupçon de minéralité à l'aération (hydrocarbure). L'attaque en bouche se comporte de façon identique sur le plan aroma-

MOUSSEUX ET CHAMPAGNES

GUIDE DEBEUR 2016

Petit Debeur Vins, Cidres et Spiritueux

tique, on perçoit d'abord un aspect pâtissier, puis la fraîcheur apparaît en finale de dégustation. La texture est dense sans être collante, les bulles se détachent et laissent la place à un volume crémeux et long. L'ensemble est d'une très grande élégance tout en présentant suffisamment de structure pour accompagner un plat de volaille à base de champignons peu puissants. ★★★★★ GR

Italie, Trentin Haut-Adige
doc Trento
Ferrari Brut Rosé,
Ferrari Fílli Lunelli
+10496898 - 32$
Avec la même cuvée dans la catégorie du rosé, celle-ci est l'incontournable de la maison et se distingue par sa constance de goût et de comportement. Des notes de pain frais derrière une minéralité expressive se laissent d'abord saisir. On les retrouve en bouche au sein d'une effervescence très fine, compacte, riche, impeccable. Les flaveurs sont complexes, levurées, peu enjôleuses (farine de kamut), malgré des accents de banane et de poire en finale. Le dosage est parfait, c'est un vin effervescent sec très agréable, digne d'un champagne. ★★★★(★) GR

États-Unis, Californie
Mumm Napa, Cuvée Brut
Rosé +11442672 - 35,75$
Juste 50¢ de plus que l'année dernière pour ce mousseux devenu un classique de qualité sur notre marché. Auto-

ritaire et parfumé en bouche, une belle et subtile palette de fruits rouges (framboise, cerise, groseille) forme les flaveurs, les bulles sont moyennes et persistantes, le volume est compact, on est en présence d'un vin fait pour un mets ou un apéritif gourmand. Très bel effervescent. ★★★(★) GR

États-Unis, Californie,
Anderson Valley
Roederer Estate Brut
+00294181 - 36$
Cet excellent mousseux états-unien de la célèbre maison champenoise Louis Roederer parviendrait à faire le pied de nez à de nombreux champagnes coûtant presque le double du prix. Fondé en 1988, le domaine est situé dans la fraîche vallée d'Anderson (comté de Mendocino) et tous les raisins (60% de chardonnay et 49% de pinot noir) proviennent exclusivement de la propriété. Cette cuvée non millésimée élaborée par ajout de vins de réserve et élevée 24 mois sur lies reflète parfaitement le style de Roederer. Elle nous livre un nez brioché aux nuances de poire et de fruits secs. Dans une belle continuité, la bouche reste tonique grâce à sa fraîcheur et un dosage minimal parfaitement maîtrisé pour laisser une impression d'équilibre et

d'harmonie. Aucune lourdeur, que du plaisir! Un flacon destiné à l'apéritif et aux entrées marines.
★★★★★ DJL

France, Champagne
aoc Champagne
Champagne Drappier,
Brut nature Zéro dosage
+11127234 - 45,50$
Un blanc de noirs issu exclusivement de pinot noir, sans aucune liqueur de dosage ajoutée après le dégorgement, ce qui devrait mieux convenir à ceux qui souffrent de diabète; quant à ceux qui ont le soufre en aversion, ils seront ravis d'apprendre qu'il en est exempt. Dans la cuvée 2012 au nez élégant partagé entre les agrumes (bergamote) et les petits fruits rouges (l'empreinte du pinot noir), les fruits à chair blanche et la brioche complètent cette palette dans une bouche onctueuse soulignant des vendanges d'une très belle maturité. De l'intensité et une belle ligne acidulée jusqu'à la finale citronnée. Il préparera comme nul autre les papilles à la fête en venant accompagner un tempura de crevettes et calmars.
★★★(★) DJL

VINS MOUSSEUX ET CHAMPAGNES À 50$ ET PLUS

France, Champagne
aoc Champagne
Champagne Tarlant,
Zéro Nature
+11902763 - 50,25$
Un champagne aux accents marins, un brin austère et anisé, qui finit par séduire après quelques minutes dans le verre à travers des flaveurs d'agrumes, puis de pâtisseries beurrées. L'effervescen-

VINS MOUSSEUX ET CHAMPAGNES

GUIDE DEBEUR 2016

ce apporte une matière veloutée qui canalise l'acidité en bouche. Une cuvée d'apéritif où les huîtres pourront être servies avec du citron. C'est actuellement le meilleur champagne vendu au Québec autour de 45$.
★★★★ **GR**

France, Champagne
aoc Champagne
Champagne Taittinger Brut
+10968752 - 57$
Le seul champagne de ma sélection dont le prix n'a pas baissé au Québec depuis l'année dernière. Il reste toutefois aussi exquis! D'abord floral, puis axé sur les agrumes, enfin légèrement boisé et pâtissier à l'aération (acacia, brioche), les mêmes flaveurs se retrouvent en bouche, dans le même crescendo, au sein d'une texture effervescente soignée. Le dosage est sensible, il n'enraye pas l'harmonie, car la finale citronnée et délicate reste fraîche. Un incontournable de la catégorie parmi les grandes maisons. ★★★ **GR**

France, Champagne
aoc Champagne
Mumm Cordon Rouge
Brut, G.H. Mumm et Cie
+00308056 - 59,75$
C'est le vin des vainqueurs, celui qui arrose de son effervescence les champions de Formule 1, j'ai nommé le champagne Mumm Cordon Rouge Brut. Le brut, c'est la

carte de visite des maisons de Champagne. D'une année à l'autre, il se doit d'être refait presque à l'identique. De nombreuses cuves sont alors assemblées pour y arriver. Celui-ci, c'est toujours du plaisir en bouteille. Une robe dorée, des bulles fines et persistantes, et des arômes harmonieux de fruits tropicaux, d'agrumes (citron, zeste de pamplemousse) et de pomme verte. Vif, ample et frais en bouche avec un fruité délicat et long, du miel et des notes de vanille et de caramel au beurre. Le servir frais (8°C) avec du saumon mariné et fumé ou des huîtres gratinées. ★★★★★ **TD**

France, Champagne
aoc Champagne
Champagne Gosset,
Cuvée Grande Réserve Brut
+10839619 - 67,50$
À 5$ de moins que l'année dernière, il faut en profiter, car ce champagne est parmi les meilleurs issus des grandes maisons! Un nez aussi intense que délicat qui rappelle la pêche blanche et la chair de noix de coco râpée, puis la mie de pain, la pomme brune et la pâte d'amande à l'aération. Corsé et fin en bouche, c'est un vin de repas parfumé qui présente des flaveurs un peu mielleuses tendant parfois vers la praline. La tension finale lui confère de l'élégance; il termine sa course de façon imposante, sans rien déséquilibrer. Un grand vin efferves-

cent de repas du dimanche.
★★★★(★) **GR**

France, Champagne
aoc Champagne
Champagne Cossy,
Cuvée Sophistiquée Brut
+12549210 - 67,75$
Elle a été dégorgée fin 2013, elle présente davantage de chardonnay (40%) que les autres cuvées de la même maison. La minéralité très nette au nez et en bouche correspond davantage à l'effet du millésime qu'au style Cossy, plus axé sur le fruité mûr. Ce dernier aspect se laisse capter au travers de notes blondes et épicées au sein d'une texture dense, aux bulles nouées et perdurantes. C'est un vin toutefois encore jeune, les contours sont citriques, l'ensemble est pointu, il rappelle de jeunes chablis premier cru qui ont une dizaine d'années devant eux. Excellent aujourd'hui avec un mets iodé; je préconise aussi quelques années sur les clayettes pour le redécouvrir vers 2019.
★★★★(★) **GR**

France, Champagne
aoc Champagne
Champagne Laurent-Perrier,
Ultra-Brut +11787339 -
71,25$
Mère des cuvées dites extra-brut, la maison Laurent-Perrier a lancé celle-ci en 1981. Elle présente une constance de goût de pureté inégalée. Très océane, très aérienne,

Petit Debeur Vins, Cidres et Spiritueux

CHAMPAGNES

très fraîche, elle offre tout de même de la chair de fruits blancs (poires, pêches) dans une effervescence en parfaite harmonie, à la fois mousseuse et imprégnante. Droite, crayeuse et apéritive.
★★★★ **GR**

France, Champagne
aoc Champagne
Champagne Laurent-Perrier, Cuvée Rosé Brut
+00158550 - 98$
Pimpante, cette cuvée présente toujours des arômes de fleurs fraîchement cueillies et pourtant, une fois en bouche, elle est davantage axée sur les petits fruits rouges comme la groseille et la fraise des bois. Un soupçon de notes cuites au cœur de l'effervescence abondante apporte un caractère vineux et d'évolution, très charmant (et peu habituel), qui séduira les amateurs de rosés plus marqués que légers. Pas donné, mais incontournable.
★★★★ **GR**

France, Champagne
aoc Champagne
Champagne Lanson, Extra-Âge Brut ♥
+12124801 - 99,75$
Enfin sur notre marché!! Un vin blanc que tout amateur se doit d'avoir en cave! Un

champagne puissant, expressif, aromatique (beurre, amande, crêpe de sarrasin, pain d'épices) à la vinosité établie, toutefois aérée par une enveloppe citrique et une effervescence aérienne qui apportent l'équilibre et la fraîcheur nécessaires pour ne pas tomber dans l'excès de la surmaturité. Un vrai champagne de repas ou de cocktail gourmand et luxueux.
★★★★★ **GR**

VINS ROSÉS

France, Sud-Ouest
Vin de table
Grain d'Amour, Les Vignerons de Brulhois
+11445689 - 16,70$
Fait à 100% de cépage muscat de Hambourg, ce joli vin rosé est vinifié par l'œnologue Patrice Kubek. Le vin s'ouvre sur des parfums de raisin muscat, de litchi et de fruits tropicaux. Léger, fruité et frais en bouche, il présente une texture grasse et une longueur moyenne. Le servir frais (6°C) à l'apéritif ou avec une salade de crabe et crevettes. ★★ **TD**

France,
Languedoc-Roussillon
igp Pays d'Oc
Le Rosé, Sélection Chartier Créateur d'Harmonies
+12253099 - 19,25$
On pourrait dire qu'il s'agit là d'un vin de confection, un vin sur mesure. Avec l'aide de l'œnologue bordelais Pas-

cal Chatonet, le créateur d'harmonies québécois François Chartier a élaboré des vins d'exception pour une expérience sensorielle unique. En effet, il propose de marier les molécules aromatiques d'un vin avec des aliments qui contiennent les mêmes molécules. Pour ce rosé par exemple, François Chartier sollicite la tomate, mais aussi des poissons et bien d'autres aliments qui s'accorderont bien avec lui. Il nous offre ici un très beau rosé fait des cépages grenache noir, cinsault et mourvèdre. Visuellement, il présente une robe resplendissante, scintillante de reflets cuivrés. Au nez, ce sont des parfums fruités avec une touche végétale et animale. Corsé, ample, fruité, consistant, long et très frais en bouche, il finit délicatement sur quelques épices douces. Un bon rosé qu'on servira frais (8°C) avec une salade de tomates, de thon et de crevettes ou de la pieuvre à la plancha. ★★★ **TD**

France,
Languedoc-Roussillon
aop Côteau du Languedoc
Côte des Roses, Gérard Bertrand
+12521962 - 19,65$
Cette jolie bouteille a la particularité d'avoir un dessous en forme de rose. À la suite d'un concours, Gérard Bertrand, le vigneron, a acheté le dessin à une jeune designer pour l'appliquer au «cul» de cette bouteille. Son bouchon de verre et sa forme élégante lui donnent une allure de carafe. On la gardera donc une fois vidée de son contenu. Quant à celui-ci, il est fait d'un assemblage de grenache, de cinsault et de syrah. Ce rosé s'ouvre sur des parfums d'agrumes et de bonbon à la fraise, de vio-

VINS ROSÉS

Petit Debeur Vins, Cidres et Spiritueux

lette avec une touche minérale (craie). Gentiment fruité en bouche avec une belle acidité rafraîchissante, un léger perlant et une finale doucement épicée. Servir frais (10°C), associé à un couscous aux poissons ou un poulet à la basquaise.
★★(★) **TD**

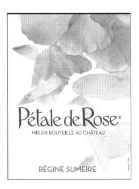

France, Provence
aoc Côtes de Provence
Pétale de Rose, Château la Tour de l'Évêque, Régine Sumeire
+00425496 - 20,25$
Lorsque je suis en proie à la nostalgie de cette lointaine Provence chère à mon cœur et que j'éprouve le désir de me procurer un peu de bonheur à domicile, j'ouvre une bouteille de cette merveilleuse cuvée Pétale de Rose, de mon amie Régine. Joliment présenté dans sa parure rose pâle, le 2013 s'exprime par un bouquet mi-floral, mi-garrigue; le fruité s'invite ensuite avec gourmandise et intensité dans une bouche ample et ronde soulignée par une discrète fraîcheur. Un équilibre remarquable livrant des accents de pamplemousse en finale. À déguster lors d'un épuisant farniente du type «chaise longue», mais en garder un peu... pour le tartare de thon à la mangue.
★★★★ **DJL**

VINS ROUGES À MOINS DE 12$

Argentine, Mendoza
Marcus James Tempranillo, Fecovita +10398374 - 10,45$
D'origine espagnole, le tempranillo tient son nom de temprano qui veut dire «tôt». Ce cépage a en effet une maturité précoce. Ce vin argentin, fait à 100% de tempranillo, offre un nez de confiture de cerise, de pruneau et de vanille avec des notes sauvages, boisées et végétales. Largement fruité et frais en bouche, il évolue longuement avec des tanins serrés. Le servir en carafe, avec une côte de bœuf sauce au poivre ou des rognons aux champignons. ★(★) **TD**

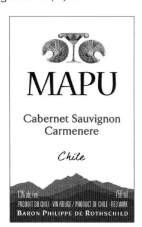

Chili, Vallée centrale
do Valle del Maipo
Mapu Cabernet-Sauvignon/ Carmenère, Baron Philippe de Rothschild +10530283 - 10,95$
Le groupe Baron Philippe de Rothschild, réputé pour ses vins issus de plusieurs domaines bordelais, a commencé ses activités au Chili en 1997. Appliquant son sa-

voir-faire dans ses propriétés chiliennes, il produit des vins très intéressants à des prix souvent incroyables, comme celui-ci. Des odeurs de mûre et de prune avec des épices, de l'eucalyptus et une note végétale. Un beau fruité en bouche, corsé avec une touche animale, des tanins souples et une finale poivrée. Un vin gourmand qui se révélera le bon compagnon d'un plat de cailles aux figues ou d'une entrecôte de bœuf sauce aux champignons.
★(★) **TD**

Italie, Pouilles
igt Puglia
Sangiovese, Pasqua Vigneti e Cantine +00545772 - 11,45$
Le sangiovese tient son nom de «sang» et de «Jupiter» ou littéralement: sang de Jupiter. Plutôt populaire en Toscane, ce cépage s'exprime bien aussi dans la région des Pouilles plus au sud de l'Italie. Il offre des odeurs de groseille, de violette, de fraise des bois et de vanille avec des notes épicées. Fruité et bien charpenté en bouche, il possède des tanins légèrement rustiques et fermes. Il sera le bon compagnon d'un carré d'agneau grillé aux herbes de Provence ou un spaghetti sauce bolognaise.
★★ **TD**

VINS ROUGES DE 12$ À 20$

France,
Languedoc-Roussillon
aoc Minervois
Château de Gourgazaud +00022384 - 13,30$
Un vin plaisant aux parfums de mûre sauvage, de cerise noire et de fleurs avec des notes légères de vanille et de garrigue. Puissant, ample,

riche, bien fruité et long en bouche avec des tanins serrés et une finale légèrement poivrée. Un bon vin rouge, bien fait, qui se mariera bien à un bœuf bourguignon, un cassoulet ou un camembert au lait cru. ★★★ **TD**

Italie, Les Pouilles
igt Puglia
Scià, Podere Castorani
+10966765 - 13,35$
Fait à 100% de sangiovese, ce sympathique vin rouge Italie s'ouvre sur des odeurs de cerise noire, de mûre sauvage et d'épices qu'on retrouve en bouche avec un joli fruité, de la fraîcheur et des tanins souples. Un vin gouleyant et simple. On ne se casse pas la tête et on le servira légèrement rafraîchi en même temps qu'un barbecue de poulet et de saucisses de Toulouse. ★★ **TD**

France,
Languedoc-Roussillon
aoc Coteaux du Languedoc
Comtes de Rocquefeuil,
Coopérative artisanale
Montpeyroux
+00473132 - 13,45$
Le Languedoc-Roussillon serait le berceau du plus vieux vignoble de France. Il y règne donc une tradition et un savoir-faire vinicole qui remontent à très loin dans le temps. On y produit de bons vins comme celui-ci aux odeurs de framboise, de mûre, de cassis et de rose avec une petite note épicée. Gé-

néreux, ample et long en bouche, il possède des tanins mûrs ainsi qu'une acidité qui lui confère de la fraîcheur. Il se révèlera le bon choix pour une fricassée de champignons ou un brie au lait cru. ★★ **TD**

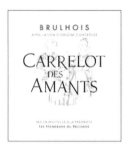

France, Sud-Ouest
aoc Côtes du Brulhois
Carrelot des Amants,
Les Vignerons du Brulhois,
+00508879 - 13,60$
«Carrelot» désigne une ruelle en dialecte toulousain (France). «En 1574, la reine Margot eut pour amant Charles de Balzac, seigneur de la bastide de Dunes. La légende raconte qu'on les aurait aperçus dans un carrelot, dégustant une coupe de vin de ce pays de Gascogne». Ce vin, qu'aurait pu boire la reine Margot, s'ouvre sur des odeurs de cassis, de mûre, de vanille et de cacao avec des notes d'épices. Gouleyant, fruité et frais en bouche, il possède des tanins souples. On le boit en même temps qu'une cuisse de canard confite ou des charcuteries. ★★ **TD**

Argentine, San Juan,
Vallée de Tulum
Shiraz Reserve Graffigna
Centenario, Bodegas y
Vinedos Santiago Graffigna
+11675505 - 13,95$
Le syrah (aussi shiraz ou chiraz) tiendrait son nom d'une ville de l'Iran. Quelle que soit son appellation, il s'agit du même cépage. Celui-ci offre des odeurs intenses, débordantes de fruits comme la mûre, le cassis et la cerise. À cela s'ajoutent la vanille, les épices et le lys rose avec une touche végétale. Très largement fruité en bouche avec de la fraîcheur et des tanins serrés et charnus. Il ira bien en compagnie d'un magret de canard grillé ou une entrecôte sauce béarnaise. ★★ **TD**

États-Unis, Californie
Syrah, Dunnigan Hills,
R.H. Phillips Vineyard
+00576272 - 14,20$
Développée en France et en Suisse, la syrah est aujourd'hui un cépage international. On le connaît aussi sous le nom de shiraz, notamment dans le Nouveau Monde. Celui-ci donne un vin aux arômes puissants de mûre, de framboise, de cerise et de vanille avec une note de poivre et une trace de menthe. Largement fruité et frais en

bouche, charnu, riche et plein avec des tanins mûrs et des notes épicées, sauvages et boisées. L'associer à un navarin d'agneau ou un poulet à l'estragon. ★★(★) **TD**

Uruguay, Canalones
Don Pascual Reserve Shiraz Tannat, Establecimiento Juanico
+10748371 - 14,25$
Fait à 70% de shiraz (ou syrah) et à 30% de tannat, ce gentil vin rouge s'ouvre sur un nez vineux et fruité (mûre, cassis, cerise noire), avec des notes de menthe légère, de vanille, de figue et une touche boisée. Fruité, rond et coulant en bouche, il possède des tanins souples et une bonne longueur. Un vin agréable à boire avec des viandes grillées ou un fromage à pâte molle et à croûte fleurie comme un brie.
★★ **TD**

France, Vallée du Rhône
aop Côtes du Rhône Réserve
Les Dauphins, Union des Vignerons Côtes du Rhône
+12384478 - 14,25$
Un vin ensoleillé au nez aromatique de mûre, de framboise, de garrigue et de vanille avec des notes animales et quelques épices. Généreux, intense, concentré et fruité en bouche avec des tanins souples et une finale légèrement épicée. Un vin rouge agréable à servir rafraîchi (15°C) lorsqu'on mange des

charcuteries ou un bœuf en daube. ★★(★) **TD**

France,
Languedoc-Roussillon
aop Vin de pays d'Oc
Pinot noir, Baron Philippe de Rothschild
+10915247 - 14,25$
Un agréable pinot noir aux parfums de cerise, de griotte, de fraise et de framboise qu'on retrouve en bouche avec de l'ampleur, beaucoup de fraîcheur et des tanins soyeux. Un vin gouleyant, long et généreux à boire rafraîchi (16°C), tout en mangeant une assiette de charcuteries ou un lapin aux champignons. ★★ **TD**

Uruguay, Canelones, Juancio
Don Pascual Reserve Tannat, Establecimiento Juanico
+10299122 - 14,40$
Establecimiento Juanico a voulu rendre hommage à Don Pascual Harriague, qui a introduit le cépage tannat dans le vignoble d'Uruguay. Fait à 100% de tannat, un cépage originaire de France qui tire son nom de la langue d'oc et qui veut dire «tanin». Ce vin est effectivement constitué de généreux tanins mais aussi d'une belle concentration de fruits. Au nez ce sont des effluves de cassis, de mûre, de prune, de chocolat, de vanille et d'épices. Bien fruité en bouche, il continue longuement sur des tanins ronds avec des notes fruitées, sauvages. Un vin corsé

à servir en même temps qu'une entrecôte grillée ou un fromage brie au lait cru. ★★(★) **TD**

États-Unis, Californie
AVA Contra Costa
Big House Red, The Wine Group
+00308999 - 14,95$
«Big house» ou «grande maison», cette expression américaine, qui date de 1915, signifie dans le langage du milieu américain «la prison». C'est d'ailleurs l'image d'une prison qu'on trouve sur l'étiquette de ce vin. Au nez, ce sont des odeurs de mûre, de cerise, de prune et de framboise avec des notes vanillées. Charpenté, corsé, fruité et frais en bouche, il évolue sur des tanins serrés. Un vin facile à boire avec des brochettes d'agneau ou un cheddar jeune. ★★ **TD**

États-Unis, Californie
Cabernet-Sauvignon Woodbridge, Robert Mondavi
+00048611 - 14,95$
Voici un bon vin aux odeurs de cassis, de mûre, de prune et de violette avec des notes de boisé, de vanille, de grillé et une touche végétale. Généreusement fruité, rond et puissant en bouche, long et gouleyant, il continue sur des tanins souples, quelques épices et une touche de cacao.

VINS ROUGES

GUIDE DEBEUR 2016

Petit Debeur Vins, Cidres et Spiritueux

Un vin qu'on associera avec bonheur à un bœuf aux cèpes ou des rognons de veau sauce moutarde. ★★(★) **TD**

Portugal, Provinces de Beira docp Dâo
Duque de Viseu, Vinhos Sogrape
+00546309 - 14,95$
Fait d'un assemblage de cépages traditionnels portugais (touriga nacional, tinta roriz, alfrocheiro et tinta barroca), cet agréable vin rouge offre des odeurs complexes de cerise, de mûre, de framboise et de prune avec des notes de vanille, d'épices et de cacao. Généreusement fruité voire corpulent, long et frais en bouche, il continue sur des tanins serrés et une note boisée. Un vin qui ne manque certainement pas d'élégance, qu'on servira avec bonheur en même temps qu'une fricassée de champignons ou une tome du Jura comme le Comté Juraflore Fort des Rousses. ★★★ **TD**

France, Vallée du Rhône aoc Côtes du Rhône
Grande Réserve des Challières, Bonpas
+12383352 - 14,95$
Dominé par le cépage grenache, d'origine espagnole, associé à la syrah avec un peu de mourvèdre, ce vin rouge offre des odeurs de mûre et de framboise avec des notes poivrées. Ample, généreux, fruité, long et frais

en bouche, il évolue avec des tanins soyeux. Parfait pour un carré d'agneau, un poulet aux figues ou des charcuteries. ★★ **TD**

Uruguay, Canelones, Juancio
Bodegones del Sur Marselan, Establecimiento Juanico
+12258261 - 15,20$
Ce vin rouge mis en bouteille au domaine est fait à 100% de marselan, un cépage d'origine française obtenu par le croisement entre le cabernet-sauvignon et le grenache. En 1961, il a été breveté en France par l'Institut national de la recherche agronomique. Bien adapté au terroir uruguayen, il présente des parfums de fruits mûrs (myrtille, mûre sauvage). Corsé, généreusement fruité et long en bouche, il intègre des tanins souples sur une belle structure et finit bien sur quelques épices. Un vin de très bonne qualité et d'un bon rapport qualité-prix, qu'on servira avec un filet de bœuf sauce au madère ou un tournedos aux morilles. ★★(★) **TD**

Portugal, Douro doc Douro
Cabral Reserva, Vallegre Vinhos do Porto
+12185647 - 15,25$
Vendanges manuelles, fermentation à basse température, élevage en barrique pendant 15 mois font de ce vin un plaisir pour le palais. Touriga nacional, touriga franca et tinta roriz sont les trois cépages régionaux qui le composent. Il s'ouvre sur des odeurs de prune, de cerise à l'eau-de-vie, de mûre, de cassis et de vanille avec des notes de grillé, d'eucalyptus et une touche boisée. Généreux, fruité, long et frais en bouche, il présente des tanins fins et serrés. D'un très

bon rapport qualité-prix, alors on ne se privera pas de le servir en même temps que des rognons sauce madère ou une entrecôte sauce au poivre. ★★(★) **TD**

Argentine, Mendoza
Malbec Reserva, Bodegas Nieto y Senetiner
+10669883 - 15,45$
Le terroir de Mendoza est bien adapté au cépage malbec. L'histoire de ce domaine commence en 1888, lorsqu'une famille italienne émigre d'Italie pour y planter la vigne. La propriété changera de main plusieurs fois au cours des années jusqu'en 1969, année d'acquisition par la famille Nieto et Senetiner. Celle-ci a développé considérablement l'entreprise. En 1998, elle s'est jointe au groupe d'affaires Molinos Rio de la Plata. Ils ont pour philosophie l'application des normes de qualité les plus élevées. Cela se vérifie dans ce vin rouge aux odeurs de mûre, de prune, de vanille et de garrigue avec un léger boisé. Corsé et long en bouche avec des notes de fruits mûrs et des tanins serrés. Un vin qui s'associera très bien avec un boudin aux pruneaux ou un spaghetti sauce bolognaise. ★★(★) **TD**

Canada, Niagara
vqa Niagara Peninsula
Merlot, Black Reserve,
Jackson Triggs
+11462112 - 15,45$
Cette maison canadienne de la péninsule du Niagara en Ontario a été élue 21 fois Meilleur établissement vinicole canadien. Elle nous propose ici un merlot aux odeurs de mûre, de cerise noire, de framboise et de vanille avec des notes animales, de boisé et de torréfié. Largement fruité et frais en bouche, il évolue avec des tanins mûrs et finit sur des épices douces. Un vin pour lequel on servira une entrecôte aux échalotes et champignons ou une salade de foies de volaille.
★★(★) **TD**

France, Vallée du Rhône
aoc Côtes du Rhône
Passeport Côtes-du-Rhône,
Barton & Guestier
+12383619 - 15,95$
Au nez ce sont des parfums de vanille, de cerise noire, de mûre et d'épices. Frais, fruité et floral en bouche, il évolue sur des tanins souples, une légère note boisée et une finale doucement poivrée. Un très bon côtes-du-Rhône à servir légèrement rafraîchi (16 à 18°C), en même temps que des côtelettes d'agneau au barbecue, des viandes rouges ou des cochonnailles avec du pain croûté frais.
★★(★) **TD**

Portugal,
Péninsule de Sétubal
Vinho regional Reserva
Periquita, José María da
Fonseca +11767442 -
15,95$
Ce vin issu d'un assemblage de cépages autochtones typiques a une robe rubis violacé peu profond. Nez floral, de caramel et de fruits noirs

confits. Belle matière en bouche, souple et peu tannique. Finale florale fort agréable. Servir autour de 15-16°C avec des côtelettes d'agneau et une compotée de tomates au thym. ★★ **PT**

France Sud-ouest
aoc Minervois
Château de Lengoust
+11905690 - 16,25$
«[Le chemin de] Lengoust conduisait de Pau à Monein [France] en suivant la rive gauche du gave de Pau» (tiré d'une collection de documents inédits sur l'histoire de France). Ce nom désignerait aussi les passages étroits de la rivière de l'Aude, contrôlée par des tours de guet. Il est également le nom de nombreuses familles françaises. Mais celui qui nous intéresse vraiment, c'est celui du Château de Lengoust, un vin fait de cépages régionaux, aux odeurs intenses de framboise, de cerise, de prune et de grillé avec des notes de grillé, de chocolat, de vanille et d'épices. Ample, corsé et bien fruité en bouche, il continue sur des tanins souples et une finale épicée. Le servir avec un carré d'agneau en croûte ou un cassoulet. Bon rapport qualité-prix. ★★(★) **TD**

France, Vallée du Rhône
aoc Côtes-du-Rhône
Parallèle 45, Paul Jaboulet
Aîné +00332304 - 16,35$
Un excellent rapport qualité-prix pour ce vin rouge au beau nez intense de mûre, de cassis et de poivre avec

une légère touche d'anis. Moelleux, bien fruité, long et équilibré en bouche, il évolue sur des tanins soyeux. Un bon vin à servir rafraîchi (14°C) en même temps qu'un canard aux olives, un chapon aux figues ou un gigot d'agneau au thym.
★★(★) **TD**

Portugal, Beiras
docp Dao
Dao, Quinta dos Roques
+00744805 - 16,75$
Le vignoble est situé dans une région montagneuse au centre nord du Portugal, dont le climat tempéré permet la production de très beaux vins équilibrés. Celui-ci est fait avec une bonne proportion de touriga nacional, le grand cépage rouge local. Rubis violacé, assez profond, le nez se révèle après quelques instants dans le verre et se rapproche des petits fruits rouges acidulés, voire un peu des agrumes. La bouche est assez tannique et de bonne acidité, ce qui lui apporte un caractère propre. La fin de bouche est poivrée et rappelle aussi les fines herbes. Servir autour de 16-17°C avec une bavette grillée sauce romarin. ★★ **PT**

France, Bourgogne
aoc Beaujolais-Villages
Prince Philippe,
Bouchard Aîné et Fils
+12073944 - 16,75$
La maison Bouchard rend ici hommage à Philippe III, dit Philippe Le Bon, prince de France et duc de Bourgogne. Voici un vin frais et goule-

VINS ROUGES

yant, bien typé gamay, qui offre des parfums de framboise, de violette et de rose avec une légère note minérale. Joliment fruité, léger et frais en bouche, il évolue avec des tanins souples. Le servir rafraîchi (15°C) en même temps qu'une andouillette grillée ou une bavette de bœuf sauce aux champignons. ★★(★) **TD**

Portugal, Douro
docp Douro
Gloria Reserva, Vinhos Vincente Leite de Faria
+11156297 - 16,95$
Médaille d'argent au Concours général agricole de Bruxelles 2013, ce vin est un assemblage à parts égales des cépages locaux tinta roriz et touriga nacional. Un vin aux odeurs délicates fruitées avec des notes animales, sauvages. Corsé, viandé et fruité en bouche, il évolue sur des tanins fermes. Un vin gourmand qui sera le bon compagnon d'une entrecôte sauce au poivre ou d'un gigot d'agneau piqué d'ail. ★★ **TD**

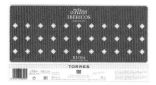

Espagne, La Rioja, Alta
doc Crianza
Tempranillo Ibéricos, Miguel Torres
+11180342 - 16,95$
Pour bénéficier de l'appellation Crianza, le vin doit subir

un vieillissement de deux ans, dont un an en barrique. Celui que je vous propose aujourd'hui offre des parfums de mûre, de bleuet sauvage et de cacao avec une note d'eucalyptus, des épices et une touche animale. Intense, fruité, long et frais en bouche, il envahit le palais et continue gentiment sur des tanins souples et finit sur quelques épices. Idéal pour une longe d'agneau au thym ou un cari d'agneau. ★★★ **TD**

États-Unis, Californie, Napa
Exp Liaison,
R.H. Phillips Vineyard
+11674764 - 17,20$
On peut dire que ce produit «lie» trois cépages avec bonheur. Merlot, syrah et zinfandel s'assemblent pour offrir des odeurs intenses de prune, de mûre, de framboise et de vanille avec des notes de boisé et de cacao. Ample, intense, fruité et coulant en bouche, il évolue longuement avec des tanins souples et une finale épicée. Un vin élégant à boire rafraîchi avec une cuisse de canard confite ou une noisette de chevreuil sauce aux fruits. ★★(★) **TD**

France, Vallée de la Loire
aoc Touraine
Gamay Domaine de La Charmoise, Henry Marionnet
+00329532 - 17,60$
Henry Marionnet est l'un des grands vignerons de Touraine. J'ai eu le privilège de le rencontrer lors d'un reportage sur les châteaux de la Loire. Pointilleux, intransigeant, passionné, il élabore ses vins avec efficacité. Il nous offre ici un vin rouge, élaboré avec le cépage gamay, qui s'ouvre sur des notes de framboise, de cassis et de pivoine avec

une note épicée. Élégant et racé en bouche avec une belle expression du fruit, de la fraîcheur et de la longueur. Le servir rafraîchi (14°C) avec des charcuteries comme les rillettes de Tours ou un fromage Sainte-Maure de Touraine. ★★★ **TD**

Espagne, La Rioja, Alta
doc Crianza
Excellens, Marqués de Cáceres
+12383221 - 17,95$
L'appellation Crianza signifie que le vin doit vieillir au moins deux ans, dont un an en barrique. Vendanges manuelles, longue macération, contrôle rigoureux des températures et élevage 14 mois en barrique neuve de chêne français, voici pour l'essentiel les particularités de ce vin espagnol, un vin de caractère. Il s'ouvre sur des odeurs de vanille, de cassis et de mûre avec des notes animales, de chocolat et de boisé. Fruité, ample et généreux en bouche, il évolue sur une belle structure, un bel équilibre, des tanins serrés et fins et une finale délicatement épicée. Un vin élégant qu'on pourra servir en même temps que des côtelettes d'agneau aux herbes de Provence ou des rognons de veau sauce dijonnaise. Un fromage de chèvre lui ira bien aussi. ★★★ **TD**

Petit Debeur Vins, Cidres et Spiritueux

Italie, Vénétie
doc Valpolicella Superiore
Ripasso
Sartori Ripasso, Casa Vinicola Sartori +10669242 - 17,95$
Ripasso signifie que le vin a subi une deuxième fermentation avec des lies d'amarone, ce qui en augmente la concentration et le degré d'alcool. Celui-ci offre des parfums de fruits noirs très murs, de baie sauvage, de raisin sec et de tabac blond avec des notes de garrigue, et aussi des notes animales. Plus expressif en bouche où on le trouvera fruité, généreux et corsé avec des tanins serrés, une bonne acidité qui lui confère beaucoup de fraîcheur et une finale épicée. On le sert en carafe en même temps que des lasagnes à la viande ou un osso buco. ★★★ TD

États-Unis, Californie, Sonoma, North Coast
Cabernet-Sauvignon, Clos du Bois Winery +00397497 - 18$
Un vin élégant et séduisant qui offre des arômes intenses de cassis, de mûre, de cerise, de cacao et de vanille avec des notes végétales et boisées ainsi qu'une touche épicée. Largement fruité, long et frais en bouche, avec des tanins soyeux et une pointe de menthe en finale. Un vin gourmand qui se révèlera le bon compagnon d'une entrecôte de bœuf sauce aux champignons, de côtelettes d'agneau au thym ou d'une perdrix au chou. ★★★ TD

Australie méridionale, Barossa Valley
E Minor Shiraz, Barossa Valley Estate Winery +11073926 - 18$
Un climat exceptionnel et un sol d'argile rouge permettent au cépage shiraz (ou syrah) de s'exprimer de façon remarquable. Complexe et intense, ce vin rouge s'ouvre sur des odeurs de mûre, de cassis et de cerise noire avec des notes de boisé, d'épices et une touche florale. Généreux, ample, corsé, long et bien fruité en bouche avec des tanins souples, un bel équilibre et une touche de fraîcheur due à une jolie acidité. Un vin élégant et fin à servir légèrement rafraîchi (18°C) en même temps qu'un magret de canard aux cerises ou une terrine de gibier. Bon rapport qualité-prix. ★★(★) TD

États-Unis, Californie, Sonoma, North Coast
Pinot Noir, Mark West +12270921 - 18$
Ce joli vin s'ouvre sur des odeurs de cassis, de cerise noire, de prune, de framboise, de fraise et de vanille avec des notes de boisé et de fumé. Fruité, rond et frais en bouche, il évolue longuement avec des tanins mûrs et une finale délicatement épicée. Un bon vin pour se marier à des lasagnes à la viande, une dinde farcie au foie gras ou un lapin en sauce avec des champignons. ★★(★) TD

France Languedoc
aop Duché d'Uzès
Orénia, Philippe Nusswitz +12289796 - 18,25$
Élu meilleur sommelier de France en 1986, Philippe Nusswitz s'installe en 2002 avec sa famille dans ce petit coin de paradis, les Cévennes, mais cette fois en tant que vigneron. Cette cuvée d'«auteur» née de la syrah (80%) associée au grenache (20%) évoque les fruits mûrs et les épices agrémentés de nuances florales (violette). Le charme continue d'opérer dans une bouche ample, généreuse avec une chair ronde et soyeuse imprégnée de réglisse et de cassis. Un vin équilibré et déjà plaisant. Tout indiqué pour la charcuterie lozérienne comme la délicieuse saucisse d'herbes, une préparation traditionnelle qui allie depuis des siècles verdure (blette) et viande de porc. ★★★★ DJL

France, Languedoc-Roussillon
aop Côtes du Roussillon Tautavel
Tautavel, Grand Terroir, Gérard Bertrand +11676145 - 18,74$
Tautavel est un village de moins de 1000 habitants, situé dans le Languedoc-Roussillon au sud-ouest de la France. Cette région produit le vin que voici, qui s'ouvre sur des parfums intenses de fruits rouges et de violette avec des notes de vanille et de chocolat. Riche, bien charpenté et généreux en bouche, il évolue sur des tanins charnus et une finale de chocolat amer et de réglisse. Un bon vin à boire avec de belles tranches de jambon de Bayonne ou un confit de canard. ★★★(★) TD

VINS ROUGES

GUIDE DEBEUR 2016

France, Bourgogne,
Côte de Beaune
aop Bourgogne
Bourgogne Gamay, Louis Latour +11979242 - 18,75$
Depuis le millésime 2011, le Bourgogne Gamay est devenu la toute dernière appellation régionale. Le gamay noir à jus blanc, qui doit provenir exclusivement des dix crus du Beaujolais (fleurie, chénas, régnié...), peut être complété par 15% de pinot noir. Cette cuvée se manifeste dans un vin pourpre, au nez flatteur mêlant la fraise écrasée, la framboise et quelques nuances d'épices douces. La bouche gouleyante, souple et friande se révèle bien structurée, tout en gardant un côté croquant. Le servir en toute simplicité avec une appétissante assiette de cochonnaille.
★★(★) DJL

France,
Languedoc-Roussillon
aop Côteau du Languedoc
Autrement, Gérard Bertrand +11200972 - 18,85$
Un vin biologique de belle intensité qui s'ouvre sur de la cerise et de la framboise avec des notes de bois de cèdre. Fruité et équilibré en bouche avec des tanins gras et une petite pointe salée.

Bon partenaire pour une paella, des charcuteries ou une côte de bœuf grillée sauce marchand de vin.
★★(★) TD

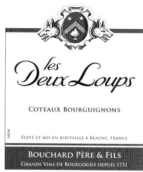

France, Bourgogne
aop Côteaux bourguignons
Les Deux Loups, Bouchard Père & Fils +12477869 - 19,10$
Le nom de ce vin vient des deux têtes de loup figurant sur le blason familial. Il désignait la charge royale de Grand Louvetier permettant de lutter et de protéger la population des loups. Charge qui fut remise, au 18e siècle, à l'ancêtre de la famille Bouchard, alors maire de la ville de Beaune. Ce vin rouge fait de deux cépages, pinot noir et gamay, a été élevé sur lie (une partie en bois neuf), et il offre un beau nez fruité où se révèlent la cerise noire, la framboise et la groseille avec des notes de poivre et une touche animale. Ample, fruité, il présente une belle structure en bouche avec des tanins souples et une finale doucement épicée. Le servir frais (14 à 15°C) en même temps qu'une côte de bœuf grillée ou un steak au poivre.
★★★ TD

États-Unis,
Californie, Monterey
Pinot noir, Blackstone Winery +10544811 - 19,10$
Belle expression du pinot noir dans ce vin bien travaillé

qui s'ouvre sur des odeurs intenses et complexes de cerise noire, de prune cuite, de mûre, de framboise et de vanille avec des notes épicées et boisées. Ample, puissant, fruité et frais en bouche, il continue avec des tanins souples et l'on retrouve quelques épices perçues au nez. Servi légèrement rafraîchi, il sera parfait pour un rognon de bœuf sauce madère ou une tarte à l'oignon. **★★★ TD**

États-Unis, Californie
Pinot Noir Private Selection, Robert Mondavi Winery +00465435 - 19,45$
Vraiment beaucoup de plaisir à boire ce vin rouge aux parfums intenses de prune cuite, de cerise, de framboise, de fleurs et de vanille avec des notes épicées. Généreux, ample, fruité et frais en bouche, il continue longuement avec des tanins serrés et charnus. Un vin élégant et séducteur à boire légèrement rafraîchi (16°C) lorsqu'on sert un gigot d'agneau piqué d'ail ou un magret de canard sauce au foie gras. **★★★ TD**

France,
Languedoc-Roussillon
aop Côteau du Languedoc
Grand Terroir La Clape, Gérard Bertrand +12443511 - 19,80$
«La Clape est l'écrin viticole et botanique de Narbonne. Ce terroir unique était une île du temps des Romains» (G. Bertrand). Ce vin qui en est issu s'ouvre sur des odeurs de mûre, de figue, de violette, de garrigue et d'épices avec une touche de torréfié et de boisé. Belle maturité du fruit en bouche avec de la longueur, de la fraîcheur, des tanins fermes et une finale réglissée. Un beau vin qu'on associera avec bonheur à

une entrecôte sauce aux cèpes, un cassoulet ou des pâtes aux truffes. ★★★ **TD**

Mexique
L.A. Cetto Réserve privée, Vinicola de Tecate
+10390233 - 19,80$

Cépage italien par excellence, le nebbiolo trouve en Baja California dans la vallée de Guadalupe au Mexique sa propre expression tout en gardant son caractère qui en fait un grand cépage. Robe grenat avec un début de reflet orangé typique, peu profond. Notes d'épices douces et de torréfaction caractéristiques. L'attaque en bouche est juteuse, sur le fruit encore, assez tannique avec du caractère mais délicat. Finale au fruité caramélisé. Servir autour de 17-18°C avec une viande rôtie comme du veau ou du porc et son émulsion de canneberges caramélisées au vin rouge. ★★ **PT**
États-Unis, Californie

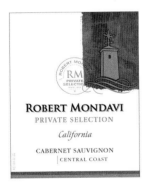

Cabernet Sauvignon, Private Selection, Robert Mondavi
+00392225 - 19,45$

Un joli cabernet sauvignon américain qui s'ouvre sur des odeurs de cassis, de mûre, de cerise et de vanille avec des notes de chocolat et de torréfié. D'une texture soyeuse, largement fruité et long en bouche, il évolue avec des tanins souples et

une note d'olive noire. On l'associera à un magret de canard grillé ou à un filet de chevreuil sauce poivrade. ★★★ **TD**

Espagne, La Rioja, Alavesa
doc Rioja reserva
Campo Viejo Reserv, Domecq Wines Espana
+12275360 - 19,95$

Nous aimons bien les vins espagnols de la Rioja. Celui-ci s'ouvre sur des odeurs de cerise, de mûre sauvage, d'amande, d'eucalyptus et de garrigue avec des notes de réglisse, d'anis et de torréfié. Bien fruité, généreux, long et frais en bouche, il évolue sur des tanins souples et quelques épices. Le servir en même temps qu'une paella ou des grillades de viandes rouges. Un très bon vin rouge espagnol qui a de l'étoffe et qui ne manque pas de caractère. ★★(★) **TD**

France,
Languedoc-Roussillon
igp Pays d'Oc
Naturae Syrah, Gérard Bertrand
+12184821 - 19,95$

Un vin sans sulfite et sans additif produit à partir de vignes cultivées en lutte raisonnée. Nez de fleurs, de fruits rouges, de cassis, de myrtille, de boisé, de tabac et de vanille. Fruité en bou-

che avec des notes animales, des tanins fins et une finale doucement poivrée. Un vin qui se révèlera le délicieux partenaire d'un lapin au thym, un magret de canard ou un navarin d'agneau. ★★(★) **TD**

VINS ROUGES À 20$ ET PLUS

Portugal, Douro
docp Douro
Sino da Romaneira, Quinta da Romaneira
+12291319 - 20$

Sino veut dire «cloche» en portugais et fait référence à la cloche qui était suspendue au-dessus du portail d'entrée de la Quinta da Romaneira. Nous avons ici un vin rouge robuste aux arômes de mûre, de garrigue et de vanille avec des notes de menthe, de réglisse et une touche végétale. Riche, généreusement fruité, long et frais en bouche avec des tanins serrés, un léger boisé et une finale épicée. Le servir avec une terrine de foie gras, un fromage bleu ou des rognons de veau sauce madère. ★★★(★) **TD**

Australie méridionale
The Lackey, Kilikanoon Wines
+10959725 - 20$

Lackey est un terme australien pour désigner un travailleur vaillant et infatigable assigné à des tâches inférieures sans jamais se plaindre. En parallèle, le cépage syrah est considéré dans ce pays comme la vedette des vins rouges. Un cépage solide, qui remplit bien sa fonction de générosité et de puissance qu'on trouve dans ce vin de la maison Kilikanoon. Composé à 100% de syrah, il s'ouvre vaillamment sur des odeurs de baies sauva-

VINS ROUGES

GUIDE DEBEUR 2016

ges, de vanille, de cacao, de boisé et de grillé avec des notes d'épices et une touche d'eucalyptus. Frais, équilibré et généreusement fruité en bouche, il possède des tanins souples et finit longuement sur quelques épices. Un vin rouge très agréable, à servir en même temps que des viandes rouges grillées ou un gigot d'agneau piqué d'ail rôti au thym. ★★★ **TD**

France, Gard
aoc Vin de Pays d'Oc
L'Argentier,
Vieilles Vignes de Carignan,
E. et F. Jourdan
+11587927 - 20,10$
Ce vin de garde est fait à 100% de carignan. Le nom de ce cépage originaire de Saragosse en Espagne viendrait de celui de la ville de Cariñena. Il serait arrivé en France avec les pèlerins. Le vin que je vous propose provient de vigne vieille de 70 ans et plus. Il s'ouvre sur des odeurs de cerise, de mûre, de vanille, de pruneau, de raisin sec et d'épices avec des notes minérales et animales. Corsé, généreusement fruité, frais et long en bouche, il possède des tanins fins et serrés. Un vin très agréable à servir en carafe et à déguster en même temps qu'un cassoulet, un confit de canard aux cèpes ou des escargots à l'ail.
★★★ **TD**

France, Bordeaux
aoc Saint-Émilion
Mouton Cadet Réserve
Baron Philippe de
Rothschild
+11314822 - 20,20$
Saint-Émilion tient son nom d'un charmant village en coteaux, situé à l'ouest de Bordeaux. Une appellation mythique qui produit des vins souvent exceptionnels. Ce-

lui-ci n'est pas mal du tout avec ses parfums de mûre, de cassis, de cerise et de violette avec des notes de boisé, de vanille, de torréfié et de sous-bois. Ample et au fruité bien concentré en bouche, incluant une bonne longueur, des tanins fins et élégants et quelques épices. Un beau vin qui sera le bon compagnon d'une côte de veau aux morilles ou un foie gras poêlé aux cerises. ★★★ **TD**

France Côtes-du-Rhône
aoc Côtes-du-Rhône
Côtes-du-Rhône, E. Guigal
+00259721 - 20,40$
La famille Guigal poursuit son œuvre familiale au service des grands vins de la vallée du Rhône, même les entrées de gamme, nullement négligées, reçoivent les meilleurs soins. Preuve en est avec l'appellation régionale Côtes-du- Rhône, un «classique» issu de syrah (60%), grenache (35%) et mourvèdre (5%). Dans le verre, tout y est: des fruits mûrs à souhait (cassis, myrtille), un brin d'épices douces, un palais sphérique et harmonieux. À boire à l'automne, avec une daube provençale.
★★★★(★) **DJL**

Afrique du Sud
Mullineux Kloof Street,
Chris & Andrea Mullineux
+12483927 - 20,75$
Regroupée au sein de l'association des Producteurs indé-

pendants du Swartland, cette nouvelle génération de viticulteurs, à laquelle appartient la famille Mullineux, a dynamisé ce district: le Swartland, situé au nord de Paarl et de Durbanville. De fait, le Swartland est devenu en quelques années seulement le nouvel Eldorado de l'Afrique du Sud. Le nez engageant du millésime 2014 exalte des arômes de petits fruits rouges (mûre, framboise) relayés par des nuances poivrées et fumées. À l'unisson, le palais dévoile une texture ronde et suave qui enrobe des tanins soyeux épaulés par une fine acidité naturelle. Des souris d'agneau confites aux épices s'en remettront volontiers à la structure généreuse apportée par les cépages rhodaniens. ★★★(★) **DJL**

Italie, Toscane
docg Chianti Classico
San Felice,
Società Agricola San Felice
+00245241 - 20,85$
Un excellent Chianti aux parfums de cerise, de mûre sau-

vage et de réglisse avec des notes de boisé, de cuir et d'eau-de-vie de fruit. Bien fruité en bouche avec des tanins soyeux, quelques épices et une belle acidité qui lui confère de la fraîcheur. Le servir légèrement frais (16°C) lorsqu'on mange des lasagnes à la viande et sauce tomate, une pizza aux poivrons ou un vieux parmesan. ★★★(★) **TD**

Espagne, Catalogne
do Penedès
Gran Coronas Reserva,
Miguel Torres
+00036483 - 20,95$
Gran coronas, qui signifie «grandes couronnes», s'applique très bien à l'un de ces princes des vins de Catalogne. Fait à 100% de cabernet-sauvignon, c'est un vin aux odeurs intenses de mûre sauvage, de pruneau, de cerise, de vanille et de menthe avec des notes de torréfié et de boisé. Ample, puissant, fruité et racé en bouche, il poursuit sa route avec des tanins mûrs et quelques épices. Le servir en même temps qu'une entrecôte de bœuf à la moelle, un osso buco ou un gigot d'agneau aux flageolets. ★★★ **TD**

France, Provence
aoc Côtes de Provence
Château la Tour
de L'Évêque,
Régine Sumeire
+00440123 - 21,30$
Régine Sumeire, universitaire talentueuse, mais également vigneronne exceptionnelle, démontre, une fois de plus, que les vins de Provence peuvent être aussi de grands vins. Pas tant en terme de prix que de celui de la qualité. Voici son vin rouge aux parfums de mûre sauvage, de cassis et d'épice. Largement fruité, ample et corsé

en bouche, il évolue longuement avec des tanins élégants et finis sur une note poivrée. Servit légèrement rafraîchit (18°C), il se révèlera le bon compagnon d'une fricassée de poulet et champignons ou d'une estouffade de bœuf à la Provençale. ★★★ **TD**

Espagne, Castille Léon
do Ribera del Duero
Celeste Crianza,
Seleccion de Torres
+11741285 - 21,60$
Comme nous l'avons déjà écrit, le terme crianza désigne une méthode selon laquelle le vin doit vieillir au moins deux ans, dont un an en barrique. Et l'appellation Ribera del Duero s'applique à des vins d'excellente réputation. Ce vin issu d'une longue tradition vinicole s'ouvre sur des odeurs intenses de mûre, de cerise, de cassis et de fleur avec des notes de torréfié et d'épices. Très largement fruité et corsé en bouche, il évolue sur des tanins charnus et finit sur des épices. Un bon vin pour accompagner une gigue de chevreuil sauce au poivre ou un carré d'agneau aux herbes de Provence. ★★★ **TD**

France, Bordeaux
aop Côtes de Bourg
Château Bujan
+00862086 - 22,15$
Un de mes coups de cœur en vin rouge cette année! Robe rubis aux reflets rosés, moyennement profond. Nez aromatique, complexe et fort agréable: cuir, sous-bois, cerise allant jusqu'au cacao et à

la torréfaction. L'attaque est souple, les tanins sont présents mais sans rudesse. De belle finesse et assez généreux. Sa texture fine et son caractère m'amènent à suggérer de le servir autour de 17-18°C avec une côte de bœuf rôtie sauce béarnaise. ★★(★) **PT**

France,
Languedoc-Roussillon
aoc Minervois-La Livinière
La Livinière «La Cantilène»,
Château Sainte-Eulalie
+00917948 - 22,15$
Ce domaine séculaire est situé sur les coteaux de la Livinière, à 225 mètres d'altitude. Derrière une robe profonde aux reflets violines et des parfums fruités et gourmands mêlés de notes d'épices (poivre) et d'une touche vanillée, la bouche se révèle ample et chaleureuse, adossée à des tanins bien présents et soutenue par une jolie fraîcheur en finale. Une cuvée ciselée par un élevage d'orfèvre à déguster aujourd'hui ou d'ici deux à trois ans avec une joue de bœuf en daube. ★★★(★) **DJL**

France,
Languedoc-Roussillon
igp Hérault
Hedo, Gérard Bertrand
+12171106 - 22,40$
Hedo pour hédonisme (la recherche du plaisir). Ce vin «vous offre une véritable promesse d'hédonisme, entre Plaisir des sens et Art de vivre du sud de la France». Et c'est bien ce qu'on ressent en

VINS ROUGES

GUIDE DEBEUR 2016

GÉRARD BERTRAND

Cabernet Sauvignon - Merlot
Syrah - Grenache - Alicante

dégustant ce beau vin rouge: du plaisir! Il s'ouvre sur des odeurs complexes de fruits noirs et rouges, de la cerise, de l'olive noire, de l'eucalyptus, de la feuille de mimosa avec des notes de boisé, de torréfié et de vanille. Généreusement fruité et frais en bouche, il évolue avec des tanins joufflus et une finale de réglisse (zan). Un bon vin à associer à une côte d'agneau aux herbes, un cassoulet ou un tournedos de bœuf sauce béarnaise.
★★★ TD

France, Bourgogne
aoc Bourgogne
Réserve de la Chèvre noire, Boisseaux-Estivant
+00237875 - 22,50$
Fait à 100% de pinot noir, ce bourguignon offre des arômes subtils de cerise noire avec des notes végétales et quelques épices. Fruité, long et frais en bouche, supporté par une belle structure, il évolue sur des tanins souples, une touche boisée et finit gentiment sur quelques épices doucement poivrées. Le servir légèrement rafraîchi (16°C) en même temps qu'un magret de canard sauce aux cerises ou une assiette de charcuteries servies avec du pain croûté frais. ★★(★) TD

Italie, Piémont
docg Barbera d'Asti
La Luna E I Falò, Terre da Vino +00627901 - 22,75$
Belle expression du terroir avec des odeurs de cerise, de mûre, de framboise, d'épices, de vanille, de réglisse et de garrigue avec une touche sauvage et de chêne. Velouté, fruité, boisé et long en bouche, il s'éternise sur des tanins étoffés. Un vin bénéficiant d'un bel équilibre qu'on sert en même temps qu'un osso buco ou un jambon braisé à l'érable.
★★★ TD

France,
Languedoc-Roussillon
aoc Coteau du Languedoc
Château Pech-Redon, L'Épervier, Bousquet
+10507286 - 23,80$
Sur les hauteurs du massif de la Clape, récemment promu en cru du Languedoc, Christophe Bousquet a opté pour la culture biologique et s'est mis à l'écoute de son terroir avec beaucoup d'humilité (et de sagesse): le vigneron n'est qu'un artisan qui s'efforce de polir ce que la nature lui donne. L'Épervier rouge présente une robe d'un pourpre intense et des effluves fruités qui se révèlent peu à peu, mettant en avant les fruits rouges confiturés puis des senteurs de garrigue et de fleurs séchées. On retrouve ces accents «chantants» dans une bouche dense, persistante, aux tanins encore serrés, qui s'é-

tire dans une finale poivrée.
★★★★ DJL

Italie, Calabre
dop Ciro Classico
Superiore Riserva
Colli di Mancuso, Ippolito 18, Cantine Vincenzo Ippolito
+12257778 - 24,60$
Grand vin de Calabre, région du sud de l'Italie, produit à base de gaglioppo. C'est donc le moment de déguster un vin issu d'un cépage moins connu, voire méconnu. Vin de caractère épicé, au fruité très mûr, confit presque caramélisé. Le vin est toutefois sec, avec des tanins assez fermes, frais et généreux. Servir à 18°C avec une entrecôte saignante sauce cognac et champignons ou un tajine d'agneau aux pruneaux.
★★★ PT

Italie, Ombrie
doc Montepulciano
d'Abruzzo
Amorino, Podere Castorani
+11131778 - 25,20$
Né à Pescara dans les Abruzzes, le célèbre ex-pilote de F1, Jarno Trulli, a lancé en collaboration avec son père l'exploitation viticole Poderi Castorani, qui propose une vaste gamme de vins élaborés avec un cépage traditionnel de la région, le montepulciano. La cuvée Amorino en fait partie. Derrière une robe rubis profond aux reflets violines, l'Amorino 2011 s'ouvre sur un nez de coulis de fruits noirs posé sur un élégant support boisé. La bouche y ajoute des notes plus marquées de boisé vanillé, mais elle sait rester gourmande et équilibrée, soutenue par des tanins charnus. Ne trouvera rien à redire en compagnie d'un plat de bucatinis, sauce à l'agneau saupoudrée généreu-

sement de pécorino des A-bruzzes. ★★★ **DJL**

Espagne, Catalogne
doc Priorat
Laudis, Miguel Torres
+12117513 - 25,25$
Le latin laudis désigne un cantique ancien du Priorat, cette région où les moines cisterciens cultivaient la vigne avec succès. Ce vin, issu de cette région, s'ouvre sur des odeurs complexes et intenses de framboise, de prune, de cerise noire et de vanille avec des notes animales, de grillé et de boisé. Copieux, ample, bien fruité et long en bouche, il évolue lentement sur des tanins soyeux avec quelques épices et beaucoup de fraîcheur. J'aime beaucoup ce vin que je déguste quelquefois en même temps que de l'agneau grillé aux herbes de Provence ou du canard laqué au miel.
★★★★ **TD**

Italie, Toscane
docg Chianti Classico Riserva
Riserva Ducale, Ruffino
+00045195 - 25,50$
Pour la petite histoire, sachez que ce vin a été créé en 1890 pour le duc d'Aosta. Il est devenu son préféré, d'où le nom de Riserva Ducale («réserve du duc»). Ce vin s'ouvre sur des odeurs de

mûre, de cerise et de cassis avec des notes d'eau-de-vie, de boisé et d'épices. Fruité, corsé, minéral et frais en bouche, il continue sur des tanins souples et une finale légèrement herbacée et épicée. Le servir avec un osso buco ou un spaghetti sauce bolognaise. ★★★(★) **TD**

France, Bourgogne
aoc Bourgogne,
Côte de Nuits
Nature d'Ursulines,
Jean Claude Boisset
+12666619 - 26,75$
«Extraire la quintessence d'un Bourgogne générique est un véritable challenge que nous avons voulu relever. Notre viniculteur offre ainsi le premier vin sans sulfite ajouté de la Maison Jean-Claude Boisset, un Grand Bourgogne générique où rien n'est ajouté, rien n'est enlevé», note le vigneron. Fait à 100% de pinot noir, ce vin offre des parfums de cerise et de framboise avec une petite note animale. Fruité, long et frais en bouche, il évolue sur des tanins fins et souples avec une note légèrement épicée. Un vin élégant, fin et racé que l'on unira pour le meilleur à un bœuf bourguignon, un lapin sauce au vin ou encore un brie.
★★★(★) **TD**

Espagne, Castille Leon
do Bierzo Crianza
El Castro de Valtuille,
Bodegas y Vinedos
Castro Ventosa
+11155569 - 27,05$
La région du Bierzo se situe aux confins nord-ouest de la province de Léon en Castille, sur le chemin de Saint-Jacques-de-Compostelle. Son cépage culte est le mencia, introduit par les pèlerins. Sa production par la suite aurait réduit comme une peau de chagrin, mais on doit son récent retour en grâce principalement à Raül Perez de la bodega Castro Ventosa. Il mène en agriculture biologique plus de 60 hectares de mencia, uniquement de vieilles vignes de 30 à 60 ans d'âge. Cette cuvée d'un rubis profond se distingue par l'intensité de sa palette de fruits rouges et noirs; la bouche ample et gourmande s'exprime sur des notes boisées et se conclut sur une impression de fraîcheur. À réserver pour un mets régional: le botillo del Bierzo (côtes et queue de porc embossées dans une tripe de porc et fumées). ★★★★ **DJL**

France, Beaujolais
aoc Morgon
Morgon, Jean Foillard
+11964788 - 27,20
Jean Foillard, «P'tit Jean» pour les intimes, fait partie de ces vignerons mythiques du Beaujolais. Ses Morgon connaissent la célébrité bien au-delà des murs de sa capitale, la commune de Beaujeu. Ses cuvées Corcelette et

Petit Debeur Vins, Cidres et Spiritueux

VINS ROUGES

Côte du Py disparaissent du réseau de vente de la SAQ aussi rapidement qu'elles y arrivent... En attendant le prochain millésime, consolons-nous avec son Morgon régulier. Sans avoir l'étoffe des vins de lieu-dit, il se distingue néanmoins par un bouquet séducteur, mariant en harmonie le cassis, la pivoine et les épices douces. Ce caractère très aromatique se confirme avec persistance dans une bouche à la fois ronde et fraîche, pimpante et tonique. Un vin gourmand et digeste qui ravira les papilles avec des œufs en meurette. ★★★(★) DJL

France, Vallée du Rhône
aoc Côtes du Vivarais
Domaine Gallety
+00918615 - 27,40$
Cette appellation, reconnue en 1999, se situe à la limite nord-ouest des côtes du Rhône méridionales. Mi-syrah, mi-grenache, ce côtes-du-vivarais déploie un bouquet typé d'olives noires et d'épices (poivre, clou de girofle) sur fond de senteurs de garrigue. En bouche, les tanins sont soyeux à souhait, enrobés par une chair ronde et grasse. Un civet de lapin s'en remettra volontiers à la structure généreuse de ce vin. ★★★(★) DJL

France, Bourgogne
aoc Mercurey
Château de Chamirey rouge,
Roger de Jouenne d'Herville
+00962589 - 29,05$
Voici un pinot noir bien typé aux odeurs complexes, animales avec des notes de cerise noire, de myrtille, de mûre et de cassis avec quelques épices et des traces de sous-bois. Puissant, fruité et frais en bouche, il continue longuement avec des tanins mûrs. De la fraîcheur et une grande finesse pour ce vin

qu'on boira légèrement frais (14°C) en présence d'un filet de bœuf sauce moutarde ou d'un jarret de porc braisé. ★★★★ TD

France, Bordeaux,
aoc Saint-Émilion grand cru
Château Gaillard,
Vignobles J.J. Nouvel
+00919316 - 31$
Médaillé d'or à la Coupe des nations durant trois années consécutives, ce saint-émilion élégant et racé s'ouvre sur des parfums complexes de prune, de cerise noire, de mûre et de cassis avec des notes de boisé, de vanille, de pain grillé et une touche d'eucalyptus. Onctueux et fruité en bouche, il évolue longuement sur des tanins fins et serrés et une très belle structure et finit sur quelques épices douces. Le servir en carafe avec un magret de canard aux cerises ou une côte de bœuf sauce béarnaise. ★★★★ TD

France, Sud-Ouest
aoc Madiran
Château de Bouscassé,
Vieilles Vignes, Alain
Brumont +00904979 - 35$
Alain Brumont est l'homme qui a donné ses lettres de noblesse à l'appellation Madiran et à son cépage, le tannat. Avec le château de Bouscassé, domaine familial avant la Révolution, Alain Brumont a changé la physionomie de ce Madiran en 1980. Le vignoble s'étend aujourd'hui sur 112 hectares et l'âge des vignes se situe entre

50 et 100 ans. Cette cuvée de pur tannat livre un nez complexe partagé entre les arômes d'élevage (cigare, torréfaction) et de fruits noirs très mûrs. La bouche est encadrée par des tanins solides et un boisé maîtrisé qui étayent la structure sans écraser le vin. Ce Madiran, qui rappelle avantageusement que la barrique sert de support et non d'aromatisation, s'assagira au contact d'un magret de canard saignant de Lac-Brome. ★★★★ DJL

Canada,
Colombie-Britanique,
Vallée de l'Okanagan
Le Grand Vin 2012,
Osoyoos Larose
+10293169 - 45$
Proche des frontières américaines, Osoyoos est une ville canadienne d'environ 5000 habitants, située en Colombie-Britannique, dans la vallée de l'Okanagan. Son partenaire, le fameux vignoble bordelais Château Gruaud Larose, y abandonne une partie de son nom prestigieux et y apporte aussi son savoir-faire pour produire un grand vin: Osoyoos Larose. Il s'ouvre sur des parfums de cassis, de mûre, de prune et de poivron avec une touche vanillée, boisée et chocolatée. Ample, fruité, concentré, long et frais en bouche, il continue sur des tanins ser-

rés et fins. Le servir en carafe en même temps qu'un tournedos de bœuf sauce au foie gras ou un confit de canard.
★★★★(★) TD

Oregon, Willamette Valley
AVA Yamhill-Carlton
Pinot noir, Cuvée Pierre Léon, WillaKenzie estate
+11334129 - 46$
Réussir à produire un pinot noir de qualité en dehors de son berceau, la Bourgogne, était pour le vigneron un défi semblable à celui d'atteindre le plus haut sommet de l'Himalaya pour un alpiniste. Aujourd'hui, plusieurs sites sur la planète vin sont reconnus et conviennent à la culture du capricieux pinot noir, le talent de l'homme faisant le reste. L'Oregon s'est révélé l'un des meilleurs sites au monde et le domaine WillaKenzie, dans sa cuvée Pierre Léon, nous le démontre à merveille! Vêtue d'une robe rubis brillant, cette bouteille exprime un intense parfum de cerise confite, souligné par une pointe de boisé. L'attaque est soyeuse et la chair élégante tapisse le palais. Un vin assez gourmand en somme, qui fera bonne figure à table devant une tourte de champignons sauvages, après un repos de deux ou trois ans en cave.
★★★(★) DJL

VINS FORTIFIÉS

Espagne, Andalousie,
Jerez de la Frontera
do Jerez-Xérès-Sherry y
Manzanilla-Sanlúcar de
Barrameda
Canasta Cream Superior Olorosso,
William & Humbert
+00416966 - 14,85$
Les xérès sont des vins blancs mutés à l'eau-de-vie, pro-

duits en Espagne, dans le sud de l'Andalousie. Ils seraient les plus vieux vins du monde; on estime qu'ils datent d'environ 1000 ans av. J.-C. Celui-ci est du type oloroso; cela signifie qu'il est muté avec une eau-de-vie titrant 18° d'alcool. Des parfums de pruneau et de noix de Grenoble avec des notes de torréfié et de vanille. Onctueux, ample et moelleux en bouche avec de belles notes de noix et quelques épices. Un très beau xérès espagnol à boire avec des huîtres, des tapas faites de crevettes ou une tarte au sucre d'érable.
★★★ TD

Espagne, Andalousie
do Jerez-Xérès-Sherry y
Manzanilla-Sanlúcar de
Barrameda
Dry Sack,
Williams & Humbert
+00013565 - 14,85$
Sack est le nom donné en Angleterre au vin de xérès au 16e siècle. Ce nom ne vient pas de l'espagnol seco qui veut dire «sec», puisque le vin était doux à cette époque, mais probablement de sacar, traduire «sortir», au sens de «exporté», exporté d'Espagne. Ce Dry Sack, ou encore xérès sec, s'ouvre sur des odeurs de noix de Grenoble, de pruneau avec des notes de boisé et de tabac. Ample et rond en bouche, il évolue longuement sur quelques épices. Le servir en même temps que des tapas faites de maquereau fumé ou des gâteaux secs.
★★(★) TD

France,
Languedoc-Roussillon
aop Muscat de lunel
Muscat Lacoste,
Mas de Bellevue
+10272739 - 18,75$
La robe jaune pâle n'empêche pas ce vin d'avoir un caractère aromatique des plus invitant avec ses parfums de zestes d'agrumes, de miel et de fleurs printanières. Beaucoup de finesse en bouche, doux et subtil. Moelleux et un taux d'alcool bien balancé sans lourdeur. Un vin aérien à servir à 10°C avec un beau cantaloup juteux et bien mûr.
★★ PT

France, Poitou-Charentes
aoc Pineau des Charentes
Château de Beaulon 5 ans
+066043 - 20,25$
On raconte que le pineau des Charentes est le résultat d'un déversement accidentel de cognac dans du jus de raisin non fermenté. Oublié, il aurait subi un vieillissement en tonneau où tous les éléments s'harmonisent et se fondent. Ce pineau âgé de cinq ans présente un nez de pain d'épices, de caramel, de pâte de fruits, de grillé et de vanille avec des notes de fruits à l'eau-de-vie et de boisé. Onctueux, fruité, frais et long en bouche. Servir frais (8°C) cet agréable pineau à l'apéritif ou avec des beignets aux pommes.
★★★ TD

VINS FORTIFIÉS

VINS ROUGES

Petit Debeur Vins, Cidres et Spiritueux

Portugal, Haut-Douro
doc Porto LBV
LBV 2010,
Taylor Fladgate
+00046946 - 21,75$

Les différentes appellations des portos sont assez compliquées. Le LBV, par exemple, signifie «late bottled vintage port». Il s'agit donc d'un porto millésimé, donc d'une seule année, mis en bouteille tardivement. Celui-ci, constant d'un millésime à l'autre, offre un beau nez intense de fruits secs, de pruneau, de chocolat, d'épices avec une note boisée. Onctueux, très long, ample et fruité en bouche, il présente un très bel équilibre. Il ira bien avec une mousse au chocolat, une crème de marron, ou une tarte aux figues. ★★★(★) **TD**

Portugal, Haut-Douro
do Porto
Tawny 10 ans,
Taylor Fladgate
+00121749 - 33,75$

Autre appellation du porto, le tawny est un porto qui a subi une oxydation au contact de l'air et qui prend une teinte fauve (tawny en anglais) lors de son vieillissement en barrique. Lorsqu'il porte un millésime comme celui-ci, il s'agit de l'âge moyen des différentes barriques qui entrent dans son assemblage. Constant, ce beau 10 ans présente des odeurs intenses de fruits secs, de cassonade, de violette, de cerise confite et de chocolat. Onctueux, con-

centré et fruité en bouche, il évolue sur des tanins fondus et une finale boisée avec des notes de noix de Grenoble. Le servir à l'apéro ou avec un gorgonzola, ou encore avec un brownie au chocolat. Le Wine Spectator lui a donné la note de 90/100. ★★★★ **TD**

Portugal, Porto
docp Porto tawny
Tawny 20 ans,
Taylor Fladgate
+00149047 - 69,75$

Le porto, lorsqu'on le fait vieillir très longtemps en fût, prend une couleur fauve (tawny en anglais). Le porto reste peu de temps en fût pour préserver la fraîcheur du fruit, mais il vieillit en bouteille, alors que le long passage en fût (minimum trois ans) du tawny permet une micro-oxydation qui lui confère d'autres qualités, comme pour celui-ci qui a passé 20 ans en barrique. Des odeurs intenses de fruits secs, de noisette, de caramel et de cuir avec des notes d'épices. Moelleux, onctueux et très long en bouche avec un bel équilibre acide-sucre, il continue longuement sur des tanins soyeux. Le servir avec un tournedos de bœuf sauce au bleu ou un dessert au chocolat. ★★★★★ **TD**

CIDRES

CIDRES MOUSSEUX OU PÉTILLANTS

Canada, Québec,
Hemmingford
Crémant de pomme,
2,5%, Cidrerie du Minot
+00245316 - 11,95$

Voici un cidre que j'aime beaucoup, léger, fruité et frais, élaboré selon la mé-

thode charmat (cuve close). Il s'ouvre sur des parfums de compote de pomme, de crème pâtissière et de fleurs blanches. Ample, fruité et très frais en bouche, il présente un bel équilibre. Un cidre élégant, tout en dentelle, à servir frais (8°C) à l'apéritif, en même temps qu'un boudin noir aux pommes ou des crêpes sauce au chocolat. ★★(★) **TD**

Canada, Québec, Montérégie
Crémant de pomme rosé,
2,5%, Cidrerie du Minot
+00717579 - 14$

Un agréable cidre rosé aux odeurs de compote de pomme et de petits fruits rouges, plus une touche florale qu'on retrouve en bouche avec beaucoup de générosité et de fraîcheur. Servez-le frais (8°C), et essayez-le en dégustant un blanc de dinde avec compote de pomme et des frites. ★★(★) **TD**

Canada, Québec,
Frelighsburg
Cidre mousseux
Verger Sud, 11%,
Domaine Pinnacle
+10850560 - 14,90$

Pour moi, un cidre sec est toujours mousseux. C'est d'ailleurs la condition pour l'appellation (aoc) du cidre en Bretagne d'où il est natif. Celui-ci présente des odeurs de compote de pomme, d'a-

grumes, de fleurs et de miel. Bien fruité, long et frais en bouche, il jouit d'un bel équilibre. Un cidre de plaisir à boire frais (8°C) lorsqu'on sert une andouillette braisée au cidre ou une crêpe aux pommes avec de la crème glacée. ★★ **TD**

DU MINOT
CIDRERIE

Canada, Québec,
Hemmingford
Du Minot Brut, 7%,
Cidrerie du Minot
+00733386 - 15,90$
Voici un très bon cidre fait selon la méthode traditionnelle, c'est-à-dire comme un champagne. Les bulles fines et nombreuses présagent de la qualité. Il s'ouvre sur des parfums de fleur de pommier, de compote de pomme et de vanille. Ample, fruité, long, moelleux et frais en bouche avec une belle expression de la pomme. Un beau cidre, élégant, qu'on

servira frais (8°C) à l'apéritif ou tout au long d'un repas. ★★★(★) **TD**

Canada, Québec,
Chaudières-Appalaches
Verger de Glace, 10%,
Cidrerie La Pomme
du St-Laurent
+10230643 - 24,35$/375ml
Voici un cidre de glace aux parfums de pomme mûre, de pâte de fruits, de fleurs et de pâtisserie. Onctueux, ample, intense, fruité et long en bouche, il bénéficie d'un bel équilibre et d'une grande fraîcheur. Le boire frais (8°C) en même temps qu'un fromage bleu ou une charlotte aux pommes. ★★★★ **TD**

DU MINOT
CIDRERIE

Canada, Québec,
Hemmingford
Du Minot des Glaces,
10%, Cidrerie du Minot
+00733782 - 24,90$/375ml
Un très beau cidre de glace, aux parfums de compote de pomme cuite, de fruits secs, de pâtisserie et de miel. Très fruité, onctueux, long et frais en bouche, il évolue avec souplesse et harmonie sur un très bel équilibre. Un cidre de glace élégant à servir

frais (8°C) en dégustant une tarte aux fraises ou un foie gras mi-cuit. ★★★★ **TD**

Canada, Québec,
Frelighsburg
Cidre de glace
Cidre de glace, 12%,
Domaine Pinnacle
+00734269 - 25$/375ml
Véritable bête à concours (et il gagne!), ce beau cidre de glace s'ouvre sur des odeurs intenses de pomme confite, d'écorce d'orange, de sucre brun et de miel. Généreux, onctueux, fruité et long en bouche, il présente une très belle acidité qui lui confère beaucoup de fraîcheur. On le sert frais (8°C) en même temps que des cailles aux abricots ou qu'un gâteau au chocolat. ★★★ **TD**

Canada, Québec,
Hemmingford
Crémant de glace, 7%,
Cidrerie du Minot
+10530380 - 25,50$/375ml
Créateur du terme «crémant» pour un cidre, l'œnologue Robert Demoy propose ici un cidre de glace pétillant

CIDRES

CIDRES

GUIDE DEBEUR 2016

aux odeurs intenses de compote de pomme et de fruits tropicaux. Puissant, crémeux, onctueux et bien fruité en bouche, il présente une belle acidité qui lui confère beaucoup de fraîcheur. Le boire frais (8°C) en même temps qu'un foie gras poêlé aux figues ou un cake aux fruits. ★★★ **TD**

Canada, Québec,
Frelighsburg
Cidre de glace mousseux
Cidre de glace pétillant, 12%, Domaine Pinnacle
+10341247 - 29$/375ml
Un excellent cidre de glace effervescent aux bulles fines qui éclatent littéralement, libérant des odeurs de pomme cuite, de miel et de fleurs avec une pointe d'orange, qu'on retrouve en bouche avec beaucoup de fraîcheur. Un cidre de glace tout en harmonie, long et onctueux, à servir frais (8°C) avec un foie gras poêlé aux figues ou un fromage bleu de la Fromagerie Saint-Benoît, à Saint-Benoît-du-Lac (Québec). ★★★(★) **TD**

Canada, Québec,
Frelighsburg
Cidre de glace
Signature Réserve Spéciale, 11%, Domaine Pinnacle
+10233756 - 38,25$/375ml
Lorsqu'on s'engage au point d'apposer sa signature sur un produit, cela révèle que celui-ci est d'exception. Et c'est le cas de ce très beau cidre de glace aux parfums intenses de compote de pomme, de sucre brun, de pâtisserie et de miel. Des éléments qui se retrouvent en bouche avec de la puissance, de l'onctuosité, de la générosité et de l'élégance. Un excellent cidre de glace à déguster frais (8°C) et parfait pour un foie

gras au torchon, des cailles aux raisins ou une tarte au chocolat. Magnifique! ★★★★(★) **TD**

Canada, Québec,
Hemmingford
Du Minot des Glaces, Récolte d'hiver, 11%, (D) 40$/375ml.
Voici un excellent cidre de glace aux parfums de pomme cuite, de sucre brun, de caramel, d'épices et de fleurs. Largement fruité, intense, puissant, frais et long en bouche, il offre une très belle harmonie et un grand équilibre. Un magnifique produit très bien fait. Superbe! On le sert frais (8°C) et on le marie à un canard aux pêches ou une charlotte aux pommes. ★★★★★ **TD**

Québec, Montérégie,
Hemmingford
Neige Récolte d'hiver, 11,5%, La Face Cachée de la Pomme
+00742627 - 50$/375ml
Lorsqu'en plein cœur de l'hiver, on arrive au verger de la

Face Cachée de la Pomme, les pommes restées accrochées aux arbres dénudés sont d'une tentation irrésistible, on sent fortement le désir de croquer dans le fruit gelé au risque de commettre un péché ou de se briser une dent. La récolte d'hiver des pommes Fuji, Golden Russet, Pouliot et autres variétés soumises ainsi à la cryoextraction naturelle donnera naissance à ces fabuleux cidres de glace qui font toute notre fierté sur les grandes tables du monde. Robe jaune orangé, le nez exhale des parfums de pommes caramélisées, d'abricot séché où s'entremêlent des notes de sucre brun et d'épices douces (muscade); la bouche explose et tapisse le palais d'une belle liqueur onctueuse, juste dosée et sans lourdeur. L'accompagner d'un fromage à pâte persillée escorté d'abricots séchés ou de pommes bonne-femme parfumées d'une touche de cari de Madras? Pourquoi pas! mais ce produit sublime est un dessert en soit, il se suffit à lui même! ★★★★★ **DJL**

CIDRE DIGESTIF

Canada, Québec,
Frelighsburg
Cidre digestif
La Réserve 1859, 16%, Domaine Pinnacle
+10850156 - 44,50$/500ml
Qu'on le prenne en digestif ou dans un cocktail, ce cidre offre des odeurs de pomme, de cassonade, de fleur de pommier, de vanille et de pain d'épices. Ample, fruité et long en bouche, il se prolonge dans une texture onctueuse et une finale épicée et musquée.

Servit nature, on peut aussi le déguster avec un foie gras poêlé, sauce au chocolat. Un régal! ★★★★(★) **TD**

SPIRITUEUX ET APÉRITIFS

Angleterre
Dry gin
Beefeater, 40%,
James Burrough
+00000570 - 22,80$
Beefeater est une marque de gin dont la création date de 1864. Il est produit en faisant macérer des fleurs, des fruits, des herbes et des amandes

dans de l'alcool de grain. C'est la marque la plus vendue au Canada. Nous avons ici un excellent gin au nez d'agrumes, de zeste de mandarine et d'amande fraîche. Frais et très long en bouche avec des notes d'agrumes, de genièvre et une sensation presque sucrée. Le servir nature sur glace ou dans des cocktails. ★★★ **TD**

Cuba
Rhum brun
Havana Club Añejo 3 Años
(3 ans), 40%, Hiram Walker
& Sons +12275124 - 24,25$
Un des meilleurs rhums actuellement sur le marché. Le rhum Havana Club Añejo 3 Años est le résultat de l'assemblage d'aguardientes de canne, vieillis et parfumés (un mélange alcoolisé intense, fermenté et distillé) avec des distillats de canne extralégers, tout juste avant d'être mis au repos dans des fûts de chêne blanc. Les meilleurs fûts permettent de créer le produit final, soit un rhum vieilli de trois ans qui, après avoir été mis au repos une seconde fois, est filtré et mis en bouteille. On peut facilement l'utiliser dans des cocktails qu'il rehausse de ses saveurs exotiques et chaleureuses, mais c'est probablement nature qu'on l'apprécie le plus. Il a des parfums de caramel anglais, d'agrumes et de fruits tropicaux avec

des notes de pomme cuite, de boisé et de fumé. En bouche, il rappelle un peu le calvados sans agressivité et finit longuement sur des épices. Un beau rhum très agréable qui pourra accompagner des desserts au chocolat ou des mousses aux fruits. ★★★★ **TD**

Canada, Québec,
Frelighsburg
Cidre apéritif à l'érable
Coureur des bois, 18%,
Domaine Pinnacle
+11165353 - 25$/375ml
Il se présente avec une belle robe cuivrée aux reflets roux... très chic dans un verre! Et le reste suit avec des parfums de caramel au beurre, de cassonade, de sirop d'érable et de toffee qu'on retrouve en bouche avec un très bel équilibre, de la fraîcheur et une finale délicatement épicée. Un très beau produit à servir nature ou sur glace ou encore avec un gâteau aux noix de Grenoble.
★★★★ **TD**

France, Provence
Apéritif anisé
Ricard, 45%,
Pastis de Marseille
+00015693 - 26,80$
La boisson la plus populaire à Marseille est l'apéritif anisé,

qu'on appelle le pastis ou «pastaga» en marseillais. Pastis, en provençal, signifie «mélange». Le pastis est fait d'un mélange de plusieurs plantes aromatiques macérées dans de l'alcool, notamment la réglisse et l'anis. Le plus connu dans le monde est le Ricard. Il offre des arômes d'anis et de réglisse très agréables. Ce pastis, rond et rafraîchissant en bouche, se déguste coupé avec de l'eau glacée, tout en mangeant des canapés de poisson fumé par exemple ou d'autres bouchées. On peut aussi l'utiliser dans des cocktails ou des recettes. ★★★★★ **TD**

Canada, Québec,
Frelighsburg
Rhum épicé
Chic Choc, rhum épicé québécois, 42,1%, Domaine Pinnacle +12362674 - 34$
Distillé en petits lots, ce rhum a longtemps macéré avec des épices, des baies, des herbes et des racines boréales comme le poivre des dunes, la comptonie voyageu-

se, les baies des cassinoïdes, les racines de céleri sauvage, le myrique baumier et les herbes aux anges. Il en résulte un beau rhum dont la robe ambrée à reflets dorés s'ouvre sur des odeurs intenses et complexes d'eau-de-vie, d'épices, de fumé et de boisé avec des notes de caramel et une touche d'érable. Ample, rond, presque sucré en bouche, il évolue rapidement sur des épices intenses. Un rhum très agréable, parfumé, long et corsé qu'on servira en dégustation ou en digestif. Essayez-le avec un gâteau au chocolat! ★★★★(★) **TD**

Canada, Québec,
Frelighsburg
Cidre apéritif au whisky et à l'érable
Coureur des Bois whisky canadien et sirop d'érable, 31,7 %, Domaine Pinnacle +11724979 - 35,25$
Il s'agit d'un mélange de whisky canadien vieilli et de sirop d'érable de catégorie A, pur à 100%. Nous avons trouvé ce produit exceptionnel! Il s'ouvre sur des arômes intenses et complexes de sirop d'érable, de caramel, de vanille et de noix de Grenoble. Rond, onctueux et fruité en bouche, il évolue très longuement sur des notes délicatement épicées. Superbe! Quelle belle réussite... Nous l'avons dégusté tempéré, mais il gagnera à être bu frais, voire sur glace, en mangeant une tarte au sucre ou tout simplement comme digestif pour conclure agréablement un repas. ★★★★ **TD**

Canada, Québec,
Cantons de l'Est
Dry gin
Ungava, 43,1%, Domaine Pinnacle +11156764 - 35,25$
Selon L'Encyclopédie canadienne, «Le terme ungava, qui signifie "vers les eaux libres", est utilisé pour désigner la bande inuite établie à l'embouchure de la rivière Arnaud». Pour rendre hommage à la culture amérindienne, Domaine Pinnacle, bien connu pour ses cidres de glace de qualité, a mis au point cette eau-de-vie unique, ce gin «fait d'une macération d'herbes indigènes de l'arctique québécois». Nous avons adoré! Il a des parfums intenses de genévrier, de petits fruits, de baies sauvages, d'érable, de torréfié et de caramel avec une touche boisée. La bouche est bien fruitée avec des notes de confiture de fraises et une profusion d'épices qui s'étire longuement. Excellent! Le servir à l'apéro, nature ou sur glace. ★★★★(★) **TD**

INDEX DES VINS PAR PAYS

AFRIQUE DU SUD

VIN BLANC
Secateurs, Adi Badenhorst - 18,05$ **154**

VIN ROUGE
Mullineux Kloof Street, Chris & Andrea
    Mullineux - 20,75$ **176**

ARGENTINE

VIN BLANC
Centenario Pinot Grigio Reserve, Graffigna -
    13,95$ **150**

VINS ROUGES
Marcus James Tempranillo, Fecovita -
    10,45$ **167**
Shiraz Reserve Graffigna Centenario, Vinedos
    Santiago Graffigna - 13,95$ **168**
Malbec Reserva, Bodegas Nieto y Senetiner -
    15,45$ **170**

AUSTRALIE

VINS BLANCS
Cliff 79 Chardonnay, Berri Estates Winery -
    11,20$ **149**
Chardonnay, Wallaroo Trail - 11,25$ **149**
The Hermit crab, D'Arenberg - 19,95$ **155**

VINS ROUGES
E Minor Shiraz, Barossa Valley Estate Winery -
    18$ **173**
The Lackey, Kilikanoon Wines - 20$ **175**

AUTRICHE

VIN BLANC
Hirsch Heiligenstein, Weingut Hirsch -
    28,65$ **159**

CANADA

COLOMBIE-BRITANNIQUE

VIN BLANC
Riesling Reserve, Mission Hill - 20,95$ **156**

VIN ROUGE
Le Grand Vin 2012, Osoyoos Larose - 45$ **180**

ONTARIO

VIN BLANC
Sauvignon blanc, Black Reserve, Jackson-Triggs
    - 15,25$ **151**

VIN ROUGE
Merlot, Black Reserve, Jackson Triggs
    +11462112 - 15,45$ **171**

QUÉBEC

VIN BLANC
Cuvée Natashquan, Vignoble de l'Orpailleur -
    26$ **158**

CIDRES MOUSSEUX
Crémant de pomme, 2,5%, Cidrerie du Minot -
    11,95$ **182**
Crémant de pomme rosé, 2,5%, Cidrerie du
    Minot - 14$ **182**
Verger Sud, 11%, Domaine Pinnacle -
    14,90$ **182**
Du Minot Brut, 7%, Cidrerie du Minot -
    15,90$ **183**

CIDRES DE GLACE
Verger de Glace, 10%, La Pomme du
    St-Laurent - 24,35$/375ml **183**
Du Minot des Glaces, 10%, Cidrerie du Minot -
    24,90$/375ml **183**
Cidre de glace, 12%, Domaine Pinnacle -
    25$/375ml **183**
Crémant de glace, 7%, Cidrerie du Minot -
    25,50$/375ml **183**
Cidre de glace pétillant, 12%,
    Domaine Pinnacle - 29$/375ml **184**
Signature Réserve Spéciale, 11%,
    Domaine Pinnacle - 38,25$/375ml **184**
Du Minot des Glaces, Récolte d'hiver, 11% -
    40$/375ml. **184**
Neige Récolte d'hiver, 11,5%, La Face cachée
    de la Pomme - 50$/375ml **184**

CIDRE DIGESTIF
La Réserve 1859, 16%, Domaine Pinnacle -
    44,50$/500ml **184**

SPIRITUEUX
Coureur des bois, 18%, Domaine Pinnacle -
    25$/375ml **185**

GUIDE DEBEUR 2016

Index des vins par pays

Chic Choc, rhum épicé québécois, 42,1%, Domaine Pinnacle - 34$ **186**

Coureur des Bois whisky canadien et sirop d'érable, 31,7 %, Domaine Pinnacle - 35,25$ **186**

Ungava, 43,1%, Domaine Pinnacle - 35,25$ **186**

CHILI

VIN ROUGE

Mapu Cabernet-Sauvignon/Carmenère, Baron Philippe de Rothschild - 10,95$ **167**

CUBA

SPIRITUEUX

Havana Club Añejo 3 Años (3 ans), 40%, Hiram Walker & Sons - 24,25$ **185**

ESPAGNE

VINS BLANCS

Vina sol, Miguel Torres - 12,65$ **149**

Val de Vid Rueda, Bodegas Val de Vid - 14,35 **150**

Vina Esmeralda, Miguel Torres - 15,85$ **151**

Chardonnay Gran Vina Sol 2013, Miguel Torres - 17,75$ **153**

Legado del Conde, Adegas Morgadio - 20,25$ **155**

Nora Albarino, Bodega Viña Nora - 23,25$ **158**

VINS MOUSSEUX

De Nit Brut Rosé, Josep Maria Raventos I Blanc - 23,95$ **163**

De la Finca Brut, Josep Maria Raventos I Blanc - 31,25$ **163**

VINS ROUGES

Tempranillo Ibéricos, Miguel Torres - 16,95$ **172**

Excellens, Marqués de Cáceres - 17,95$ **172**

Campo Viejo Reserva, Domecq Wines Espana - 19,95$ **175**

Gran Coronas Reserva, Miguel Torres - 20,95$ **177**

Celeste Crianza, Seleccion de Torres - 21,60$ **177**

Laudis, Miguel Torres - 25,25$ **179**

El Castro de Valtuille, Castro Ventosa - 27,05$ **179**

VINS FORTIFIÉS

Canasta Cream Superior Olorosso, William & Humbert - 14,85$ **181**

Dry Sack, Williams & Humbert - 14,85$ **181**

ÉTATS-UNIS

VINS BLANCS

White Revolution, Rev Winery - 11$ **149**

Big House White, Ca' del Solo Vineyard - 14,95$ **151**

Sauvignon blanc Woodbridge, par Robert Mondavi - 14,95$ **151**

Chardonnay, Cupcake Vineyards +11372791 - 15,95$ **152**

Everyday, The Dreaming Tree +12270913 - 18$ **154**

St-Francis Chardonnay, St-Francis Winery & Vineyard +11053909 - 19,85$ **155**

VINS MOUSSEUX

Mumm Napa, Cuvée Brut Rosé - 35,75$ **164**

Roederer Estate Brut - 36$ **164**

VINS ROUGES

Syrah, Dunnigan Hills, R.H. Phillips Vineyard - 14,20$ **168**

Big House Red, The Wine Group - 14,95$ **169**

Cabernet-Sauvignon Woodbridge, Robert Mondavi - 14,95$ **169**

Exp Liaison, R.H. Phillips Vineyard - 17,20$ **172**

Cabernet-Sauvignon, Clos du Bois Winery - 18$ **173**

Pinot Noir, Mark West - 18$ **173**

Pinot noir, Blackstone Winery - 19,10$ **174**

Pinot Noir Private Selection, Robert Mondavi Winery - 19,45$ **174**

Cabernet Sauvignon, Private Selection, Robert Mondavi - 19,45$ **175**

Pinot noir, Cuvée Pierre Léon, WillaKenzie estate - 46$ **181**

FRANCE

ALSACE

VINS BLANCS

Pinot gris réserve, Alsace Willm - 17,25$ **152**

W3, Wolfberger - 17,40$ **153**

Gentil Hugel, Hugel & Fils - 17,95$ **153**

Pinot Blanc, F.E. Trimbach - 18,45$ **154**

Riesling Réserve, Willm - 18,65$ **154**

Riesling, Hugel & Fils - 18,75$ **155**

Index des vins par pays

Riesling, F.E. Trimbach - 22,50$ **157**
Riesling Grand Cru Rosacker,
    Cave de Hunawihr - 27,25$ **159**

VINS MOUSSEUX
Wolfberger Brut, Cave Vinicole Eguisheim -
    20,25$ **162**
Calixte Brut Rosé, Cavede Hunawihr -
    22,75$ **163**

BORDEAUX

VINS BLANCS
Château Suau - 17,35$ **152**
Château Villa Bel-Air - 25$ **158**

VIN BLANC DOUX
Château Grand Peyruchet - 24,70$ **161**

VINS ROUGES
Mouton Cadet Réserve, Baron Philippe de
    Rothschild - 20,20$ **176**
Château Bujan - 22,15$ **177**
Château Gaillard, Vignobles J.J. Nouvel -
    31$ **180**

BOURGOGNE

VINS BLANCS
Bourgogne Aligoté, Bouchard Père & FilS -
    17,40$ **153**
Aligoté Bio Ecocert, Jean Claude Boisset -
    21,60$ **156**
Chablis La Sereine, La Chablisienne -
    22,95$ **157**
Chablis Les Champs Royaux, William Fèvre -
    23,95$ **158**
Pouilly-Fuissé, Jean-Claude Boisset -
    25,45$ **158**
Château de Chamirey Blanc, Roger de Jouenne
    d'Herville - 29,05$ **160**
Château de Maligny, Homme Mort - 36$ **160**
Château de Maligny, Fourchaume, Jean Durup
    Père & Fils - 36,50$ **160**
Le Jarron, Deux Montille Sœur Frère - 38$ **160**
Meursault 2012, François Mikulski - 68$ **161**

VINS MOUSSEUX
Brut Rosé, Veuve Ambal - 22,15$ **162**
Blanc de Blancs Brut, Vitteaut-Alberti -
    23,10$ **163**
Perle d'aurore, Louis Bouillot - 23,95$ **163**
Bailly-Lapierre Brut, Caves Bailly-Lapierre -
    24,95$ **163**

VINS ROUGES
Prince Philippe, Bouchard Aîné et Fils -
    16,75$ **171**
Bourgogne Gamay, Louis Latour - 18,75$ **174**
Les Deux Loups, Bouchard Père & Fils -
    19,10$ **174**
Réserve de la Chèvre noire, Boisseaux-Estivant
    - 22,50$ **178**
Nature d'Ursulines, Jean Claude Boisset -
    26,75$ **179**
Morgon, Jean Foillard - 27,20 **179**
Château de Chamirey rouge, Roger de Jouenne
    d'Herville - 29,05$ **180**

CHAMPAGNE

VINS MOUSSEUX
Champagne Drappier, Brut nature Zéro dosage
    - 45,50$ **164**
Champagne Tarlant, Zéro Nature - 50,25$ **164**
Champagne Taittinger Brut - 57$ **165**
Mumm Cordon Rouge Brut, G.H. Mumm et Cie
    - 59,75$ **165**
Champagne Gosset, Cuvée Grande Réserve
    Brut - 67,50$ **165**
Champagne Cossy, Cuvée Sophistiquée Brut -
    67,75$ **165**
Champagne Laurent-Perrier, Ultra-Brut -
    71,25$ **165**
Champagne Laurent-Perrier, Cuvée Rosé Brut -
    98$ **166**
Champagne Lanson, Extra-Âge Brut -
    99,75$ **166**

DIVERS

VINS BLANCS
Vive la vie, Colombar/Gros menseng, J.P.
    Chenet - 10,95$ **149**
S de la Sablette, Marcel Martin - 11,55$ **149**

JURA

VIN BLANC
Catherine de Rye 1998, Henri Maire - 75$ **161**

OUEST DE LA FRANCE

VIN BLANC DOUX
Monbazillac, Château Septy -25,15$ **161**

VIN FORTIFIÉ
Château de Beaulon 5 ans - 20,25$ **181**

GUIDE DEBEUR 2016

Index des vins par pays

PROVENCE

VIN BLANC

Château La Tour de L'Évêque, Régine Sumeire
- 20,45$ **156**

VIN ROSÉ

Pétale de Rose, Château la Tour de l'Évêque,
Régine Sumeire - 20,25$ **167**

VIN ROUGE

Château la Tour de L'Évêque, Régine Sumeire -
21,30$ **177**

SPIRITUEUX

Ricard, 45%, Pastis de Marseille - 26,80$ **185**

FRANCE SUD-OUEST

VINS BLANCS

Chardonnay La Belle Terrasse, Maurel Vedeau -
13,35$ **150**

Carrelot des Amants, Les Vignerons de Brulhois
- 13,55$ **150**

Naturae Chardonnay, Gérard Bertrand -
19,95$ **155**

Bergerie de l'Hortus, Domaine de l'Hortus -
20,45$ **155**

Domaine de Mouscaillo, Marie-Claire Fort -
23,05$ **157**

Château Montus +11017625 - 24,80$ **158**

VIN BLANC DOUX

Rêve d'automne, Lafitte Teston - 20,25$ **161**

VIN MOUSSEUX

Domaine de Fourn Brut - 19,95 $ **162**

VINS ROSÉS

Grain d'Amour, Les Vignerons de Brulhois -
16,70$ **166**

Le Rosé, Sélection Chartier Créateur
d'Harmonies - 19,25$ **166**

Côte des Roses, Gérard Bertrand - 19,65$ **166**

VINS ROUGES

Château de Gourgazaud - 13,30$ **167**

Comtes de Rocquefeuil, Coopérative
Montpeyroux - 13,45$ **168**

Carrelot des Amants, Les Vignerons du
Brulhois - 13,60$ **168**

Pinot noir, Baron Philippe de Rothschild -
14,25$ **169**

Château de Lengoust - 16,25$ **171**

Orénia, Philippe Nusswitz - 18,25$ **173**

Tautavel, Grand Terroir, Gérard Bertrand -
18,74$ **173**

Autrement, Gérard Bertrand - 18,85$ **174**

Grand Terroir La Clape, Gérard Bertrand -
19,80$ **174**

Naturae Syrah, Gérard Bertrand - 19,95$ **175**

L'Argentier, Vieilles Vignes de Carignan,
E. et F. Jourdan - 20,10$ **176**

La Livinière «La Cantilène», Château Sainte-
Eulalie - 22,15$ **177**

Hedo, Gérard Bertrand - 22,40$ **177**

Château Pech-Redon, L'Épervier, Bousquet -
23,80$ **178**

Château de Bouscassé, Vieilles Vignes,
Alain Brumont - 35$ **180**

VIN FORTIFIÉ

Muscat Lacoste, Mas de Bellevue - 18,75$ **181**

VALLÉE DE LA LOIRE

VINS BLANCS

Château de Pocé, Pierre Chainier - 14,90$ **150**

Marquis de Goulaine Réserve - 15,95$ **152**

Domaine de la Charmoise, Sauvignon blanc,
Henry Marionnet - 17,50$ **153**

Jasnières Cuvée des Silex, Pascal Janvier -
22,25$ **157**

Pouilly Fumé, Henri Bourgeois - 26,80$ **159**

Sancerre, Pascal Jolivet - 27,15$ **159**

Le MD, Henri Bourgeois - 39,50$ **160**

VIN MOUSSEUX

Langlois-Château Brut - 22,05$ **162**

VIN ROUGE

Gamay Domaine de La Charmoise, Henry
Marionnet - 17,60$ **172**

VALLÉE DU RHÔNE

VIN BLANC

Condrieu 2014, Pierre Gaillard - 59,50$ **161**

VINS ROUGES

Les Dauphins, Union des Vignerons Côtes du
Rhône - 14,25$ **169**

Grande Réserve des Challières, Bonpas -
14,95$ **170**

Passeport Côtes-du-Rhône, Barton & Guestier -
15,95$ **171**

Parallèle 45, Paul Jaboulet Aîné - 16,35$ **171**

Côtes-du-Rhône, E. Guigal - 20,40$ **176**

Domaine Gallety +00918615 - 27,40$ **180**

Index des vins par pays

GRÈCE

VIN BLANC
Agioritikos, E. Tsantali - 16,70$ **152**

HONGRIE

VIN MOUSSEUX
Hungaria Grande Cuvée, Hungarovin - 13,95$ **162**

ITALIE

VINS BLANCS
Lady Lola, Pinot Grigio - Moscato, Platinum Brands - 15,05$ **151**
Fumaio, Sauvignon blanc et Chardonnay, Castello Banfi – 16,75$ **152**
Gewurztraminer, Bottego Vinai, Cavit - 18,05$ **154**
Bramito del Cervo, Castello della Sala, Marchesi Antinori - 23,25$ **157**

VINS MOUSSEUX
Fratus Brut Rosé, Azienda Agricola Riccafina di R. Fratus - 29,30$ **163**
Ferrari Brut Rosé, Ferrari Filli Lunelli - 32$ **164**

VINS ROUGES
Sangiovese, Pasqua Vigneti e Cantine - 11,45$ **167**
Scià, Podere Castorani - 13,35$ **168**
Sartori Ripasso, Casa Vinicola Sartori - 17,95$ **173**
San Felice, Società Agricola San Felice - 20,85$ **176**
La Luna E I Falò, Terre da Vino - 22,75$ **178**
Colli di Mancuso, Ippolito 18, Cantine Vincenzo Ippolito - 24,60$ **178**
Amorino, Podere Castorani - 25,20$ **178**
Riserva Ducale, Ruffino - 25,50$ **179**

LUXEMBOURG

VIN MOUSSEUX
Crémant du Luxembourg Brut, Poll Fabaire - 22,45$ **162**

MEXIQUE

VIN ROUGE
L.A. Cetto Réserve privée, Vinicola de Tecate - 19,80$ **175**

NOUVELLE-ZÉLANDE

VINS BLANCS
Sauvignon blanc, Monkey Bay Wine Company - 14,95$ **151**
Stoneleigh Sauvignon blanc, Corbans Wines - 18,30$ **154**
Pinot Gris Marlborough, Kim Crawford - 20,95$ **156**
Sauvignon blanc, Kim Crawford - 20,95$ **156**

PORTUGAL

VINS BLANCS
Terras do Sado Catarina, Bacalhoa Vinhos do Portugal - 14,30$ **150**
Daò branco, Quinta da Pellada - 22,75$ **157**

VINS ROUGES
Duque de Viseu, Vinhos Sogrape - 14,95$ **170**
Cabral Reserva, Vallegre Vinhos do Porto - 15,25$ **170**
Periquita, José Maria da Fonseca - 15,95$ **171**
Dao, Quinta dos Roques - 16,75$ **171**
Gloria Reserva, Vinhos Vincente Leite de Faria - 16,95$ **172**
Sino da Romaneira, Quinta da Romaneira - 20$ **175**

VINS FORTIFIÉS
LBV 2010, Taylor Fladgate & Yeatman Vinhos - 21,75$ **182**
Tawny 10 ans, Taylor Fladgate - 33,75$ **182**
Tawny 20 ans, Taylor Fladgate - 69,75$ **182**

ROYAUME-UNI

SPIRITUEUX
Beefeater, 40%, James Burrough - 22,80$ **185**

URUGUAY

VINS ROUGES
Don Pascual Reserve Shiraz Tannat, Establecimiento Juanico - 14,25$ **169**
Don Pascual Reserve Tannat, Establecimiento Juanico - 14,40$ **169**
Bodegones del Sur Marselan, Establecimiento Juanico - 15,20$ **170**

GUIDE DEBEUR 2016

Château Laville Bertrou

Domaine de Cigalus

Clos d'Ora

Clos d'Ora

Quelques vignobles du groupe Gérard Bertrand (lire l'article p. 204)

Guide pratique du petit sommelier

Illustration Phlippe Germain

Voir, sentir, boire
Les trois stades de la dégustation

LES PRINCIPES DE BASE

Pour ne pas vous priver du plaisir de l'achat d'une bonne bouteille de vin, n'achetez pas à la dernière minute. Dans la mesure du possible, évitez de le transporter le jour même de la dégustation. Un vin qui vient d'être secoué risque de vous décevoir. En achetant votre vin à l'avance, cela lui laisse le temps de se remettre de ses émotions et de se reposer dans les meilleures conditions possibles, jusqu'au jour du repas.

Conservez-le à l'abri de la lumière, dans un endroit frais. Attention, le réfrigérateur ne peut pas servir à stocker vos bouteilles. On l'utilise uniquement le temps de les rafraîchir quelques heures, tout au plus une journée avant le service. Il n'est pas recommandé non plus d'apporter le vin rouge dans la salle à manger quelques heures avant de le servir sous prétexte de le "chambrer", c'est-à-dire de l'amener à la température de la pièce. Cette méthode date d'une époque où les maisons avaient une température ambiante de 15° à 18°C. Depuis, pour notre confort, nous avons inventé le chauffage et nos thermomètres grimpent jusqu'à 23°C, ce qui est trop chaud pour le vin.

Température du vin

Chaque vin a des qualités qui lui sont propres, mais chacun atteint sa plénitude à des températures différentes. En général, les vins jeunes, légers et fruités, se servent plus frais que les vins vieux et corsés. Un vin doit rester rafraîchissant à boire. Les vins rouges moyennement corsés à corsés seront bus à 18°C, sans dépasser cette température. Au-delà, ils développent habituellement une forte présence d'alcool et d'acidité qui masquent ainsi leurs belles qualités. Les vins rouges jeunes, plutôt légers et tout en fruit, seront mis en valeur à une température variant entre 13° et 15°C. Les rouges très légers, style Beaujolais, pourront être servis un peu plus frais.

Les vins rosés et les vins blancs secs et demi-secs se prennent assez frais, de 8° à 10°C. Quant aux grands vins blancs secs (Bordeaux et Bourgogne par exemple), ils supporteront un bon 12°C, car trop froids ils perdent leur bouquet. Cependant, plus ils sont doux et liquoreux, plus ils se dégustent froids. C'est valable pour le Sauternes et le Monbazillac entre autres que l'on apprécie à 6°C environ.

L'écart brutal de température: un des pires ennemis du vin

Il faut en effet amener le vin progressivement à sa température idéale. Mettre dans un congélateur une bouteille dont le liquide avoisine 23°C est un crime qu'un dégustateur ne vous pardonnera pas... le vin non plus. Le choc thermique brise les arômes et casse l'équilibre du vin. On dit qu'on le "met à genoux". Pour lui conserver tout son caractère, il faut le refroidir ou le réchauffer en douceur, lentement, le plus naturellement du monde, sans brusquerie aucune.

Comment réchauffer un vin trop froid

Lorsqu'on doit "monter" la température d'un vin trop froid, on conseille de le laisser quelque temps dans une pièce tempérée. Il prendra rapidement quelques degrés de plus. Une autre méthode: une bouteille plongée dans un récipient d'eau tiède à 21°C prendra 6°C en huit minutes. Mais attention, ne réchauffez jamais brusquement un vin en le mettant sous l'eau très chaude, sur une source de chaleur ou au micro-ondes. Enfin, vous pouvez aussi le transvaser dans une carafe dont le verre est chaud. La première méthode suggérée est certainement la plus satisfaisante.

Comment rafraîchir un vin

On propose de l'immerger complètement dans un seau rempli moitié eau, moitié glace. En dix minutes le vin perdra 6°C. Si vous le mettez dans le **bas** du réfrigérateur, il lui faudra une heure pour perdre 6°C. Cette méthode est moins traumatisante. Accordez votre préférence à la méthode la plus lente.

Quant au vin rouge, pour lui faire perdre quelques degrés et le maintenir à la bonne température, l'utilisation d'un seau rempli d'eau bien fraîche du robinet est tout à fait recommandée.

Guide du petit sommelier

Le débouchage

Tout peut arriver quand on ouvre une bouteille!

Manipulez la bouteille avec douceur pour ne pas secouer le vin. Avez-vous remarqué comment un Champagne bousculé explose avec colère au débouchage? Le vin est plus silencieux, mais il est tout aussi troublé.

Lorsque vous versez le vin, il ne doit jamais entrer en contact avec les matières composant la capsule de protection qui recouvre le bouchon et entoure l'extrémité du goulot. Si la capsule est à base de métal, le risque est grand de donner au vin un mauvais goût.

C'est pour cette raison qu'il est préférable de découper la capsule au-dessous et non au-dessus de la bague de verre affleurant le col de la bouteille.

Ôtez la partie découpée et essuyez le bord du verre avec un linge propre pour enlever toute trace de moisissure. Introduisez le tire-bouchon avec précision, en essayant de ne pas transpercer le bouchon de part en part. Tirez doucement et régulièrement. Après l'extraction du bouchon, essuyez l'intérieur du goulot si nécessaire, avec une serviette de service.

Le Champagne est, quant à lui, chatouilleux. Pour éviter ses débordements, inclinez la bouteille au moment du débouchage, les gaz sortiront sans dégâts en un chuintement suave. En cas de difficultés, recouvrez le bouchon d'une serviette humide et faites quelques mouvements de rotation.

Choisir le tire-bouchon

Un tire-bouchon ne doit être un accessoire de torture ni pour vous ni pour le vin. Il doit extraire le bouchon sans vous obliger à agiter la bouteille ni en modifier la position. Les meilleurs sont ceux qui ne requièrent ni muscles ni efforts démesurés de votre part. Préférez le tire-bouchon à levier, à vrille large et longue, non coupante. Les mieux adaptés sont le traditionnel tire-bouchon du sommelier, le "limonadier" des barmen et le "screwpull" qui tous trois prennent appui sur la bouteille. Le "screwpull" est considéré par plusieurs comme un des meilleurs tire-bouchons. Son inventeur, un Texan, s'est inspiré des techniques de forage pétrolier. Un seul geste suffit, que dis-je un doigt suffit; un enfant peut l'utiliser.

Humer le bouchon

Après avoir ouvert la bouteille, humez et palpez discrètement le bouchon. Il ne doit sentir que le vin. Une forte odeur ou une moisissure annoncent un vin bouchonné, à cause d'un bouchon défectueux ou des mauvaises conditions d'entreposage. Un bouchon sec, trop étroit, sortant facilement de la bouteille peut favoriser une oxydation. Pour éviter ces inconvénients désagréables, placez toujours vos vins à l'horizontale et n'achetez pas de bouteilles ayant séjourné longtemps debout. Le bouchon doit rester en contact constant avec le liquide pour assurer par son gonflement une fermeture hermétique. Sinon, avec le temps, il se dessèche, réduit de volume, et laisse pénétrer dans la bouteille suffisamment d'air, créant ainsi un risque d'oxydation. Le manque d'humidité dans la cave peut également faire suinter (ou couler) le vin par le col.

La décantation

La décantation consiste à transvaser le vin d'un contenant dans l'autre, soit pour l'aérer, donc pour l'oxygéner, soit pour le débarrasser des dépôts qu'il contient, soit pour effectuer ces deux opérations. En fait, il serait plus facile et plus logique d'appeler chaque manipulation d'un nom différent. La première opération serait l'oxygénation et la seconde, la décantation.

L'expertise humaine et les raffinements technologiques nous permettent de contrôler plus précisément qu'autrefois le comportement du vin. Nous savions déjà qu'il était inutile d'ouvrir à l'avance les vins blancs secs, les vins rosés, les vins rouges et fruités et les vins très vieux, puisque ceux-ci dégagent le maximum de leurs arômes et de leur bouquet dès l'ouverture de la bouteille.

Des études récentes ont démontré qu'il n'est plus nécessaire d'ouvrir une bouteille à l'avance pour laisser le vin respirer. En effet, la surface de liquide en contact avec l'air à la sortie du goulot est trop réduite pour permettre une oxygénation satisfaisante. Certains vins rouges assez durs ou corsés développent leur bouquet après une petite aération (oxygénation). Vous pouvez les oxygéner en les transvasant dans une carafe à décanter ou en les servant un peu à l'avance dans les verres. Toutefois, certains vins exigent une décantation.

LE SERVICE DU VIN

Le vin, matière vivante, accompagne la destinée de l'homme depuis les dieux de l'Olympe, à qui Ganymède versait l'ambroisie, jusqu'à nos tables où un sommelier, détenteur de secrets divins, nous verse un nectar patiemment affiné. À la maison, c'est à l'hôte que revient cette tâche.

Pour servir le vin à table, soulevez la bouteille avec précaution en la tenant par le milieu du corps et faites couler le liquide le long des parois du verre, sans prendre appui sur celui-ci. Relevez la bouteille dans un mouvement de rotation pour retenir la dernière goutte. Vous pouvez aussi l'essuyer discrètement avec le linge de service, ou utiliser éventuellement un anneau attrape-gouttes.

Quelle quantité servir ?

On ne remplit pas les verres à ras bord, un quart à un tiers suffit pour les dégustations. Dans le cadre d'un repas, un demi-verre convient. Mais tout cela dépend du type de verre et de sa capacité totale. Le volume d'air restant au-dessus du liquide va permettre au vin de s'aérer et de mettre en valeur ses arômes. Habituellement, on prévoit une bouteille pour 6 à 8 convives.

Combien de bouteilles ?

Pour un repas, une demi-bouteille par personne paraît raisonnable. Considérant que plus les convives sont nombreux, plus la consommation est élevée, il serait sage de prévoir une bouteille par personne. Ne les ouvrez pas toutes, gardez-les en attente au cas où... On remarque que l'on boit plus de vins légers et de vins ordinaires qu'un très grand vin, et davantage au début du repas qu'à la fin.

Ordre des vins

En général, il vaut mieux commencer par les vins mousseux, puis les vins blancs, les rosés et enfin les vins rouges. Bien entendu, selon la force de chacun. On va du frais au chambré, du plus léger au plus corsé, du plus jeune au plus vieux, du plus sec au plus doux (sucré), avec cependant quelques exceptions. On pourrait dire que l'on va du plus faible au plus fort, en une progression agréable, sans oublier qu'un vin ne doit ni écraser, ni faire regretter l'autre.

Le service du vin au restaurant

Afin de profiter pleinement d'un bon repas au restaurant, voici quelques attitudes suggérées.

Ne pas accepter:
– un vin blanc givré, car une température trop basse masque les défauts du vin et fait disparaître le bouquet.
– un vin rouge servi trop chaud, qui a été "chambré" en salle à manger à 24°C, température ambiante. La chaleur développe une forte présence d'alcool et d'acidité qui masquent les qualités du vin.
– le soi-disant sommelier qui tournicote la capsule en boucles savantes sur le goulot, pour le rendre plus beau. Demandez-lui gentiment de bien vouloir la couper sous le bourrelet pour l'enlever, surtout si elle est faite de matière métallique. Quand il sert le vin, il doit prendre garde que le liquide n'entre pas en contact avec les bords de la capsule, car cela risque de lui donner mauvais goût.
– que l'on remplisse votre verre à ras bord. Le vin a besoin d'un espace suffisant pour s'aérer et se développer pleinement.
– que le garçon vide la bouteille dans six verres, alors que vous êtes sept à table.
– que l'on vous serve le vin blanc avant qu'il n'ait atteint sa température de service. Demandez qu'on le laisse dans le seau plus longtemps. Le seau ne doit pas être rempli de glace vive mais bien mi-eau, mi-glace.
– d'être servi généreusement en attendant indûment que les plats arrivent.

Retourner:
– une bouteille décachetée à l'avance. Celle-ci doit être ouverte devant vous, après que vous ayez pris connaissance de l'étiquette, ceci afin d'éviter toute erreur de vin et de millésime.

LE SERVICE DU VIN

GUIDE DEBEUR 2016

– un vin "bouchonné" (forte odeur de bouchon, goût de bouchon).

– un Champagne sans bulles, un vin éventé, une bouteille sur les parois de laquelle des bulles se forment. Dans ce cas, le vin n'a pas été stabilisé, ou a été embouteillé trop tôt.

– un vin "piqué" (aigre et acide, légèrement pétillant).

LA DÉGUSTATION DU VIN

Souvent, nous avalons notre vin d'un trait, distraitement, l'esprit ailleurs et nous nous privons d'un grand plaisir, celui de la dégustation. Un bon vin mérite mieux qu'un coup d'oeil et une déglutition rapide, une langue distraite et un nez paresseux. Prenons le temps de l'observer, de le mirer, de le goûter, de le mâcher, de le faire rouler, de l'avaler tendrement et d'être attentif à la sensation qu'il laisse en nous.

Comment l'aborder

De prime abord, la dégustation semble une activité réservée à une certaine élite. Pourtant, chacun de nous peut devenir un dégustateur acceptable en moins d'un an. Il suffit d'aimer le vin, de vouloir partager ses connaissances et ses hésitations avec d'autres, de se fier sans crainte à ses propres impressions ou de se ranger à celles des autres si elles corroborent les nôtres. Il faut goûter, regoûter, comparer et goûter encore. La dégustation demande de la pratique, de la concentration et surtout une excellente mémoire, car en réalité, nous "sentons" davantage les goûts.

Quant au vocabulaire utilisé à profusion par les connaisseurs, il sonne à nos oreilles de profane comme une langue étrangère. Le langage du vin s'exprime en images, en couleurs, en odeurs, en saveurs, etc. Mais quel que soit le vocabulaire, déguster demeure un plaisir. Toujours assoiffés de connaissances, les dégustateurs chevronnés recherchent la joie de la découverte, l'appréciation du goût et la comparaison avec d'autres expériences. Chaque fois renouvelé, différent selon le lieu et le moment, le vin est un ami que l'on aime pour sa constance, mais aussi pour sa versatilité. Le cheminement de la dégustation fait appel à la vue (aspect visuel), au nez (aspect olfactif) et au goût (aspect gustatif).

L'ASPECT VISUEL se juge avec l'oeil

Il examine la robe, la limpidité et la viscosité du vin. La couleur du vin change avec l'âge et avec le temps, le vin rouge s'éclaircit puis brunit, le vin blanc fonce.

Les mots pour en parler:

Brillant: d'une limpidité parfaite.

Clair ou dépouillé: débarrassé des matières en suspension.

Dépôt: matières en suspension dues au vieillissement ou dépôts tartriques contenus dans le vin blanc. Sans dommage pour le vin.

Cristallin: d'une extrême brillance.

Limpide: d'une transparence impeccable.

Opalescent: comme voilé, avec des teintes laiteuses.

Terne: sans brillance, mais clair.

Trouble: limpidité imparfaite indiquant un vin qui a été secoué ou mal clarifié.

Tuilé: vin rouge à reflet brun orangé. Trahit souvent un vin oxydé.

Voilé: présente un trouble léger.

L'ASPET OLFACTIF se perçoit avec le nez

Celui-ci apprécie l'arôme et le bouquet à travers des senteurs qui nous rappellent par analogie les fruits, les fleurs, les herbes, le sous-bois, les épices, etc. ou d'autres moins agréables de moisi, de bouchon, de soufre, de vinaigre ou d'oeuf pourri.

Les mots pour en parler:

Aromatique: vin à l'odeur agréable et intense, laissant deviner le cépage d'origine. S'utilise surtout pour les vins jeunes.

Austère: vin rouge fort en tanin avec un bouquet pas encore formé.

Boisé: qui garde l'odeur du fût de chêne.

Bouchonné: odeur et goût de bouchon moisi.

Bouquet: ensemble des odeurs ou parfums acquis par le vin depuis la fermentation jusqu'au vieillissement.

Bouqueté: composé de plusieurs arômes faciles à identifier et se mariant bien entre eux. S'utilise surtout pour les vins vieux.

GUIDE DEBEUR 2016

Fin: vin au bouquet subtil dégageant finesse et distinction.

Floral: dont le parfum rappelle les fleurs.

Soufré: provient de l'usage immodéré du soufre employé comme antiseptique. Cette odeur peut parfois s'éliminer après aération.

Vineux: vin riche en alcool, corsé et capiteux, qui dégage une forte odeur de vin pas toujours heureuse.

L'ASPECT GUSTATIF
implique à la fois la bouche et le nez

La bouche est sensible aux quatre saveurs de base: le salé, le sucré, l'acide et l'amer. D'autres informations peuvent cependant y être décelées comme le chaud, le froid, la texture (épaisse, fluide, rugueuse, etc.), l'astringence, etc. Quant aux odeurs que l'on peut y trouver, ce sont celles qui, de la bouche, reviennent dans le nez par l'arrière-nez (au fond de la gorge). On appelle cela la "rétro-olfaction".

Les mots pour en parler:

Acide: défaut d'un vin dont l'acidité naturelle est trop élevée.

Agressif: vin contenant trop d'acidité ou trop de tanins.

Aigre: goût vinaigré.

Alcooleux: taux d'alcool trop important.

Amaigri ou décharné: vin ayant perdu son caractère.

Amer: arrière-goût d'amertume laissé par des tanins trop forts.

Ample: vin très agréable renfermant des saveurs et des arômes riches et complets.

Âpre: sensation de langue râpeuse due à des tanins de basse qualité.

Astringent: vin trop chargé en tanins qui laissent dans la bouche une impression désagréable de sécheresse et la sensation de ne plus avoir de salive.

Attaque: premier contact avec le vin. À utiliser pour l'odeur ou le goût.

Capiteux: riche en alcool.

Charnu: qui a du corps et qui donne l'impression de bien remplir la bouche.

Charpenté: ayant une constitution solide et équilibrée. Ce vin peut se conserver longtemps.

Chaud: possédant, en général, un degré d'alcool élevé.

Concentré: très dense en bouche, saveurs riches et corsées, mais aussi très coloré.

Corsé ou étoffé: au caractère marqué, riche en alcool et qui remplit bien la bouche.

Court: qui ne laisse pas d'impression durable une fois avalé.

Doux: contenant une certaine quantité de sucre non transformé en alcool.

Élégant: fin, racé et harmonieux.

Équilibré: heureuse harmonie de tous ses éléments.

Faible: pauvre au goût, renfermant peu d'alcool. En fait, il lui manque de tout.

Frais: vin jeune fruité à l'acidité équilibrée.

Généreux: qui est corsé et riche en alcool sans être lourd.

Gouleyant: léger et frais, qui descend avec facilité dans la gorge.

Gras: moelleux, souple et charnu.

Léger: vin peu alcoolisé au caractère peu marqué mais pouvant être agréable.

Liquoreux: vin blanc onctueux et très sucré.

Long: dont on conserve longtemps le goût en bouche après l'avoir avalé. On trouve de la longueur dans les vins corsés et les grands vins.

Mâche: vin astringent qui donne l'impression qu'on peut le mâcher.

Maigre: vin très léger qui manque de couleur, de saveur et de corps.

Mince: qui manque d'alcool et a une structure déséquilibrée.

Moëlleux: on dit généralement qu'un vin est moelleux lorsque sa douceur se situe entre un vin sec et un vin liquoreux, mais il n'y a pas de réglementation précise à ce sujet.

Mou: qui manque de tanin, d'acidité donc de nervosité.

Nerveux: avec une saveur acide dominante, mais restant agréable en bouche.

Oxydé: vin vieux ou passé, probablement mal bouché ou mal entreposé, dont le goût rappelle un peu celui du Madère. On dit qu'il est madérisé, terme que nous éviterons d'employer car peu flatteur pour les vins de Madère.

Passé: qui a dépassé la date limite jusqu'à laquelle on pouvait le boire.

Guide du petit sommelier

Perlant: qualité ou défaut, légère effervescence voulue ou accidentelle.

Plat: sans intérêt, qui manque d'acidité ou qui ne pétille plus.

Plein: charnu avec de la mâche et qui a du corps.

Puissant: corsé et robuste, très concentré.

Pommadé: vin liquoreux ou moelleux dont la haute teneur en sucre masque le goût.

Rafle: (goût de) goût vert, herbacé, astringent d'un vin qui rappelle la présence de la rafle pendant la vinification.

Rond: souple et équilibré, dont les éléments sont bien mariés.

Sec: qui paraît non sucré.

Souple: bien équilibré, faible en tanin et en acidité.

Soyeux: velouté, rond et fin.

Tannique: vin équilibré avec une légère dominante d'astringence.

Vert: acidité dominante désagréable donnée par des raisins pas assez mûrs.

Vif: jeune, frais, agréable avec une bonne acidité.

Griserie ou sobriété ?

On dit que nos ancêtres buvaient dur et sec, malgré la désapprobation du clergé qui voyait là une source de turpitudes morales. Ils passaient des heures à préparer amoureusement leur vin de table. Ce vin, parfois alourdi de dépôts, riche en alcool, leur permettait de se soigner mais aussi de traverser plus agréablement les rudes mois de l'hiver. Aujourd'hui, nous n'avons pas les mêmes besoins; aussi devons-nous être plus sobres.

Marche à suivre

Avant de déguster, il faut avoir la bouche vierge, s'abstenir de fumer, de sucer des bonbons, de boire un alcool trop fort. Ne pas être enrhumé ni porter un parfum pénétrant. Pour une dégustation, mangez trois ou quatre heures avant, n'arrivez pas l'estomac trop plein ou trop vide.

1) Remplissez le verre (si possible un verre à dégustation genre INAO) au tiers et saisissez-le par la base du pied.
2) Observez le vin sur un fond blanc, en inclinant le verre pour regarder la couleur, la limpidité, la profondeur et la viscosité. Les connaisseurs y trouvent des indications pour deviner l'âge. Un vin blanc clair annonce un vin jeune, un vin rouge aux reflets brunâtres ou tuilés dénote un vin plus vieux.
3) Faites tourner le vin en un mouvement circulaire tranquille pour libérer les arômes.
4) Piquez le nez dans le verre après avoir vidé l'air de vos poumons et inspirez profondément. Répétez cette opération plusieurs fois pour découvrir toutes les odeurs. Elles seront discrètes et courtes ou longues et puissantes.
5) Faites tourner le vin à nouveau mais plus brutalement, sans le vider sur la table, d'un mouvement plus sec.
6) Plongez une nouvelle fois votre nez dans le verre. Vous allez déceler d'autres odeurs, peut-être des qualités nouvelles ou des défauts que l'agitation brusque aura dégagés.
7) Prenez une première gorgée pour évaluer le vin. S'ajouteront alors la perception d'acidité, de sucre, de tanins et de minéraux.
8) Mâchez le vin, faites-le rouler et tourner partout dans votre bouche. Si vous le pouvez, aspirez une petite quantité d'air comme si vous vous gargarisiez. Les saveurs vont alors se combiner à la chaleur de l'alcool.
9) Pour terminer, avalez-le. C'est à ce moment-là que vous pourrez noter vos impressions. Fiez-vous à votre propre goût et à vos perceptions personnelles. Si possible, utilisez le vocabulaire du vin.

La dernière impression est celle qui reste après que l'on ait avalé. Il s'agit de la P.A.I. (persistance aromatique intense). Les grands vins persistent en bouche de 12 à 30 secondes, parfois plus, les bons vins un peu moins longtemps et les vins ordinaires ne laissent rien.

Si la persistance est longue, le langage devient imagé. On dit d'un vin qui s'épanouit dans la bouche qu'"il fait la queue de paon", que c'est "le petit Jésus en culotte de velours" ou plus simplement qu'"il est bien en bouche" et qu'"il est généreux".

GUIDE DEBEUR 2016

ACCORD DES VINS ET DES METS

Un repas élaboré demande des vins en harmonie avec les mets servis. Par exemple, on peut simplifier en résumant les arrangements suivants:

- **Consommé, potages:** pas de vin.
- **Plats suivants:** poisson, poulet, dinde, cervelle, fruits de mer, viandes blanches: vins blancs secs ou rouges légers; viandes rouges, canard, oie et gibier à poil et à plumes: vins rouges secs plus charpentés.
- **Fromages:** grands vins blancs ou rouges secs suivant le fromage. Un vin blanc liquoreux sera aussi très bien avec certains fromages comme le Roquefort.
- **Desserts:** vins doux et liquoreux, Champagnes secs, demi-secs et doux, vins mousseux.

REMARQUE: Le Champagne peut être servi du début à la fin du repas. Avec un menu en conséquence, il fait merveille.

Il existe assez de vins de qualité et de types différents pour réussir le meilleur des arrangements possibles avec le menu choisi. La liste des suggestions suivantes n'est pas exhaustive mais peut donner une petite idée, pour commencer. Mais avant tout, il convient de respecter quelques principes de base simples:

1. Lorsqu'un mets est préparé avec un vin ou si la sauce est à base de vin, servir le même vin à boire, mais si possible dans un millésime plus ancien.

Signalons qu'il est inutile d'utiliser un vin vieux en cuisine. Mais, malgré ce que l'on en dit, il est indéniable qu'un bon vin transfère ses qualités au mets préparé. Néanmoins, un bon vin est inutile dans un plat relevé. Prendre alors soit un vin plus léger, soit un vin assez puissant pour faire face aux épices.

2. Les plats régionaux sont en général servis avec les vins de la même région.

3. En principe, il vaut mieux ne pas servir de vin avec les potages, les aliments vinaigrés ou acides, les artichauts, le fromage frais, le lait, les oeufs, le café, les crèmes glacées et les sorbets.

Entrées et hors-d'oeuvre
Bouquet de crevettes: blanc sec; Bourgogne, Bordeaux, Alsace (Riesling).

Bisque: blanc sec avec du corps; Pinot, Graves.

Caviar: Champagne, Meursault ou Vodka glacée.

Coquilles Saint-Jacques: Graves blanc, vin allemand, Anjou, Alsace.

Escargots: rouge ou blanc ayant un peu de corps; Chablis, Beaujolais, Meursault.

Foie gras: en entrée: Champagne ou un grand d'Alsace (Gewurztraminer), Côte-de-Nuits, Bordeaux blanc, Sauternes, Tokay Pinot Gris. S'il est servi après le rôti: Médoc, Côte-de-Beaune.

Cuisses de grenouille: vin blanc sec bien parfumé; Saint-Véran, Graves blanc, Sancerre.

Huîtres: blanc; Entre-deux-Mers, Chablis, vin d'Alsace, Muscadet.

Pâtés:
Canard: Médoc, grand Bordeaux, Pomerol
Foie: Bordeaux rouge
Lièvre: Côtes-du-Rhône ou Pomerol
Porc: Mercurey
Rillette: Pouilly-Fuissé ou Chablis
Cretons: Anjou sec.

Pour les pâtés de gibier, il est préférable de servir un rouge capiteux de Bordeaux ou de Bourgogne.

Saumon fumé: blanc sec et vigoureux à base de Sauvignon; Sancerre, Alsace, Chablis.

Poissons et crustacés
Aiglefin: blanc sec; Anjou, Sancerre, Meursault.

Brochet: rosé de Provence.

Cabillaud: blanc; Chablis, Graves.

Doré: amandine: Graves blanc; meunière: Alsace.

Éperlan: blanc sec.

Hareng: blanc acide; Bourgogne, Aligoté, Sauvignon.

Homard, langouste et crabe: un Champagne, un Vouvray ou un grand Bourgogne.

Guide du petit sommelier

Merlan: blanc sec ou demi-sec; Sauvignon blanc, Graves, Mâcon, Vouvray.

Morue: Muscadet.

Moules: vin blanc sec ou rosé de Provence, d'Alsace, du Rhin, ou un Mâcon blanc.

Palourdes: blanc sec; Entre-deux-Mers, Alsace.

Saumon frais: grand Bourgogne blanc; Meursault, Aloxe-Corton ou Chablis Grand Cru.

Sole au beurre: Bourgogne blanc, Chablis, Alsace.

Truite: Bourgogne blanc; Pouilly-Fuissé, Chablis, Alsace.

Turbot: blanc sec et généreux; Meursault, Graves, Muscadet.

Volaille: en général un rouge ou un blanc sec.

Canard rôti: grand blanc d'Alsace, d'Allemagne ou encore d'Autriche. Un Bordeaux ou un Bourgogne.

Canard à l'orange: Gevrey-Chambertin, Saint-Estèphe ou Gigondas.

Dinde: du meilleur au plus humble, tous les vins sont bons, que ce soit un blanc sec ou un vieux rouge de qualité.

Rôtie: Pomerol; farcie: Médoc, Bordeaux.

Oie rôtie: Côte-de-Nuits.

Poulet: mêmes remarques que pour la dinde.

À la crème: blanc sec, Sancerre;

Au barbecue: Rosé de Provence ou Corbières;

Au cari: blanc sec, Sancerre, Muscadet;

Grillé: Bordeaux rouge ou Corbières.

Viandes blanches: nécessitent des vins rouges corpulents: Côte-de-Nuits, Hermitage, etc.

Porc:
Rôti: Bordeaux, Saint-Émilion, Pomerol. Si le rôti est servi avec une purée de pommes: vin franc et jeune, Beaujolais; Côte de porc: Bordeaux; Saucisse de porc: Beaujolais; Boudin noir: Beaujolais.

Veau:
Rôti: Beaujolais ou Médoc; Blanquette: Médoc, Beaujolais, Brouilly; Osso-buco: Valpolicella; Ris de veau: grand Gordeaux ou grand Bourgogne; Rognons: Pomerol, Saint-Émilion, Rioja.

Lapin:
Sauté chasseur: Pomerol, Morgon, Côte-de-Bourg; Civet: rouge corsé, Côte-de-Nuits, Côtes-du-Rhône. À la moutarde: Beaujolais.

Viandes rouges: les vins rouges tanniques sont les mieux adaptés, tels les Saint-Émilion, Pomerol, Côtes-du-Rhône, etc.

Agneau et mouton:
Carré d'agneau: Médoc, Moulin-à-Vent; Gigot: Bordeaux, Pauillac; Grillé: Bourgogne rouge.

Boeuf:
Boeuf bourguignon: rouge vigoureux; Bourgogne ou Beaujolais Villages; Boeuf Strogonoff: rouge corsé; Hermitage, Zinfandel. Chateaubriand: Côte-de-Beaune; Entrecôtes: rouges charpentés; Bordelaise: Pauillac; Béarnaise: Médoc; Marchand de vin: Saint-Émilion; Maître d'hôtel: Saint-Estèphe.

Filet de boeuf:
Filet mignon, tournedos: Côtes-du-Rhône; Steak au poivre noir: jeune Côtes-du-Rhône rouge; Pot-au-feu: Médoc ou Côtes-du-Rhône; Rôti: vin rouge de toutes les qualités et de tous les millésimes; Steak tartare: rouge léger; Valpolicella, Crus du Beaujolais.

Gibier à plumes: vins rouges de haute qualité, tels que Gevrey-Chambertin, Chambolle Musigny, Volnay 1er Cru ou Hermitage.

Caille: Médoc, Côtes-du-Rhône, Tavel, Rosé de Provence.

Faisan:
À la crème: Meursault; Rôti: Hermitage.

GUIDE DEBEUR 2016

Oie sauvage:
Farcie: Côtes-du-Rhône, Côte-Rôtie;
Rôtie: Saint-Émilion ou Bordeaux rouge.

Perdrix:
En sauce: Côtes-du-Rhône ou grand Bourgogne;
Rôtie: Beaujolais ou Médoc.

Pigeon ou pigeonneau: aux petits pois; Bordeaux rouge, Cahors.

Gibier à poil: ces viandes fortes demandent de très grands vins. Des rouges riches et corpulents tels les grands crus de Bourgogne conviendront bien: un vieux Pommard ou un Clos-Vougeot. Mais un Bordeaux conviendra également tel un Saint-Émilion ou un Pomerol.

Chevreuil:
Civet: Saint-Émilion;
Rôti: Côte-de-Nuits.

Le chevreuil peut être assimilé à l'orignal, même si cela en fait crier quelques-uns.

Lièvre: grand rouge avec beaucoup de bouquet; Gevrey-Chambertin.

Sanglier:
À la crème: grand Côte-de-Nuits;
Rôti: Côtes-du-Rhône ou Médoc.

Mets spéciaux et régionaux

Aïlloli (Provence): Rosé de Provence ou Côtes-du-Rhône blanc.

Bouillabaisse (Provence): blanc sec ou rosé; un Bandol ou un Coteau Varois.

Cassoulet (Sud-Ouest de la France): rouge sec; Corbières, Zinfandel ou vin de Cahors.

Choucroute (Alsace, Allemagne): tous les vins blancs d'Alsace et d'Allemagne. On peut aussi la consommer avec de la bière.

Couscous (Afrique du Nord): vins rouges d'Afrique du Nord et les rouges du Languedoc (Corbières, Fitou, etc.).

Fondue au fromage (Suisse): blanc sec; vins suisses, Muscadet, Entre-deux-Mers.

Fondue bourguignonne: Bourgogne, Morgon.

Paella (Espagne): vins espagnols, rouges; Rioja, Campo Viejo ou Vinho Verde.

Goulasch (Pays slaves): Côtes-du-Rhône, Fleurie, Volnay.

Pizza (Italie): vin rouge ou rosé sec; vins italiens, Chianti, Côtes-de-Provence rosé.

Fromages: le fromage n'est pas toujours fait pour mettre le vin en valeur. Quelquefois, au contraire, c'est le vin qui rehaussera la finesse d'un fromage. Si le vin convient bien au fromage, l'inverse n'est pas tout à fait vrai. Contrairement à ce que l'on croit généralement, il n'est pas nécessaire que le vin servi avec le fromage soit un haut de gamme. Mais rien n'empêche de se faire plaisir. En fait, c'est par sa position dans la progression du repas que le fromage demande, en général, un vin qui fasse honneur à ses prédécesseurs et qui soit conforme au principe de la progression dans les qualités des vins servis. Autant que possible, essayez de servir des vins de la même origine que celle du fromage.

Pâte cuite: gruyère, emmenthal, édam, parmesan, etc. Au choix: blanc sec: Chablis, Arbois blanc, vins suisses; rouge: Beaujolais, Saint-Émilion.

Pâte pressée: chester, cheddar, gouda, oka, port-salut, reblochon, tommes, saint-paulin, etc. Rouge léger: Beaujolais ou Bordeaux rouge léger.

Pâte persillée: bleu d'Auvergne, roquefort, bleu de Bresse, gorgonzola, etc. Rouge corsé et puissant: Côtes-du-Rhône, Châteauneuf-du-Pape, Côte-Rôtie, Gigondas, Morgon; avec le roquefort, on peut s'offrir un Champagne. Pour les pâtes persillées, on peut aussi essayer un blanc liquoreux avec succès.

Pâte molle:
Croûte fleurie: brie: Médoc ou Beaujolais; camembert: grand Bourgogne, Morgon. Croûte lavée: munster, livarot, maroilles, pont-l'évêque, etc.: rouge corsé, Côtes-du-Rhône, grand Bourgogne, Morgon. Le munster sera mis en valeur avec un grand vin d'Alsace (Gewurztraminer).

Fromages de chèvre: banon, pyramide, rouleau, etc.: vins blancs, rouges ou rosés secs et fruités des régions d'où proviennent les fromages, si possible. Mais un Alsace ou un Pouilly-sur-Loire Fumé seront les bienvenus.

Pâte fraîche: double crème et triple crème; boursin aux fines herbes, au poivre, etc.; pas de vin. Mais on peut essayer un vin blanc sec d'Alsace ou un vin autrichien.

Guide du petit sommelier

Pâte fondue: rondin de Savoie, fromages au kirsch, aux noix, fromage fondu en portions triangulaires, etc.; vins rouges légers: Beaujolais nouveau, Anjou.

Desserts: on ne sert pas de vin avec les crèmes glacées ni les sorbets. Suivant le dessert, on servira un Champagne sec, demi-sec ou doux, ou encore un vin blanc doux et liquoreux.

Si l'on part du principe que le sucre tue le sucre, on évitera de servir un vin trop doux avec un dessert très sucré. On servira au contraire un vin riche en alcool.

Crème renversée, flan: Sauternes, Madère, Monbazillac.

Crêpes: Champagne doux, Asti-Spumante.

Fraises à la crème: Sauternes ou Vouvray, ou simplement de l'eau.

Gâteau au chocolat, mousse, soufflé: Banyuls, Maury.

Meringues: Champagne sec.

Moka: Vouvray doux pétillant.

Omelette norvégienne: pas de vin; si l'on veut, un Champagne sec.

Salade de fruits: pas de vin.

Tarte aux pommes: blanc doux.

Tarte aux fraises: Champagne.

La contenance des bouteilles
par Charles Debeur

On se pose toujours la question à savoir quel est le nom d'une bouteille contenant telle capacité. *Les bouteilles* de Bourgogne, de Bordeaux, d'Anjou sont actuellement *normalisées* à 0,75 litre, soit 750 ml. Autrefois, les bouteilles d'Alsace faisaient 0,72 l et les bouteilles de Champagne 0,775 l.

Magnum: 2 bouteilles: 1,5 l
Jéroboam: 4 bouteilles: 3 l
Mathusalem: 8 bouteilles: 6 l
Salmanasar: 12 bouteilles: 9 l
Balthazar: 16 bouteilles: 12 l
Nabuchodonosor: 20 bouteilles: 15 l

Pour la petite histoire: **Jéroboam** (fondateur et 1er souverain d'Israël en -900 env.), **Mathusalem** (patriarche biblique), **Salmanasar** (nom de 5 rois assyriens de -1270 à -722), **Balthazar** (dernier roi de Babylone ?/-538 ou un des rois mages ?) et **Nabuchodonosor** (roi de Babylone -605/562 dont parle la bible).

ACCORD DES VINS ET DES METS

GUIDE DEBEUR 2016

Gérard Bertrand
un vigneron d'exception

Par Huguette Béraud et Thierry Debeur
Photos Debeur

Vignoble Clos d'Ora

Nous étions en Languedoc-Roussillon, au sud de la France, au milieu des vignes, des syrahs, des grenaches, des mourvèdres et des carignans, c'était magique! Les vignes nous parlaient, tendant leurs sarments feuillus vers le ciel. Les ceps brun-gris foncé, tordus, rugueux, supportaient des masses de feuilles éclatantes en un camaïeu de vert, allant du tendre pastel au plus foncé, presque noir.

Entrée du Domaine de L'Hospitalet

Les rangs de vigne balayaient l'espace de leur chevelure végétale, au gré du vent, prenant quelquefois en bourrasques violentes, fréquentes dans cette contrée. Une région vinicole riche en histoire et en paysages majestueux. Il n'est pas rare d'y croiser des ruines de châteaux cathares dominant les champs de vignes et de blé.

Gérard Bertrand est avant tout un homme authentique, passionnant, simple tout en étant multidimensionnel

Nous étions arrivés là après avoir lu *Le vin dans les étoiles* (Éditions de la Martinière), écrit par **Gérard Bertrand,** un vigneron d'exception. Un livre passionnant, non seule-

ment par la démarche qui y est décrite, mais par ses aspects philosophiques profonds, ses leçons de vie simples et vraies. En fait, cet ouvrage m'a tant rejoint et je m'y suis tellement identifié qu'il me fallait absolument rencontrer son auteur. Gérard Bertrand est avant tout un homme authentique, passionnant, simple tout en étant multidimensionnel. Initié à la vigne dès son plus jeune âge, joueur de rugby de haut niveau jusqu'à la trentaine, il dirige son entreprise comme une équipe sportive. Fédérateur, exigeant, mais humain avant tout, il tire ses collaborateurs vers le haut en leur deman-

Domaine de L'Hospitalet

Travail de la vigne au Clos d'Ora

Porte narbonnaise de Carcassonne, ville fortifiée

dant le meilleur d'eux-mêmes et ils aiment ça. Du moins, nous a-t-il semblé.

L'expérience de Jacques Puisais

Vers le milieu de la matinée, nous étions avec Gérard Bertrand dans la parcelle où était produite l'**Hospitalitas,** le vin rouge du **Domaine de L'Hospitalet.** J'avais demandé

qu'on apporte une bouteille de vin issue de cette parcelle avec quelques verres que nous remplîmes. Je voulais reproduire ici une expérience que m'avait offerte, il y a quelques années, **Jacques Puisais**, surnommé «Monsieur goût» en France. Expérience que je n'avais jamais oubliée, ni renouvelée, et que je trouvais tout à fait adéquate, compte tenu du personnage qu'est Gérard Bertrand.

«Goûtez le vin, dis-je. Maintenant, ramassez une poignée de terre de cette parcelle, serrez-la dans votre main et goûtez à nouveau le vin. Sentez-vous comme il a changé? Crachez dans votre main pour mouiller la terre qui s'y trouve, serrez le poing et goûtez encore vin. Il est encore différent.» J'étais heureux d'avoir renouvelé cette expérience, ayant fait, très humblement, le lien entre Jacques Puisais et Gérard Bertrand. «Vous savez, me dit-il, moi je suce les cailloux pour mieux comprendre le sol.» Ce que nous nous empressâmes de faire. Vous allez peut-être nous prendre pour des illuminés, mais ce sont des expériences comme celles-là qui permettent d'entrer dans une dimension supérieure, de nous rapprocher de l'aspect mystique du vin et de tout ce qui l'entoure.

Il y a le sol, le vivant, le ciel et l'homme

Ce sont les concepts qui dirigent la philosophie de Gérard Bertrand. Ceux-ci lui permettent de produire des vins haut de gamme. En particulier, le respect du vivant qui prend son essence dans la biodynamie. On redonne vie aux sols, en éliminant tout pesticide et engrais de synthèse, permettant à la vigne de se développer et de produire dans un environnement sain et dynamique. On tient compte ici du paysage (mot qui a donné son nom au paysan), où la forêt récupère ses droits en échange d'un équilibre notamment hygrométrique des sols. Les saisons imposent leurs règles tout comme des planètes et des satellites de notre système solaire. Par exemple, on tiendra compte de l'influence d'une lune montante ou descendante pour le travail des plantations. Il semble, en fait, que ces concepts soient les mêmes que ceux utilisés par nos anciens. S'agit-il d'une régression? On devrait plutôt dire qu'il s'agit de retrouvailles ou de redécouvertes, voire de récupération de valeurs oubliées. Valeurs qui avaient laissé la place à la facilité «moderne» d'une agriculture contrôlée par les multinationales productrices d'éléments agrochimiques tuant littéralement les bonnes terres agraires. «Nous avons environ 30% de production en moins, déclare Gérard Bertrand, mais le résultat qualitatif, la satisfaction et la fierté du vigneron en valent la peine.»

Et puis il y a la vigne, cette liane vivante qui plonge ses racines au plus profond des sols, au cœur de l'expression même du terroir, qui lui permettra de développer sa personnalité avec l'aide du climat. Et puis il y a l'homme, sans qui rien ne se ferait. Car on a beau posséder le meilleur terroir, si on ne le travaille pas, si on n'aide pas la vigne à produire les plus beaux fruits, rien ne se fera tout seul. Enfin il y a Dieu, on l'appellera comme on voudra, mais il existe bien quelque chose qui harmonise toute chose et permet sa sublimation. C'est ce dont Gérard Bertrand est convaincu et nous aussi.

Visite au Domaine de l'Hospitalet

Seul le **Domaine de l'Hospitalet** est ouvert au public et, outre sa cave de vente, il possède même des chambres, des salles de

Tour fortifiée sur la muraille de Carcassonne

réunion, des boutiques d'artisans et le restaurant gastronomique **L'Art de vivre,** une grande salle vitrée qui s'ouvre sur une vue vivifiante du vignoble. La bistronomie à son meilleur, mise en valeur de mets fins de qualité en accord avec les vins bios des domaines Bertrand. Un délice, un service professionnel attentif. Le matin, un petit déjeuner excellent et diversifié. On y trouve tout ce qu'on rêve de manger.
Réservations: 04 68 45 57 38

Le Domaine de l'Hospitalet est un lieu exceptionnel où, qu'on le veuille ou non, l'on ressent des vibrations positives. Planté au milieu des vignes, il est constitué d'un ensemble de bâtiments en U, un peu comme la disposition d'une ferme romaine. La cour intérieure accueille chaque année le festival Jazz à L'Hospitalet où se produisent des vedettes de calibre international. Il faut dire que Gérard Bertrand est aussi un passionné de jazz. À part ce domaine, nous avons eu

Côte de bœuf d'Aubrac 4 semaines, resto L'Art de vivre

207

Bassins de décantation, Salin de l'Île Saint-Martin à Gruissan. Sur la droite: cristaux de sel

le privilège de visiter quelques propriétés du groupe Gérard Bertrand comme **Villemajou,** propriété familiale, le commencement de l'aventure Gérard Bertrand; **Cigalus,** le point de départ de la démarche en biodynamie; **Clos d'Ora** un vignoble mythique (voir ci-dessous); **Château Laville Bertrou**; **Le Viala** et le **Château la Sauvageonne.** Plusieurs produits de la plupart de ces domaines sont en vente à la SAQ. Nous avons d'ailleurs

Chai d'élevage du vignoble Clos d'Ora

commenté plusieurs vins de la maison Gérard Bertrand dans la section des vins du présent ouvrage. En voici la liste:

Vin blanc
• Naturae Chardonnay,
Gérard Bertrand +12178869

Vin rosé
• Côte des Roses,
Gérard Bertrand +12521962

Vin rouge
• Naturae Syrah,
Gérard Bertrand +12184821

Vignoble Laville Bertrou

Péniches sur le Canal de la Robine, Narbonne

- Autrement, Gérard Bertrand +11200972
- Grand Terroir La Clape,
Gérard Bertrand +12443511
- Grand Terroir Tautavel,
Gérard Bertrand +11676145
- Hedo, Gérard Bertrand +12171106

Clos d'Ora, un vignoble exceptionnel!
(ora: oraré, prière)

On ne produit ici que 10 à 15 000 bouteilles par an. Neuf hectares entourés de murs, sur la commune de La Livinière, dans le Minervois, à 220 mètres d'altitude et 60 km de la mer, une situation exceptionnelle. Le vent est sud-est, sud-ouest (froid). En se promenant dans ce site, Gérard Bertrand a eu la certitude que là on devrait élever de la vigne. Un rêve qui perdure depuis 15 ans.
«Tout a commencé avec cette vision que j'ai eue en me promenant sur ce lieu en 1997, dit-il. Je me suis senti en paix, en harmonie

Hôtel de ville et cathédrale-basilique Saint-Just et Saint-Pasteur, Narbonne

avec la nature et cela a généré en moi un sentiment d'amour pour la création. L'idée de réaliser un vin d'exception venait d'éclore.» Il ajoute: «Le vin est un breuvage multidimensionnel et peut parfois être porteur d'un message. Celui du Clos d'Ora est **paix, amour, harmonie.**»

Les vignes sont intégrées à leur environnement, suivant les contours de la nature. Cela donne un décor vivant, intéressant, sans monotonie. Un grand vin issu du fruit à maturité, en pointe de lance, c'est la vie d'un homme.

Château Comtal XIIᵉ siècle au cœur de Carcassonne

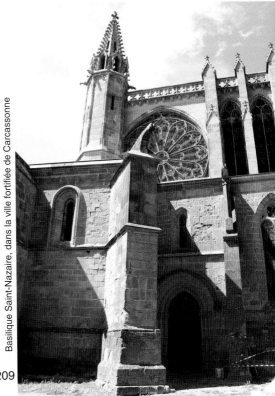

Basilique Saint-Nazaire, dans la ville fortifiée de Carcassonne

Cathédrale-basilique Saint-Just et Saint-Pasteur, Narbonne

Une mule dans le champ de vignes

Au loin, nous vîmes une mule avancer lentement entre les rangs de vignes. «C'est **Nicolas Fabrie** avec la mule **Vanina,** nous explique **Olivier Nolevalle,** régisseur du domaine, il chausse et déchausse la vigne avec la charrue. La mule tasse beaucoup moins le sol qu'un tracteur.» Ici, on préserve et encourage la vie en utilisant la traction animale. Maintenir en équilibre et en harmonie l'animal, le végétal, la géologie et le cosmos.

Dégustation:

Clos d'Ora Gérard Bertrand
+12425452 - 262 $

aoc Minervois La Livinière
Nous avons dégusté là un Grand vin avec un grand G. C'était le millésime 2013. Fait de cépages indigènes (syrah, mourvèdre, grenache et un peu de carignan), ce magnifique vin s'ouvre sur des parfums complexes de fruits rouges, légèrement confiturés (mûre, cerise) et de vanille avec des notes d'eau-de-vie de marc, de boisé et d'épices. Tout en harmonie et en fruits en bouche, il continue longuement sa promenade en compagnie de tanins fins. *Faire rayonner la qualité du vin,* c'est le pari que Gérard Bertrand voulait faire avec les vins du Sud. Il a plus que gagné son pari avec ce vin.

Entrevue de Debeur avec Gérard Bertrand
https://www.youtube.com/watch?v=fwV6sb
l-PfE&feature=youtu.be
ou https://youtu.be/fwV6sbl-PfE

GERARD BERTRAND SPH
Château de L'Hospitalet
Route de Narbonne plage, Narbonne
04 68 45 57 38
www.gerard-bertrand.com

Visites dans la région

Carcassonne
www.tourisme-carcassonne.fr

Cette ville fortifiée, au charme médiéval, existait déjà deux siècles av. J.-C. Patrimoine mondial de l'UNESCO, c'est un petit bijou, riche d'histoire, érigé sur un promontoire. Des traces d'activités humaines remontent au 4e siècle av. J.-C. Elle fut fortifiée par les Romains en 122 av. J.-C., sous le nom de Carsac, puis a été abandonnée plusieurs fois. Elle est la plus grande forteresse d'Europe (34 hectares, 3 km de rempart), et en son règne le roi **Saint-Louis** lui ajoutera une deuxième ligne de fortifications. Mettez de bonnes chaussures!

Cassoulet traditionnel au Comte Roger

Nous recommandons la visite guidée à pied qui vaut vraiment le petit investissement demandé par l'Office du tourisme de Carcassonne. Cette visite se termine à l'immense cathédrale où résonnent des concerts de musique et de chants. Nous avons eu la chance de passer à l'instant où un quatuor russe répétait a capella des chants religieux et populaires russes.

Plusieurs restaurants sympathiques s'égrènent au rythme des ruelles. Aménagez-vous un repas au **Comte Roger,** pour y déguster l'un des meilleurs cassoulets de la région.

Les Halles de Narbonne, un marché public couvert

Entrée principale des Halles de Narbonne

Restaurant Le Comte Roger

14, rue Saint-Louis,
Carcassonne | 04 68 11 93 40
www.comteroger.com

Nous y avons mangé un savoureux et co-pieux cassoulet cuisiné dans les règles: hari-cots blancs longs servis avec du vinaigre balsamique, cuisse de canard entière confite et grillée, gras de porc, saucisse de Toulou-se, tranches de porc. Ne commandez que cela. Seul un petit dessert pourrait peut-être trouver encore une place dans votre esto-mac.

Narbonne

www.narbonne.fr

Classée elle aussi patrimoine mondial de l'UNESCO, traversée par le canal de la Ro-bine (qui rejoint le fameux canal du Midi), Narbonne est la plus grande des villes de la région. Si vous n'avez que peu de temps, il faut absolument voir sa cathédrale-basilique Saint-Just-et-Saint-Pasteur du XIVe siècle et son cloître admirable, à laquelle s'accro-chent les maisons de ville. Elle est immen-se, impressionnante par son gigantisme. Styles roman, gothique et flamboyant té-moignent de sa longue construction restée inachevée. Elle renferme des trésors impres-sionnants. Le Palais des archevêques, un magnifique exemple d'architecture, ainsi que Les Halles de Narbonne, le marché public couvert (étals de viande, de légumes, de poissons, de fromages, d'olives, de fleurs, dans l'ambiance d'autrefois). Des saveurs, vous en aurez plein les narines.

Restaurant La Table

L'aventure du goût!
4, place Lamourguier, Narbonne
04 68 32 96 45 |
www.cuisiniers-cavistes.com

Un restaurant installé dans la boutique **Les Cuisiniers Cavistes,** un endroit qui vend aussi du vin. D'où un décor influencé par un intérieur de cave. Les tonneaux servent à soutenir quelques tables, très bon accueil, excellente cuisine, simple dans le goût, sin-cère, audacieuse dans la recherche et la pré-sentation.

Narbonne plage et Gruissan

D'immenses plages, un petit village de rési-dences secondaires, composé de cabanons surélevés par des sortes de pilotis pour évi-ter les inondations. Il faut visiter les salines, où l'on récolte le sel de mer. Une expérience très enrichissante lors de laquelle le person-nel pourrait être cependant un peu plus ouvert aux besoins des visiteurs. On termi-ne la visite en dégustant des huîtres fraîches, cultivées sur place, en buvant un vin blanc ou rosé à votre goût, sous une tonnelle de canisse à l'abri du soleil. Un des moments magiques, incontournables, de notre repor-tage.

Salin de l'île Saint-Martin

Mer et terre de Gruissan
Route de L'Ayrolle, Gruissan
04 11 93 06 58 | www.lesalindegruissan.fr
Créé en 1910. Les salins existent depuis 1911. On y trouvera un économusée du sel,

Pain et jambon séché, Paparazzo à Gruissan

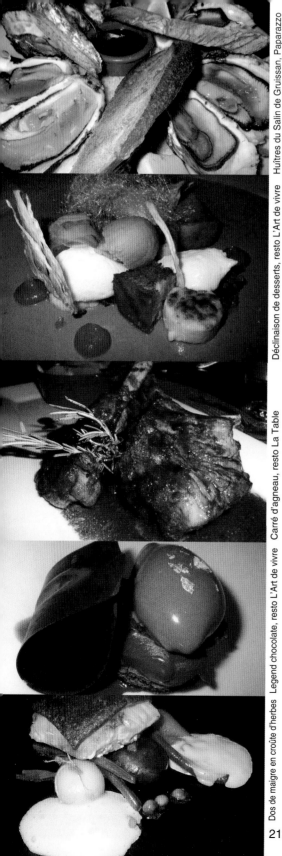

ainsi que 350 hectares de bassins et canaux. Pour fabriquer ce sel de mer, on fait rentrer l'eau de mer dans les bassins. Le saunier (homme qui sépare le sel) la fait circuler sur un parcours de 46 km. De bassin en bassin, il attend qu'elle se débarrasse de tous les sels pour ne garder que le chlorure de sodium. La saumure doit atteindre 40 cm d'épaisseur. **L'eau s'évapore, le sel se cristallise**: l'eau de mer en contient naturellement 29 g par litre et à la fin de l'opération on récoltera 260 g par litre. La fleur de sel affleure à la surface, tandis que le gros sel et le sel se déposent au fond.

Conditions essentielles: eau de mer, terrain plat, soleil, vent. La récolte se fait en septembre, elle produit ici de 15 à 20 000 tonnes de sel.

La cambuse du saunier

Route de L'Ayrolle, Gruissan
04 84 25 13 24
Restaurant de dégustation de coquillages, sur le site même du Salin de Gruissan. Lieu magique, au bord de l'eau, sur une terrasse abritée, on mange des huîtres extrêmement fraîches. Jamais nous n'en avons dégusté d'aussi délicieuses. Un souvenir inoubliable!

Gruissan plage

Un lieu de détente. Une longue plage de sable fin, entourée d'étangs. Une zone habitable avec des chalets de villégiature très prisés, construits sur pilotis.

Restaurant Paparazzo

Pôle nautique de Gruissan
Plage des chalets, Gruissan
04 68 65 25 10 | www.lepaparazzo.fr
Un moment de détente. Un resto-bistro de plage, planté dans le sable avec vue sur l'immensité de la mer. Un resto genre terrasse couverte, avec une terrasse-vigie à laquelle on peut manger. Tout est en bois et métal, décor de tonneaux, de planches et de bonne humeur. On vient de refaire la cuisine, la fierté du propriétaire **Thierry Dozoul** (elle lui a coûté assez cher). Un peu de folie, un peu de fantaisie, on y sert une cuisine bien faite, simple, honnête, savoureuse avec des produits frais. Cuisine de la mer, amour du Sud. **D**

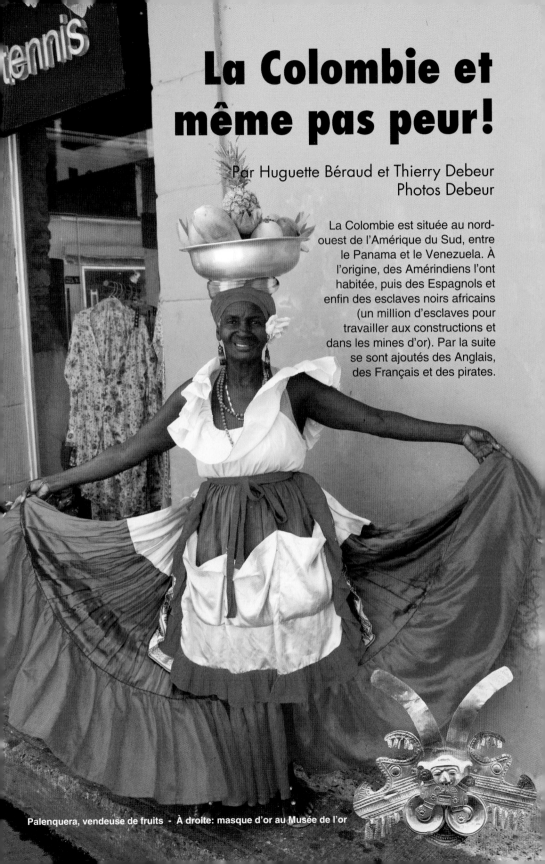

La Colombie et même pas peur!

Par Huguette Béraud et Thierry Debeur
Photos Debeur

La Colombie est située au nord-ouest de l'Amérique du Sud, entre le Panama et le Venezuela. À l'origine, des Amérindiens l'ont habitée, puis des Espagnols et enfin des esclaves noirs africains (un million d'esclaves pour travailler aux constructions et dans les mines d'or). Par la suite se sont ajoutés des Anglais, des Français et des pirates.

Palenquera, vendeuse de fruits - À droite: masque d'or au Musée de l'or

La Colombie gagna son indépendance avec Simon Bolivar en 1819. Ses principales productions sont la banane, le sucre, le café, le charbon, le bois et les fleurs; ses richesses sont les mines d'or, d'argent, d'émeraude et le pétrole. Voilà sommairement le portrait de ce pays fascinant et diversifié.

«La Colombie? Et vous n'avez pas peur?»

Une question que nous posaient invariablement nos amis et relations en apprenant que nous avions l'intention de nous rendre dans ce pays. Il est vrai que nous avions entendu des histoires d'enlèvement, mais des voyages touristiques s'y organisaient régulièrement et il semblait bien que ces choses-là étaient du passé. On apprit sur place que l'actuel président, **Juan Manuel Santos,**

Forteresse San Felipe de Barajas avec Carthagène moderne à l'arrière-plan

alors qu'il était ministre de la Défense en 2008, a fait le ménage avec l'aide de l'armée, repoussant le cartel de la drogue, notamment vers le Venezuela. Cela a beaucoup sécurisé le territoire. Nous nous sommes promenés à pied le soir dans le vieux Carthagène et le jour sur les plages à Baru et à Playa Blanca sans aucun problème. Mais

ce sont des lieux touristiques, il faut bien le dire.

Nous avons adoré

Le bon temps passé dans la mer (29°C), trois heures par jour, suivi d'une heure de piscine. La bonne cuisine régionale. Les belles promenades dans la vieille ville fortifiée de Carthagène et dans le petit village de pêcheurs de Manzanillo. L'hôtel Decameron de Baru et la très belle plage Playa Blanca. La gentillesse et la simplicité des gens.

Joueurs d'échecs, sculpture en fer grandeur nature, place Pedro Claver

La gastronomie colombienne est composée d'une mosaïque de cuisines

Tout dépend des régions. Chaque région, chaque cité a sa cuisine. On mange des soupes à base de viandes, de légumes, de poissons ou de fruits de mer, des poissons grillés, des fruits de mer. Pour faire le céviche, on blanchit l'aliment avant de l'assaisonner de vinaigre, de citron ou de lime. On utilise beaucoup de noix de coco (très important dans la cuisine côté Caraïbes) et d'oignon. Le riz est cuit dans le jus extrait de la chair broyée de noix de coco. On mange aussi du fromage blanc égoutté, de la banane plantain et le traditionnel *patacon* (banane plantain écrasée, frite) servi avec crème sure, avocat et tomates concassées relevées.

Ils se servent beaucoup d'herbes aromatiques du pays et des épices dans leur cuisine. Ils n'ont pas perdu la manière, ni la technique, ni la tradition, ni les coutumes des anciens.

Hôtel Estelar Grand Playa Manzanillo, au bord de la mer des Caraïbes

Hotel Estelar Grand Playa Manzanillo
à 20 minutes au nord de Carthagène
www.estelargrandplayamanzanillo.com

Nous y avons passé la première semaine. Excellent accueil du directeur général **Alain Richard**, un Québécois hédoniste et efficace. Vraiment sympa! En 26 ans il a fait 26 pays, et a même épousé une Colombienne… qui vit au Québec. Par chance, le responsable de l'animation **Rafael Botet** et le concierge **Rafael Maturana** parlaient français. On a adoré l'hôtel et la ville de Carthagène, mais on n'a pas aimé la plage. Elle est immense, pas très belle, sable volcanique gris noir dur, vagues courtes et rapides. Nous y sommes allés une seule fois. Le directeur général de l'hôtel nous a assuré qu'elle devait être recouverte de sable et que le problème serait rapidement réglé.

Hotel Estelar Grand Playa Manzanillo est un bel hôtel de moyenne dimension, planté dans un beau jardin comportant des piscines magnifiques. Les chambres sont propres, joliment décorées et confortables. On y sert une très bonne nourriture servie dans trois restaurants: le gastro colombien **Nativo**, un italien, le **Gril** *steak house* et un buffet.

Pas beaucoup d'animation mais une belle ambiance, puisque c'est petit le personnel nous reconnaissait facilement. Un plus: la navette gratuite pour aller à Carthagène, plusieurs fois par jour, dernier retour à minuit trente. Nous avons terminé le séjour par un repas de gala, autour de la piscine, tables nappées de blanc, langoustes grillées et danses endiablées. Magique!

À partir de l'hôtel, on peut faire diverses excursions dont une à pied jusqu'à **Manzanillo**, un petit village de pêcheurs situé à une vingtaine de minutes de l'hôtel et qui se termine sur la Playa del Oro. Une très belle plage où les gens du pays viennent pique-niquer à l'ombre de pergolas en paillis et manger des poissons grillés. Nous vous déconseillons de le faire, ils sont conservés dans des étangs d'élevage boueux.

Porte de l'horloge à Carthagène - À droite: danseuse

GUIDE DEBEUR 2016

Rue du Vieux Carthagène

Carthagène moderne Quartier Boca grand

Place San Pedro Claver

Orchestre traditionnel à l'Hôtel Estelar Grand Playa Manzamillo

Émeraude

Forteresse San Felipe de Barajas

La Popa

Hamac

Palenquera

Coucher de soleil au Cafe del Mar

Cloître de La Popa

Bénédiction, statue du Pape Jean-Paul II, de Henrique Grau

Gertrude de Fernando Botero

Brigade de l'Hotel Estelar Grand Playa Manzanillo

Place de la Aduana

Danse traditionnelle

Église de Santo Dominguo

Palanqueras vendant des fruits

Carrera 2

e de la Aduana

Bottines en bronze illustrant un poême de Luis C. Lopez

Place et statue Bolivar

Découpe d'un rôti de porc au buffet de l'Hôtel Estelar Grand Playa Manzanillo

Fruits de mer et chips de pomme de terre au resto Pesca del dia à Barù

Carthagène, la magnifique!

Patrimoine mondial de l'UNESCO, la vieille ville historique, protégée dans ses remparts d'origine (11 km dont 8 km debout et bien préservés) est sécuritaire, belle, impressionnante avec ses maisons de type colonial, très bien entretenues. Ne pas manquer le célèbre **Cafe del Mar,** sur les remparts où l'on regarde le coucher de soleil en musique, en buvant des boissons, en mangeant des *arepas* (sorte de tapas).

Des vendeurs, oui, mais pas agressifs, un *no gracias* avec le sourire et ils s'en vont. Des dames habillées de costumes aux couleurs du drapeau colombien (les *palenqueras*) sont installées souvent derrière des étals de fruits, de smoothies et de gourmandises. Vous pouvez les photographier, mais vous devrez leur donner 1$ pour ce droit. C'est un peu normal étant donné que c'est une partie de leur gagne-pain et qu'elles ont fait l'effort de se parer des couleurs traditionnelles. Mais cela vaut largement le petit investissement.

C'est l'endroit où acheter des souvenirs en marchandant, mais attention tous les prix sont en dollars US et on perd souvent au change. Il vaut mieux payer en pesos. De plus, quand on paie avec la carte de crédit, le plus souvent on nous ajoute 15 %, soi-disant pour les taxes, qui sont pourtant incluses dans les prix en Colombie. Une arnaque! La plupart des commerçants font du marché noir, ils n'aiment pas les cartes de crédit.

On peut aussi acheter une place pour le **Tour de ville du vieux Carthagène,** avec **Decameron Explorer.** On y visite la **forteresse San Felipe,** la plus grande en Amérique, un monstre qui domine la ville. Et sur la plus haute colline de Carthagène se trouve la **Popa,** un monastère fondé par saint Augustin en 1607, aujourd'hui habité seulement par quatre moines. La vieille ville nommée **El Centro** et le quartier de **Getsemani** (centre de congrès de Carthagène, Hard Rock Cafe, Havana Club, etc.) font aussi partie du tour.

Vendeur de raspao (sloche) sur triporteur

Muraille de la forteresse San Felipe à Carthagène · En vignette, un masque d'or du Museo del Oro Zenu

À voir aussi

La cathédrale **Sainte-Catherine d'Alexandrie,** la porte principale avec la **tour de l'horloge,** les nombreuses places bordées de bâtiments historiques, etc.

Museo del Oro Zenu, le musée de l'or
Bocagrande
Calle 11, No 1-150 - Of. 201
Cartagena de Indias, Colombia
Certainement installé dans une ancienne banque; la porte d'accès aux galeries est celle d'un coffre-fort. Beaucoup d'artéfact en or. Vaut la visite. Très bien gardé, évidemment.

Joyeria Caribe, musée de l'émeraude, manufacture et boutique de vente.
www.yoyeriacaribe.com
Achat d'émeraude; attention, on ajoute ici une taxe de 15 % si le client paye avec la carte de crédit Visa.

Restaurants

La Cocina de Socorro,
cuisine traditionnelle de Colombie.
Restaurant caribéen
38, Carrera 8B # 24, Cartagena
57 5 6602044

Club de Pesca
Avenida Miramar, Cartagena
+57 5 6604594
Très beau restaurant dans une fortification

au bord de la mer. Mais ne vous y trompez pas, il y a beaucoup de petits restaurants typiques dans les ruelles que vous indiqueront les employés des hôtels. On peut y manger pour pas cher, selon l'endroit. Les Colombiens mangent beaucoup dans les rues des mets à emporter.

Une rue du Vieux Carthagène

Hotel Estelar Grand Playa Manzanillo à Carthagène

219

Tonelles en palmes sur la plage à Manzanillo

Écolières à Manzanillo

Famille à Manzanillo

Enfants jouant dans des boîtes en carton à Manzanillo

Classe dans une cour à Manzanillo

Vendeur de raspao (sloche)

Club de Pesca

Rascasse volante

Aquarium, Île de San Martin de Pajarales

Vendeur de langoustes, île de San Martin de Pajarales

Arthur, l'iguane à Baru

Pêcheur à Manzanillo

Îlot privé à Islas del Rosario

Aquarium, Île de San Martin de Pajarales

Piscine n° 2 de l'Hôtel Royal Decameron de Baru

Royal Decameron de

Restaurant Pesca del día de l'Hôtel Royal Decameron de Baru

Staff de l'Hôtel Royal Decameron de Baru

Pargo grillé et frit Punta Puntilla

Daurade sauce tamarin du resto Asian

Cabagnitas à la Playa blanca à Barù

Playa blanca à Barù

Rizotto aux crevettes et champignons

Vendeuse itinérante à la Playa blanca à Barù

Piscine nº 2 de l'Hôtel Royal Decameron de Baru

Playa blanca à Barù

Terrasse de l'Hôtel Royal Decameron de Baru

Cabagnitas, sorte de petits hôtels en bambous, bois et feuilles de palme sur la plage de Playa blanca à Barù

Baru, un look presque polynésien

Une semaine plus tard, nous nous sommes rendus à Baru, à environ une heure trente de Carthagène, sur la côte nord-ouest. Là, c'est le plaisir à l'état pur. Nous étions au **Royal Decameron Baru.** Si on a déjà fait l'expérience de la chaîne hôtelière Decameron, on saura apprécier l'endroit. Mieux encore que ce que nous avions connu par le passé. Une équipe formidable dirigée de main de maître par **Candelario Moreno Noriega,** directeur général.

Nous sommes tombés amoureux du parc sillonné de nombreux chemins et de ter-

Équipe d'animation du Royal Decameron Barù

rasses. Ses chambres luxueuses réparties en 10 blocs de 366 chambres, son architecture, son design de rouge et de blanc, ses nombreuses piscines où nous avions tout le temps pied, ses plages au sable blanc et fin

Spa du Royal Decameron Barù

et sa mer émeraude. Un ponton nous emmenait régulièrement à l'île voisine en quatre minutes, précisément à **Punta Puntilla.** Puis, si on continuait, à 15 minutes de marche de là, on était sur la renommée **Playa Blanca,** bordée de petits restos et de petits hôtels genre farés, qu'ils appellent des **palapas** (bambous, bois et palmes). Un petit air polynésien très agréable.

Le site de l'hôtel comporte plusieurs bars, des fauteuils «lounge» sur les nombreuses terrasses (il y en a partout). Les jardins sont magnifiques, et le soir, à la brunante, des milliers de perruches se rassemblent dans les cocotiers. On y sert des repas délicieux dans quatre restaurants thématiques, un buffet et un bar-resto à Punta Puntilla. La plupart sont entourés par la nature, jardins ou bord de plage. On y trouve aussi un spa intérieur (si vous voulez vraiment relaxer, commencez par là), un centre nautique, une école de plongée certifiée, une discothèque et quoi d'autre? Ah oui, le soleil.

Le Royal Decameron à Baru, lieu paradisiaque, idéal pour ne rien faire, seulement se tartiner de protection solaire et se laisser vivre au soleil toujours présent. Il ne pleut pratiquement pas à Baru! Les protections solaires 30 et 45 ne sont pas de trop, nous avons même vu dans le magasin de l'hôtel du 70 et même du 100 pour les touristes. Par contre, les gens du pays achètent plutôt des produits pour bronzer davantage.

Non seulement c'est très beau, confortable et on y mange bien, mais l'animation est exceptionnelle. Tous les soirs, un spectacle différent avec des comédiens et danseurs professionnels de qualité. La dernière fois qu'on avait vu une telle qualité, c'était au Royal Decameron de Panama. Encore un Decameron!

Excursion à Islas del Rosario

Avec **Decameron Explorer,** nous avons été à **Islas del Rosario** dans un bateau poussé par deux moteurs de 200 chevaux-vapeur chacun. Quelle sensation! On traverse un archipel de 125 îlots. Certains sont privés, surmontés par une maison qui occupe tout l'espace. Le clou de la visite est le site de l'aquarium **Parque Nacional Natural Los Corales del Rosario y de San Bernardo** à

Plage de l'Hôtel Royal Decameron de Baru

l'île de **San Martín de Pajarales.** On y observe de grosses tortues de mer, des requins, des dauphins, des raies, des poissons-scies, etc. Très écolo et bien expliqué. Retour sur la crête des vagues avec un arrêt à la Playa Blanca où nous retournerons plus tard à pied, pour le plaisir.

Fiche technique

46 500 000 habitants; 32 départements, 2 000 000 km^2; capitale: Bogota; drapeau: ½ jaune, ¼ bleu, ¼ rouge; monnaie: 1 $US vaut 2 900 pesos (*dineros*).

Achats conseillés

• Meilleur café Sello Rojo (sceau rouge) pour 20 000 pesos (7 $US) chez Bukash (dans la zone franche de l'aéroport)
• Meilleur rhum: Dictador (10 ans, 20 ans et Extra Old) pour 120 000 pesos (41 $US)
• Émeraudes, les plus transparentes étant les plus pures, donc les plus chères. La Colombie serait le plus gros producteur d'émeraudes du monde.
• Chapeau en palme écrue, finement tressée, aux motifs géométriques marron foncé.
• Ceinture de cuir Velez, faite d'un cuir très prisé.

Une destination Vacances Transat
514-987-1616 | www.transat.com

Acheté chez Voyages Océane
450-444-3100, 1-866-644-3100
www.voyageoceane.com **D**

GUIDE DEBEUR 2016

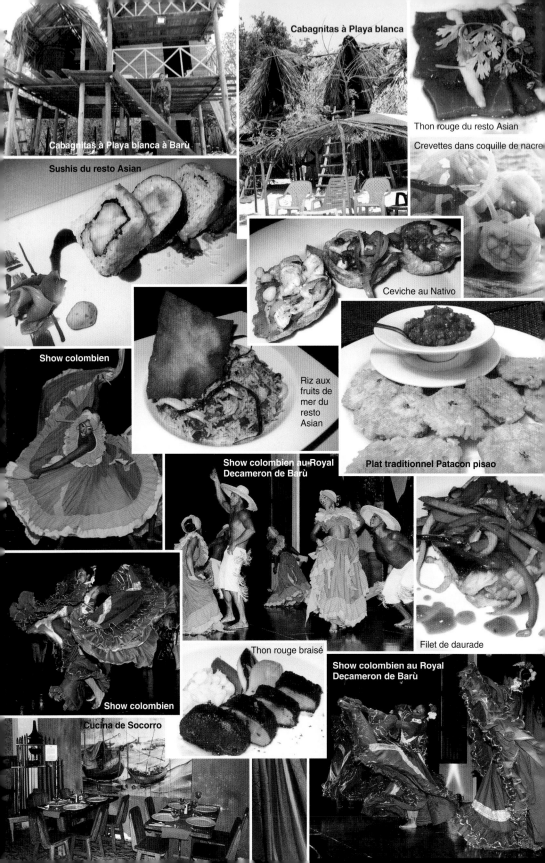

Cabagnitas à Playa blanca à Barù

Cabagnitas à Playa blanca

Thon rouge du resto Asian

Crevettes dans coquille de nacre

Sushis du resto Asian

Ceviche au Nativo

Show colombien

Riz aux fruits de mer du resto Asian

Plat traditionnel Patacon pisao

Show colombien au Royal Decameron de Barù

Filet de daurade

Show colombien

Thon rouge braisé

Show colombien au Royal Decameron de Barù

Cucina de Socorro